LEÇONS ORALES

DE

CLINIQUE CHIRURGICALE.

IMPRIMERIE DE BOURGOGNE ET MARTINET, Rue Jacob, 30.

LEÇONS ORALES
DE
CLINIQUE CHIRURGICALE
FAITES A L'HOPITAL DE LA CHARITÉ,

PAR

M. le professeur VELPEAU,

RECUEILLIES ET PUBLIÉES

PAR GUSTAVE JEANSELME.

TOME DEUXIÈME.

MANIÈRE D'UTILISER SON TEMPS DANS LES HÔPITAUX, TUMEURS BLANCHES, CORPS ÉTRANGERS DANS LES ARTICULATIONS, MALADIES DU SEIN CHEZ LA FEMME, ANKYLOSES, FISTULES VÉSICO-VAGINALES, CONTUSION, HÉMATOCÈLE, INVERSION INCOMPLÈTE DE LA MATRICE, CONSIDÉRATIONS PRATIQUES SUR LE TRAITEMENT DES FRACTURES.

PARIS.
GERMER BAILLIÈRE, LIBRAIRE-ÉDITEUR,
RUE DE L'ÉCOLE-DE-MÉDECINE, 17;

LONDRES,
H. Baillière, 219, Regent street.
LEIPZIG,
Brockhaus et Avenarius, Michelsen.

LYON,
Savy, 49, quai des Célestins.
FLORENCE,
Ricordi et Cie, libraires.

MONTPELLIER. Castel, Sevalle.

1841

AVANT-PROPOS.

Depuis quelques années, la publication des leçons orales des professeurs de l'école de Paris a reçu un développement qui atteste assez l'empressement avec lequel le public médical reçoit les ouvrages de ce genre. C'est d'ailleurs là un tribut de reconnaissance que quelques élèves ont payé à leurs maîtres. Je n'ai pas cru devoir rester en arrière. Déjà j'ai acquitté une partie de ma dette en publiant un *Manuel pratique des maladies des yeux d'après les leçons cliniques de M. Velpeau;* et je profite de cette circonstance pour exprimer publiquement au savant professeur de l'hôpital de la Charité toute ma reconnaissance pour le bienveillant accueil qu'il a fait à cet ouvrage.

Mon concours a été demandé pour la publication des Leçons orales; je n'ai pas cru devoir le refuser. Je serai toujours fier d'avoir contribué de mon mieux à répandre parmi les élèves et les jeunes chirurgiens les idées d'un professeur qui jouit dans le monde chirurgical d'une réputation loyalement acquise et justement méritée.

Ne voulant me rendre responsable que de mes propres œuvres, je déclare que je suis tout-à-fait étranger à la rédaction du premier et du troisième volume de cet ouvrage.

Je dois aux lecteurs une courte explication sur le premier article.

Cet article (*Tumeurs blanches*) comprend le compte-rendu de leçons faites en 1837, et dont je publai à cette époque un extrait dans les *Archives géné-*

males de médecine. Plus tard, M. V. De Lavacherie, professeur de clinique externe à l'université de Liége, fit paraître dans les *Annales de la Société de médecine de Gand* un mémoire dans lequel il s'attache à prouver les bons effets de la compression contre les tumeurs blanches des parties dures. Ce travail me parut devoir modifier quelques points de la thérapeutique des arthropathies des os; je dirai même que plusieurs faits relatés par l'auteur semblaient devoir entraîner la conviction. Aussi, avant de rédiger cet article, je fis part à M. Velpeau de l'impression qu'avait produite sur moi la lecture attentive du mémoire du professeur de Liége. M. Velpeau me répondit qu'il ne croyait pas devoir encore modifier son opinion sur la thérapeutique des arthropathies osseuses, mais qu'à la première occasion il essaierait encore avec un soin tout particulier le moyen préconisé par M. De Lavacherie..... Plusieurs mois s'écoulèrent sans aucun résultat; et pressé par mon libraire, je livrai le manuscrit..... Dans le courant du mois de mai dernier, deux malades admis à l'hôpital de la Charité vinrent nous mettre à même de nous convaincre des bons effets de la compression contre certaines affections osseuses. En présence de ces deux succès et de plusieurs autres dont nous fûmes bientôt témoins, M. Velpeau, qui n'a jamais en vue que la vérité dans toutes ses recherches, ne balança pas à déclarer que, contrairement à l'opinion émise par lui dans des leçons précédentes, la compression est réellement utile dans le traitement des arthropathies des parties dures. Il m'a même engagé à répéter ici cette déclaration, et c'est pour cela que je suis entré dans ces détails.

G. JEANSELME.

Ce 1er octobre 1840.

LEÇONS ORALES

DE

CLINIQUE CHIRURGICALE

FAITES A L'HÔPITAL DE LA CHARITÉ

PAR M. LE PROFESSEUR VELPEAU.

MANIÈRE D'UTILISER SON TEMPS DANS LES HOPITAUX (1).

Avant de reprendre nos entretiens cliniques, messieurs, je veux vous dire un mot sur la meilleure manière d'utiliser votre temps au service des hôpitaux.

Vous le savez sans doute, messieurs, les hôpitaux n'ont pas toujours existé ; ces asiles de la souffrance n'étaient à la disposition ni des Grecs, ni des Romains. Hippocrate, Celse, Galien, P. d'Égine, Aétius, ont dû s'en passer pour arriver aux connaissances qu'ils nous ont transmises. G. de Salicet, Lanfranc, G. de Chauliac, à la fois si naïf et si savant, ne parlent point non plus des hôpitaux dans leurs écrits. Uniquement consacrés dans le principe au soulagement de la misère et des douleurs du pauvre, les hôpitaux ont traversé plusieurs siècles, à titre d'institutions purement philanthropiques, sans profit éclatant pour les sciences médicales ! Voyez A. Paré, le grand et si justement célèbre

(1) Discours prononcé par M. le professeur Velpeau le 8 novembre 1839, à l'ouverture de ses Leçons cliniques.

Paré; voyez Pigrai, Thévenin et Guillemeau, ses contemporains ou ses élèves; voyez le jovial Dionis avec ses descriptions pittoresques, et tous les auteurs des XVIe et XVIIe siècles; aucun d'eux, à l'exception de Saviard, ne laisse à entendre que les matériaux dont ils se servent tous aient été puisés dans les hôpitaux. La guerre, les combats, les champs de bataille, la pratique privée, voilà les sources de leurs observations, de leur savoir. Dans le dernier siècle encore, J.-L. Petit, le véridique, le judicieux J.-L. Petit, Garengeot, Morand, Le Dran, Ravaton, Bagieu, l'Académie de chirurgie presque tout entière, cette déesse moderne du temple de Chiron, empruntent leurs faits aux campagnes militaires bien plus qu'aux hôpitaux civils. Il faut arriver à Desault pour voir les habitudes changer nettement de direction sous ce rapport, pour voir la chirurgie s'établir enfin au sein des hôpitaux et en tirer ses plus pures comme ses plus vives lumières!

Un enseignement ressort déjà de ces premières remarques, c'est que, sans les hôpitaux, la chirurgie ne resterait pas absolument immobile. Qui oserait soutenir en effet que cette science ait fait moins de progrès, subi moins de perfectionnements utiles, entre les mains de Paré, de J.-L. Petit qui n'avaient point d'hôpital, qu'entre celles de Desault et de Dupuytren, qui ont passé leur vie, brillé d'un si vif éclat dans le plus important hôpital de Paris?

Les hôpitaux sont des instruments précieux, mais qui, pour éclairer la science, ont besoin d'être habilement maniés. Ici comme ailleurs, ne l'oubliez jamais, quoi qu'on en dise, tout dépend de l'homme; il ne faut pas avoir la moindre idée de la nature humaine pour s'arrêter à la prétention puérile de multiplier les grands chirurgiens en raison du nombre de places qu'on établit pour eux dans les hôpitaux! Sans admettre, avec un critique moderne, que c'est peut-être pour mettre *le nom d'accord avec la chose*, qu'une administration puissante a décidé *qu'il n'y aurait plus dorénavant dans les hôpitaux que des chirurgiens ordinaires*, je dirai du moins que l'existence des Paré, des J.-L. Petit, ne dépend point d'un hôpital; que quel que soit le nombre des hôpitaux, de tels hommes seront toujours rares. Croyez-le donc bien, messieurs, c'est l'homme qui fait la valeur de l'hôpital, bien plus encore que l'hôpital ne fait la valeur de l'homme. Si la pratique des hôpitaux en impose parfois sur la nullité scientifique de certains hommes de leur vivant, elle ne les empêche pas de rester dans le cadre des *incapables* aux yeux de la postérité; l'homme de génie, le grand chirurgien trouve toujours moyen, d'un autre côté, de se montrer, de sortir de ligne, quel que soit le théâtre de ses exploits. Là dessus, les exemples ne manqueraient pas; l'embarras du choix pourrait seul m'arrêter. Iriez-vous en conclure que les hôpitaux doivent être négligés par les chirurgiens et par les élèves? vous ne me supposez pas cette intention. La capacité, toutes les autres qualités de l'homme, étant égales d'ailleurs, un chirurgien d'hôpital va mieux, plus vite, plus loin que le chirurgien réduit à la pratique privée ou à la pratique des camps. J'ai seulement voulu vous faire pressentir qu'il ne suffit pas de visiter un hôpital, ni même d'y passer sa vie, pour devenir un grand praticien. Une instruction théorique étendue, des dispositions individuelles que tout le monde n'a pas, un coup d'œil aussi juste que pénétrant, sont en outre indispensables pour tirer parti de ces établissements.

Mais à quoi bon, me direz-vous, de pareilles assertions? Qui en conteste la justesse? Le voici, messieurs. Il a existé et l'on voit encore aujourd'hui des médecins, même assez haut placés, qui s'abusent au point de croire qu'une fois dans un hôpital, il suffit d'*examiner*, d'*observer* et de *faire*, qu'il est alors inutile de lire et d'écouter. Partant de là, une foule d'élèves, encouragés par l'exemple, négligent leurs livres et les leçons pour s'en tenir à ce qu'ils appellent *la pratique*. Or, cette doctrine me paraît tellement vicieuse, que je ne crois pas inutile de l'attaquer en détail devant vous aujourd'hui, de vous prémunir contre ses dangers.

Lire, *voir*, *entendre*, *étudier*, *observer*, *écouter*, ce n'est pas trop de ces diverses actions, messieurs, pour apprendre soit la chirurgie, soit la médecine. Quiconque s'en tient à l'une d'elles, quiconque ne les invoque pas toutes, n'acquiert jamais une instruction complète.

1° *Lecture*. — Celui qui ne fait que lire, qui puise toute sa science dans les livres, deviendra peut-être fort savant, un rhéteur habile, un critique redoutable, l'auteur de brillantes hypothèses, l'inventeur de quelque système ingénieux; mais il ne saura pas traiter avec fruit les malades, ni enrichir la thérapeutique de moyens utiles. Pour savoir où conduit ce genre d'étude, sans le secours des autres, reportez-vous à ce qui se faisait dans les anciennes écoles. Voyez ce que l'art de guérir a retiré des longues disputes, des dissertations sans fin, sorties de tant de têtes, d'ailleurs superbes, que nous a léguées l'antiquité! Sans aller si loin, n'avez-vous pas sous les yeux, comme objet de comparaison, les écrits à idées gigantesques de quelques savants de l'Allemagne, puis les livres, les discours à la fois si bien écrits et si creux, en apparence si logiquement conçus et en réalité si complétement étrangers à l'avancement de la science, de contrées, d'écoles contemporaines, d'ailleurs estimables à tant d'autres titres! Avec des livres, avec des livres seuls, on ne devient pas médecin, et encore moins chirurgien dans l'acception rigoureuse du mot.

2° *Audition*. — L'élève qui se contente de suivre des leçons, qui passe ses heures en sautant d'un cours à l'autre, peut-il espérer d'être plus heureux? Non, messieurs; au contraire, on s'instruit encore moins de la sorte qu'en lisant avec attention de bons modèles. Par la lecture, il est au moins possible de bien comprendre la pensée, les opinions d'un auteur, de ne pas lui faire dire, de ne pas lui prêter l'inverse de ce qu'il a écrit ou voulu exprimer. A-t-on quelque doute, craint-on d'avoir mal saisi son texte, avant de se fixer, de revenir sur quelques passages ou obscurs ou d'un sens trop élevé, le livre est toujours là, ouvrant ses feuillets à qui veut le consulter de nouveau, se prêtant sans impatience comme sans fatigue à tous les genres de questions, d'interrogations qu'on juge à propos de lui faire subir; au lieu que, dans un cours, tout est fugitif, instantané. En lisant, rien n'empêche la comparaison, le jugement de s'exercer presque en même temps que la mémoire, puisqu'on a là, immobiles, sous les yeux, les expressions de l'auteur. Dans un cours, de toutes les facultés de l'entendement, il ne peut guère y avoir que la mémoire mise en jeu, puisqu'il faut, avant tout, recueillir les paroles du professeur; et encore, comment être sûr de ne point se méprendre sur ce que l'on croit avoir entendu. Un mot, une phrase, qui échappent, une coupure mal établie dans le discours, une seconde d'inattention, ne suffisent-ils pas pour conduire les auditeurs à de grossières confusions? A quel homme n'est-il pas arrivé dans la conversation la plus simple, d'être obligé de faire répéter une ou plusieurs fois la même chose à son interlocuteur avant de l'avoir bien interprété, pour être certain de l'avoir bien entendu? Comment donc serait-il possible de ne point se tromper par la pure audition d'un cours, où tout peut n'être pas clair, où les pensées et les phrases peuvent se succéder avec rapidité, où les paroles ont besoin d'être pour ainsi dire saisies au premier vol et mises en réserve par la mémoire pour n'être travaillées, interprétées ensuite qu'au bout d'un temps parfois assez long par la comparaison et par le jugement, avant de pouvoir être soumises, de la part de l'élève, à toutes les opérations intellectuelles nécessaires! S'il est quelquefois impossible à des hommes graves et intelligents de tomber d'accord sur le sens qu'il convient d'attribuer aux phrases écrites d'un auteur qu'on a sous les yeux, comment voulez-vous qu'on n'hésite pas à se prononcer quand il s'agit de mots qui n'ont fait que passer devant vous, dont les oreilles ont à peine été frappées? Qui de vous n'a été témoin de ces disputes si fréquentes entre jeunes gens, entre condisciples, sur ce que tel professeur a dit ou n'a pas dit, sur ce qui est ou n'est pas l'opinion émise par tel ou tel, quoique tous aient assisté au cours qui fait naître l'action militante de chacun d'eux? Aussi, que d'erreurs ont été répandues, propagées par cette voie; que de controverses dépourvues de base; que d'inimitiés sans motifs, que d'ombres sans tableau ont été jetées de la sorte entre les hommes au point de les porter au mépris les uns des autres!

Celui qui écoute et ne lit pas, ressemble au peintre qui, ayant fixé de l'œil un objet en passant, irait en tracer le portrait à tête reposée, au lieu de faire poser l'original devant lui.

Rien de tout cela ne veut dire néanmoins qu'il faille fuir les leçons orales, quand on étudie la médecine. Ce genre d'enseignement a l'avantage de mieux faire ressortir les images, de mieux tenir l'attention en éveil, de rendre, à cause du geste et des intonations vocales qui s'y mêlent, les descriptions sensiblement plus claires, sinon plus correctes que celles qu'il est permis de donner dans les livres. Dans un cours, le professeur peut surveiller de l'œil son auditoire, et passer d'emblée sur ce qu'un mot a fait comprendre, ou insister, se répéter même sur ce qui ne paraît pas avoir été d'abord saisi. Les écrits ne comportent que de loin ce genre de licences; à un cours, l'œil et l'oreille travaillent ensemble. L'œil est le seul sens qui agisse quand on lit; aussi, la mémoire retient-elle plus volontiers ce qui lui vient des leçons orales, que ce qui lui arrive par la simple lecture. Les impressions sont plus vives, plus nombreuses, plus agréables, plus naturelles peut-être; mais elles sont moins complètes, moins exactes, moins pures, moins nettes dans le premier cas que dans le second, et voilà tout; en sorte que si on a tort d'écouter et de ne point lire, on aurait tort aussi de lire et de ne point écouter. Ce sont deux moyens d'instruction faits l'un pour l'autre, et non pas des sources d'idées qui puissent s'exclure réciproquement. Voulez-vous qu'elles vous profitent? écoutez, retenez du mieux que vous pourrez les leçons que vous aurez choisies; allez ensuite étudier le même sujet dans les écrits qui en traitent le mieux, et de préférence dans les livres de l'homme que vous avez entendu, s'il en a fait. Par la lecture vous rectifiez alors les erreurs de l'oreille, et l'audition dissipe ce que la lecture trouverait par trop obscur.

Tous les temps, tous les lieux, tous les hommes ont montré qu'ils sentaient le besoin de passer ainsi du langage parlé au langage écrit. Autrefois les disciples crayonnaient sur des feuilles d'arbre les leçons de leurs maîtres, afin de pouvoir les méditer ensuite à loisir. A l'étranger, dans presque toutes les petites écoles, les professeurs font imprimer leurs cours, afin que les élèves aient toujours le texte exact de leurs leçons sous les yeux. Et ceux d'entre vous, messieurs, qui prenent des notes en assistant aux cours, que font-ils, si ce n'est confier au papier ce qu'ils ont reçu par l'oreille, dans le but, bien louable assurément, d'invoquer plus tard la lecture au secours de l'audition?

Si donc vous tenez à bien comprendre celui que vous écoutez, il faut, soit avant, soit après, ou mieux encore avant et après, lire attentivement ce qu'il peut avoir publié sur le sujet dont vous vous occupez. Il est clair comme le jour que c'est dans ses propres écrits bien plus que dans les ouvrages des autres ou dans vos notes, que vous devez chercher la véritable pensée d'un auteur. Si le professeur n'a point écrit, redoublez d'attention, prenez des notes; comparez ce que vous croyez avoir entendu avec ce que vous trouverez sur le même sujet dans les ouvrages les plus estimés; alors ne manquez pas en outre de vous adresser à lui personnellement pour avoir des explications, quand vous aurez le moindre doute sur ses propres opinions. Autrement vous lui attribueriez souvent, et de la meilleure foi du monde, des doctrines, des assertions toutes contraires à ce qu'il a voulu dire.

Allant au théâtre pour se distraire, l'homme du monde n'a besoin ni de prendre des notes ni de lire le morceau qu'il veut entendre, parce qu'il s'agit pour lui de simples impressions, et non pas de la rigoureuse exactitude d'un enseignement professionel; mais croyez-vous que celui qui cherche à devenir ou poëte, ou tragédien s'en tiendra là, qu'il n'ira pas lire et relire le chef-d'œuvre que ses oreilles ont entendu sur la scène, s'il a le désir de l'imiter ou seulement de le bien connaître? Et vous, messieurs, on voudrait que, pour être un jour chargés de veiller à la santé publique, pour être en mesure de protéger, autant qu'il est donné à l'homme, la vie de vos semblables contre les mille puissances, tantôt évidentes, plus souvent occultes, qui tendent sans cesse à l'éteindre sous le titre de maladies, vous pussiez vous contenter de suivre assidûment des leçons, sans être obligés d'en étudier le texte à tête reposée, et cela quand il s'agit de la médecine, science à la fois la plus vaste, la plus compliquée, la plus épineuse, la plus difficile à bien comprendre, qui soit entrée dans le champ des prétentions humaines! Non cela ne se peut pas, il faut y renoncer. Si la médecine doit être pour vous une profession et non un objet d'agrément, ce n'est point à la légère, en *amateur*, par l'oreille seule et en vous promenant, que vous pouvez l'apprendre. Vous lirez donc après avoir écouté, pour écouter, et relire afin d'écouter encore.

3° *Pratique.* — Si au moins après avoir écouté il suffisait de voir, d'observer, d'étudier la nature pour n'avoir pas besoin de lecture; mais non, cette illusion-là doit tomber aussi. Entendre et voir, sans avoir lu, met rarement à même de considérer l'objet sous toutes ses faces, d'en comprendre la triste nudité, outre qu'il n'est pas toujours permis ou possible d'écouter, de voir, de regarder le sujet d'étude aussi long-temps, à autant de reprises qu'on le voudrait.

Ne procurant qu'une instruction incomplète associée à l'enseignement oral, l'observation est à plus forte raison incapable de constituer seule une éducation valable en chirurgie. Vous voilà, je suppose, dans un hôpital, examinant, interrogeant, observant les malades, en présence de la *nature*, étudiant d'une manière toute *pratique*, pour me servir du langage vulgaire. Eh bien! on vous l'a dit peut-être, vous espérez sans doute qu'ainsi cultivée la science va pénétrer à flots dans vos esprits; que vivant au milieu des malades, vous connaîtrez, vous saurez nécessairement traiter les maladies. Comment les traits variés d'un tableau échapperaient-ils à celui qui le regarde tous les jours? comment ne pas devenir artiste habile quand on passe sa vie à faire des portraits en face de l'original, à ne péindre que d'après nature? Hélas! la vérité veut encore qu'on l'avoue, ce genre d'étude privé du secours des autres est peut-être le pire de tous; il conduit à la routine, à l'empirisme aveugle des premiers temps de la pratique, de la science médicale; c'est de la sorte que les gens du monde, que les commères, les gardes-malades, les médicastres de toutes les espèces acquièrent les notions qui les rendent si hardis dans l'art de guérir les maladies, ou mieux dans l'art d'estropier, de faire périr les malades!

Est-ce donc déjà chose si facile, messieurs, que d'observer la nature et d'en bien interpréter le langage, pour qu'il suffise de dire au néophyte installé dans un hôpital : Allez, ouvrez les yeux, questionnez, écoutez ces êtres souffrants, exercez près d'eux ou sur eux votre main et tous vos sens! Rester au lit des malades sans assister aux leçons de clinique, sans lire la description des maladies, c'est imiter le voyageur imprudent qui dédaigne le secours des guides et de la géographie en parcourant des pays qui lui sont totalement inconnus. Au sein d'un hôpital, dépourvu de livres et de leçons, l'élève qui prétend apprendre la médecine ressemble à l'homme qui, ne voulant ni maître, ni grammaire, ni lecture d'aucune sorte, espère connaître à fond les principes d'une langue étrangère, parce qu'il a vécu dans le pays où on la parle.

Amenés à la tête de l'enseignement sans s'y être pliés de bonne heure, emportés par le tourbillon des affaires, sortant d'une tourmente politique qui venait de bouleverser le monde, certains hommes, que l'empire vit fleurir, se persuadèrent tout d'abord qu'il devait en être des sciences comme des lois, de la médecine comme des gouvernements, que tout était à refaire, à reprendre là comme dans la hiérarchie sociale, qu'il fallait faire *table rase*, rompre avec le passé, remettre à neuf jusqu'aux notions les plus matérielles, les plus incontestables. S'agissait-il de l'anatomie, ils disaient à l'élève qui débute : Ayez des scalpels et des cadavres, enfermez-vous dans un amphithéâtre et disséquez; mais disséquez vous-même, sans maîtres, sans livres. Comme s'il pouvait être plus facile de trouver ce qu'on cherche la nuit qu'au milieu du jour, de voir les objets en fermant les yeux qu'en les cherchant à l'air et avec soin en plein soleil! Il n'est pas même vrai que ce qu'on apprend ainsi en tâtonnant et à grand'peine se grave mieux dans la mémoire que si l'observation était aidée, dirigée, soit par un maître, soit par un bon livre, outre que vous passez une demi-journée à mal connaître ce que quelques minutes vous eussent infiniment mieux appris en suivant la méthode opposée.

Imaginez un observateur dans une cité absolument nouvelle pour lui, et dont il veut apprécier rigoureusement la composition, la distribution matérielle, afin d'en publier l'histoire. Pensez-vous que là, sans le secours de guides, de cartes, de descriptions, qu'abandonné à ses propres mouvements, sans questionner personne, il connaîtra et mieux et plus vite le sol, les rues, les monuments de cette ville, que s'il s'était entouré de toutes les notions géologiques, historiques, géographiques convenables avant de commencer son examen ?

De l'anatomie au service dans les hôpitaux en qualité d'élève il n'y avait qu'un pas, et ce pas a été bientôt franchi : peut-être même le principe est-il parti de là. De tout temps en effet on a vu des personnes soutenir que pour les pansements en particulier les exercices manuels sont seuls utiles, qu'il est complétement superflu de s'y préparer par l'étude des bons auteurs ou l'audition des bons maîtres ! Je ne conçois cependant rien de plus faux, de plus pernicieux pour l'avenir des jeunes gens. Transformés de la sorte en machine qu'aucunes lois scientifiques ne gouvernent, ils pansent les malades sans savoir ce qu'ils font ni pourquoi ils le font ; dépourvus de principes, ils agissent tantôt d'une façon, tantôt d'une autre sans se rendre compte de rien. L'adresse, le bon sens étant leurs seuls guides, ils se rendent souvent coupables de fautes, de contre-sens dont rougiraient les gardes-malades et la moindre femmelette, dans l'application du plus insignifiant bandage, du plus simple topique, et quelquefois même d'une épingle. Comment en serait-il autrement ? Tout, dans un appareil, dans le pansement d'une plaie, doit avoir son but spécial. C'est pour empêcher les autres objets de s'attacher aux bords de la solution de continuité qu'on la couvre d'un linge enduit de cérat. Le coton, la charpie, sont destinés à pomper les liquides qui passent à travers le linge criblé. Les cataplasmes, les onguents, les emplâtres, n'agissent que s'ils reposent à nu sur la région malade. Pour rouler ou dérouler une bande, pour placer et détacher une compresse, pour couper une lanière de diachylon et fixer une épingle, il y a évidemment une manière qui vaut mieux qu'une autre ; or, celui qui ne l'a point apprise fait souvent tout le contraire. En chirurgie, il n'est pas moins humiliant de placer le linge graissé après la charpie ou le cataplasme avant le linge troué, une épingle la tête à l'envers, le chef d'une bande à l'aventure, je suppose, que de faire dans la conversation des fautes d'orthographe manifestes; et cependant ce dont ils auraient honte dans le monde pour ce qui concerne le langage ordinaire, les élèves ainsi dirigés le font à chaque instant et sans scrupule dans la pratique de leur profession, de la profession dont ils ambitionnent le titre. Pourvu que cela tienne, qu'importe le *comment?* disent parfois les partisans de cette doctrine en parlant des bandages. Détrompez-vous, messieurs; ici comme partout le *comment* importe toujours, et l'on n'est excusable de le négliger que s'il n'est pas possible de le bien saisir.

Sans études préalables et sans maître vous passez un temps infini à trouver, quand vous parvenez à trouver, ce qu'un autre ferait à l'instant et cent fois mieux sans chercher. N'ayant rien de fixe dans l'action, pilote sans boussole, vous ne profitez point le lendemain du travail de la veille; c'est à recommencer tous les jours et sans fruit, comme s'il s'agissait du tonneau des Danaïdes. Gaspiller, perdre ainsi son temps, son intelligence dans l'étude d'une science où la vie est si courte et l'art si long, où l'intelligence la plus élevée reste toujours au-dessous de sa mission, c'est un malheur, une calamité; je dirais presque, messieurs, que c'est un crime, en songeant que ce début se reflétera sans pitié sur toute votre carrière, qu'une fois appuyés sur ce pied, vous serez nécessairement entraînés à marcher dans le même sens par la suite et jusqu'à la fin.

Dans les hôpitaux, panser les malades est en général l'affaire des commençants, et c'est à peu près uniquement dans les hôpitaux qu'on peut apprendre à bien faire des pansements. Or, voici ce qui advient : dépourvu de principes, de théorie, posé là en *praticien*, l'élève bénévole devient externe; dès lors il croit en savoir assez pour ne plus songer à l'étude méthodiqne d'un art dont il s'est mis en possession par la pratique. Passant à l'externat, il lui paraîtrait dur d'ouvrir un livre de bandages, de prendre des leçons de pansement. Cette lacune ne le prive ni de moyens, ni de capacités, ni d'ardeur, bien entendu, et ne l'empêche non plus d'arriver ni au savoir, ni à la tête de services publics, ni même à l'enseignement. Au lieu de faire un retour sur lui-même et d'effacer comme il le devrait ce point noir de son éducation chirurgicale, que va dire l'homme ainsi parvenu ? Il encouragera par son exemple et peut-être aussi par ses paroles ceux qui ne sont déjà que trop disposés à suivre le même courant, à se traîner en routiniers par le même chemin. Cette faiblesse inhérente à notre organisation, et qui, rappelant la fable du renard sans queue, nous porte si souvent à repousser comme inutiles, à transformer même en défauts les qualités, les vertus que nous n'avons pas, que nous n'avons pas le courage d'acquérir, fait qu'on rejette en pareil cas et en principes comme superflus l'étude dans les livres et le secours de toute espèce de guides, que l'on pervertit enfin toute une génération de jeunes gens en flattant son amour malentendu de l'indépendance et ses goûts d'ailleurs si légitimes de mouvements libres, d'activité physique !

Si j'ai pris mes exemples dans les premiers échelons de la pratique chirurgicale, c'est que là ils sont frappants et sautent à tous les yeux, c'est que je me mets par là à la portée de tout le monde sans avoir besoin de songer aux allusions personnelles envers qui que ce soit; c'est que pour monter au faîte de notre profession il faut, selon moi, commencer par en bas, sous peine des plus lourdes chutes. Vous comprendrez du reste, sans qu'il y ait utilité à le prouver autrement, que si pour de simples pansements l'exercice manuel et la vue veulent être aidés par la lecture des bons auteurs et par l'audition des bons professeurs, il serait bien plus dangereux encore de se croire instruit et capable, par cela seul qu'on a passé de nombreuses journées à observer des malades, à s'exercer près d'eux, à recueillir l'histoire de leurs affections, à noter ce qu'ils prennent ou ne prennent pas, ce qu'on leur fait et ce qu'on ne leur fait pas. Il y a trop d'éléments divers dans les maladies pour que, sans lecture, sans études préalables et consécutives, l'homme le plus intelligent n'en laisse pas échapper le plus grand nombre, ne perde pas la meilleure partie de son temps à débrouiller le chaos où il se place alors volontairement.

Quand je ne sais combien de siècles ont dû réunir, confondre leurs efforts, pour constituer la science telle qu'elle vous est offerte aujourd'hui, vous voudriez que chacun de vous pût la deviner tout entière et à lui seul, pourvu qu'on le mette face à face avec la nature! Sommes-nous donc faits maintenant autrement que jadis? N'étaient-ils pas comme nous en présence de la nature, les observateurs des époq[illegible]qui nous ont précédés, ceux des temps primitifs com[illegible] nos contemporains? Pourquoi, livré à ses propres ressources, l'homme deviendrait-il plus grand médecin de nos jours qu'autrefois? Les maladies sont les mêmes, les désordres organiques portent sur les mêmes rouages. Le poids, le volume, la forme du cerveau des observateurs n'ont pas changé. Si donc nous pouvons aller plus loin et plus vite que n'allaient nos ancêtres, c'est à l'aide des notions qu'ils nous ont laissées; et comment voulez-vous que ces notions vous profitent en vous bornant à observer, à pratiquer, si vous ne voulez ni écouter ni lire? Il n'y a que l'ignorance, l'orgueil ou la folie qui puisse l'espérer.

4° *Ensemble.* — Mais s'il ne suffit ni de lire, ni d'écouter, ni de pratiquer, de quelle manière donc faut-il s'y prendre pour s'instruire en médecine? Je l'ai déjà dit, messieurs, il faut puiser à toutes ces sources et n'en répudier aucune. Si pour bien se servir d'une langue il convient de vivre avec ceux qui la parlent, d'en étudier les principes dans de bonnes grammaires, d'en examiner les mots dans les dictionnaires, d'en sonder, d'en interroger les richesses dans les ouvrages qui la distinguent, il faut aussi, pour être bon chirurgien, regarder, examiner, panser les malades, écouter les leçons de ceux qui enseignent, et lire, méditer les livres qui traitent le mieux de la matière. Loin donc de rester du matin au soir enfermé dans une bibliothèque ou de vous promener sans interruption d'un cours à l'autre, ou de rester toute la journée dans un hôpital, vous userez de tous ces objets alternativement, à tour de rôle, et en temps opportuns. S'agit-il de pansements, suivez un cours de bandages; après la leçon étudiez soigneusement, sans vous presser, les sujets dont on vous a parlé; puis exercez-vous sur un mannequin, sur vous-même ou sur un de vos camarades, à reproduire l'appareil que vous croyez avoir bien compris. Armé de ces notions, vous entrez dans un hôpital, où tous les pansements peuvent dès lors vous être confiés, où il vous sera facile de rendre service aux malades, à votre chef, à vous-même, où la pratique dirigée ainsi par la théorie vous paraîtra toujours claire et instructive; tandis que si vous suiviez la marche inverse, la fin des études vous trouverait un peu plus exercé de la main peut-être, mais tout aussi dépourvu de principe et de véritable savoir qu'au début de votre noviciat. Comportez-vous de même en ce qui concerne la connaissance des maladies et de leur traitement. On se familiarise sans fatigue et par degrés avec elles en suivant une visite le matin à l'hôpital, comme on s'accoutume insensiblement à une langue qu'on entend parler tous les jours. Plus tard on écoute le professeur, on le suit, on le regarde faire; les livres deviennent alors indispensables, ils vous ouvrent les portes de la pathologie; la teinture, les tableaux que vous y avez puisés vous reportent à l'hôpital; et là près du lit des malades, puis à la leçon du maître, vous êtes en mesure de tout voir, de tout constater, de tout entendre. Rentré chez vous, le livre doit être ouvert de nouveau, car c'est surtout en ce moment que rien ne peut en tenir lieu, qu'il fait inévitablement tomber le voile que l'audition et l'observation ont pu laisser sur vos yeux.

Si on objectait que, distribué de la sorte, le temps ne permet ni de tout voir, ni de tout entendre, ni de tout lire, je répondrais qu'on y parvient encore moins de toute autre manière et que l'impossible ne doit pas être tenté. L'observation, ce qui est relatif à la vue, veut, pour être complète, que l'élève fréquente, un peu plus un peu moins, tous ou presque tous les hôpitaux de la ville où il étudie, parce qu'il ne peut pas y avoir de substitution pour les objets *de visu*. La nécessité d'entendre tous les hommes marquants qui enseignent est moins grande, parce que les opinions, les travaux de l'un sont ou doivent être rappelés par l'autre. C'est pour cela que, s'il ne veut point rester au-dessous de son devoir, que, s'il met les avantages de la jeunesse qui l'écoute avant les exigences de la rivalité, de la jalousie ou de mille autres passions tout aussi peu équitables, le professeur doit exposer dans ses leçons, s'il le sait, ce qui vient des autres comme ce qui lui appartient en propre. Le choix des livres est encore plus facile : avant tout prenez l'auteur qui résume le plus complétement l'état de la question à étudier, qui, après avoir rassemblé, noté les travaux de chacun, les contrôle et les juge en y ajoutant ses propres richesses; il vous met ainsi sur-le-champ au courant de ce qui existe. Si vous en voulez davantage, allez ensuite aux sources qu'il vous indique, et vos efforts ne seront point perdus en tâtonnements, tout votre temps portera ses fruits.

On pourrait, je le sais, messieurs, montrer l'étude de la médecine sous de plus riantes couleurs, avec des exigences et des formes moins sévères; mais alors elle ne vous apparaîtrait plus sous son véritable jour. D'ailleurs les paroles précédentes ne s'adressent point à ceux que le travail effraie naturellement : on ne porte dignement le titre de médecin qu'à la condition de travailler toujours. Les hommes qu'une idée pareille épouvante feraient mieux d'embrasser une autre carrière. Ce n'est pas pour vivre dans les plaisirs, pour passer mollement sa jeunesse, qu'on doit se faire disciple d'Hippocrate. Au surplus, messieurs, si je pouvais vous convaincre que, sur notre planète, le travail seul peut rendre l'homme heureux; qu'il n'y a point de bonheur durable pour l'homme inoccupé; que l'étude des sciences, de la médecine en particulier, offre à l'esprit un aliment perpétuel, un aliment qui satisfait l'âme sans exposer à la satiété, à aucun des regrets, des remords, des douleurs poignantes que laissent parfois à leur suite les jouissances de toute sorte procurées momentanément par la fortune, le jeune âge, l'absence de toute contradiction, j'aurais atteint mon but; car vous diriez avec moi en finissant : Mieux vaut une étude qui conduit au terme de la vie sans ennuis, au prix de quelques efforts intellectuels, que des plaisirs physiques dont la durée est nécessairement passagère, et qui, une fois satisfaits, laissent l'existence entourée de dégoûts et de misanthropie.

ARTICLE PREMIER.

DES TUMEURS BLANCHES. — EXPOSITION NOUVELLE DE CES MALADIES.

Considérations générales.

Lorsqu'on réfléchit à la fréquence des maladies des articulations, aux dangers qu'entraînent la plupart d'entre elles, et au peu de prise qu'elles offrent aux ressources de l'art dans une foule de cas, on n'est point étonné qu'une branche aussi importante de la pathologie ait fixé de tout temps l'attention des chirurgiens. Depuis Hippocrate jusqu'à nos jours, cette classe de maladies a excité d'une manière toute particulière la sollicitude de tous les observateurs. Dans ces derniers temps surtout, plusieurs travaux intéressants ont été publiés sur cette matière; nous aurions à en apprécier la valeur, si nous avions à faire ici l'histoire de toutes les affections dont les articulations peuvent être le siége. Mais ce sujet serait beaucoup trop vaste, et je me vois obligé de le restreindre; nous y reviendrons d'ailleurs dans une autre circonstance. Nous nous bornerons, dans ces leçons spéciales, à étudier les maladies articulaires désignées par tous les pathologistes sous le titre de *tumeurs blanches*. Je choisis de préférence cette question, parce que, à mon avis, elle réclame encore de nombreuses recherches, et que je crois avoir fait quelque chose d'utile pour son étude. Depuis que j'ai résolu d'exposer devant vous le résultat de mes travaux et de mon expérience sur les affections chroniques des articulations, j'ai eu soin de rassembler dans mon service un nombre suffisant de faits de ce genre, afin que vous puissiez faire vous-mêmes au lit des malades l'application des principes que nous allons établir.

Par ce moyen, nous ne sortirons pas du cercle spécial de nos études, et les considérations que je présenterai à votre esprit pourront être immédiatement corroborées par votre propre observation.

Il est peu d'affections morbides qui aient autant occupé les chirurgiens que les *tumeurs blanches*. Il n'est peut-être pas une seule médication, tant interne qu'externe, qui n'ait été proposée contre ce genre de maladies. Une foule de remèdes ont été vantés et rejetés tour à tour; chaque chirurgien, dominé par ses idées, a préconisé sa thérapeutique. Cependant, il faut le dire, rien n'a été éclairci, et on n'est guère plus avancé de nos jours sous ce rapport que dans le siècle précédent; à tel point que je ne crains pas d'avancer que tout, ou presque tout du moins, est encore à revoir sur cette matière.

Depuis long-temps je me suis appliqué à rechercher quelle pouvait être la cause de cette confusion; et je n'ai pas tardé à reconnaître qu'elle tient surtout à ce que l'on confond sans cesse sous le titre de *tumeurs blanches* une foule d'affections diverses. Si j'ai différé jusqu'à cette époque d'émettre les idées que je vais développer, c'est que j'ai voulu accumuler les faits, et donner pour base de mes opinions une expérience à l'abri de toute contestation. Je dois ajouter toutefois que je ne prétends pas avoir entièrement élucidé le point de pathologie chirurgicale qui va nous occuper; je suis même persuadé qu'il reste encore beaucoup à faire; mais je crois avoir mis les praticiens dans la bonne voie, et j'invite les observateurs à m'aider dans de nouvelles recherches.

Depuis quelques années, le vague de la dénomination de *tumeurs blanches* a enfin frappé tous les esprits; aussi a-t-on essayé d'en sortir en désignant sous le titre d'*arthrites* toutes les maladies des articulations. Pour moi, me conformant dans ce cas aux principes de M. Piorry, dont vous connaissez tous le zèle et l'ardeur scientifiques, je préférerais à ce nom celui d'*arthropathie* qui ne désigne pas seulement, comme le mot *arthrite*, un état purement inflammatoire. Toutefois, hâtons-nous de le dire, cette dénomination est elle-même insuffisante. Il y a dans une articulation des éléments divers; par conséquent il peut y exister des maladies différentes qu'il faudrait désigner chacune par un nom particulier. Du reste, il est bien entendu que par le mot *arthropathie* j'entends ici toutes les maladies articulaires, et qu'il comprend par conséquent l'arthrite proprement dite, soit aiguë, soit chronique, soit simple, soit composée. Si dans ces leçons je mets de côté le rhumatisme proprement dit, la goutte et les arthrites aiguës simples, c'est qu'il en a été question dans une foule de bons ouvrages, et que je tiens surtout à m'appesantir sur les arthropathies chroniques qui se présentent le plus souvent dans nos salles, et que l'on décrit encore partout sous le nom impropre de *tumeurs blanches*. Je dois vous prévenir en outre que je passerai brièvement sur les modifications imprimées à la maladie par la nature des causes qui l'ont produite ou qui l'entretiennent. C'est ainsi que je négligerai les influences rhumatismales, syphilitiques, goutteuses, scorbutiques, scrofuleuses, attendu que ces causes générales doivent être prises en considération dans l'étude des arthropathies, comme dans celle de toutes les autres maladies.

Toute articulation est composée de parties *molles* et de parties *dures*. De là deux grandes classes d'arthropathies bien distinctes. Dans chacune de ces classes on trouve des variétés qu'il est aussi très important de bien distinguer. Ainsi d'un côté il ne faut point confondre les affections des parties extra-capsulaires avec celles de la membrane synoviale, des ligaments et des pelotons synoviaux; de l'autre, il existe une différence notable, comme vous le verrez, entre les maladies des cartilages d'incrustation, et celles de la surface libre ou du parenchyme des os.

Vous comprenez déjà, avant d'aller plus avant, que chacune de ces lésions doit être décrite à part, et qu'il est tout naturel que le traitement doit varier dans chaque cas. Cependant vous trouverez dans tous les ouvrages que ces détails, de la plus haute importance, ont été méconnus ou négligés par les auteurs. De là sans doute le vague, la confusion que j'ai déjà signalés.

Nous aurons donc à étudier, d'après leur point de départ et leur siége dans les parties molles, trois variétés principales d'arthropathies : arthropathie *extra-capsulaire*, arthropathie *de la membrane synoviale*, arthropathie *intra-capsulaire*. Nous examinerons ensuite, comme résultat de ces différentes lésions partielles, l'état morbide désigné sous le nom de *fungus articulaire*.

Dans l'étude des arthropathies des parties dures nous trouverons aussi trois nuances bien distinctes : arthropathie *des cartilages d'incrustation*, arthropathie *de la surface des os*, arthropathie *du parenchyme des os*. Nous verrons dans la suite combien cette diversité d'origine des maladies articulaires entraîne de différences dans leur diagnostic, leur pronostic et leur traitement. C'est assez vous dire par là que je considérerai d'abord toutes ces affections sous le point de vue de leur début, de leur origine, de leur état élémentaire. Ce sera quand vous aurez bien compris tous ces cas particuliers que nous pourrons dans une autre circonstance insister d'une manière toute particulière sur ceux dans lesquels tous les tissus articulaires sont envahis par le mal, sur l'état purulent des articulations, sur les dangers auxquels ces maladies exposent, quand elles se prolongent, et sur les indications de l'amputation ou de la résection.

Comme, en traitant des *tumeurs blanches*, on a le plus souvent en vue le genou, ce sera cette articulation qui nous servira d'exemple.

Ceci bien compris, présentons d'abord quelques considérations générales sur les deux grandes classes d'arthropathies que nous venons d'établir. Pour éviter les redites, je me bornerai dans ces généralités à présenter quelques courtes réflexions sur la symptomatologie et le pronostic. Le diagnostic différentiel et le traitement seront étudiés dans l'examen que nous ferons de chaque variété.

Arthropathies des parties molles. — Dans cette classe, le premier phénomène qui se présente est un gonflement suivi de quelque roideur ou de faiblesse dans l'articulation. Ce gonflement peut exister plus ou moins long-temps avant que le malade éprouve de la douleur. Les mouvements de l'articulation sont ordinairement engourdis. Légère ou vive, la douleur, lorsqu'elle existe, a cela de particulier qu'elle a son siége hors de la cavité synoviale, qu'elle est plutôt augmentée par la pression sur la peau que par le frottement des surfaces articulaires. L'absence ou le peu de douleur dans le début est cause que les malades ne viennent réclamer les secours de l'art qu'après plusieurs semaines, lorsque la maladie a déjà fait des progrès. Alors on observe un gonflement plus ou moins irrégulier : la pression est quelquefois douloureuse ; le plus souvent elle ne l'est point. Au lit, les malades souffrent à peine et meuvent leur membre sans trop de difficulté. La rotule est ordinairement soulevée au-devant des condyles, et on observe, tout autour, des bosselures, des reliefs. Ces bosselures, ces reliefs offrent tantôt une fluctuation franche qui annonce une collection de liquide épanché dans l'article, tantôt une fausse fluctuation, comme si l'on pressait entre les doigts un tissu mollasse, spongieux. A ces symptômes généraux on pourra diagnostiquer sûrement une arthropathie des parties molles. La théorie est ici entièrement d'accord avec les faits. En effet, on conçoit que, si les cartilages d'incrustation et les os sont à l'état sain, les mouvements de l'articulation doivent être peu gênés. Les cartilages frottant librement les uns sur les autres, la douleur ne sera point ou sera fort peu augmentée par les mouvements de l'articulation.

Le pronostic est ordinairement favorable, pourvu toutefois que la maladie ne siége pas dans les parties situées en dedans de la capsule ; car alors on conçoit avec quelle facilité l'affection peut se communiquer aux cartilages et de là aux os. Je dois borner là ces généralités ; si j'allais plus avant, je serais obligé d'entrer dans des détails qui seront beaucoup mieux placés dans l'étude que nous ferons des variétés de cette classe d'arthropathie.

ARTHROPATHIES DES PARTIES DURES. — Ici les phénomènes morbides se développent dans un ordre inverse. Le malade éprouve pendant un temps plus ou moins long de la douleur, sans que le volume de l'articulation augmente. Cette douleur est plus ou moins sourde, plus ou moins continue, suivant que le siége du mal est dans le parenchyme ou à la surface des os. Dans le premier cas, elle s'exaspère pendant la nuit. Les mouvements de l'articulation sont très douloureux ; mais, je dois le dire, cette douleur est encore modifiée par le siége précis du mal.

A ces signes seuls vous pourrez diagnostiquer d'une manière positive une arthropathie qui a débuté par les parties dures, avant même d'avoir examiné la partie malade. Ainsi, qu'un sujet se présente à vous avec une affection articulaire, et qu'il vous dise qu'il a éprouvé de la douleur pendant un temps plus ou moins long, avant d'observer du gonflement ; que les mouvements de l'articulation exaspèrent cette douleur ; vous pouvez diagnostiquer, sans craindre de vous tromper, que la maladie dont il est affecté a eu son point de départ dans les parties dures. Ce diagnostic, je le sais bien, ne sera pas complet ; mais il vous suffira pour porter un pronostic peu favorable. Ceux d'entre vous qui suivent notre service ont pu se convaincre, un grand nombre de fois, de la fidélité constante de ces signes.

§ Ier. Arthropathies des parties molles.

A. Arthropathie extra-capsulaire. — Cette première espèce comprend plusieurs nuances qui sont loin d'offrir la même gravité.

Lorsque la maladie a son siége dans la couche sous-cutanée, à moins qu'elle soit essentiellement de mauvaise nature, il est rare qu'elle offre plus de dangers que sur la partie moyenne d'un membre. Aussi, la range-t-on à peine parmi les affections articulaires; ce n'est à proprement parler qu'une phlegmasie aiguë ou chronique, simple ou complexe, mais qui ne peut inquiéter qu'autant qu'elle aurait quelque tendance à gagner l'intérieur de l'articulation. Cette lésion reconnaît les mêmes causes, et se développe par le même mécanisme autour des articulations que partout ailleurs. Des froissements, des chutes, une violence extérieure quelconque, de même que des efforts spontanés de l'organisme, peuvent la produire. On la reconnaît, soit à de la douleur, soit à du gonflement accompagné ou non de chaleur, soit à un empâtement phlegmasique ou œdémateux, soit à quelques bosselures appréciables aux doigts ou à la vue. Ces phénomènes se distinguent des symptômes semblables qui pourraient dépendre d'une affection plus profonde; en ce qu'ils donnent l'idée d'un épaississement des enveloppes articulaires, et non d'un épanchement dans la capsule; en ce que la pression occasionne ordinairement une douleur à peine augmentée pendant la marche, qui persiste lorsque le malade est au lit, qu'il exécute ou non des mouvements; en ce qu'ils se comportent enfin comme si la maladie avait son siége dans toute autre région du corps, et de manière à laisser l'articulation complétement libre. Si la maladie n'est pas arrêtée, elle tend en général à se porter plutôt vers la peau que vers l'intérieur de l'articulation; de sorte que, s'il survient des abcès, ils s'ouvrent à l'extérieur, après avoir présenté les caractères d'une fluctuation franche, facile à distinguer de la fluctuation articulaire.

S'il s'agit de tumeurs, de tubercules, de masses cancéreuses ou de dégénérescences lardacées, c'est également vers l'extérieur qu'elles se portent, en laissant l'articulation libre. Il en résulte donc que ce genre d'arthropathie offre en général peu de gravité ; c'est à tel point qu'on pourrait en faire abstraction lorsqu'on s'occupe des maladies articulaires, si dans quelques cas il ne pouvait pas en imposer pour une lésion plus profonde, et si même il ne se transformait pas quelquefois en véritable *arthropathie*. En effet, on conçoit qu'au lieu de gagner vers la peau, le travail pathologique puisse se propager du côté de la capsule. Alors, la maladie d'abord légère peut devenir extrêmement redoutable. C'est surtout à cause de cette particularité que je crois devoir établir une *arthropathie extra-capsulaire*.

On se tromperait si l'on s'imaginait que les maladies de l'intérieur d'une articulation ont très rarement cette origine. Il est évident qu'une phlegmasie chronique ou même aiguë, développée entre la peau et les couches fibreuses d'une articulation, peut dans certains cas s'étendre soit par degrés, soit par *bouffées*, d'abord au tissu cellulaire qui sépare les ligaments, puis à celui qui double l'extérieur de la capsule synoviale, et de là enfin à l'intérieur même de l'article. Une mauvaise constitution, des mouvements intempestifs, des écarts de régime, une thérapeutique mal dirigée, sont les causes ordinaires de cette fâcheuse transformation. Parmi les exemples nombreux que je pourrais vous citer, vous n'oublierez pas le suivant.

Obs. I — Vous avez observé, au numéro 32 de la salle Sainte-Vierge, un homme âgé de vingt-huit ans, qui nous est venu d'un service de médecine où il avait été traité pendant six semaines d'une angioleucite grave. Des émissions sanguines abondantes et nombreuses, un régime sévère, n'avaient point empêché la maladie de se terminer par une foule de foyers purulents dans l'épaisseur du membre abdominal gauche. Cet homme, d'une indocilité et d'une gloutonnerie remarquables, dont le ventre était ballonné, et qu'une diarrhée intarissable épuisait de plus en plus, en était il y a huit jours à une nouvelle période de sa maladie. Vous vous rappelez qu'après s'être en quelque sorte concentrée sur la jambe et vers le tiers inférieur de la cuisse, la maladie a semblé vouloir se fixer autour du genou. Là, en effet, il s'est établi un état phlegmasique, d'abord lent et indolent, ensuite subaigu, au point d'y amener de la suppuration. Vous avez remarqué enfin qu'il y a quatre ou cinq jours l'articulation est devenue subitement très douloureuse, et qu'elle a paru être le siége d'une violente inflammation, en même temps que la collection purulente se faisait jour au-dehors. Dès lors, je vous l'ai dit, la phlegmasie sous-cutanée avait pénétré de dehors en dedans jusque dans l'intérieur de la capsule. Le malade a succombé hier. Vous voyez ici l'articulation. Il est facile de se convaincre, en l'examinant, que le siége primitif du mal était en effet entre la peau et les éléments fibreux sur les côtés, et entre les ligaments, les tendons et l'aponévrose dans le creux du jarret, puisqu'il existe dans tous ces points un décollement étendu avec une fausse membrane muqueuse noirâtre, puis ailleurs des couches lardacées renfermant çà et là de petites collections purulentes. Enfin il y a, à la partie postérieure et en dehors du condyle externe du fémur, en dedans du tendon du muscle biceps, un trajet ulcéreux qui conduit directement dans l'articulation, laquelle est d'ailleurs remplie de matière purulente. Mais les os sont parfaitement sains : on ne trouve qu'une légère érosion de la face libre des cartilages.

Dans ce fait, on suit, si je ne me trompe, toutes les phases de la maladie avec la plus grande facilité : ainsi, lésion chronique d'abord en dehors de la capsule ; le membre peut être allongé ou fléchi sans douleur manifeste; l'inflammation devient graduellement plus profonde ; l'idée d'une suppuration sourde se présente tout-à-coup; la douleur devient excessivement aiguë, s'accompagne de réaction fébrile, de délire, de signes d'épanchement dans l'articulation, et indique que la vie du sujet est gravement compromise. La mort a lieu, et l'on voit à l'autopsie que la suppuration qui s'était maintenue quelque temps à l'extérieur a pénétré de proche en proche dans l'articulation, et que n'ayant pu exister qu'un jour ou deux, elle n'a produit qu'une légère altération des surfaces cartilagineuses. Or, ce que vous voyez ici à titre de complication, chez un sujet épuisé, se rencontre aussi comme maladie primitive et chez des individus de toute constitution, sous forme aiguë et sous forme chronique.

Le traitement de cette première variété est le même que celui de toutes les altérations du même genre qui pourraient se rencontrer sur d'autres régions du corps. A moins que la constitution du sujet ou la cause du mal ne présentent quelque indication spéciale, la thérapeutique doit être presque entièrement dirigée sur la partie affectée. S'il y a de la douleur et des signes d'irritation, on commencera par une application de dix à quarante sangsues selon l'âge et les forces du sujet, mais de manière à les éparpiller sur toute la région altérée. Cela fait, on ordonnera un bain tiède d'une heure, puis on fera usage de cataplasmes émollients renouvelés matin et soir pendant deux ou trois jours. Dans quelques cas, ces moyens seuls, répétés à des intervalles variables, produisent en peu de temps une amélioration remarquable. Cependant le plus ordinairement la maladie résiste; et il faut alors avoir recours à l'un des moyens suivants : une compression exacte, méthodiquement faite avec un bandage roulé, produit dans ces cas presque toujours et en très peu de temps un résultat favorable; le chirurgien doit donc y avoir recours s'il ne trouve pas de contre-indication. Si ce moyen ne peut pas être employé, on se trouve ordinairement bien de l'usage des pommades d'hydriodate de potasse, d'iodure de plomb, ou même de la pommade mercurielle, en frictions sur la partie malade.

Toutefois ces topiques sont loin de pouvoir être comparés, pour l'efficacité, aux vésicatoires volants employés d'une certaine façon, c'est-à-dire assez larges pour dépasser un peu les limites de l'engorgement et de la tuméfaction. Il est bien entendu que, selon les indications, on insistera plus ou moins sur l'un ou l'autre de ces remèdes. Le plus souvent même il faut les essayer tous alternativement.

Dans cette variété d'arthropathie, les douches sulfureuses, alcalines et autres, seraient encore indiquées si la maladie était ancienne, et comme pour terminer la guérison, après l'emploi des moyens indiqués plus haut.

Je ne crois pas devoir m'arrêter à mentionner un grand nombre d'observations à l'appui des principes thérapeutiques que je viens de signaler. Toutefois je vous ai parlé des bons effets du vésicatoire volant. Le fait suivant trouve ici sa place.

Obs. II. — Vers la fin du mois de décembre 1836, une femme âgée de trente-deux ans, d'une faible constitution, entra dans notre service, se plaignant d'une douleur sourde à la partie interne et antérieure du genou droit, et d'un état de gêne dans cette articulation. La maladie datait de trois semaines, et était survenue à la suite d'un coup. La région affectée était le siége d'un léger gonflement. La pression augmentait les douleurs; toutefois les mouvements de l'articulation, quoique gênés, n'occasionnaient aucune souffrance interne. Tout, en un mot, indiquait que les parties molles extra-capsulaires étaient seules affectées. Cette malade avait été soumise hors de l'hospice à plusieurs émissions sanguines locales, qui ne l'avaient soulagée que momentanément. Elle nous dit que la compression n'avait pas pu être supportée. Je prescrivis dès lors l'usage de la pommade d'hydriodate de potasse. Une semaine après, la maladie était dans le même état; j'ordonnai un large vésicatoire volant. Pendant les deux premiers jours, la tuméfaction augmenta; mais les jours suivants une amélioration de plus en plus notable se fit sentir, et deux semaines après, la malade sortit de l'hôpital entièrement guérie, ne conservant plus qu'une légère faiblesse dans l'articulation.

Vous n'avez point oublié que l'accroissement de la tuméfaction qui se manifesta pendant les deux premiers jours qui suivirent l'application du vésicatoire, fit naître des craintes chez plusieurs d'entre vous. Vous devez être bien prévenus que ce phénomène n'a rien que de très naturel.

B. Arthropathie capsulaire. — S'il est vrai qu'eu égard au siége de la maladie, l'espèce dont je viens de vous entretenir mérite à peine le titre d'arthropathie, il n'en est plus de même pour celle dont nous allons nous occuper. C'est en effet aux affections chroniques des tissus fibro-synoviaux que, depuis Wiseman, Raymar, et la plupart des chirurgiens du dernier siècle, on a spécialement donné le nom de *tumeurs blanches*. Cette espèce elle-même présente plusieurs nuances quant à son point de départ; tantôt c'est en quelque sorte par la doublure cellulo-fibreuse de la capsule que commence l'état morbide, tandis que d'autres fois c'est bien réellement par la face interne de la cavité séreuse articulaire. Le raisonnement indique, et l'observation démontre que l'arthropathie offre alors quelques différences dans ses symptômes et dans sa marche. Du reste l'arthropathie capsulaire reconnaît deux ordres de causes bien distinctes : elle se développe tantôt sous l'influence d'une violence extérieure, tantôt par suite d'une disposition générale de l'économie.

1° *Violences extérieures.* — Toutes les fois que, par un faux pas, une inflexion ou une extension outrées, un renversement, une torsion quelconques, il survient un état morbide de l'articulation, on le désigne et on peut le désigner par le mot *entorse*. Ce mot, on le devine assez, est tout aussi vague, tout aussi impropre que celui de *tumeurs blanches*, attendu que la maladie peut être constituée tantôt par un simple tiraillement sans rupture de tissus, tantôt par la déchirure de quelques lamelles celluleuses ou de quelques vaisseaux; tantôt par un épanchement ou une infiltration plus ou moins considérable à l'intérieur ou à l'extérieur de l'article; tantôt par un véritable arrachement d'une partie plus ou moins étendue de la capsule synoviale ou des ligaments; lésions qui, comme on le comprend, sont loin de présenter toutes la même gravité. Mais il n'en est pas moins vrai que les entorses portent généralement sur les tissus celluleux et fibro synoviaux, plutôt que sur le tissu osseux ou les cartilages. Il en résulte donc que les *tumeurs blanches* débutant par la membrane synoviale, peuvent facilement être le résultat d'une entorse mal traitée, ou dont les suites n'ont pas été complétement éteintes. Aussi rencontre-t-on une infinité de malades qui rapportent alors leur affection à un faux pas, à une chute accompagnée de renversement du membre dans un sens ou un autre, ou enfin à quelque mouvement inégal ou forcé de la jointure.

Alors voici quelle est ordinairement la marche de la maladie. Si le travail pathologique débute plutôt par la face externe de la capsule que par sa face interne, une douleur plus ou moins vive se fait sentir dans quelques points isolés de l'articulation, mais de manière à en occuper rarement tout le tour. Bientôt après, il se manifeste un gonflement inégal; le tout s'accompagne de difficultés, de roideur dans les mouvements plutôt que de véritable faiblesse dans le membre. Cette douleur n'est ni sourde ni profonde; elle n'est point exaspérée par le frottement des surfaces articulaires; et la pression exercée sur la peau l'augmente ordinairement un peu. Plus tard, ces premiers symptômes sont suivis d'un certain degré d'épanchement dans la capsule; mais à ce degré même, il semble que l'épanchement n'occupe pas également toute la cavité articulaire. Des bosselures se montrent; le tissu sous-cutané s'empâte et s'épaissit généralement; les douleurs diminuent quelquefois; les mouvements restent faciles, mais l'articulation a perdu de sa force; il reste long-temps quelques points plus sensibles et plus manifestement affectés que les autres. On conçoit qu'il doit en être ainsi; car l'affection, ayant évidemment pour cause matérielle la rupture et l'irritation consécutive de quelques plaques ou faisceaux fibro-celluleux, est d'abord très bornée, ou comme disséminée sur plusieurs points séparés, et non pas complétement diffuse, comme dans les autres nuances que nous allons examiner.

Si, par suite d'une violence extérieure, c'est la face interne de la capsule qui se trouve le plus irritée, le premier phénomène que l'on remarque est un épanchement articulaire. Cet épanchement peut être constitué, soit par du sang, comme dans la *gonémocèle*, soit par de la sérosité, comme dans l'*hydarthrose*, soit par un mélange de ces deux fluides. On conçoit facilement que, dans quelques cas, aucun point spécial de la capsule ne soit affecté plus que les autres; que par conséquent le malade n'éprouve pas plus de douleur dans la marche que pendant le repos, pas plus par la pression des surfaces articulaires que par celle des corps extérieurs agissant sur la peau. Alors encore, toute l'enveloppe de l'articulation peut conserver son épaisseur et ses caractères normaux, puisque les différentes lames qui la composent ne sont ordinairement le siége d'aucune infiltration, d'aucun travail pathologique: elles sont seulement soulevées ou distendues en masse par la matière épanchée dans la capsule. En un mot, on a ici les symptômes de l'hydarthrose ou les caractères physiques d'un épanchement articulaire quelconque, accompagné d'un degré variable d'épaississement de la capsule. Vous en avez observé plusieurs exemples dans notre service.

2° *Causes internes ou générales.* — En annonçant que presque toutes les tumeurs blanches des adultes dépendent d'une affection rhumatismale, Boyer, d'accord en cela avec plusieurs autres pathologistes, a émis une opinion erronée. Mais, je me hâte de le dire, cette opinion n'est erronée que parce qu'elle est trop générale; car il est certain qu'assez souvent ces sortes de maladies débutent sous la forme d'un rhumatisme, soit aigu, soit chronique. Alors les violences extérieures ne sont point indispensables comme cause occasionnelle. Quelquefois les malades accusent un refroidissement de la région affectée, quelque changement subit de la température au milieu de laquelle ils se trouvaient; mais il n'est pas rare de les voir dans l'impossibilité d'en indiquer la cause. L'affection s'annonce ou par une douleur large et pongitive, ou par un gonflement qui envahit bientôt toute la circonférence de l'articulation. La douleur est augmentée par la pression qui réagit sur les parties molles, et non par le frottement des surfaces articulaires. Cette douleur occupe ordinairement une large surface. Le gonflement paraît avoir son siége dans toute l'épaisseur des tissus qui entourent l'article, et se présente sous forme d'un empâtement élastique avec ou sans changement de couleur à la peau, et se prolonge plus ou moins loin au-dessus et au-dessous de l'articulation. Tantôt il s'y joint un véritable épanchement dans la capsule; tantôt cet épanchement n'a pas lieu. Le tissu cellulaire, les ligaments, la capsule fibreuse, les tendons et leur membrane synoviale, paraissant alors être pris tous ensemble, mettent le malade dans l'impossibilité de faire agir la partie inférieure du membre. Aussi voit-on la main, si c'est le poignet qui est affecté; la jambe, si c'est le genou; le pied, si c'est l'articulation tibio-tarsienne, céder à son poids, et se fléchir comme une masse inerte, dès qu'on cesse de le soutenir.

Cette variété d'arthropathie se rencontre fréquemment aussi chez les femmes nouvellement accouchées et chez les individus dont la constitution est profondément altérée par quelque autre lésion. Lorsqu'elle survient à la suite des couches, elle se distingue de celle qui dépend d'une cause traumatique, par le peu de réaction ou de symptômes généraux qui l'accompagnent. Naissant tantôt avec lenteur, tantôt brusquement, elle détermine un gonflement assez considérable, ordinairement mêlé d'un certain empâtement, qui empêche de la confondre avec une simple hydarthrose. Moins aiguë, moins disposée à suppurer que celle qui dépend d'une cause externe, elle se termine souvent d'une manière favorable, quoique sa transformation en tumeur blanche ne soit pas fort rare.

Il est encore un ordre de causes d'*arthropathie capsulaire* que je ne dois point passer sous silence; je veux parler de la blennorrhagie et des affections de l'urètre en général.

A la suite du cathétérisme ou des opérations qu'on pratique sur l'urètre, on voit survenir quelquefois des affections articulaires qui doivent être rapportées à la variété d'arthropathies que nous étudions en ce moment. Bien que cette forme de l'arthrite n'ait été l'objet d'aucun travail spécial, il ne paraît pas cependant qu'elle soit très rare. On en trouve un exemple dans la thèse de M. Moffait (1). Je l'ai observée moi-même plusieurs fois. Vous devez être bien prévenus que dans ces cas la maladie a une grande

(1) Voici ce fait, que je transcris textuellement de la thèse de M. Moffait : « Un jeune homme jouissant d'une bonne santé entra à l'Hôtel-Dieu pour se faire traiter d'une fistule au perinée qui parut être urinaire. Une sonde est introduite dans la vessie et y reste pendant trois jours; alors des douleurs se développent dans diverses articulations. On retire la sonde. La fièvre se manifeste : les premières douleurs persistent et d'autres se font ressentir dans la poitrine et dans l'abdomen. Ces accidents sont suivis de dévoiement, d'amaigrissement prompt et d'infiltration des membres. Enfin, pendant les deux derniers jours, face hippocratique, gêne extrême dans l'exercice de la parole

tendance à la suppuration. L'un des malades que j'ai observés, tourmenté depuis long-temps par une coarctation urétrale, était pris d'un violent accès de fièvre à chaque tentative que je faisais pour lui passer une bougie. Le soir d'un de ces essais, le tremblement et la fièvre furent accompagnés de très vives douleurs à l'articulation tibio-tarsienne gauche. La suppuration a d'ailleurs été si rapide, que le vaste abcès qui en résulta, déjà élevé jusqu'au tiers moyen du péroné, dut être largement ouvert le quatrième jour. La guérison se fit long-temps attendre ; néanmoins le malade quitta l'hôpital environ trois mois après, ne conservant qu'un peu de gêne et de roideur dans l'articulation.

Il est prouvé par un grand nombre d'observations que les sujets affectés de blennorrhagie sont plus souvent pris de maladies articulaires que les autres. Dans ces cas, l'affection est remarquable en ce sens qu'elle est ordinairement peu douloureuse et qu'elle ne suppure que très rarement. Comme elle se manifeste souvent sans cause externe appréciable, quelques personnes ont cru pouvoir la rattacher à l'emploi du cubèbe et du copahu ; mais je l'ai assez fréquemment observée pour ne pas craindre d'affirmer que les malades qui n'ont subi aucun traitement, en sont pour le moins aussi souvent affectés que les autres. Quoique de nature à guérir facilement, elle peut persister cependant

et de la respiration; mort le douzième jour après le développement des douleurs articulaires.

Autopsie. — Dans la cavité synoviale du genou droit, on trouva un ou deux verres d'un liquide en partie purulent et en partie séreux ; la dernière portion qui s'est écoulée était du pus. Une couche membraniforme couvrait la face interne de la synoviale au-devant de l'articulation, et s'étendait au-dessous du tendon du muscle droit, deux pouces au-dessus de la rotule. Cette même portion de synoviale était rouge et d'un aspect velouté.

Plusieurs autres articulations ayant été ouvertes, ont offert la cavité formée par la synoviale contenant aussi du pus, mais en moindre quantité.

Un épanchement de sérosité purulente existait dans les cavités du thorax et de l'abdomen. » (Thèse. Paris, 1810, n° 13, pag. 7.)

après la disparition de la blennorrhagie et devenir ainsi l'origine d'une dégénérescence de l'article. Néanmoins je dois ajouter que ces cas sont rares, pourvu toutefois qu'il n'existe aucune autre complication. En général, le mal débute par un gonflement tantôt un peu douloureux, tantôt tout-à-fait indolent et par un épanchement plus ou moins considérable de synovie dans l'intérieur de l'articulation. Alors on remarque tous les caractères de l'hydarthrose, plus les symptômes d'une sub-inflammation des tissus qui servent d'enveloppe à la jointure. L'absence de violence externe, jointe à ces seules particularités, m'a souvent suffi pour me faire reconnaître la cause du mal chez des malades qui n'auraient pas voulu me l'avouer (1). Toutefois, il importe, dans ces cas, d'examiner avec le plus grand soin les parties génitales. Quelquefois le gonflement articulaire est accompagné d'un état inflammatoire plus ou moins prononcé.

Comme, lorsque la thérapeutique n'en triomphe pas dès le principe, la maladie détermine à la longue les mêmes lésions que lorsqu'elle est due aux causes indiquées précédemment, il est inutile de nous arrêter plus longuement sur cette étiologie des arthropathies. Cependant je crois

(1) Le fait suivant en est une preuve. Le 20 décembre 1839 est entré à l'hôpital de la Charité (salle Sainte-Vierge, n° 9) le nommé Gatineau, charretier, âgé de quarante-deux ans, affecté d'un gonflement peu prononcé du genou gauche. D'après quelques antécédents fournis par le malade, et d'après les caractères que présentait l'articulation, M. Velpeau reconnut une arthrite blennorrhagique. Interrogé sur ce point, Gatineau répond qu'il n'a eu qu'un écoulement dans sa jeunesse, qu'il en a été radicalement guéri, et que depuis plus de vingt ans il n'a plus rien éprouvé du côté des organes génitaux. Pressé de nouveau, il se renferme dans un système de dénégation qui fut sur le point d'en imposer. Néanmoins M. Velpeau, convaincu de la justesse de son diagnostic, procède, au grand regret du malade, à l'examen des parties génitales, et trouve non seulement une blennorrhagie, mais encore une perforation de l'urètre en arrière du méat. Dès lors Gatineau avoue que cet écoulement ne l'a pas abandonné depuis un bon nombre d'années, et que la perforation anormale est le résultat d'un chancre.

devoir vous dire quelques mots sur le traitement qu'il convient d'employer en pareil cas. Les émissions sanguines, soit générales, soit locales, ne doivent être employées que lorsqu'il existe quelque indication spéciale. Il m'est démontré qu'elles n'ont qu'une légère influence sur la marche de la maladie. Il faut avant tout traiter la blennorrhagie. Les mercuriaux constituent la meilleure médication; les larges vésicatoires volants et la compression sont aussi très avantageux. Vous avez été plusieurs fois à même de vous convaincre, dans ce service, des bons effets de ces moyens.

Je vous rappellerai à cette occasion les trois faits suivants :

Obs. III. — Le 4 octobre 1838, est entré dans notre service, salle Sainte-Vierge, numéro 34, le nommé Niquet, âgé de vingt un ans, savetier, d'une bonne constitution. Ce jeune homme, qui dit n'avoir jamais souffert antérieurement d'aucune douleur dans l s articulations, était affecté d'un écoulement blennorrhagique qui durait depuis environ cinq mois et pour lequel il n'avait fait aucun traitement. Huit jours avant son entrée à l'hôpital il avait éprouvé quelques légères douleurs dans les deux genoux, et avait vu en même temps ces deux articulations devenir le siége d'un gonflement de plus en plus prononcé. Les jours suivants les souffrances devinrent plus vives, surtout dans le genou droit; les téguments articulaires revêtirent une couleur rosée qui s'étendit jusqu'au tiers inférieur des deux jambes. C'est dans cet état que le malade vint réclamer nos soins. A la visite nous constatâmes les phénomènes suivants : Niquet se plaint de vives douleurs dans les genoux; il est agité; le genou droit est beaucoup plus volumineux que le gauche. Les caractères du gonflement indiquent qu'il est constitué par un épanchement dans la capsule synoviale; une rougeur érysipélateuse s'étend sur la partie antérieure de la jambe et du genou, depuis le tiers inférieur du membre jusqu'à trois pouces environ au-dessus de la rotule. Une exploration des organes génitaux nous décèle l'existence d'une blennorrhagie. Nous demandons alors au malade si l'écoulement a diminué depuis l'invasion de la maladie articulaire ; il nous répond par la négative. Saignée du bras ; bain ; repos absolu ; diète.

Le 6. La rougeur érysipélateuse a disparu ; l'engorgement des genoux a un peu diminué ; les douleurs sont beaucoup moins vives. Le malade est calme et a dormi une grande partie de la nuit. Je prescrivis alors le cubèbe et le copahu à l'intérieur pour arrêter l'écoulement urétral (1). Trois jours après la blennorrhagie avait complétement disparu, cependant le gonflement articulaire persistait encore, mais à un faible degré. J'ordonnai alors un bandage compressif, et le 15 du même mois Niquet sortit de l'hôpital parfaitement guéri.

OBS. IV. — Le 15 septembre 1838, fut couché au numéro 27 de la salle Sainte-Vierge, le nommé Legrand (Charles), âgé de trente-huit ans, architecte, d'une forte constitution. Il a été affecté plusieurs fois de blennorrhagie dont il a été radicalement guéri ; mais il y a environ quinze jours il contracta une nouvelle gonorrhée et se confia aux soins d'un charlatan *aux Petites Affiches*. Une potion fut

(1) Voici la formule de ce mélange tel que M. Velpeau l'emploie depuis long-temps : Deux gros de copahu et quatre ou six gros de cubebe ; on forme ainsi avec de la magnésie et deux grains d'opium une pâte que l'on divise en six parties, et qu'on fait prendre en deux jours, une le matin, une à midi, une le soir. Trois doses suffisent ordinairement pour opérer la guérison. Assez souvent l'écoulement est arrêté après deux jours, mais il ne faut pas cesser pour cela l'emploi du remede, car, dans la plupart des cas, l'écoulement reparaîtrait bientôt en plus grande abondance, et il est d'observation qu'alors il offre plus de ténacité. Voici du reste la marche générale à suivre dans l'emploi de ce moyen. Après la première dose, on donne un jour de repos au malade ; on reprend une nouvelle dose le quatrieme jour, laquelle dure trois jours ; le septième jour, nouveau repos ; on commence la troisieme dose le huitième jour, on la fait durer quatre jours. Il est inutile de dire que cette marche pourra être plus ou moins modifiée, selon la maniere dont le médicament affectera l'organisme. (Voyez TRAITEMENT DE LA GONORRHÉE dans le tome 1er des *Leçons orales de clinique chirurgicale* de M. le professeur Velpeau, recueillies par M. P. Pavillon, page 495.)

ordonnée ; l'écoulement, nous dit-il, cessa comme par enchantement ; mais dès le lendemain il éprouva d'assez vives douleurs dans le genou droit ; et cette articulation acquit rapidement un volume considérable. Ce fut alors qu'il entra dans notre service. L'articulation affectée offrait un volume double de l'état normal. Je ne m'arrêterai point à vous décrire les caractères qui me firent diagnostiquer un épanchement dans la cavité synoviale ; j'ai assez souvent insisté sur ce point. Le malade souffrait alors très peu ; l'urètre n'était le siége d'aucune espèce d'écoulement ; les mouvements de l'articulation étaient gênés, mais peu douloureux ; cataplasmes émollients. Le 18 l'écoulement de l'urètre reparut ; le genou était dans le même état ; cubèbe et copahu à l'intérieur ; continuation des cataplasmes. — Le 22 l'écoulement persiste ; le gonflement du genou semble avoir un peu diminué. Depuis qu'il prend le cubèbe et le copahu, le malade éprouve de l'anorexie, des ardeurs et une sensation d'oppression à la région épigastrique ; cessation du médicament ; large vésicatoire volant sur le genou affecté. — Le 23 l'écoulement a beaucoup diminué, mais l'articulation est douloureuse ; le malade est agité, il y a de la fièvre ; le pouls est fréquent. Les deux jours suivants tous ces symptômes redoublent d'intensité ; le volume du genou a beaucoup augmenté ; cette région est extrêmement sensible ; le moindre mouvement arrache des cris au malade. Vous devez vous rappeler que je vous prévins dès lors que ces caractères ne devaient pas vous inspirer de craintes, et que dans quelques jours tous ces symptômes se dissiperaient d'eux-mêmes. En effet, dès le 27 une amélioration commença à se faire sentir ; les phénomènes de réaction se calmèrent et peu à peu l'articulation perdit de son volume anormal ; un second vésicatoire fut appliqué le 30, il ne donna lieu à aucune espèce de réaction. Les jours suivants la maladie marcha rapidement vers la guérison, à tel point que le 3 octobre il ne restait plus qu'un léger gonflement au genou. Je fis alors appliquer un bandage compressif qui produisit en très peu de temps une guérison complète. Legrand sortit de l'hôpital le 9 du même mois.

Obs. V. — *Arthrite blennorrhagique. — Copahu et cubèbe. — Cinq vésicatoires volants. — Frictions mercurielles. — Teinture de colchique. — Aucun résultat.* — Le 4 juillet 1838, est entré dans notre service, salle Sainte-Vierge, numéro 51, le nommé Victor Dumarais, âgé de vingt-quatre ans, ébéniste, d'une faible constitution. Un mois auparavant il avait contracté une gonorrhée qui disparut d'elle-même une semaine après son invasion; mais tout-à-coup il s'aperçut que son genou droit augmentait de volume, sans lui faire éprouver aucune espèce de douleur. Il resta trois semaines chez lui, se contentant d'appliquer des cataplasmes sur l'articulation malade; voyant alors que le mal loin de diminuer faisait chaque jour des progrès, il se décida à venir réclamer nos soins. Les renseignements qu'il nous donna et l'aspect de son genou, ne nous laissèrent aucun doute sur la nature du mal : c'était évidemment un épanchement dans la cavité synoviale, déterminé par la blennorrhagie. La constitution détériorée du malade, jointe à l'existence de la maladie depuis trois semaines, me firent porter un pronostic peu favorable; aussi je vous prédis que les moyens thérapeutiques qui nous avaient si bien réussi dans d'autres circonstances, ne produiraient pas d'aussi bons résultats chez Dumarais. Copahu et cubèbe; compresses d'eau blanche sur le genou. — Le 8 l'articulation avait évidemment diminué de volume; mais le malade avait une forte diarrhée et se plaignait de picotements douloureux à la région épigastrique. Je fis dès lors suspendre l'usage du cubèbe et du copahu. — Le 10 la diarrhée a cessé; le genou est dans le même état; large vésicatoire sur l'articulation malade. — Le 15 même état; je prescris de nouveau le cubèbe et le copahu; frictions mercurielles sur le genou. — Le 18 le mal n'a fait aucun progrès. — Le 20 nouveau vésicatoire. — Le 22 frictions mercurielles; compression. Nous continuâmes ce traitement jusqu'au 3 du mois d'août. Voyant alors que le genou conservait en grande partie son volume anormal, je prescrivis la teinture de colchique. — Le 15 l'état de l'articulation s'était amélioré; cependant il restait encore une certaine quantité de liquide dans la cavité synoviale. Depuis ce jour jusqu'à la fin du mois, trois nouveaux vésicatoires furent appliqués et ne produisirent aucune amélioration. Je laissai alors quelques jours de repos au malade; mais le 7 septembre, à la visite du matin, Dumarais se plaignit de vives douleurs dans le genou; les téguments de cette articulation étaient rouges; le gonflement avait considérablement augmenté. Je fis appliquer des cataplasmes émollients, et quelques jours après les douleurs et la rougeur des téguments s'étaient entièrement dissipées; mais la tuméfaction était restée la même. — Le 17, Dumarais ne trouvant aucune amélioration dans son état, demanda à sortir de l'hôpital, et je ne crus pas devoir le dissuader de sa détermination; nous n'en avons plus eu aucune nouvelle.

Je ne vous rappelle ce fait que pour vous montrer que l'arthropathie produite par la blennorrhagie ne cède pas toujours aux moyens thérapeutiques; mais, je vous le répète, ces cas sont assez rares, pourvu toutefois qu'il n'existe aucune complication désavantageuse.

Lorsque par l'une ou par l'autre des causes que nous venons d'énumérer la maladie s'est établie depuis long-temps dans l'articulation, elle y amène des altérations qui finissent par se confondre dans un grand nombre de cas, mais qui cependant conservent assez souvent chacune une tendance particulière. Ainsi, à la suite des entorses qui n'ont pas porté d'abord sur la face externe de la capsule, la maladie peut demeurer six mois, une année, et même plus longtemps sans produire l'état fongueux sur lequel je m'appesantirai bientôt. C'est alors surtout qu'on trouve ces noyaux, ces plaques d'engorgement qui, sans avoir leur siége à l'intérieur même de l'article, semblent pourtant faire partie de la capsule ou de la tête des os eux-mêmes. Quand, au contraire, l'arthropathie s'est d'abord concentrée à l'intérieur de la capsule, il est rare qu'au bout d'un an, de six mois et même moins, on n'aperçoive pas au toucher des bosselures indolentes, mollasses, d'aspect fongueux, tantôt séparées des parties dures par du liquide, d'autres fois en contact immédiat avec les surfaces ostéo-cartilagineuses.

S'il s'agit de l'engorgement par cause interne, soit rhumatismale, soit de toute autre nature, le mal revêt plutôt à la longue, pour ce qui concerne les parties molles, l'état de dégénérescence lardacée, d'épaississement phlegmasique avec œdème, endurcissement, etc., que le véritable aspect fongueux. Dans ce cas aussi, la maladie se propage en général plus promptement et plus constamment aux cartilages et aux os que dans le précédent.

C. Arthropathie intra-capsulaire. — Tout ce que nous avons dit de la face interne de la capsule, est applicable aux ligaments inter-articulaires, aux tissus fibro-cartilagineux, aux replis synoviaux, aux masses (gratifiées autrefois du nom de glandes) qui se rencontrent autour des têtes articulaires. On comprend en effet que, soit par la propagation de la maladie des tissus externes vers l'intérieur, soit par un mouvement anormal, une contorsion, une violence extérieure quelconque, on comprend, dis-je, qu'une ou plusieurs des parties que je viens d'indiquer puissent être froissées, ou rompues, ou irritées au point de devenir le siége d'une altération plus ou moins grave. On conçoit aussi que les causes générales dont je viens de parler, puissent porter leur action sur ces deux tissus, comme sur les enveloppes articulaires proprement dites. Dans ce cas les symptômes offriront quelques différences qu'il ne faut pas oublier. Ainsi le malade éprouvera une douleur sourde et vague pendant le repos, vive et aiguë dans certains mouvements. Le membre paraîtra faible, et l'articulation deviendra promptement le siége d'un certain degré d'épanchement. On conçoit en effet, en prenant l'articulation fémoro-tibiale pour exemple, que si l'un des ligaments croisés a subi quelque déchirure, le mal quoique borné pourra occasionner d'assez violentes douleurs dans certains mouvements de la jambe, tandis que dans d'autres il s'en développera à peine. Il en sera de même si quelque repli graisseux ou synovial épaissi se glisse entre les cartilages au point d'y être pincé.

Fongus articulaire. — Toutes les nuances d'arthropathies que nous venons d'étudier conduisent souvent à un résultat commun sur lequel je dois fixer maintenant votre attention : je veux parler de la dégénérescence décrite sous le nom de *fungus articulorum* par Raymar au commencement du XVIIIe siècle. Ce genre d'altération, qui a pour ainsi dire servi de type à toutes les descriptions des *tumeurs blanches*, en présente effectivement les caractères les plus tranchés. Lorsque la maladie est ancienne et qu'elle a débuté par les parties molles, elle consiste dans une altération de tissus qui porte ou sur la tunique synoviale proprement dite, ou sur les franges, les replis, les pelotons synoviaux, ou sur les ligaments, les fibro-cartilages interarticulaires, ou sur tous ces éléments à la fois, y compris dans certains cas les lames et les tissus fibreux qui les doublent à l'extérieur. Les tissus acquièrent une épaisseur très variable, quelquefois d'un pouce, et offrent, en dedans de l'articulation, des masses d'un rouge tirant tantôt sur le jaune, tantôt sur le livide, tantôt sur le gris. Ces sortes de productions se prolongent quelquefois sous forme de plaque entre les surfaces articulaires ; tandis que dans d'autres cas, et ceux-ci sont les plus communs, elles réagissent plutôt en dehors. C'est un tissu mollasse, gélatiniforme, se laissant facilement écraser avec les doigts, ayant quelque chose d'analogue, pour la consistance, aux polypes muqueux des fosses nasales, ou aux végétations fongueuses qui se développent assez souvent à la surface des solutions de continuité en général. Ce tissu fongueux repose quelquefois sur des bourrelets beaucoup plus fermes qui en forment la base et qui adhèrent par leur partie la plus solide aux enveloppes de l'articulation.

Cet état se reconnaît à un ensemble de signes généralement faciles à saisir. Ainsi, le volume de l'articulation est manifestement augmenté; à la place des excavations on observe des reliefs plus ou moins prononcés; toutes les saillies osseuses sont plus ou moins effacées. La couleur et l'épaisseur de la peau n'ont subi le plus souvent aucun changement appréciable, la douleur est nulle ou légère. Le malade peut se servir de son membre; on sent à l'aide de la main une sorte de fluctuation obscure qui pourrait en imposer d'abord et donner le change pour un épanchement réel dans l'article; mais on voit bientôt que ce sont des bosselures mollasses, fongueuses, qui cèdent il est vrai, mais ne fuient point sous la pression comme un liquide. Cependant cet état s'accompagne fréquemment d'un épanchement réel qui exige quelque attention de la part de l'observateur. Quand il existe un épanchement de liquide sans fongosités, on constate sans peine que les enveloppes articulaires sont plutôt amincies qu'épaissies; la fluctuation alors est difficilement méconnue; tandis qu'en pressant d'une certaine façon sur les véritables fongosités, il est presque impossible de ne pas remarquer la distance qui sépare la peau des surfaces osseuses. Un caractère important de ce genre de lésion est que la pression, les mouvements, les explorations de toutes sortes font à peine souffrir le malade. En résumé, c'est un genre d'altération dont la consistance, la forme et l'aspect offrent quelque analogie avec la dégénérescence encéphaloïde, mais qui en diffère essentiellement par sa nature. Dans un certain nombre de cas, et dans l'articulation fémoro-tibiale en particulier, on sent, en faisant glisser les parties molles sur les parties dures, des corps élastiques, mobiles, de forme variée. Ces corps, qui ne sont autre chose que des replis synoviaux endurcis, dégénérés, en ont souvent imposé pour des portions de cartilage mobile, pour des corps libres des articulations.

Les arthropathies fongueuses qui arrivent aussi à la longue par suite d'une lésion des parties dures, indiquent toujours un degré très avancé de la maladie. Aussi beaucoup de bons observateurs ont-ils avancé qu'alors le pronostic doit être très grave, et que l'amputation est souvent le seul remède à proposer. C'est là ce qu'en dit l'auteur qui a le mieux compris ce sujet dans ces derniers temps, M. Brodie, et ce qui a été fréquemment répété depuis dans un amphithéâtre où les paroles sont habituellement plus bruyantes que justes. Il y a, dans cette opinion, comme dans presque toutes les propositions scientifiques, de la vérité et de l'erreur. Il est vrai que la dégénérescence fongueuse ou *gélatiniforme* des articulations sans complication de maladie des os, guérit quelquefois sous l'influence d'un traitement bien entendu; mais, comme cette dégénérescence est assez souvent la suite ou la cause des lésions qui portent sur les os, on comprend qu'alors elle soit excessivement grave et qu'elle puisse constituer une des variétés de *tumeurs blanches* qui nécessite le plus impérieusement l'amputation. C'est donc par suite de cette confusion que le pronostic du fungus articulaire a été si souvent démenti en bien ou en mal par l'observation. Afin de tomber moins souvent dans l'erreur à l'avenir sous ce rapport, il faudra s'efforcer de distinguer le fongus simple du fongus compliqué de maladie des parties dures. Je n'ai pas besoin de rappeler que cette dégénérescence, même sans altération des os, peut résulter d'une simple violence extérieure, d'une affection rhumatismale, blennorhagique, etc., comme de toute autre altération générale des fluides.

TRAITEMENT DES ARTHROPATHIES DES PARTIES MOLLES.

Généralités. — C'est à l'occasion des arthropathies des parties molles qu'il convient d'examiner en détail la plupart des moyens thérapeutiques proposés contre les *tumeurs blanches* en général.

Il est inutile de dire que le traitement de l'arthropathie capsulaire doit être modifié selon l'âge, le sexe, la constitution du sujet, et les divers degrés de la maladie. Ainsi, toutes choses égales d'ailleurs, les émissions sanguines locales et générales devront être employées avec plus de réserve chez les enfants et les femmes que chez les adultes et les hommes. Il en sera de même pour les sujets d'une constitution lymphatique, ou qui auront été affaiblis par une maladie quelconque. Avant de recourir aux irritants externes, il faudra consulter l'état nerveux et la sensibilité de chaque individu. Les purgatifs et tous les irritants internes ne seront employés qu'avec ménagement, si même on n'y renonce tout-à-fait chez les personnes dont l'estomac ou les entrailles sont naturellement ou par maladie dans un état d'irritation manifeste. Mais tout ceci se rapporte à des questions de pathologie et de thérapeutique générales que vous avez dû étudier ailleurs ; nous pouvons donc entrer immédiatement dans l'examen de la thérapeutique des arthropathies capsulaires.

Si la maladie reconnaît pour point de départ une violence extérieure et que le sujet soit adulte, robuste et bien portant d'ailleurs, il convient de recourir d'abord à une ou plusieurs saignées générales ; on applique ensuite un certain nombre de sangsues ou de ventouses sur l'articulation affectée. Ici je ne m'arrêterai point à discuter la valeur de ce qui a été avancé de nos jours sur les saignées déplétives et révulsives, et sur les sangsues en petit ou en grand nombre ; ce qu'on a dit sur ce sujet est indigne du moindre examen sérieux, et se réduit à des puérilités bonnes tout au plus à capter l'admiration d'élèves de première année; mais il est bon de voir jusqu'à quel point on doit préférer les sangsues sur la région malade plutôt qu'à son voisinage, et réciproquement. Lorsque de la douleur existe réellement dans la jointure, l'expérience démontre à qui sait la consulter que les sangsues produisent des résultats d'autant meilleurs qu'on les concentre davantage sur le point souffrant. Notons toutefois que cette concentration doit toujours être en rapport avec l'étendue de la partie affectée. Si l'articulation était à peine douloureuse et qu'il n'y eût nulle part dans son intérieur des signes de phlegmasie, peut-être devrait-on, en supposant les saignées locales nécessaires, les appliquer dans les environs plutôt que sur la jointure elle-même. Du reste c'est le seul cas où cette méthode puisse être préférable à l'autre.

Ce que je viens de dire des sangsues s'applique presque de tous points aux ventouses scarifiées. Ce dernier moyen, dont les Anglais font un si fréquent usage, n'est peut-être pas assez employé chez nous; mais comme il me paraît convenir moins dans les *arthropathies capsulaires* que dans les affections plus profondes, je ne m'y arrêterai pas pour le moment. Pendant cette première période, il faut, comme pour la suite, que l'articulation soit tenue dans un repos complet: un bain d'une heure sera donné tous les deux ou trois jours; on tiendra des cataplasmes émollients sur l'articulation, et le malade sera mis au régime végétal, aux boissons délayantes et à l'ensemble des précautions que nécessite une convalescence un peu sérieuse. Plus tard, la saignée générale, les sangsues, les ventouses et l'ensemble du traitement antiphlogistique pourront encore être mis en usage, mais seulement d'après l'indication de quelques symptômes, de quelques coïncidences ou de quelques complications intercurrentes; car à moins d'un état peu avancé de la maladie, il est rare qu'on arrive ainsi à une guérison complète sans l'intermédiaire de quelques autres moyens.

Les ressources qui se présentent ensuite sont, ou des moyens locaux ou des moyens généraux. Parmi les premiers, nous étudierons successivement la valeur des pommades résolutives, des vésicatoires, des moxas, des cautères, du séton, de la compression, du fer rouge, du massage et des douches.

TRAITEMENT EXTERNE.

A. Pommades résolutives. — Parmi les pommades que l'on a vantées, il en est trois que j'ai surtout mises à l'épreuve : ce sont les pommades d'hydriodate de potasse, d'iodure de plomb, et la pommade mercurielle.

La *pommade d'hydriodate de potasse* employée en frictions matin et soir sur les tumeurs blanches, est un adjuvant utile, lorsque la maladie, portant exclusivement sur les parties molles, n'est accompagnée ni de douleur ni d'aucun symptôme de suppuration ; mais je ne crains pas d'affirmer que, seule, c'est un remède tout-à-fait insuffisant, et qu'elle est même nuisible hors des circonstances que je viens d'indiquer. Elle ne mérite donc que très peu de confiance dans le genre de maladie qui nous occupe.

J'en dirais autant de la *pommade d'iodure de plomb*, que j'ai fréquemment employée, lorsque M. Cottereau en a fait ressortir l'efficacité, si elle n'avait pas la propriété d'être plus résolutive et moins excitante. Il m'est en effet démontré par des faits nombreux que cette pommade parvient à dissoudre des engorgements qui ont déjà résisté à l'hydriodate de potasse, et qu'elle expose moins aux érisypèles et à une exacerbation des phlegmasies chroniques. On aurait tort néanmoins de compter beaucoup sur elle dans le traitement des arthropathies. Elle est d'ailleurs indiquée dans les mêmes cas que la pommade d'hydriodate dep otasse.

L'*onguent mercuriel*, que Bell a tant préconisé et dont il

faisait frotter les articulations malades pendant une heure ou deux, matin et soir, est un remède plus puissant que les topiques iodurés. Je m'en suis servi très souvent de la manière suivante : S'il s'agit de sujets jeunes ou délicats, j'affaiblis l'onguent mercuriel en y ajoutant une égale quantité d'axonge. Hors de ces contre-indications, j'emploie l'onguent hydrargyrique simple. Les malades s'en frottent matin et soir toute l'articulation affectée. Ils en emploient gros comme l'extrémité du doigt ou comme une noisette, et consacrent de vingt minutes à une heure pour chaque friction. Les frictions sont d'ailleurs plus ou moins prolongées, suivant le degré d'irritation qui existe dans l'articulation. S'il y a de l'inflammation et de la douleur, on les transforme en de simples onctions : dans ce cas, on emploie une quantité d'onguent plus considérable, et on en fait trois ou quatre applications par jour. Si la tumeur est tout-à-fait froide et indolore, je m'en tiens aux frictions prolongées à la manière de B. Bell. Après le repos, les bains, les saignées locales ou générales, après la médication purement affaiblissante enfin, ce topique m'a paru un des plus énergiques et des plus réellement efficaces. Il convient dans les arthropathies extérieures, dans les arthropathies capsulaires simples et dans les arthropathies fongueuses. Du reste, il faut en continuer long-temps l'usage, l'associer aux bains, et surveiller son influence sur l'intérieur de la bouche. Je dois avouer cependant que seul il ne procure que rarement des guérisons complètes lorsque la maladie est avancée.

B. Vesicatoires très étendus. — On a de tout temps vanté les vésicatoires dans le traitement des tumeurs blanches. Ces révulsifs appliqués au voisinage ou à quelque distance de la tumeur, ne sont que d'une efficacité douteuse. Placés sur l'articulation même, ils ont produit de véritables guérisons. La plupart des praticiens les emploient en les multipliant beaucoup, et en donnant de petites dimensions à chacun d'eux. D'après la méthode commune, chaque vésicatoire offre à peu près la largeur d'un pièce de 5 francs. L'un est appliqué en dedans, je suppose, l'autre en dehors ; un autre au-dessus ; un autre au-dessous de l'articulation affectée ; et ainsi de suite successivement. J'ai souvent constaté moi-même que de cette façon ils sont d'un grand secours dans une foule de cas ; mais des essais maintenant innombrables m'ont prouvé que le vésicatoire peut devenir infiniment plus efficace sous une autre forme. Au lieu des dimensions que je viens d'indiquer, je lui en donne de tellement considérables, qu'il peut envelopper l'articulation tout entière, et dépasser d'un pouce environ les limites du gonflement. De cette façon, il ne produit pas sensiblement plus de douleur que par la méthode ordinaire. Son action sur les voies urinaires n'est pas non plus beaucoup augmentée ; on pourrait d'ailleurs la modérer par l'addition d'une certaine quantité de camphre. Quelque large qu'il soit, je ne l'ai point encore vu produire de réaction fébrile sérieuse ; et les changements qu'il détermine dans l'articulation sont quelquefois extrêmement remarquables. Je l'ai employé plus de deux cents fois depuis cinq ans, et je puis affirmer que dans aucun cas il n'a paru aggraver la maladie, tandis que le plus souvent il n'a pas été possible de révoquer en doute son efficacité. On peut compter sur sa puissance toutes les fois que les couches placées entre la capsule et les téguments sont seules affectées, soit qu'il s'agisse d'un simple état lardacé des tissus, soit qu'il existe quelque infiltration de fluides dénaturés dans leurs mailles. Les phlegmasies chroniques de la capsule proprement dite lui cèdent rapidement. L'arthropathie fongueuse elle-même, si tenace et si rebelle, est puissamment modifiée par ce moyen, lorsque les parties dures ne participent point au mal ; mais c'est l'arthropathie avec épanchement séro-synovial qui cède surtout d'une manière vraiment étonnante à ces vastes vésicatoires.

J'ai vu si souvent les différentes nuances d'arthropathie que je viens d'indiquer, s'améliorer au-delà de toute espérance dans quelques semaines par l'emploi de ces *vésicatoires monstres*, que je ne puis trop engager les praticiens à tenter ce moyen. Voici la méthode que j'ai adoptée depuis plusieurs années : je prescris d'abord un bain ; le grand vésicatoire est appliqué le lendemain ; on l'enlève au bout de vingt-quatre heures ; si la tumeur est peu irritable, je fais immédiatement détacher l'épiderme ; dans le cas contraire, on se borne à faire des mouchetures sur les phlyctènes pour donner issue à la sérosité. Dans tous les cas, la surface dénudée doit être recouverte de papier brouillard enduit de cérat. Ce pansement, renouvelé chaque matin, dessèche la surface suppurante dans l'espace de trois à six ou huit jours. Alors je laisse le malade tranquille, tant que la tumeur paraît diminuer. Dès que la résolution semble vouloir s'arrêter, je prescris un second bain; on applique un nouveau vésicatoire, et on se comporte de nouveau comme je viens de le dire. Le premier effet de ce topique puissant est de ramollir la tumeur, de la rendre plus fluctuante. Ce double phénomène se remarque souvent dès le lendemain. Quelquefois le volume de la tumeur diminue presque immédiatement ; mais le plus souvent il reste stationnaire, ou même augmente plus ou moins pendant deux ou trois jours, et ce n'est qu'à partir de la dessiccation de l'exutoire que la capsule se vide réellement.

Ceux d'entre vous qui suivent mon service ont eu très souvent l'occasion de se convaincre, au lit des malades, de la vérité de ce que j'avance. Aussi je ne m'arrêterai pas à mentionner ici un grand nombre de faits; je me bornerai à vous rappeler les trois suivants, qui sont dignes de fixer toute l'attention des praticiens.

Obs. VI. — Vers la fin du mois de décembre 1836, fut admis dans notre service (salle Sainte-Vierge, n° 19), le nommé Michel, âgé de dix-neuf ans, venu de la campagne, et portant au genou droit une tumeur blanche qui datait de huit mois. L'articulation, qui avait un volume double de l'état normal, offrait tous les caractères de l'arthropathie fongueuse, avec épanchement considérable de sérosité dans la capsule synoviale. Ce jeune homme était d'ailleurs d'une bonne constitution. On avait déjà essayé en vain hors de l'hôpital les pommades résolutives, les petits vésicatoires, les cautères, les moxas, et les moyens internes préconisés en pareille circonstance. Toute la thérapeutique des tumeurs blanches avait fait défaut. Je fais appliquer un *vésicatoire-monstre*, et, ceci est à la lettre, au bout d'une semaine nous constatâmes une diminution de près de moitié dans le volume de la tumeur. Quinze jours après, j'ordonne un second vésicatoire, et le jeune homme, dont je protégeai d'ailleurs l'articulation par un bandage contentif, sortit parfaitement guéri après six semaines de séjour à l'hôpital. Je dois ajouter que ce succès fut obtenu par l'usage seul des vésicatoires ; je n'employai aucune autre médication.

Obs. VII. — Au commencement du mois de novembre 1836, entra à l'hôpital (salle Sainte-Vierge, n° 44) un domestique anglais, âgé d'environ trente ans, qui avait le genou droit d'un volume énorme. La maladie datait de dix mois, et était survenue, au dire du malade, à la suite d'un coup. La capsule, distendue outre mesure, paraissait remonter jusque près du tiers moyen de la cuisse, et s'étendre jusqu'à l'épine du tibia par en bas, en même temps qu'elle s'étalait largement de chaque côté jusque dans le jarret. Les bosselures, l'aspect fongueux, la fluctuation sourde et profonde, indiquaient une arthropathie des plus graves et des plus avancées. Cependant il n'existait aucun signe qui pût faire présumer que les parties dures participaient au mal. Tout avait déjà été tenté inutilement. Un vésicatoire d'un pied de long sur dix pouces de large fut appliqué sur cette vaste tumeur. Nous y revînmes trois fois en cinq semaines, et en moins de deux mois le genou reprit son volume naturel, sans que nous ayons eu recours à aucune autre médication.

Obs. VIII. En octobre 1836, nous avons eu dans la salle Ste-Catherine, n° 19, une femme qui fut donnée pour sujet de leçon à l'un des candidats pour la chaire de clinique chirurgicale alors vacante à la Faculté. Cette femme avait le genou droit plus volumineux qu'une tête d'adulte, couvert de bosselures, et offrant tous les caractères du *fongus articulaire* le plus développé qu'on puisse imaginer. Les juges et les candidats émirent l'opinion que ce cas serait probablement au-dessus de toute ressource, que l'amputation seule pourrait en débarrasser la malade. Je crus néanmoins devoir essayer les larges vésicatoires. J'en fis appliquer deux à dix jours d'intervalle ; et cela suffit pour résoudre cette masse énorme, et pour réduire le genou à des dimensions presque normales. Toutefois la capsule, ainsi débarrassée des fongosités et du liquide qui la distendaient, s'est alors trouvée trop large, de telle sorte que l'articulation n'a jamais pu reprendre sa solidité primitive. C'est à tel point, que la jambe a pu dès lors être luxée en arrière et ramenée en avant à volonté, qu'elle est devenue mobile sur la cuisse à peu près comme une jambe de *polichinelle*. Je fis appliquer un bandage pour maintenir l'articulation immobile ; ce qui permit au malade de se servir de son membre. C'est dans cet état qu'il sortit de l'hôpital.

Du reste, le *vésicatoire-monstre*[1], comme le vésicatoire volant ordinaire, peut être utilement associé aux autres moyens précédemment indiqués. Je dois même ajouter qu'il est souvent aidé par eux. Ainsi le repos, les bains, quelques saignées du bras, si l'état de la circulation l'indique, des pommades résolutives après deux applications épispastiques, ne sont point à négliger.

C.— Cautères et *moxas.* — Ils ont été moins souvent essayés par moi que les vésicatoires et les pommades résolutives. Leur action m'a paru excessivement lente, et je ne crois utile de les employer qu'après avoir vainement tenté toutes les autres médications. Nous verrons plus tard qu'ils conviennent mieux dans les arthropathies profondes que dans le genre d'arthropathie qui nous occupe en ce moment. Il est vrai cependant que deux cautères ou deux moxas placés au-delà des limites de l'articulation, que d'autres promenés à la surface même de la tumeur, pourraient être utiles si la maladie était ancienne, si la tumeur était tout-à-fait indolente, d'aspect fongueux, et bosselée très irrégulièrement. Au total, ils m'ont paru mieux indiqués pour compléter une guérison déjà avancée que pour la provoquer de prime-abord.

D. Séton.—Ce que j'ai dit des cautères et des moxas s'applique encore mieux au *séton*, que quelques chirurgiens ont tant vanté au commencement de ce siècle. Passé à travers la capsule, comme on a osé le conseiller, le séton est excessivement dangereux; placé à quelque distance, au-dessus ou au-dessous, il agit comme les cautères et les moxas, et ne mérite pas plus de confiance.

E. Compression. — La compression est un moyen dont la chirurgie avait trop négligé l'emploi jusqu'à ces derniers temps. Ayant vécu sous un maître qui en comprit de bonne heure toute l'importance, j'appris dès le principe de mes études à l'appliquer fréquemment. De 1816 à 1820 je fus si souvent témoin de ses bons effets dans le service de M. Bretonneau, à l'hôpital de Tours, que je m'empressai à mon tour d'en montrer l'efficacité aussitôt que j'en trouvai l'occasion dans les hôpitaux de Paris. Depuis cette époque, c'est-à-dire depuis 1819, la compression a trouvé de nombreux partisans. Comme tous les moyens vraiment utiles, elle a rencontré des chirurgiens qui en ont exagéré la valeur. Quelques praticiens en ont ensuite tellement dénaturé l'emploi, qu'ils ont nui à sa généralisation. Ainsi ce n'est point de la compression à haut ou à faible degré, à un, à deux, trois, quatre ou cinq degrés, comme on l'a ridiculement conseillé, que j'entends parler ici, mais bien de la compression méthodique plus ou moins forte, suivant l'état et la forme de la région malade. Cette compression se fait avec une bande roulée, ou avec une sorte de guêtre lacée. La bande roulée est préférable comme moyen de traitement; le bandage lacé est plus commode comme moyen préventif ou conservateur. Si l'articulation est volumineuse au point que toutes les saillies osseuses soient effacées, il suffit d'un bandage roulé pour établir une compression convenable. Lorsqu'il existe des creux entre les saillies, il faut les remplir soit avec des plaques d'agaric, soit avec des compresses graduées, et disposer le tout de manière que les tours de bande puissent comprimer également tous les points de la surface articulaire. Cette compression, qui doit être égale, modérée, commencera au-dessous de la région malade, et se prolongera en diminuant à quelques pouces au-dessus. On l'augmente ensuite graduellement et plus ou moins rapidement, selon le degré d'irritation qu'elle paraît produire sur les parties; elle ne s'oppose point à l'emploi des pommades résolutives, et je l'ai fréquemment associée aux vésicatoires volants. Convenablement appliquée et surveillée avec soin, elle convient à presque toutes les formes d'arthropathie des parties molles.

Une modification dont la compression est susceptible, et qui paraît d'une utilité majeure, consiste à la rendre permanente et immobile. Ainsi, lorsque l'articulation est revenue presqu'à son volume naturel, et que l'on craint, en cessant le traitement, de la voir se gonfler de nouveau, c'est une ressource puissante que de la soumettre à une compression bien faite qui puisse demeurer en place pendant un ou deux mois. Or, cela se fait en ayant soin de coller chaque plan du bandage avec l'amidon cuit, et de placer sur le plan moyen des plaques de carton. Le tout se moule ainsi exactement sur la tumeur, et quand le bandage est desséché, le malade peut se lever et marcher sans crainte ; car l'articulation est forcément immobile et presque dans l'impossibilité d'acquérir un gonflement nouveau. Depuis plusieurs années j'ai employé la compression de cette manière sur un assez grand nombre de sujets, et vous avez remarqué que tous ceux qui sont revenus à la consultation s'en sont bien trouvés.

Il serait encore possible de comprimer les tumeurs blanches à l'aide de lanières de diachylon gommé, comme dans les ulcères des jambes (1). C'est un mode de pansement qui a l'avantage d'agir mécaniquement, et je crois aussi chimiquement sur les engorgements. Je m'en suis servi plus d'une fois avec toutes les apparences d'avantages réels ; mais comme il est assez dispendieux, et qu'il nécessite plus de temps et de précautions que le bandage ordinaire, il est probable que son usage restera très circonscrit dans la pratique.

Il est inutile, je crois, de vous citer de nouveaux faits à l'appui des avantages de la compression méthodique dans le traitement des arthropathies des parties molles. Quelques unes des observations précédentes sont assez concluantes sous ce rapport. C'est là d'ailleurs une remarque pratique généralement admise par les chirurgiens.

F. Cautérisation avec le fer rouge. — Cette cautérisation, tant employée du temps de Marc-Aurèle Severin, et que Percy n'a pas craint de vanter encore de nos jours, n'est presque plus usitée. Il est vrai qu'elle a quelque chose d'effrayant, que presque tous les malades s'y refusent, et que dans la plupart des cas elle n'est pas plus efficace que les moyens précédemment examinés : il est cependant certain que dans quelques variétés d'arthropathies des parties molles, elle

(1) M. de Lavacherie, professeur de clinique externe à l'université de Liége, dans un mémoire inséré dans les *Annales de la société de médecine de Gand*, s'est appliqué à faire ressortir tous les avantages de ce genre de compression.

pourrait être d'un secours manifeste, si on osait la tenter. Ainsi, elle convient dans tous les cas où les pommades résolutives, les vésicatoires, les moxas, la compression, sont indiqués. Je puis même ajouter qu'elle pourrait, mieux que tous ces moyens, terminer la guérison des arthropathies fongueuses, soit générales, soit partielles, avec épanchement séro-synovial. Je l'ai vu employer à Tours par M. Gouraud, et à Paris par MM. Richerand et Cloquet; je l'ai mise moi-même en usage quelquefois, et je sais que M. Jobert y a eu fréquemment recours. Or, j'ai vu que la cautérisation transcurrente, c'est-à-dire de longues raies de feu, à un ou deux pouces de distance dans le sens du grand diamètre latéral de l'articulation, avec de petites cautérisations latérales comme pour simuler des feuilles de fougère, finissait par amener la résolution d'engorgements et d'épanchements qui avaient résisté à tous les autres moyens, et qu'à partir de la cicatrisation des plaies produites par le feu, la capsule se resserrait avec une telle force sur les os, que la guérison finissait par être tout-à-fait radicale. C'est donc un moyen qui n'est pas à rejeter, et qu'il importe de proposer aux malades, lorsque tous les autres ont été vainement essayés dans les cas que je signale (1).

G. Massage et douches.— Je n'ai rien à dire du massage et des douches qui n'ait été dit par tous les auteurs. Ce sont là des ressources accessoires ou complémentaires qu'on ne doit point négliger, mais auxquelles on aurait tort d'accorder une grande puissance curative.

Traitement interne.—Le traitement interne des arthropathies des parties molles comprend aussi un assez grand nombre de médications diverses. Je ne vous entretiendrai

(1) Au commencement de mes études médicales à l'Hôtel-Dieu de Marseille (1832), j'ai vu un grand praticien, M. Moulaud, avoir souvent recours à la cautérisation avec le fer rouge contre les tumeurs fongueuses des articusations, et en retirer des avantages réels.

pas de ce qui a été dit des boissons émollientes et de tous es autres moyens rationnels généralement connus ; mon intention est de vous faire connaître ce que l'observation a pu m'apprendre sur la valeur de certaines substances vantées d'une manière spéciale par quelques praticiens, notamment de quelques préparations mercurielles, et de certains sels de baryte. J'ai essayé aussi sur un assez grand nombre de malades l'émétique à haute dose et les purgatifs répétés ; mais comme ces moyens, qui n'ont d'ailleurs fixé l'attention que d'une manière toute passagère, ne m'ont donné aucun résultat digne d'encourager de nouveaux essais, je crois inutile d'en parler en détail.

Mercuriaux à l'intérieur. — On sait depuis long-temps que le calomel, employé à dose purgative, avait été vanté par la plupart des praticiens anglais ; mais cette médication n'avait trouvé que peu de partisans en France. Ce n'est que depuis la publication du travail de M. O'Beirn, qu'on s'est demandé réellement parmi nous jusqu'à quel point le calomel pouvait être utile dans le traitement des tumeurs blanches. Ce praticien rapporte des faits qui sont tout à la fois de nature à inspirer la plus grande confiance ou les doutes les plus sérieux. En prenant à la lettre ses assertions, on croirait en effet que des arthropathies datant de plusieurs mois, ou même de plusieurs années, portant à la fois sur les parties molles et sur *les parties dures*, offrant tous les caractères enfin d'une désorganisation très avancée, soit du poignet, soit du genou, soit de l'articulation tibio-tarsienne, ont été suivies de guérison dans une ou deux semaines à l'aide de sa méthode. Or, pour quiconque s'est fait une idée de l'état des parties dans le genre de maladies indiqué par M. O'Beirn, il est difficile d'admettre la possibilité de pareilles guérisons par quelque remède que ce soit, surtout en si peu de temps. Les esprits rigoureux ont été naturellement portés à conclure, d'après l'examen des faits cités par le chirurgien irlandais, ou bien qu'il s'était mépris sur la nature du mal dont il parle, ou bien que ses observations ne sont point exactes. Toutefois le traitement vanté par lui étant très énergique, méritait d'être soigneusement expérimenté. Je me suis empressé, quant à moi, de l'essayer avec d'autant plus de plaisir, que depuis 1823 j'avais souvent mis en usage une médication qui se rapproche de celle de M. O'Beirn. Ainsi j'employais, et il m'a semblé que c'était avec avantage, dans les arthropathies des parties molles, un mélange de calomel, de rhubarbe et d'ipécacuanha, dans des proportions telles que les malades prenaient de quatre à dix grains de calomel, et un peu plus des autres substances, dans les vingt-quatre heures, pendant plusieurs jours de suite, c'est-à-dire calomel, vj à x grains ; ipécacuanha, xij à xx grains; rhubarbe, xv à xxx grains. Mêlez et faites quatre paquets.

Voulant suivre de point en point les indications du chirurgien de Dublin, j'ai donné comme lui le calomel à la dose de dix, quinze, vingt et même vingt-quatre grains par jour, en y associant d'un à quatre grains d'opium. Chez quelques malades, les effets de cette médication ont été rapides ; presque tous ont éprouvé des coliques et ont eu des évacuations alvines plus ou moins abondantes ; d'autres fois les effets du mercure se sont promptement annoncés du côté de la bouche: la salivation est survenue au deuxième, troisième et quatrième jour. Quelques sujets cependant n'ont éprouvé ni coliques, ni diarrhée, ni salivation, quoique j'eusse continué le calomel à la dose de dix à quinze grains dans les vingt-quatre heures pendant huit à dix jours de suite. Toutes les fois que les fonctions intestinales, ou que la bouche ont indiqué d'une manière prononcée l'action du mercure, j'en ai suspendu l'emploi. De cette façon j'ai obtenu les résultats suivants : dans les arthropathies avec hydarthrose sans altération des parties dures et sans dégénérescence fongueuse de la capsule, j'ai vu la maladie s'améliorer rapidement, et l'articulation se vider presque complétement dans l'espace d'une ou deux semaines. Lorsque la capsule était fortement épaissie, soit à l'extérieur, soit à l'intérieur, dans les cas d'arthropathie capsulaire enfin, soit externe, soit interne, la plupart des malades en ont encore été soulagés ; mais chez eux l'amélioration s'est bientôt arrêtée, et il a fallu avoir recours à d'autres moyens pour compléter la guérison. Dans les arthropathies récentes avec douleur, ou présentant d'autres symptômes inflammatoires, le calomel à haute dose, porté jusqu'à la salivation, a presque toujours modifié heureusement la maladie. Hors de ces cas, le traitement mercuriel n'a produit que des résultats vagues, incertains, quelquefois même désavantageux ; de telle sorte qu'aujourd'hui le calomel est employé par moi dans les cas suivants et de la manière suivante. Je l'emploie quelquefois seul dans les arthropathies récentes accompagnées d'épanchement séro-synovial, lorsque je n'ose pas faire usage des saignées locales ou générales, et dans les arthropathies déjà anciennes quand elles se présentent sous forme d'hydarthrose. Le plus souvent, au contraire, et presque toujours dans les arthropathies avec engorgement, épaississement, dégénérescence de la capsule, je l'associe aux moyens externes. Ainsi je l'emploie en même temps que les émissions sanguines, que les pommades iodurées, que le grand vésicatoire, que la compression, et que tous les autres topiques dont j'ai parlé précédemment. Je prescris habituellement dix à douze grains de calomel avec deux grains d'extrait d'opium à prendre dans les vingt-quatre heures. Le malade en prend le lendemain quinze à dix-huit grains s'il ne survient ni coliques ni diarrhée le premier jour ; dans le cas contraire, je continue la même dose ; je m'arrête si ces accidents sont trop prononcés. Que la salivation se manifeste ou non, je suspends le remède vers le cinquième ou le sixième jour. Dans l'intervalle j'ai recours, selon les indications, ou aux ventouses scarifiées, ou aux sangsues, ou aux pommades résolutives, ou aux grands vésicatoires ou à la compression. Je recommence huit jours après, si la bouche n'est pas trop malade, et je me comporte de la même manière pendant environ un mois. Avec ces précautions, et dans les circonstances que je viens d'indiquer, le calomel à haute dose doit être conservé dans la pratique. C'est une médication dont l'efficacité ne peut pas être révoquée en doute. L'inconvénient principal qu'elle présente, c'est-à-dire la propriété qu'elle a de faire naître la salivation, est moins effrayant pour moi depuis que je fais usage de l'alun en poudre pour arrêter les phlegmasies de l'intérieur de la bouche.

Préparations de baryte. — La baryte, vantée à outrance dans le siècle dernier par Crawford, et depuis par une infinité de praticiens, contre les affections lymphatiques, est devenue récemment une sorte de panacée entre les mains de quelques chirurgiens. Depuis long-temps un praticien industriel de Paris se vante, soit dans les journaux politiques, soit par des affiches, de guérir les scrofules et les tumeurs blanches à l'aide du carbonate de baryte. En Allemagne et en Italie, c'est plutôt le muriate de cette substance qui a pris cours dans la matière médicale. Là on l'a mis en usage suivant la méthode contro-stimulante, c'est-à-dire à haute dose. Bien que le muriate de baryte ait été essayé contre les tumeurs blanches en Danemark et dans toutes les autres contrées du Nord d'après les principes de Rasori, il n'y trouve cependant plus de partisans aujourd'hui. La plupart des Italiens y avaient eux-mêmes renoncé. Cette substance, dont M. Pirondi est venu de nouveau préconiser les avantages à Paris, a fini par trouver quelques défenseurs dans les hôpitaux de la capitale. Je l'ai déjà essayée sur plus de vingt-cinq malades depuis 1835. Voulant me conformer aux préceptes de l'école rasorienne et de M. Pirondi, j'ai donné le muriate de baryte à la dose de quatre à six grains dans quatre onces d'eau distillée, pendant les quatre ou cinq premiers jours. J'en ai prescrit ensuite douze, quinze, vingt grains, et je suis allé jusqu'à quarante grains dans les vingt-quatre heures. Plusieurs malades en ont pris pendant un ou deux mois. Les uns ont éprouvé bientôt des nausées, des coliques et du dévoiement, à tel point que j'ai été forcé de suspendre l'emploi du médicament pendant quelques jours, pour ne pas exposer les fonctions gastro-intestinales à se troubler définitivement; d'autres n'en ont ressenti aucun effet; un grand nombre n'ont pas pu s'y accoutumer. Jusqu'à présent, je dois le dire, je n'en ai obtenu que des résultats négatifs ou peu concluants. Dans les arthropathies fongueuses et dans toutes celles qui affectent les parties molles, en général, ce remède m'a paru sensiblement moins efficace que le calomel. Nous verrons que, dans les arthropathies des parties dures, son efficacité n'est guère mieux démontrée. Les succès qu'on lui attribue sont probablement dus au régime végétal qu'on lui associe, au temps, et au peu de gravité des cas soumis à son emploi.

Il importe d'autant plus de rester dans le doute sur l'efficacité de ce remède dans la pratique, que les observations publiées par M. Pirondi ne sont pas accompagnées d'assez de détails pour qu'on puisse dire à quelle sorte de lésion il s'est adressé, et que celles qui ont été puisées depuis dans la pratique d'un des chirurgiens des hôpitaux de Paris, sont trop vagues et trop incomplètes pour avoir quelque valeur. C'est une médication à juger encore comme si rien n'avait été dit sur elle. Du reste, je dois ajouter qu'elle peut, mieux que le calomel, être employée concurremment avec les différentes sortes de moyens externes dont j'ai parlé. Elle occupe les malades, et permet de gagner du temps, et comme dans une foule d'arthropathies le repos et le temps constituent les principaux éléments du traitement, elle peut à ce titre en imposer aux observateurs superficiels.

J'aurais bien aussi à vous entretenir des préparations d'iode à l'intérieur ; mais je n'ai pas assez employé ce moyen, dont je redoute d'ailleurs l'action sur les voies digestives, pour me permettre de le juger en ce moment (1).

§ II. Arthropathies des parties dures.

Ainsi que je l'ai déjà dit, cette seconde classe d'arthropathies présente trois variétés principales qu'il importe d'étudier séparément.

A. *Arthropathie des cartilages d'incrustation.* — Cette première nuance est digne de fixer toute notre attention ; car, à mon avis, la presque totalité des chirurgiens professent des idées erronées sur ce point.

Se fondant sur les idées de Bichat, presque tous les praticiens ont décrit des maladies appartenant en propre à une prétendue membrane synoviale des cartilages et aux cartilages eux-mêmes, comme s'il s'agissait des autres trames organiques de l'économie. Ainsi vous verrez dans presque tous les auteurs que telle maladie des articulations est constituée par une inflammation, ou un épaississement, par des ulcérations ou toute autre lésion organique et vitale de la membrane synoviale des cartilages. Sur ce point je ne puis partager en aucune façon l'opinion de la généralité des chirurgiens. Je vais vous exposer toute ma pensée.

Il n'y a point de membrane synoviale sur les facettes articulaires. — Les cartilages diarthrodiaux sont de simples croûtes incapables de se vasculariser. — Jamais on n'a rencontré la moindre trace de phlegmasie, de travail morbide réel à leur surface.

(1) Je regrette que M. Velpeau n'ait pas assez expérimenté cet agent thérapeutique. J'ai été témoin, il y a quelques mois, à l'hôpital Saint-Louis, de quelques faits qui m'ont paru militer en faveur de cette médication, et je sais que plusieurs internes de cet hôpital ont en elle une grande confiance.

Nesbit et Hunter, qui ont admis les premiers une continuation de la synoviale sur la surface libre des cartilages, ne l'ont point démontrée. Bichat et les anatomistes sortis de son école n'ont également procédé que par analogie. Il est donc étonnant que leur opinion n'ait rencontré que peu de contradicteurs, et qu'on parle encore, dans les ouvrages les plus récents, de l'inflammation, du gonflement de la couche synoviale des cartilages, comme d'un phénomène avoué. J. Gordon (*System. of hum. anat.*, p. 261. Edimb. 1815) avait déjà dit cependant que cette continuation n'est qu'un *anatomical refinement*. Mais son assertion n'étant accompagnée d'aucuns détails, est restée sans effet sur l'opinion opposée. J. Bell, Dorsey (*Elem. of surg*., vol. 1er, p. 110), soutenant que les maladies des articulations ne commencent jamais par là, n'ont pas été plus heureux. M. Cruveilhier, qui, de même que M. Magendie (*Physiol.*), n'a pas craint de tenir le même langage (*Arch. génér. de méd.*, t. IV, p. 162), ayant paru hésiter depuis (*Dict. de méd. prat.*, tom. III, p. 515), n'a pu ébranler non plus que très légèrement l'ancienne supposition, bien que M. Ribes (*Dict. des Scienc. méd.*) et M. Larrey (*Clin. chir.*) eussent essayé aussi de la renverser. Des recherches multipliées m'ont convaincu que les cartilages sont entièrement dépourvus de membrane synoviale. Le scalpel démontre que cette espèce de toile s'arrête constamment à la circonférence des facettes articulaires. La pellicule transparente qu'on en détache en séparant avec lenteur une tranche de la tête diarthrodiale, fait partie du cartilage lui-même, et n'a pas le moindre rapport avec la membrane séreuse des environs. Mise à découvert sur les animaux, elle reste indéfiniment en contact avec l'air, et peut être touchée, irritée de toute manière, sans que jamais elle s'injecte, rougisse, se gonfle ou fasse naître la moindre douleur. La même chose se remarque sur l'homme, soit après les amputations dans la contiguïté, soit par suite des phlegmasies les plus variées de l'intérieur des articulations. Je vous en ai montré un assez grand nombre d'exemples, pour que je me dispense d'entrer dans plus de détails à ce sujet.

Lorsqu'on injecte le tissu spongieux des têtes articulaires, il est facile de voir qu'au lieu de s'épanouir en divergeant dans le cartilage, les artérioles et les veines se recourbent en anses du côté des cellules osseuses. Formé de filaments perpendiculaires, de plaques superposées, si ce n'est de couches homogènes, le cartilage ne renferme en réalité ni vaisseaux, ni nerfs, ni tissu cellulaire. Il se comporte, dans toutes les circonstances possibles, à la manière de l'émail des dents, dont il ne diffère, ainsi que MM. Larrey et Cruveilhier l'ont déjà fait remarquer, que par son moins de cohésion et de dureté. Son aspect de plaques excrétées est tellement fixe, que rien ne le fait changer. Jamais il ne se gonfle. S'il disparaît ou se dénature dans les maladies, c'est par érosion, par dissolution, par absorption moléculaire, ou en se détachant par lamelles de dedans au dehors. Dans les affections anciennes et profondes, en y regardant de près, on voit que s'il en reste quelques parcelles, elles conservent jusqu'à la fin leurs caractères physiques primitifs. C'est ce que vous avez observé, il y a peu de jours, dans l'articulation tibio-tarsienne gauche du malade qui était couché au n° 29 de la salle Sainte-Vierge, et qui a succombé à la suite d'une arthropathie qui datait de plusieurs années. Si le mal a débuté par les enveloppes, le cartilage a pu perdre de sa régularité, de son épaisseur, se détruire en totalité ou en partie; mais alors c'est toujours de l'extérieur vers l'intérieur. Les couches qui restent conservent toutes leurs adhérences premières. On peut dire, en un mot, qu'il est usé, physiquement altéré, mais non malade. Les végétations fongueuses qui se voient parfois entre les surfaces articulaires, et qu'on a rattachées aux cartilages, sont ou des prolongements concentriques de la membrane synoviale extérieure dégénérée, ou le résultat d'un épanchement de matière concrescible organisée. Nous y reviendrons bientôt.

M. Brodie, qui a décrit avec tant de soin les ulcérations des cartilages comme maladies distinctes, s'en est évidemment laissé imposer par l'usure mécanique, la corrosion de ces plaques, ou par leur destruction partielle vis-à-vis de quelques points cariés des têtes osseuses. Toutes ses observations en font foi. Chacune d'elles montre en effet qu'au-dessous de l'ulcère l'os était ramolli, altéré, ou que le cartilage était comme *ciselé*, sans que dans aucun cas il fût gonflé, vascularisé autour. Les trois observations publiées par M. Mayo (*Trans. méd. ch. of Lond.*, vol. XI, p. 100) n'ayant point été complétées par l'ouverture des cadavres, ne peuvent être d'aucun poids dans une pareille question. Les raisons invoquées par M. Brodie n'ont d'autre appui que l'organisation supposée des cartilages, et n'ont par conséquent aucune valeur. Je dois toutefois m'expliquer sur ce point. Le mot *inorganique* que je suis forcé d'employer ici n'est pas exact, je le sais. Les cartilages, les pellicules séreuses, épidermiques, les ongles, les cheveux, sont évidemment doués de la vie. L'émail, l'ivoire des dents jouissent aussi d'une certaine sensibilité. Ce ne sont pas, en conséquence, des corps purement *inorganiques*. Si je me sers de ce mot pour désigner des tissus absolument dépourvus de trames celluleuses, et qui se comportent partout à la manière des substances excrétées, c'est faute de mieux. Ceci posé, je soutiens que les cartilages diarthrodiaux ne sont pas plus susceptibles de s'ulcérer que les dents ou les ongles. Néanmoins, si l'interprétation donnée par M. Brodie est fautive, le genre d'altération qu'il a signalé n'en est pas pour cela moins réel. Cet auteur s'est tout simplement mépris sur le point de départ de la maladie. Cette altération s'observe même très fréquemment; tous les âges en sont susceptibles. Girard l'a souvent rencontrée chez les chevaux (*Arch.*, t. IV). M. Cruveilhier, qui me semble l'avoir le mieux appréciée (*Bibl. méd.*, 1827, tom. I), en a rencontré des exemples dans les articulations du genou, de l'épaule, de la mâchoire inférieure. Je l'ai trouvée moi-même plusieurs fois au poignet, au cou-de-pied, aux articulations phalangiennes. Quand elle dépend d'une simple usure mécanique, la surface diarthrodiale offre des rainures plus ou moins profondes, et se trouve quelquefois comme tailladée. Si elle résulte au contraire d'une affection des parties molles voisines, le cartilage est raboteux, comme ciselé, ou même complétement détruit dans certains points. Enfin, si quelque altération de l'os en est la cause première, la croûte cartilagineuse, ordinairement perforée alors, est en général décollée dans une étendue plus ou moins considérable, et fort amincie par sa face profonde au pourtour de l'ouverture. Si l'état des articulations de l'épaule, mentionné par M. Ollivier (*Arch. gén. de méd.*, t. XXI, p. 592), n'était pas congénital, il doit être rapporté, je crois, à une ancienne érosion de la croûte arthrodiale, compliquée d'une phlegmasie de la synoviale environnante heureusement terminée. L'éburnification, l'inégalité des surfaces osseuses, l'amincissement des cartilages, le tendon des muscles sus et sous-épineux perdu dans les parois de la capsule fibreuse, et l'aspect de surfaces onctueuses offert par la région inférieure de l'acromion, plaident fortement, il me semble, en faveur de cette interprétation.

M. Brodie décrit aussi l'ulcération de la membrane synoviale comme une maladie primitive (*opér. cit.* pag. 49). Je ne puis partager cette opinion. Ces ulcères, qui existaient dans un cas dans l'articulation coxo-fémorale, et dans l'autre dans l'articulation scapulo-humérale, n'étaient certainement pas une maladie primitive. Les observations rapportées par M. Brodie lui-même le prouvent d'ailleurs suffisamment. Dans les trois observations du même genre que j'ai recueillies, le mal était évidemment la suite d'une phlegmasie assez étendue de quelques points de la capsule.

La présence des végétations ou des fongosités qu'on remarque assez souvent à la surface des cartilages s'explique de la manière suivante : 1° ou bien elles dépendent de plaques fongueuses primitivement établies à la surface des os, et qui, ayant successivement détaché, soulevé, détruit le cartilage, ont pu faire croire que celui-ci était compris dans la transformation ; 2° ou bien ces fongosités n'étaient que le résultat d'un épanchement de lymphe plastique organisée sur le contour de la surface synoviale des os, et prolongée ensuite dans l'intérieur même de l'articulation. Dans ces deux cas il est possible, en y regardant de près, de trouver encore au milieu des végétations des plaques cartilagineuses amincies, érodées, mobiles à la manière de corps étrangers. D'autres fois on remarque quelques lamelles amincies par leur surface libre, qui adhèrent encore, comme dans l'état normal, au tissu de l'os sous-jacent. J'ai montré, cette année même, à la Clinique, des cas multipliés d'articulations malades et en pleine suppuration depuis des mois et même des années. Or, vous avez pu constater, les pièces sous les yeux, que dans ces articulations les cartilages n'offraient les traces d'aucune des altérations dont on les a généralement gratifiées. J'ai vu fréquemment, et vous avez pu observer vous-même sur quelques malades soumis à votre examen, que les têtes cartilagineuses des os mis à nu, soit dans quelques plaies accidentelles, soit dans les désarticulations, disparaissent insensiblement par décollement, par usure ou par dissolution, mais que jamais elles ne se vascularisent, ne s'enflamment, ne s'épaississent autrement que par imbibition. Je répète donc d'une manière formelle, comme je l'ai d'ailleurs exposé dans mon *Traité d'Anatomie chirurgicale* et au mot *Articulation* du Dictionnaire de médecine, *deuxième édition*, que les cartilages d'incrustation et ce qu'on a désigné sous le nom de membrane synoviale des surfaces cartilagineuses ne sont susceptibles d'aucune maladie *organique* primitive.

On n'en rencontre pas moins des arthropathies qui tiennent à une usure ou bien à quelque altération mécanique des cartilages d'incrustation. Chez les vieillards en particulier, chez les personnes qui marchent beaucoup, et qui, pour certaines raisons que nous ne devons point examiner ici, ont les articulations sèches ou roidies, les cartilages s'usent par le frottement, s'amincissent, deviennent rugueux, inégaux, au point d'être quelquefois sillonnés par de véritables rainures. Tant que l'affection ne se transmet pas aux parties sous-jacentes, elle ne produit à ce degré qu'un peu de roideur, de gêne, de crépitation, quelques secousses douloureuses dans la jointure; mais chez d'autres sujets de pareilles altérations font que les ébranlements occasionnés par les mouvements du membre se transmettent bientôt aux surfaces osseuses voisines, de manière à les irriter, à produire de la douleur, et à faire naître un autre genre d'arthropathie dont nous allons bientôt parler.

Les cartilages sont ensuite susceptibles de se laisser contondre ou écraser. Les chutes, les violences extérieures dirigées de telle sorte que les deux os d'une articulation viennent à presser fortement l'un contre l'autre, peuvent, on le conçoit facilement, contondre, broyer même les cartilages d'incrustation dans une étendue variable. Dans quelques autres cas, les pressions obliquement dirigées détachent ou brisent des plaques plus ou moins larges de ces croûtes, et les isolent plus ou moins complétement à l'intérieur de l'articulation. Il est aisé de comprendre qu'en pareil cas l'altération des cartilages doit troubler les mouvements de l'article, et faire naître la plupart des accidents qu'y déterminerait la présence d'un corps étranger.

Cette variété d'arthropathie s'annonce par les caractères suivants : S'il ne s'agit pas d'individus avancés en âge, on trouvera, pour cause première du mal, quelque marche forcée, une chute, quelque faux pas, une violence extérieure quelconque. Le malade aura d'abord ressenti des douleurs dans l'articulation avant d'avoir observé le moindre gonflement; ces douleurs se manifestent par intervalles dans certaines positions, et disparaissent dans quelques autres; quelquefois elles deviennent excessives, au point de faire tomber le sujet, ou même d'entraîner la syncope. Dans l'immobilité, ces douleurs, que la pression des parties molles n'augmente point, s'évanouissent tout-à-fait. On les renouvelle en imprimant au membre des inclinaisons capables d'en faire varier les frottements. Du reste, ces douleurs sont plus ou moins vives, selon que les rugosités des cartilages sont plus ou moins profondes, et surtout selon que la surface des os est plus ou moins complétement dénudée.

Le prognostic est plus grave ici que pour les arthropathies des parties molles; mais aussi il l'est moins que dans celles des os proprement dits. Il est grave en ce sens, que la destruction des cartilages est irréparable. Il est moins désespérant que celui des arthropathies osseuses, parce que l'altération étant purement mécanique ou chimique, l'organisme en général n'en reçoit pas d'abord une atteinte aussi profonde.

Traitement de l'arthropathie des cartilages d'incrustation. — Le traitement de cette variété d'arthropathie diffère sous plus d'un rapport des traitements précédemment indiqués. La nature du tissu affecté et la profondeur du mal expliquent parfaitement cette différence. On comprend en effet que les topiques proprement dits, tels que les cataplasmes, les pommades, ne doivent être indiqués ici que par exception, et seulement pour combattre quelque affection concomitante des parties molles. On ne peut non plus fonder la base d'une médication rationnelle dans l'emploi des émissions sanguines générales. Cette ressource ne serait utile que s'il survenait quelque complication qui en démontrât la nécessité. On doit être d'ailleurs bien prévenu que l'arthropathie des cartilages d'incrustation ne guérit presque jamais d'une manière complète. Mais je dois ajouter qu'il n'est pas rare d'obtenir la guérison au moyen d'une des variétés de l'ankylose. J'en ai observé quelques exemples. Pour obtenir ce résultat, il convient de placer le membre dans une immobilité parfaite, soit à l'aide d'une gouttière bien garnie, soit au moyen de quelques attelles méthodiquement disposées, ou mieux encore à l'aide d'un appareil inamovible dextriné ou amidonné. Comme moyen curatif, la compression n'offre, à mon avis, aucun avantage réel; mais elle vient en aide à la formation de l'ankylose. Voici du reste ce que ma propre expérience m'a permis de conclure au sujet du traitement de la variété d'arthropathie qui nous occupe en ce moment. La première indication à remplir consiste à maintenir le membre dans l'immobilité la plus complète. Si l'état de la circulation l'exige, la saignée est indiquée; c'est assez dire qu'on ne doit accorder ici à ce moyen aucune propriété curative. Quelques sangsues appliquées à des intervalles plus ou moins éloignés, sont utiles dans certains cas. Les petits vésicatoires volants, les ventouses, les moxas, les cautères, la cautérisation transcurrente, sont indiqués à titre de révulsif. Je suis porté à croire que les médications internes, soit avec les préparations d'iode, de colchique ou de baryte, soit avec les mercuriaux, pourraient être utiles. Il faut ajouter à tous ces moyens un régime approprié, des bains ou des douches. Mais ne l'oubliez point, quelque précaution que l'on prenne, quelle que soit la médication à laquelle on a recours, on doit s'attendre à voir la maladie se prolonger pendant très long-temps. Le plus souvent l'ankylose en est la terminaison la plus heureuse.

Arthropathie des os. — Les os présentent dans leurs têtes articulaires tous les genres de maladies qu'ils peuvent offrir ailleurs. Par conséquent, on doit s'attendre à y rencontrer la carie et la nécrose, les dégénérescences fibreuses, squirrheuses, encéphaloïdes, tuberculeuses, hydatiques, colloïdes, etc. Mais pour le sujet qui nous occupe, je n'ai à vous parler de ces diverses maladies que dans leurs rapports avec les articulations. Or l'affection, en pareil cas, débute ou par la surface ou par le parenchyme des os.

B. ARTHROPATHIE DE LA SURFACE DES OS. — Si l'arthropathie débute par la surface osseuse, elle peut offrir deux nuances qu'il importe de ne pas confondre dans la pratique : ou bien c'est la région encroûtée du cartilage qui est d'abord le centre de l'altération ; ou bien la maladie s'établit dès le principe à la circonférence de la tête osseuse en dehors des limites du cartilage, sans être cependant à l'extérieur de l'articulation. Qu'il s'agisse alors d'une simple ostéite, d'une carie, d'une nécrose ou de quelque autre lésion, les symptômes n'en sont pas moins à peu près les mêmes.

Les arthropathies cartilagineuses dont j'ai déjà parlé finissent souvent par se compliquer d'arthropathie osseuse, mais cette dernière existe assez souvent sans la première. Alors la surface de l'os se vascularise, se ramollit ; le cartilage qui le recouvre se décolle, se soulève et s'amincit plus ou moins ; peu à peu cette surface osseuse se couvre de végétations, de fongosités qui en occupent tantôt un ou plusieurs points, tantôt la totalité, et qui ressemblent un peu aux fongosités des surfaces ulcérées de mauvaise nature. C'est au-dessous de ces fongosités qu'on trouve des points cariés, nécrosés, tuberculeux, fibreux, cancéreux, ou les traces d'une simple ostéite.

La maladie naît tantôt sous l'influence d'une cause externe, tantôt par l'effet de causes cachées ou internes. Dès le principe, les malades éprouvent des douleurs sourdes, profondes, qui deviennent aiguës si l'on exécute certains mouvements, mais qui persistent aussi dans le repos le plus parfait. Le gonflement ne se développe que très tard, et quand il en survient, c'est, comme dans les arthropathies des cartilages, par l'effet d'un épanchement de liquide dans l'articulation, bien plus que par l'épaississement des parties molles. Quand la maladie est plus avancée, l'intérieur de l'articulation devient si sensible que les moindres secousses, les moindres mouvements font jeter les hauts cris aux malades ; que, dans le lit, le plus léger attouchement des couvertures, la plus petite inflexion ou inclinaison du membre produisent des douleurs atroces. Aussi voit-on alors les malheureux malades concentrer toute leur volonté et leurs soins sur l'immobilité de l'articulation affectée. Ce qui fait leur tourment surtout, c'est l'action spasmodique des muscles, qu'ils ne peuvent maîtriser, puis la pesanteur inégale des os, qui les met dans l'impossibilité d'éviter les plus légères pressions des surfaces articulaires.

Toutefois ceci ne s'applique qu'au cas d'arthropathie osseuse correspondant aux incrustations cartilagineuses. En dehors de ces plaques, en effet, la maladie se comporte à peu près comme dans la continuité des os. C'est la face externe et la face interne du périoste qu'enveloppe la capsule articulaire qui devient malade, ou une portion d'os tapissée par cette partie de l'enveloppe fibreuse. Ici les altérations pathologiques peuvent bien être les mêmes ; mais comme la partie altérée est étrangère aux pressions que doivent supporter les os pendant les mouvements de l'articulation, il n'en résulte pas d'aussi graves accidents. On aura donc alors une douleur en apparence moins profonde, douleur que la pression augmentera manifestement si on la porte sur le contour de l'articulation, que les mouvements n'exaspèreront que modérément, qui redoutera enfin moins la contraction spasmodique des muscles, et qui sera loin de troubler également le sommeil et le repos des malades.

Ajoutons que, dans tous ces cas, si la maladie a duré long-temps, s'il en est résulté du pus, les cartilages disparaissent souvent par dissolution sans qu'il y ait de fongosités sur les os, et de manière même que les têtes articulaires offrent quelquefois un aspect lisse et comme éburné.

C. ARTHROPATHIE DU PARENCHYME DES OS. Toutes les fois que le mal débute par le parenchyme des os, il existe d'abord sous forme de simple ostéite, de carie, de nécrose, d'affection tuberculeuse, de dégénérescence fibreuse, cancéreuse; c'est-à-dire que les têtes articulaires peuvent offrir, comme je l'ai déjà dit, toutes les maladies du tissu osseux en général. Alors que l'affection se développe sous l'influence d'une constitution particulière ou de quelque autre cause spécifique, qu'elle tienne à une cause interne ou qu'elle dépende d'une violence extérieure quelconque, elle présente toujours une marche facile à distinguer de celle des arthropathies précédemment indiquées. Les malades en sont avertis par une douleur sourde, profonde, intermittente, généralement plus fatigante la nuit que le jour, souvent plus prononcée pendant le repos que lors des mouvements du membre. La partie devient *lourde*, *faible*; mais les mouvements de l'articulation restent libres. Aucune trace d'épanchement n'existe dans l'article. S'il survient du gonflement, il est généralement difficile à constater. On conçoit après tout que dans cette variété il s'agit plutôt d'une maladie du squelette que d'une arthropathie proprement dite. On peut même avancer qu'au début le mal est réellement étranger à l'articulation.

Plus tard, l'arthropathie du parenchyme des os offrira des symptômes encore plus faciles à saisir; ils différeront suivant le sens dans lequel l'affection se propage. Ainsi, soit qu'il s'agisse d'une carie, d'une nécrose, etc., soit qu'il s'agisse de suppuration osseuse, de tubercules ou de cancers, on conçoit que la maladie pourra se propager, tantôt du côté du cartilage, tantôt dans le sens opposé, et d'autres fois vers la circonférence de l'extrémité osseuse. Dans le premier cas, les symptômes de l'arthropathie osseuse superficielle finiront par survenir; le cartilage sera décollé; les douleurs deviendront excessivement aiguës, un épanchement s'établira dans l'articulation, et on aura enfin tous les accidents dont j'ai parlé plus haut. Dans le second cas, les douleurs resteront sourdes, pourront devenir lancinantes sans cesser toutefois d'être profondes; elles gagneront du côté de la région moyenne du membre; quelque aiguës qu'elles soient, elles pourront ne point gêner l'exercice de l'articulation proprement dite. Ce ne sera qu'après un temps en général considérable que du gonflement, quelques bosselures viendront annoncer une exostose et déceler la véritable nature ou le siége précis du mal.

Lorsqu'au lieu de se propager dans le sens de l'axe de l'os malade, l'affection se porte vers la circonférence, tantôt elle vient se faire jour sous le périoste qui est en contact avec la capsule synoviale, et alors elle rentre complétement dans les arthropathies osseuses superficielles proprement dites; tantôt elle atteint la tête de la circonférence osseuse en dehors des limites de la capsule fibro-synoviale, et alors on en est averti par quelques bosselures fixes, dures, douloureuses, situées à la circonférence de l'os malade, en même temps que l'articulation reste libre et sans épanchement. Les douleurs ici sont augmentées par la pression sur quelque point, et tout le voisinage reste indolent sous le même genre d'exploration.

Le pronostic des arthropathies osseuses est toujours grave; cependant il doit varier selon la nuance de la maladie, abstraction faite de sa nature. En effet, les affections tuberculeuses, cancéreuses, seront toujours plus graves au voisinage des articulations que la simple carie et les dégénérescences qui peuvent en être la suite. Mais cette gravité tient en pareil cas à la nature de la lésion et non à son siége. L'arthropathie osseuse superficielle est, toutes choses égales d'ailleurs, plus grave que l'arthropathie osseuse profonde; l'arthropathie osseuse superficielle correspondant aux cartilages d'incrustation est en outre plus redoutable que celle qui correspond à la périphérie. On conçoit en effet que la première entraîne à peu près nécessairement le décollement et la destruction des cartilages, qu'il en résulte une suppuration à peu près inévitable, et que les fonctions du membre doivent être abolies pour toujours, si tant est qu'on ne soit pas obligé d'avoir recours à l'amputation. A la périphérie, au contraire, il n'y a que le périoste ou la capsule fibro-synoviale qui soit altérée consécutivement; et comme les surfaces articulaires qui doivent frotter les unes contre les autres restent saines, la maladie peut durer indéfiniment dans quelques cas, ou disparaître même tout-à-fait en permettant à la jointure de reprendre ses fonctions naturelles.

Quant aux arthropathies profondes, elles offrent infiniment plus de gravité quand elles se portent du côté des cartilages ou de l'articulation que dans les autres cas. Arrivées aux cartilages ou dans la cavité synoviale, elles y revêtent d'abord tous les dangers des arthropathies osseuses superficielles; ensuite, comme elles appartiennent à des noyaux, à des masses plus ou moins épaisses de tissus altérés, on ne voit pas que la guérison en soit possible, à moins que la partie altérée ne soit éliminée par un travail phlegmasique et par l'ouverture même de l'articulation. Si au contraire la maladie suit une des autres directions, on voit des sujets la supporter deux, quatre, huit, quinze, vingt ans même, sans en être trop incommodés. Seulement des exostoses avec inflammation, avec suppuration, se font jour de temps à autre sous forme d'abcès; puis l'orage se calme, un ulcère fistuleux s'établit, se ferme de temps à autre, ou suinte continuellement, jusqu'à ce que quelque autre foyer phlegmasique se reproduise. A la longue, les fragments nécrosés, les foyers purulents ou les masses tuberculeuses s'échappent du parenchyme osseux, puis les ulcérations se modifient et se cicatrisent. Il est vrai sans doute que, loin de se circonscrire, d'être éliminées par les efforts organiques, la carie, la nécrose, ou telle autre altération du parenchyme des têtes articulaires, peuvent s'étendre, gagner de plus en plus en surface, et s'aggraver sans cesse; mais il n'en est pas moins certain aussi qu'avec le temps c'est le genre d'arthropathie osseuse dont on triomphe le plus fréquemment.

Traitement. — La thérapeutique des deux nuances d'arthropathie osseuse dont je viens de parler est encore fort peu avancée. Souvent influencée par l'état général et par d'autres maladies du sujet, elle nécessite la plus sévère attention sous le point de vue hygiénique et des médications générales. Ainsi, si le malade est en proie à une affection syphilitique évidente, ou même s'il n'existe que quelque soupçon d'un reste de cette affection, il faut avant tout faire usage du traitement mercuriel. Dans des cas de ce genre, on a vu la maladie céder d'une manière plus ou moins prompte, plus ou moins complète à cette médication. Les sudorifiques, les bains sulfureux; les douches de toutes sortes, les préparations de quinquina ou de fer, les amers en général, doivent être tentés, lorsque divers traitements ont été mis en usage pour combattre des maladies vénériennes. La cachexie scorbutique, l'affection tuberculeuse, l'état attribué à la maladie scrofuleuse (1) exigeraient de leur côté un régime et des moyens médicamenteux que je me dispenserai d'indiquer en ce moment.

Comme maladie locale, ce genre d'arthropathie résiste souvent à toute espèce de traitement. Je ne m'arrêterai pas à vous mentionner toutes les médications qui ont été proposées en pareil cas. Qu'il vous suffise de savoir que toute la thérapeutique a été, pour ainsi dire, mise à contribution, et que de tous les essais qui ont été faits à ce sujet, il n'en

(1) J'ai exprimé avec détail les idées de M. Velpeau sur la maladie scrofuleuse dans mon *Manuel pratique des maladies des yeux*, d'après les Leçons cliniques de M. le professeur Velpeau, 1 fort volume grand in-18 de 676 pages.

est pas encore sorti un seul remède d'une efficacité réelle et incontestable. Dernièrement M. de Lavacherie, professeur de clinique externe à l'université de Liége, a publié dans les *Annales de la Société de médecine de Gand*, un mémoire dans lequel il fait les plus grands éloges de la compression. Loin de moi la pensée de mettre ici en cause la bonne foi scientifique et les talents bien reconnus de ce chirurgien, mais je dois dire que je suis loin d'être aussi enthousiaste de ce moyen que mon honorable collègue. Je crois même que lorsque l'affection est réellement établie dans le tissu osseux, la compression ne peut exercer aucune influence sur la marche de la maladie. Toutefois je me hâte d'ajouter que le travail de M. de Lavacherie est digne de fixer l'attention des observateurs.

Quoi qu'il en soit, voici les moyens qui m'ont paru mériter le plus de confiance : Si le sujet est fort et vigoureux, s'il y a de la réaction circulatoire, les saignées générales sont indiquées. Les ventouses, les sangsues surtout conviennent aussi dans ces cas, et doivent être répétées souvent. Les pommades résolutives ne sont que d'un très faible secours. Si l'on fait alors usage des pommades iodurées ou mercurielles, il convient de les rendre en même temps narcotiques par l'addition de quelques préparations d'opium. Lorsque les symptômes inflammatoires ont perdu de leur intensité, et que la douleur diminue, les cataplasmes émollients simples ou arrosés d'extrait de saturne ou de laudanum sont indiqués. Les vésicatoires volants répétés sont aussi utiles à titre de révulsifs, mais il importe de ne pas trop insister sur ce moyen. Les moxas, la cautérisation transcurrente, les cautères maintenus pendant long-temps dans le voisinage des parties molles, sont plus efficaces ici que dans toutes les autres arthropathies. L'immobilité du membre, si nécessaire lorsque l'affection occupe la superficie des os, n'est point indispensable quand c'est le parenchyme osseux proprement dit qui est le siége de la lésion. On ne la recommande, en conséquence, que s'il en résulte quelque soulagement pour le malade. Je vous ai dit plus haut quelle est mon opinion actuelle sur les avantages de la compression. Les bains entiers, les bains de vapeur, les douches minérales de toutes sortes conviennent encore en pareil cas.

Comme traitement général, les mercuriaux à haute dose, le calomel, offrent assez souvent des avantages plus ou moins marqués ; mais aussitôt qu'ils sont arrivés à faire naître quelque menace de salivation, il est bon de les suspendre pour y revenir après une quinzaine de jours d'interruption ; encore faut-il ajouter que cette médication, utile dans les arthropathies osseuses superficielles, semble devoir être plutôt nuisible dans les arthropathies osseuses profondes. Les préparations de baryte ne m'ont pas paru mériter, dans ces cas, la moindre confiance. J'en dirai autant de l'iode et de ses composés. Ajoutons en terminant que le remède essentiel ici, est le temps et un régime approprié.

Toutes les nuances de l'arthropathie des parties dures peuvent être suivies de foyers purulents dans l'articulation. Ces foyers occasionnent de la réaction, de la diarrhée, une chaleur âcre, des frissons irréguliers, une sorte de fièvre purulente enfin. Si toute l'articulation est ainsi envahie, le seul remède à proposer est l'amputation du membre. Mais dans quelques cas, ses foyers se présentent sur quelques points isolés, ou sous forme de bosselures à la périphérie de l'articulation. La première idée qui se présente alors est de donner issue au pus. Or l'ouverture de pareils abcès constitue à elle seule une grave question. L'expérience prouve en effet qu'en ouvrant un abcès qui communique avec la cavité d'une grande articulation, on s'expose à faire naître tous les accidents d'une arthropathie purulente aiguë, et conséquemment à compromettre gravement la vie du malade. S'il s'agit au contraire d'un foyer en rapport avec quelque altération du parenchyme osseux sans qu'il y ait continuité entre son intérieur et celui de l'articulation, l'ouverture n'en est nullement dangereuse.

RÉSUMÉ GÉNÉRAL.

Il résulte de tout ce que j'ai dit jusqu'ici, que les arthropathies désignées sous le titre de *tumeurs blanches*, peuvent être distinguées sans trop de difficulté les unes des autres par des signes spéciaux, et qu'elles sont loin de réclamer toutes le même traitement. Ainsi nos entretiens cliniques sur ce sujet peuvent être résumés de la manière suivante :

Les tumeurs blanches appartiennent à deux grandes classes d'arthropathies :

A. Des parties molles. — *B*. Des parties dures. — La première classe se divise naturellement en trois genres : 1° arthropathies externes; 2° arthropathies capsulaires; 3° arthropathies internes. Il en est de même de la seconde, qui se présente sous forme : 1° d'arthropathies cartilagineuses; 2° d'arthropathies osseuses superficielles; 3° d'artropathies osseuses profondes ou parenchymateuses.

Quant à leur nature, toutes ces arthropathies peuvent être ou rhumatismales, ou scrofuleuses, ou tuberculeuses, ou syphilitiques, ou scorbutiques, ou cancéreuses, etc., ou simplement inflammatoires.

On peut encore résumer ce sujet comme il suit :

1° *Arthropathie extra-capsulaire.* — Empâtement; quelquefois douleurs; gonflement irrégulier, sans épanchement à l'intérieur de l'articulation; en général peu grave; exigeant le traitement, soit des érysipèles phlegmoneux, soit des engorgements du même genre développés dans les couches sous-cutanées du reste des membres. S'il s'établit une collection purulente, y appliquer le bistouri avec hardiesse et sans crainte.

2° *Arthropathie capsulaire pure.* — Due aux entorses, aux violences extérieures de toute espèce, aux affections rhumatismales ; accompagnée de douleur dans certains mouvements, douleur que la pression augmente quelquefois ; faisant naître un gonflement régulier ou irrégulier des couches extra-capsulaires ; produisant parfois un degré variable d'épanchement interne ; maladie plus grave que la précédente ; servant d'origine à plusieurs de celles qui vont être rappelées ; exigeant une médication antiphlogistique active ; se trouvant bien ensuite des pommades résolutives, des grands vésicatoires, de la compression, et des mercuriaux à haute dose.

3° *Arthropathie blennorrhagique, des femmes en couche.* — Lésion qui arrive brusquement ; qu'un épanchement abondant caractérise bientôt ; qui n'est accompagnée que de peu de douleur dans la première nuance et qui revêt promptement tous les caractères de l'arthrite aiguë dans la seconde ; qui exige un traitement assez énergique, mais plutôt évacuant et révulsif qu'antiphlogistique. Vésicatoires volants ; frictions mercurielles ; compression ; à l'intérieur des purgatifs ; le calomel à haute dose ; quelquefois aussi les substances balsamiques, anti-blennorrhagiques.

4° *Arthropathie fongueuse.* — Quelquefois primitive, le plus souvent consécutive, toujours lente, rarement douloureuse ; annoncée par des bosselures élastiques plus ou moins épaisses, roulant quelquefois sous la pression à la manière des corps étrangers ; faisant naître l'idée de la fluctuation ; quelquefois combinée avec un épanchement réel ; pouvant donner à l'articulation un volume énorme, n'empêchant pas absolument la marche ; généralement grave par sa ténacité ; résistant quelquefois à tous les moyens thérapeutiques ; ne cédant jamais aux émissions sanguines seules ; se trouvant mieux des *vésicatoires* très étendus, des pommades résolutives, de la cautérisation transcurrente, des moxas, des sétons, des cautères, de la compression et du calomel à haute dose.

5° *Arthropathie synoviale pure.* — Lésion essentiellement caractérisée par un épanchement de sérosité ; sans douleur, sans épaississement sensible des enveloppes articulaires ; naissant brusquement ou avec lenteur ; ne gênant que modérément les fonctions de l'article ; réclamant l'emploi des purgatifs, des mercuriaux à haute dose, du colchique ou des diurétiques associés aux grands vésicatoires et aux frictions résolutives.

Toutes ces nuances ont pour caractère commun d'être annoncées par du gonflement ou des douleurs superficielles dès le principe, et de ne jamais durer long-temps sans changer la forme de la partie.

6° *Arthropathie cartilagineuse.* — Maladie toute mécanique qui comprend l'ulcération, la contusion des cartilages et l'ulcération de la membrane synoviale, ou l'affection décrite sous ce nom pa. M. Brodie ; résultant de pressions exercées perpendiculai.ement ou dans un sens oblique par les surfaces cartilagineuses les unes contre les autres ; pouvant être comparée à un écrasement, à une usure, ou à des *écorchures* de plaques *inorganiques ;* naissant tout-à-coup ; s'annonçant par du craquement, par une douleur vive qui cesse complétement pendant l'immobilité, et qui revient lors de certains mouvements ; pouvant se compliquer d'arthropathie osseuse ; ne guérissant à la longue qu'au moyen du repos et d'une grande réserve dans les mouvements ou par suite de l'affaissement des rugosités cartilagineuses.

7° *Arthropathie osseuse superficielle.* — Maladie dont la cause est le plus souvent interne ; annoncée par des douleurs sourdes lorsque l'articulation est immobile, et causant des douleurs aiguës souvent intolérables lorsque le malade exécute le moindre mouvement. Ici l'épanchement, le gonflement, les fongosités, les bourrelets élastiques et mobiles ne se montrent que secondairement. Lésion toujours dangereuse, souvent incurable; exigeant ou repoussant les saignées générales, les ventouses, les sangsues, les mercuriaux, les purgatifs, suivant l'état général du sujet; lésion qui n'est que faiblement modifiée par les pommades résolutives, les vésicatoires et la compression; réclamant plutôt les moxas et les cautères; exigeant impérieusement l'immobilité la plus complète; nécessitant à la fin l'amputation, ou se terminant par ankylose.

8° *Arthropathie profonde des os*. — Maladie annoncée par des douleurs sourdes et toujours profondes, soit dans la marche, soit dans le repos; plus vive la nuit que le jour; accompagnée de chaleur; sans gonflement d'abord; pouvant durer des mois, des années sans le moindre épanchement dans l'articulation; envahissant quelquefois le cartilage d'incrustation et se transformant en affection excessivement douloureuse; se portant assez souvent vers le contour de la tête de l'os malade; faisant naître alors les symptômes d'une inflammation ou lente, ou aiguë; se comportant enfin à la manière des exostoses, accompagnées d'ostéite; maladie toujours excessivement longue, nécessitant fréquemment l'amputation du membre, ne se terminant d'une manière heureuse qu'après l'élimination ou la sortie des tissus nécrosés ou altérés; exigeant, comme traitement, les moyens internes surtout; les vésicatoires volants, les cautères, les moxas sont aussi utiles.

On voit que dans ce dernier groupe, c'est-à-dire dans les arthropathies des parties dures, la douleur est le symptôme dominant comme signe primitif, et que le plus souvent elle existe plusieurs semaines, plusieurs mois même avant qu'il y ait le moindre gonflement.

C'en est assez, je pense, pour montrer que la classe de maladie connue sous le nom de *tumeurs blanches* se compose d'une infinité de lésions diverses, et qu'à moins de les étudier ainsi séparément dans leurs éléments principaux, il est tout-à-fait impossible d'en perfectionner la thérapeutique.

Il me resterait maintenant à vous parler en détail de l'état purulent des articulations, état auquel peuvent conduire toutes les variétés d'arthropathies que nous avons étudiées, des dangers que ces maladies font courir à la vie quand elles se prolongent, et des indications de l'amputation ou de la résection. Mais chacune de ces questions exige des développements nombreux, dans lesquels je ne puis point entrer en ce moment. Nous y reviendrons dans une autre circonstance. Vous trouverez d'ailleurs des détails circonstanciés sur cette matière dans plusieurs bons ouvrages.

ARTICLE II.

DES CORPS ÉTRANGERS DANS LES ARTICULATIONS.

On observe quelquefois dans les articulations des corps tantôt tout à-fait libres, tantôt simplement mobiles et fixés aux parties voisines par un pédicule plus ou moins long, plus ou moins large. Ces corps peuvent se rencontrer dans toutes les jointures; cependant c'est dans les articulations ginglymoïdales qu'on les a le plus souvent observés. Le genou est pour ainsi dire leur siége de prédilection.

Rien n'indique que les auteurs anciens aient eu connaissance de cet état contre nature; on ne le trouve mentionné nulle part dans leurs ouvrages. Il faut arriver jusqu'au milieu du XVIe siècle pour en trouver un exemple. Ambroise Paré est en effet le premier qui ait fait connaître un fait de ce genre; et encore dois-je ajouter que ce chirurgien célèbre ne fait pour ainsi dire que mentionner ce cas, sans entrer dans des détails. Il se borne à dire, qu'appelé auprès d'un maître tailleur pour lui ouvrir une *aposthème aqueuse* du genou (c'est sans doute de l'hydarthrose dont Paré veut parler ici), il trouva une *pierre de la grosseur d'une amande, fort blanche, dure et polie.* Le malade guérit. Le second exemple a été rapporté par Pechlin, en 1691. Ici l'observation est très détaillée. Il s'agit d'un jeune homme qui, à la suite d'une chute sur le genou, vit se développer dans cette articulation une espèce de tubercule dur, mobile, qui, s'interposant par intervalles entre les surfaces articulaires, causait une si violente douleur, que ce malheureux jeune homme était obligé de suspendre immédiatement toute espèce de mouvement de son membre. D'après les instances du malade, le chirurgien procéda à l'extraction de ce corps. Il le refoula sur le côté externe de la rotule, et lui faisant faire saillie sous la peau, il le fit jaillir au-dehors par une incision qui comprit les tissus extra-capsulaires et la capsule elle-même. Ce corps, d'abord transparent et du volume de l'extrémité du doigt médius, devint opaque en se desséchant, et diminua de grosseur. Le malade guérit.

Plus tard, en 1726, Alexandre Monro publia un troisième fait dont je dois vous faire connaître les principaux détails, puisqu'on s'en est servi pour expliquer le mécanisme de la formation de ces corps. Ce chirurgien, disséquant le cadavre d'une femme âgée de quarante ans, trouva dans l'articulation fémoro-tibiale droite un corps étranger, de la forme et de la grosseur d'une petite fève, attaché à un ligament long d'un demi-pouce, et situé à la partie externe du tibia. Ce ligament était lui-même fixé au bord extérieur du cartilage qui couvre la cavité externe de l'os de la jambe, et plus intérieurement il manquait à ce même cartilage une portion de sa substance de la même figure que le corps dont je viens de parler. Ce corps n'avait d'ailleurs que la couche extérieure de solide; il était composé dans son intérieur d'une substance cellulaire remplie de graisse.

Dix ans plus tard, Simson extirpa du genou gauche d'un homme un corps étranger du volume d'un gros haricot, et qu'il dit être une concrétion osseuse couverte d'un cartilage. La guérison eut lieu; mais les suites de l'opération furent très longues et très pénibles à cause d'une imprudence du malade qui, peu d'heures après l'opération, fit une très longue course à cheval.

Ces premiers faits éveillèrent l'attention des praticiens sur ce sujet. Aussi, depuis cette époque, une foule de cas du même genre ont été observés, soit en France, soit dans les pays étrangers. Je dois faire ici une remarque qui trouve son application dans une foule d'autres circonstances, et dont vous comprendrez facilement toute la justesse. De ce que la maladie qui nous occupe n'a été observée par les chirurgiens que depuis l'époque dont j'ai parlé plus haut, il ne faudrait pas en conclure qu'elle n'existât pas antérieurement; il est beaucoup plus rationnel de penser que les auteurs anciens devaient la confondre avec les symptômes de quelque autre affection articulaire. Il serait fastidieux d'entrer dans des détails à ce sujet.

Quoi qu'il en soit, les observations de corps étrangers dans les articulations sont maintenant assez nombreuses et assez circonstanciées pour qu'il nous soit permis d'étudier cette question sous toutes ses faces. Dans notre service vous avez pu en observer trois exemples pendant le dernier trimestre de l'année 1839.

J'ai dit que ces corps peuvent se former dans toutes les articulations ; Haller en a trouvé une vingtaine librement rassemblés dans l'articulation temporo-maxillaire d'une femme décrépite, et chez laquelle plusieurs artères et quelques valvules du cœur offraient des *écailles* osseuses ou des commencements d'*écailles*. M. Robert (*Revue méd.*, 1830, t. II, p. 405) en a observé dix-huit à vingt dans une articulation huméro-cubitale dont la synoviale avait éprouvé une légère dégénérescence fongueuse. Les uns étaient libres dans l'intérieur de l'article ; les autres étaient adhérents par un pédicule plus ou moins allongé. Cette pièce pathologique, dit M. Bérard aîné, offrait tous les degrés de l'évolution de ces productions accidentelles. M. Malgaigne en a rencontré soixante dans une articulation du coude. On en a observé aussi dans les articulations du poignet et du pied. Pendant l'été de 1837, un homme, qui ne resta que quelques jours dans notre service, me parut en porter un dans l'articulation tibio-tarsienne du côté gauche, mais je ne pus pas en acquérir la certitude.

Tantôt il n'existe qu'un seul de ces corps dans la même articulation, tantôt on en observe plusieurs. Lorsqu'ils affectent l'articulation fémoro-tibiale, il n'y en a le plus souvent qu'un seul. Cependant Morgagni cite l'observation d'une vieille femme morte des suites d'une apoplexie, dans le genou gauche de laquelle il en trouva vingt-cinq, dont cinq étaient, dit-il, tout aussi volumineux que des grains de raisin. Desault (*Journal de chirurgie*, t. II, p. 337-340) donne l'observation d'un étudiant en philosophie, âgé de dix-neuf ans, qui en portait deux dans le genou gauche. Ils furent extraits par deux opérations pratiquées à quatre mois d'intervalle. L'existence d'un de ces corps n'avait pas été reconnue lors de la première opération. Le malade fut radicalement guéri. Le 22 du mois de février dernier, j'ai amputé en ville la cuisse droite d'un étudiant en médecine, pour une arthropathie des plus graves du genou. Le mal avait débuté par l'existence d'un corps étranger qui fut extrait par un chirurgien. La plaie se ferma promptement, et le malade se crut radicalement guéri; mais peu de temps après l'affection se renouvela; de nouveaux corps se formèrent *successivement* dans l'article; la plaie se rouvrit, resta béante, et, de temps à autre, le malheureux jeune homme voyait sortir une de ces productions accidentelles (1). Notez ce fait: c'est une nouvelle preuve à l'appui de la théorie que je vous développerai bientôt sur le mécanisme de la formation de ces corps.

Ces productions ont un volume très variable. Je vous ai déjà dit que celui qu'observa Ambroise Paré était de la grosseur d'une amande; il égalait le volume du doigt médius chez le malade dont Pechlin nous a légué l'observation. Celui que Desault retira du genou de l'étudiant dont

(1) J'ai assisté M. Velpeau dans cette opération; j'ai vu ces corps, que le malade gardait soigneusement dans un bocal. J'en ai compté cinquante-quatre; quelques uns offraient le volume d'un petit marron, d'autres celui d'une noisette; mais le plus grand nombre avaient la forme et la grosseur d'un haricot. Ce malheureux jeune homme a succombé sept jours après l'opération.

j'ai parlé plus haut, avait quatorze lignes dans son plus grand diamètre, et dix dans le plus petit. En 1822, à l'hôpital Saint-Louis, j'en ai vu extraire un qui n'était guère moins gros qu'un marron fortement aplati. Un homme admis en 1829 à l'hôpital Saint-Antoine, en portait un moitié plus volumineux. Toutefois ce sont là des cas exceptionnels ; le volume ordinaire de ces productions est celui d'un haricot; quelquefois cependant ils dépassent à peine les dimensions d'un grain d'orge ; on conçoit qu'alors il doit être souvent très difficile d'en bien constater l'existence. Nous verrons toutefois, en traitant du diagnostic, qu'il est un certain ordre de symptômes qui peuvent mettre facilement sur la voie. Lorsqu'il s'en rencontre plusieurs dans une même articulation , ils sont ordinairement peu volumineux, et n'offrent pas tous la même grosseur. Quand il n'y en a qu'un, il présente le plus souvent un assez gros volume. La dessiccation en diminue considérablement les dimensions.

La figure de ces corps varie aussi beaucoup, quelquefois ils sont anguleux ou irrégulièrement bosselés ; le plus souvent ils sont arrondis : les plus gros ont, en général, une forme allongée ou aplatie. Les plus petits offrent au contraire l'aspect d'un grain d'orge. La plupart ont une surface humide et polie.

Leur consistance n'est pas la même dans tous les cas et dans toute leur épaisseur. Quelques uns sont durs et comme pierreux ; de ce nombre était sans doute celui dont parle Ambroise Paré ; d'autres ressemblent tellement aux fragments d'un cartilage véritable, qu'il est de prime abord difficile de les en distinguer. Je dois ajouter toutefois que la consistance de ces corps est ordinairement moindre. La plupart de ceux que j'ai vus se sont laissés écraser sous une pression qui n'était pas assurément très forte. Je me suis convaincu qu'ils ne renferment ni vaisseaux ni lamelles, et qu'ils ne présentent aucune apparence de texture. Quoiqu'on observe assez souvent le contraire, le centre en est habituellement la partie la moins consistante. On en a trouvé qui étaient entièrement osseux. En 1834, un médecin des environs de Paris, M. Bourse, m'en fit remettre un à l'Académie royale de médecine, qui, selon toute apparence, n'était qu'un fragment du condyle externe du tibia encore revêtu de son cartilage.

Ces corps sont le plus souvent libres, mobiles, flottants dans l'intérieur de l'articulation, à tel point que quelquefois les sujets qui en sont affectés peuvent eux-mêmes les faire glisser d'un point sur un autre. Pendant le mois de décembre 1839, vous avez observé un exemple de ce genre dans la salle Sainte-Vierge. Desault (*op. cit.* p. 337) a rencontré un cas dans lequel «le corps étranger restait ordinairement au côté externe de la rotule; mais on pouvait le faire passer derrière cet os et le tendon des extenseurs de la jambe, le porter au côté interne de l'articulation, et le ramener ensuite par la même route dans sa première position, même en le retournant de manière que sa face antérieure devînt postérieure. Le malade, ajoute le célèbre chirurgien de l'Hôtel-Dieu, avait lui-même pratiqué plusieurs fois cette inversion.» Quelquefois cependant ces productions accidentelles sont maintenues par un pédicule plus ou moins large, plus ou moins long. Plusieurs de celles qui se trouvaient dans l'articulation huméro-cubitale observée par M. Robert étaient ainsi fixées. D'autres fois elles sont immédiatement adhérentes à un point quelconque de la synoviale; mais ces derniers cas sont rares. Quand il en existe plusieurs dans la même articulation, on les trouve quelquefois unis entre eux au moyen de filaments plus ou moins épais, plus ou moins consistants. Libres ou non, ils offrent un aspect onctueux qui est cause qu'on a cru devoir leur attribuer une enveloppe synoviale.

Causes et formation. — Depuis que l'attention des observateurs a été fixée sur les productions accidentelles qui nous occupent, on a cherché à se rendre compte du mécanisme de leur formation. Lorsqu'il s'agit d'expliquer un fait, l'esprit humain est rarement en défaut. Le titre de *pierre* que donne Paré à celui qu'il a extrait, indique assez que, dans l'esprit de ce grand chirurgien, la formation de ces corps était comparable à celle des calculs vésicaux; mais ce n'était là évidemment qu'une supposition qui ne devait trouver qu'un petit nombre de défenseurs. Les faits se multipliant, les observateurs se rapprochèrent davantage de la vérité. L'opinion qui obtint le plus de crédit dans le dernier siècle, est celle qui veut que les corps mobiles des articulations soient des fragments de cartilages naturels, accidentellement détachés; quelques faits semblent venir à l'appui de cette théorie. Celui de Monro, dont j'ai déjà parlé, a servi pour ainsi dire de type. Sans nier d'une manière absolue que les choses puissent quelquefois se passer ainsi, il n'en est pas moins vrai qu'il y aurait erreur dans la généralisation de cette manière de voir; car même pour la plupart des cas dans lesquels l'état des cavités diarthrodiales semble le plus déposer en sa faveur, il est facile d'en démontrer le peu de fondement. De nos jours, cette opinion ne peut plus être conservée, du moins comme explication de la majorité des faits de ce genre.

Hunter, M. A. Cooper en Angleterre, et Béclard en France, ont donné une autre explication de la formation des corps qui nous occupent. D'après ces auteurs, les corps étrangers des articulations se forment au-dehors de l'article, et s'engageant progressivement dans son intérieur, poussent devant eux la synoviale de manière à s'en former une enveloppe. Cette théorie, adoptée par un grand nombre d'observateurs modernes, et à laquelle M. Robert a cru pouvoir rapporter le fait qu'il a observé, rend parfaitement compte du pédicule, du mode d'adhérence qui empêche ces corps d'être entièrement libres, et permet de concevoir en même temps comment ils peuvent le devenir;

mais je suis porté à penser qu'il n'en est pas toujours ainsi. Voici du reste ma manière de voir à ce sujet.

S'il est vrai de dire qu'aucune des opinions que je viens de mentionner n'est absolument fausse, il faut convenir aussi qu'aucune n'est rigoureusement exacte. En effet, les corps étrangers des articulations se forment tantôt en dehors et tantôt en dedans de la cavité synoviale. A part quelques exceptions qui rentrent dans l'opinion de Monro, ce sont des concrétions étrangères aux surfaces articulaires. Ces corps trouvent fréquemment leur cause première dans un épanchement de sang ou même de lymphe concrescible. Sous ce rapport ils ne diffèrent pas des grains qu'on observe dans les bourses synoviales, tendineuses ou sous-cutanées. Un grumeau de fibrine en forme habituellement le noyau. Quoique la pression, le frottement, le contact du fluide synovial et le travail moléculaire de leurs principes constituants apportent des changements dans leur aspect, leur volume et leur consistance, leur nature ne change point pour cela; elle est toujours la même. On voit ainsi comment ils peuvent être coiffés d'une membrane libre ou pédiculée, comment ils ont, tantôt quelque ressemblance avec les cartilages, les os ou les masses calcaires, et tantôt de l'analogie avec les concrétions caséeuses, fibrineuses, etc. J'en ai d'ailleurs suivi les différentes phases chez un assez grand nombre de sujets pour ne plus douter que telle ne soit leur formation dans le plus grand nombre des cas. Ce n'est là, comme vous le comprenez très bien, qu'une des variétés des transformations du sang, transformations sur lesquelles je fixerai très prochainement votre attention d'une manière toute particulière (1).

Si quelques uns de ces corps naissent sans violence extérieure, le plus grand nombre ont été précédés d'un coup,

(1) Voyez l'article TRANSFORMATIONS DU SANG.

d'une chute, d'un faux pas. Ne se montrant qu'au bout d'un temps assez long après l'action de leur cause déterminante, des années pouvant ainsi s'écouler avant leur apparition, il serait d'ailleurs impossible d'affirmer qu'aucun accident n'en a été l'origine première. Du reste, il n'est pas indispensable que le sang soit d'abord déposé en dehors de la capsule. Épanché à l'intérieur même de l'article, ses grumeaux peuvent, ainsi que Hunter et Home disent l'avoir observé, contracter des adhérences, et finir même par offrir un pédicule.

Diagnostic. — La présence de ces corps dans une articulation donne lieu à des symptômes tellement caractéristiques, que leur diagnostic est en général facile à établir. Les malades ne s'en aperçoivent ordinairement qu'à l'occasion d'un faux pas ou d'un mouvement brusque. Il ne faudrait pas en conclure, comme quelques observateurs l'ont présumé, que l'affection se produit alors subitement. Cela tient évidemment à ce que les productions accidentelles dont nous parlons peuvent rester dans un repli, dans un cul-de-sac de la membrane, sans fixer l'attention des sujets. Ainsi à l'occasion que je viens d'indiquer, une douleur vive, profonde, qu'on pourrait appeler syncopale, rapide comme l'éclair, se manifeste, et met parfois la personne dans l'impossibilité de mouvoir la jointure affectée. Cet état persiste rarement au-delà de quelques minutes; une heure ou deux après, l'articulation reprend toute la liberté de ses mouvements. Toutefois il est des cas dans lesquels l'articulation ne perd pas en entier son excès de sensibilité; c'est quand ces espèces d'accès se succèdent à des intervalles très rapprochés. Un étudiant en médecine m'a offert un exemple de ce genre. Ce malheureux jeune homme osait à peine marcher. Toutes ces particularités sont faciles à concevoir : tant que le corps en question se tient en dehors des surfaces articulaires dans quelque cul-de-sac de la capsule, son existence n'est accompagnée d'aucune souffrance. Desault (*op. cit.*, pag. 332) parle d'un cas dans lequel le corps étranger, après avoir fait éprouver à différentes reprises de vives douleurs au malade, parut disparaître subitement et fut caché pendant six mois, durant lesquels l'articulation resta parfaitement libre. S'il s'engage au contraire entre les facettes osseuses, les accidents mentionnés plus haut surviennent immédiatement. Cette série de symptômes indique assez la présence d'un corps étranger dans une articulation. Toutefois il est vrai de dire que le diagnostic ne sera complet que quand on aura pu, pour ainsi dire, palper ces corps. Pour les distinguer à l'extérieur, il faut qu'ils ne soient séparés de la peau que par la synoviale, l'aponévrose et la couche sous-cutanée. C'est pour tâcher de les conduire dans le lieu le plus favorable sous ce rapport, lorsque les signes rationnels existent, qu'on imprime aux os des mouvements divers. Je dois ajouter que lorsque ce genre d'affection n'est accompagné d'aucune des variétés d'arthropathie, la santé générale se maintient en bon état.

La seule affection articulaire qui présente quelque chose d'analogue à la maladie qui nous occupe est celle que Hey décrit sous le titre de *internal derangement of the knee joint*, et dont voici les symptômes. A l'occasion d'un grand mouvement, d'une violence quelconque, la personne reste dans l'impossibilité de compléter l'extension du membre. Aucune souffrance, aucun gonflement pendant le repos; vive douleur, au contraire pendant les mouvements, douleur qui entraînerait la chute si on forçait l'extension. Souvent la guérison arrive tout-à-coup et spontanément; autrement on l'obtient en fléchissant la jambe au plus haut degré possible pour l'étendre ensuite. Hey rapporte cinq observations de succès obtenus par cette méthode (1).

(1) M. Vidal (de Cassis) dit qu'on ne pourrait confondre un corps étranger dans l'articulation fémoro-tibiale qu'avec la luxation incomplète des cartilages semi-lunaires. (*Traité de pathologie externe et de médecine opératoire*, t. II, p. 388.)

Pronostic. — Ces corps étrangers ne semblent pas de nature à se dissiper d'eux-mêmes. Si quelquefois les malades croient en être définitivement débarrassés, c'est qu'ils se cachent alors dans quelque repli, dans quelque cul-de-sac, et que là, ne donnant lieu à aucune douleur, on est porté à penser qu'ils ont totalement disparu. J'ai déjà dit que Desault parle d'un malade qui en garda un ainsi caché pendant six mois. On en a rapporté d'autres exemples. Il ne faudrait pas croire non plus que l'existence de ces corps donne toujours lieu aux accidents dont j'ai parlé plus haut. Quelques malades les ont gardés une partie de leur vie sans beaucoup d'inconvénients. Entre autres exemples de ce genre, je vous citerai les deux suivants. En 1830, j'ai vu à l'hôpital Saint-Antoine un homme âgé de cinquante à soixante ans qui n'avait jamais été arrêté par un corps étranger qu'il portait au genou depuis plus de vingt ans. En 1832, je fus appelé pour une demoiselle d'Arras qui en portait un depuis dix ans dans la même articulation, et qui n'en souffrait que lorsqu'elle venait à se heurter contre un autre corps. Mais le plus souvent il n'en est malheureusement pas ainsi. Sans parler de la douleur et de la série de phénomènes énumérés plus haut, on a vu quelquefois la présence de ces corps dans une articulation déterminer une inflammation aiguë ou chronique, et même une altération profonde de la jointure. On comprend dès lors que l'existence de ces corps n'est pas une affection exempte de toute gravité, et qu'elle mérite de fixer l'attention des praticiens d'une manière toute particulière.

Traitement. — Divers moyens ont été proposés pour débarrasser les malades des productions accidentelles qui nous occupent. L'idée de l'extirpation a dû naturellement se présenter la première aux chirurgiens ; mais les dangers d'une plaie pénétrante ont aussitôt frappé tous les esprits sages ; aussi a-t-on pensé de lui substituer une autre ressource thérapeutique : je veux parler de la compression.

Tels sont actuellement les deux moyens que l'art met à la disposition du chirurgien pour combattre cette affection. Entrons dans quelques détails à ce sujet.

Ayant observé que les corps étrangers n'occasionnent aucune douleur lorsqu'ils occupent certains points de l'articulation, quelques observateurs, Middleton entre autres, pensèrent qu'en les fixant sur ces points pendant un certain temps à l'aide d'une compression méthodiquement faite, on pourrait, ou bien leur faire contracter des adhérences qui s'opposeraient désormais à leur passage entre les têtes articulaires, ou bien même déterminer leur dissolution ou leur absorption. Middleton, Goock, Hey, Boyer, et quelques autres, ont rapporté quelques cas de succès obtenus par cette méthode; mais il est vrai de dire qu'elle a échoué fréquemment. Reymarus avait déjà été témoin de son inefficacité dans l'hôpital Saint-Georges de Londres. D'après cet auteur, un malade sur lequel on l'essaya ressentait une douleur plus forte lorsque le corps étranger était retenu au-dessous de la rotule par le bandage, quoiqu'avant son application il restât caché sous cet os sans causer de douleurs. On fut enfin obligé d'en faire l'extraction. Ce fait montre qu'il n'est pas indifférent, lorsque le corps étranger est complétement libre, de le maintenir sur certains points déterminés de l'articulation.

Quoi qu'il en soit, quand on se décide à faire usage de la compression, il faut avant tout refouler le corps étranger dans le point qui paraît le plus favorable; ainsi, s'il s'agit de l'articulation fémoro-tibiale, on doit le refouler sur les côtés ou au-dessus de la rotule. Fixé sur l'un de ces points, on peut l'y maintenir solidement sans avoir besoin d'une constriction très prononcée. Le bandage ou la genouillère doit être disposé de telle sorte que la marche du malade n'en soit point empêchée. Il est bien entendu que cette dernière remarque ne se rapporte qu'aux corps étrangers des articulations des membres inférieurs. Pour les membres supérieurs, le repos absolu de la partie pourrait plus facilement être conseillé. Au genou, on ne devrait donc joindre à la compression le repos absolu ou un appareil propre à ne permettre aucune espèce de mouvement à l'article que si cette première méthode avait été long-temps et vainement essayée. On comprend dès lors combien l'usage de ce moyen doit être incommode. Maintenant, si l'on réfléchit que la compression n'agit d'abord qu'à titre de palliatif, que souvent il est nécessaire de la continuer pendant plusieurs années pour obtenir une guérison radicale, et que de plus le succès est loin d'être assuré dans tous les cas, on se convaincra sans peine qu'il ne faut rien moins que la crainte des dangers de l'extirpation pour se décider à y avoir recours. Disons toutefois que c'est la seule ressource que dans certains cas on puisse substituer avec avantage à cette dernière opération.

L'extraction des corps étrangers des articulations est une opération si simple, si facile en apparence et si prompte, qu'on s'étonne, au prime-abord, de lui voir préférer la compression. Mais cet étonnement cesse bientôt quand on réfléchit qu'elle expose aux mêmes dangers que les plaies pénétrantes des articulations. Les craintes des chirurgiens n'ont été d'ailleurs que trop souvent confirmées par l'expérience. Ainsi un malade opéré par Hewitt, et dont Reymarus a recueilli l'observation, en est mort. Celui de Simson, dont j'ai parlé plus haut, donna pendant long-temps les plus vives inquiétudes : la guérison ne fut complète qu'au bout d'un an. M. S. Cooper cite deux autres sujets qui ont succombé. M. Decaisne (*Encyclog. des scienc. méd.*, 1836) parle de deux autres malades qui ont également succombé. Une jeune fille que je vis opérer en 1822 par M. Richerand fut prise d'accidents tellement graves, que sa guérison par ankylose parut en quelque sorte miraculeuse. Ce professeur avoue même avec franchise que quatre malades sont morts sur douze qu'il a opérés. Ce sont sans doute des faits de ce genre qui ont porté Bell à préférer l'amputation du membre en pareil cas, à moins que le corps étranger ne paraisse très superficiel, et David à conseiller de produire artificiellement l'ankylose.

Tout en repoussant l'opinion des deux auteurs que je viens de citer, un grand nombre de praticiens s'exagèrent peut-être encore la gravité de cette opération. On compte maintenant un assez grand nombre de succès obtenus avec la plus grande facilité par cette méthode, pour qu'on soit en droit de les prendre en considération dans l'appréciation de cette ressource. Sans vous parler d'une foule de faits de ce genre qui se trouvent consignés, soit dans les livres, soit dans les feuilles périodiques, je vous dirai que Desault en a extrait deux de la même articulation à quatre mois d'intervalle; qu'Aumont (*Arch. gén. de méd.*, t. II, p. 412, 472) en a extrait quatre en deux fois, à quarante jours d'intervalle, et cela sans causer le moindre accident. Dans le plus grand nombre des cas, la guérison a été extrêmement prompte. Beaucoup de malades ont pu marcher et reprendre leurs habitudes au bout de six à huit jours. Quelquefois au contraire la guérison n'arrive que lentement; dans ce dernier cas, l'opération est toujours accompagnée d'accidents plus ou moins graves. Une telle différence dans les suites s'explique d'ailleurs facilement. Si la plaie se réunit immédiatement et qu'il ne survienne point de phlegmasies au-dessous, le tout se réduit à une des plus simples solutions de continuité. Mais si l'inflammation s'empare de la membrane synoviale et de l'intérieur de l'article, on devine sans peine tous les désordres qui peuvent s'ensuivre. En conséquence, la prudence exige qu'on ne procède à l'opération qu'après avoir bien pesé ces diverses circonstances, et après avoir prévenu le malade ou quelqu'un de ses parents ou amis des dangers auxquels il s'expose. Voici du reste toute ma pensée à cet égard.

Tant que le corps étranger ne cause qu'une gêne légère, il faut engager la personne à le supporter; tel est le conseil que j'ai cru devoir donner aux trois malades que nous avions dans notre service pendant le dernier trimestre de l'année 1839; s'il trouble réellement les fonctions de la jointure, la compression est indiquée. Lorsque les bandages restent impuissants, ou bien lorsqu'ils amènent trop d'embarras et qu'ils fatiguent sensiblement le malade, on doit songer à l'extirpation. Néanmoins on ne se déciderait à opérer, quand le corps étranger est profondément caché dans l'article, ou bien quand il est trop difficile à rapprocher de l'extérieur, que s'il déterminait des accidents inquiétants, et après avoir inutilement mis à contribution toutes les autres ressources; il faudrait en outre que le malade demandât lui-même avec instances l'opération. Au contraire, lorsque le corps étranger est très mobile, et qu'on peut facilement le fixer en dehors de l'interligne articulaire et près de la peau, l'opération offre toutes les chances possibles de succès. Je dois ajouter que je n'ai pas encore pratiqué une seule opération de ce genre, et que si le cas se présentait, j'y regarderais à deux fois avant de me décider.

Une des précautions qui ont le plus occupé les chirurgiens dans le *Manuel opératoire*, consiste à s'opposer à l'introduction de l'air dans l'intérieur de l'articulation; aussi se sont-ils attachés soigneusement à tirer la peau, tantôt en haut, tantôt en bas, tantôt sur les côtés, pour empêcher le parallélisme de la plaie de la synoviale avec celle de la peau. Sans entrer dans des détails à ce sujet, je vous dirai que l'important ici consiste à conduire le corps qu'on veut extraire le plus loin possible du centre de l'articulation, et dans le point où il existe le moins de parties importantes à diviser. On l'y fixe alors solidement avec le pouce et l'index de la main gauche, ou mieux encore, comme le conseille M. Averill, avec un anneau métallique; puis on pratique tout d'un trait une incision assez longue et assez profonde pour que le corps puisse s'échapper de lui-même, s'il est tout-à-fait mobile. S'il ne sort pas immédiatement par une pression légère et convenable, on le saisit aussitôt avec une pince ou une érigne; s'il est pédiculé, on coupe avec des ciseaux le pédicule le plus près possible de sa base.

La plaie doit être réunie le plus immédiatement possible, et l'opéré doit garder le repos le plus complet jusqu'à ce que la cicatrisation soit complète. On pourrait aussi, pour plus de sûreté, entourer toute l'articulation d'une compression exacte, mais modérée, et tenir l'appareil imbibé d'eau froide pendant quatre ou cinq jours. Les suites de l'opération se rapportent d'ailleurs aux plaies pénétrantes des articulations; nous ne devons point nous en occuper ici.

ARTICLE III.

MALADIES DU SEIN CHEZ LA FEMME.

INFLAMMATIONS ET ABCÈS DU SEIN. — CONTUSIONS ET DÉPÔTS SANGUINS DE CET ORGANE. — AMPUTATION.

Le sein, chez la femme, est sujet à une foule de maladies diverses. Outre celles qui sont communes aux autres organes, on en observe d'autres qui lui sont propres. Sa texture et les fonctions dont il est chargé en rendent facilement compte. Je n'ai pas l'intention de passer en revue toutes ces affections; je me bornerai à vous exposer le tableau de celles qui, à mon avis, n'ont pas été convenablement étudiées jusqu'à ce jour.

Je rattache les maladies des mamelles chez la femme à deux grandes classes : 1° aux inflammations et aux abcès; 2° aux différents genres de tumeurs et de douleurs. Je ne m'occuperai dans ces leçons que de la première classe. Je vous présenterai ensuite quelques considérations sur l'amputation du sein, et les bandages qu'on applique aux mamelles.

§ I. INFLAMMATIONS DU SEIN.

Les inflammations du sein chez la femme comprennent, soit primitivement, soit secondairement, les excoriations, les crevasses et les affections eczémateuses ou porrigineuses du mamelon et de son aréole; les diverses sortes d'érysipèle, toutes les variétés du phlegmon et les engorgements.

1°. *Excoriations du mamelon.* — Un grand nombre de nourrices qui allaitent pour la première fois sont prises, dans les premières semaines, d'un ramollissement, d'une sensibilité plus ou moins vive du mamelon. Il n'est pas rare même de voir la surface de cet organe, continuellement imbibée de lait et *mâchonnée* par la bouche du nourrisson, se ramollir au point de se laisser excorier ou de devenir le siége d'une légère inflammation. Quelquefois aussi la racine du mamelon s'isole, semble s'étrangler, et devient plus particulièrement le siége des excoriations ou de l'affection ulcéreuse qui peut en être la conséquence. Vous observerez plus particulièrement cette maladie chez les femmes jeunes, de constitution lymphatique ou nerveuse, chez celles dont la peau est fine et délicate. Elle est en outre favorisée par des succions trop fréquentes, par un défaut de propreté, et par la mauvaise conformation du mamelon. Il vous sera toujours facile de la reconnaître à la douleur que cause la succion, à la sensibilité, à l'irritation dont se plaint la femme, à l'aspect rouge, granuleux, humide, excorié, fongueux de l'organe, et à une légère exsudation sanguine qu'y fait aisément naître le nourrisson.

Quoique cet état morbide ne soit pas grave par lui-même, il importe toutefois d'y porter remède. La cause déterminante du mal est évidemment la succion opérée par l'enfant. Il faut donc, avant tout, ne présenter le sein au nourrisson qu'à des intervalles assez éloignés, et avoir soin de couvrir cet organe de linges souples, bien secs; mais ces précautions ne suffisent pas toujours. J'ai employé souvent alors, avec un succès complet, de simples lotions avec l'eau salée, avec le vin pur, ou même avec de l'eau-de-vie. Je me suis convaincu qu'au début de la maladie, ces ressources sont rarement infructueuses. Toutefois il est des cas dans lesquels ces moyens sont insuffisants; on peut alors lotionner la partie affectée, plusieurs fois le jour, avec de l'eau de saturne, ou bien avec un mélange, par parties égales, d'huile et de vin rouge, si la douleur est vive, d'huile et d'eau de chaux, si les tissus semblent réclamer une astriction plus prononcée. En pareil cas, M. A. Cooper se loue beaucoup de l'emploi du topique suivant : borax, un drachme; alcool, demi-once; eau, trois onces (1).

Pour moi, je n'ai rien trouvé de mieux, lorsque les moyens précédemment indiqués et quelques autres, tels que la pommade de concombre, l'onguent populéum, ou le cérat simple, sont insuffisants, que de lotionner la partie avec une solution légère de nitrate d'argent ou de sulfate de zinc. Les onctions avec la pommade au précipité blanc sont aussi très avantageuses. Toutefois, vous devez être prévenus que la plupart des remèdes dont je viens de parler pourraient avoir quelques inconvénients, s'ils restaient en certaine quantité sur le mamelon au moment où le nourrisson vient le saisir. En conséquence, le meilleur moyen, en pareil cas, consiste à faire usage d'un mamelon artificiel bien approprié (2). En se comportant ainsi, de simples secours de propreté, ou l'un des topiques indiqués plus haut, suffisent dans la plupart des cas pour dissiper le mal en quelques jours. Ainsi, lotions avec l'eau salée, avec le vin pur, ou même avec de l'eau-de-vie, comme moyens préventifs; lotions avec l'eau de saturne, avec l'huile et le vin rouge, avec l'huile et l'eau de chaux, avec les solutions styptiques, onctions avec les pommades adoucissantes ou la pommade au précipité blanc, comme moyens curatifs, emploi d'un mamelon artificiel bien confectionné; telles sont les ressources que l'expérience a sanctionnées contre les excoriations du mamelon.

2° *Crevasses du mamelon et de son aréole.* — Les excoriations dont je viens de parler donnent souvent lieu à des gerçures ou crevasses qui méritent de fixer toute votre attention. Quoique le siége le plus ordinaire de ces lésions

(1) Œuvres chirurg. trad. par MM. Chassaignac et Richelot, pag. 507.

(2) M. Charrière a confectionné des bouts de sein en ivoire flexible, qui remplissent toutes les conditions désirables.

soit le mamelon, et surtout la rainure qui le sépare de la mamelle proprement dite, il n'en est pas moins vrai qu'on les observe quelquefois sur les différents points de l'aréole. Tiraillées, agrandies à chaque tentative de succion, ces gerçures se creusent progressivement, et deviennent l'occasion de douleurs excessivement vives, au point d'arracher des cris aux femmes les plus courageuses, aux mères les plus dévouées. Ces fentes sont quelquefois si profondes, qu'à chaque tentative d'allaitement le sang s'en écoule en abondance. J'en ai vu quelques unes creuser de plus en plus la racine du mamelon, et menacer de faire tomber cette saillie. Un exemple de ce genre s'est présenté à notre consultation dans le courant du mois de mars 1838.

Outre les douleurs qu'elles occasionnent, ces gerçures ont encore le grave inconvénient de troubler la sécrétion laiteuse, de rendre quelquefois la lactation tout-à-fait impossible, et d'exposer à de véritables inflammations du sein. Aussi les chirurgiens doivent-ils employer tous les moyens rationnels pour les prévenir ou pour les combattre. La thérapeutique est ici la même que celle que j'ai indiquée en parlant des excoriations. Toutefois c'est une maladie tellement désagréable et tellement insupportable, que quelques chirurgiens n'ont pas craint de l'attaquer par des moyens fort actifs. C'est ainsi qu'on a conseillé des lotions avec une solution de *sublimé* ou bien avec un *suspensum* de calomel dans l'eau de guimauve. Je dois dire que j'ai quelquefois essayé ce dernier moyen, et que je m'en suis bien trouvé; néanmoins il faut agir ici avec prudence. Quant à l'autre, il serait si dangereux d'en laisser avaler la moindre parcelle à l'enfant, que je ne balance pas à le proscrire d'une manière absolue. Mieux vaudrait alors toucher soigneusement toute l'étendue des crevasses, une ou plusieurs fois à quelques jours de distance, avec le nitrate d'argent, que de laisser ainsi de véritables poisons à la surface du mamelon. C'est là du reste le traitement que j'ai adopté, lorsque les moyens précédemment indiqués pour la guérison des excoriations ne suffisent pas. Disons en terminant que l'emploi des bouts de sein artificiels est encore plus important ici que dans les cas de simples excoriations.

3° *Dégénérescences croûteuses.* — Le mamelon se couvre quelquefois d'une affection squammeuse, tenant le milieu entre l'eczéma chronique et le psoriasis. Je l'ai observée deux fois chez des dames qui avaient depuis longtemps cessé d'allaiter. Les croûtes qui recouvraient l'organe étaient d'un gris verdâtre dans un cas, d'un gris jaunâtre dans l'autre, assez épaisses, fendillées et adhérentes. Dès qu'on cherchait à les détacher, on voyait survenir sur les petites plaies un suintement sanguin assez abondant. Le plus souvent la maladie est accompagnée d'une démangeaison plus ou moins insupportable, ce qui force les malades à se gratter et à alimenter ainsi le mal. Je dois ajouter pourtant qu'elle est ordinairement dépourvue de phénomènes inflammatoires proprement dits. Cette affection paraît trouver sa source la plus fréquente dans les frottements trop répétés du sein contre la chemise ou le corset. Le moyen thérapeutique qui m'a paru devoir être préféré en pareil cas est la pommade au précipité blanc employée en onctions. Cependant lorsque la maladie est ancienne, toutes les ressources de l'art restent quelquefois impuissantes, et la malade se voit obligée de faire le sacrifice du mamelon affecté. C'est ce qui arriva à l'une des malades que j'ai observées. Quant à l'autre, j'ai obtenu une guérison radicale à l'aide de la pommade au précipité blanc.

4° *Eczéma.* — J'ai vu plusieurs fois un eczéma impétigineux ou porrigineux bien caractérisé, non seulement sur le mamelon et son aréole, mais encore sur presque toute l'étendue de la mamelle. Chez une dame, parente d'un dentiste distingué de Paris, la peau était rouge, épaissie, indurée; il existait des douleurs lancinantes, à tel point que quelques personnes croyaient à l'existence d'une affection cancéreuse. Mais tous ces symptômes disparurent à l'aide d'un traitement approprié. Cependant je dois ajouter qu'il n'en est que rarement ainsi. Le plus souvent ce n'est qu'un eczéma simple, ou bien un eczéma syphilitique, ou bien encore un pityriasis qui se fixe sur l'aréole du mamelon, sous la forme d'un large disque croûteux ou écailleux, de couleur jaunâtre, grisâtre ou cuivrée.

Cette affection cutanée de la mamelle réclame le même traitement général que lorsqu'elle se montre sur les autres régions du corps. Je ne m'y arrêterai point. Je me suis convaincu néanmoins que les bains généraux et des onctions sur la partie affectée avec une pommade composée d'un demi-gros ou d'un gros de précipité blanc par once d'axonge, constituent la meilleure médication. Un cas remarquable de ce genre s'est présenté dernièrement dans notre service (salle Sainte-Catherine, n° 19), et vous avez vu que nous avons triomphé en moins de quinze jours de l'affection, qui datait de plusieurs mois, au dire de la malade. Il est inutile d'ajouter que si la maladie a son principe dans une affection syphilitique, c'est sur celle-ci qu'il faut diriger les moyens thérapeutiques.

5° *Érysipèle.* — Le sein est sujet à toutes les variétés de l'érysipèle. Mais comme sur cette région la maladie n'offre rien de particulier, je ne crois pas devoir m'y arrêter; je dirai seulement qu'elle se complique souvent de phlegmon diffus. Cependant j'ai vu, mais une seule fois, une inflammation qui me présenta tous les caractères de l'*erythema nodosum*. Chez la femme qui fait le sujet de cette observation, le sein gauche était le siége de quatre bosselures sous-cutanées, dont une, celle qui offrait précisément le moins d'apparence de fluctuation, devint un véritable foyer purulent, que j'ouvris, et qui donna issue à une quantité assez considérable de pus.

Je viens de vous dire que l'érysipèle se complique facilement de phlegmon diffus, affection qu'il ne faut point confondre ici avec les inflammations ordinaires du sein. Entre autres exemples de ce genre, je vous citerai le fait suivant, qui mérite de fixer toute votre attention.

Obs. I. — Dans les derniers jours du mois de novembre 1837, une femme jeune et forte, couchée au n° 21 de la salle Sainte-Catherine, souffrait depuis quelques jours de douleurs vagues dans le sein gauche; la peau était roug et luisante. Cet organe était évidemment le siége d'un érysipèle simple. A l'aide des moyens usités en pareil cas nous fîmes disparaître en quelques jours tous les symptômes du mal; et la malade, qui se croyait guérie, devai sortir de l'hôpital, lorsque tout-à-coup, sans cause appréciable, l'affection cutanée primitive se montra de nouvea et vint se fixer au côté interne du mamelon gauche. Dan l'espace de quelques jours, cet érysipèle prit la form phlegmoneuse. La totalité du sein devint le siége d'u boursouflement analogue à celui qu'on observe en pare cas au scrotum, aux paupières ou aux grandes lèvres. Bientôt une large plaque gangréneuse s'établit sur la moiti externe de la glande, et la malade succomba quelques jou après. A l'autopsie, nous trouvâmes les lobules de glande et presque tous les points de la couche cellul graisseuse infiltrés d'un pus séreux. Le tissu cellulai sous-cutané était mortifié en grande partie; mais nous rencontrâmes nulle part de collection purulente.

Ce fait, et ce n'est pas le seul de ce genre que j'aie observé, vous prouve qu'on devrait se tenir en garde cont une pareille inflammation, si l'on voyait la totalité sein prendre rapidement un accroissement considérab dans le cours d'un érysipèle ordinaire.

Dès que la maladie se déclare, les émissions sanguin générales et locales doivent être employées. Mais si cet médication ne jugule pas la phlegmasie, et pour peu q le mal ait fait des progrès, il n'y a plus à temporiser : il faut avoir recours aux incisions multiples et profondes sur les divers points enflammés ou qui menacent de passer à l'état de suppuration gangréneuse. Il est vrai de dire que les malades, les jeunes femmes surtout, ne consentent que difficilement à se laisser mutiler, pour ainsi dire, leurs plus beaux charmes ; mais c'est aux chirurgiens à les engager à vaincre une répugnance qui, toute légitime qu'elle est, pourrait entraîner les conséquences les plus fâcheuses.

ENGORGEMENTS ET INFLAMMATIONS PROPREMENT DITES.

Les inflammations proprement dites du sein chez la femme sont si fréquentes, leurs suites peuvent être si variées, et dans certains cas tellement graves, qu'il est nécessaire de les étudier avec beaucoup plus de soin qu'on ne l'a fait jusqu'à ce jour. Pour cela il est de la plus haute importance de bien distinguer avant tout le tissu, qui est le point de départ de la maladie. C'est pour avoir méconnu ou négligé cette distinction, qu'on s'entend en général encore si peu sur le sujet qui va nous occuper.

Les exemples nombreux que j'en ai observés m'ont dès long-temps porté à les diviser en plusieurs ordres, eu égard au siége primitif de la maladie. L'observation démontre en effet que suivant que la phlegmasie a son point de départ dans la couche sous-cutanée ou dans le tissu cellulaire sous-mammaire, ou dans la glande elle-même, elle est loin d'offrir les mêmes symptômes, de suivre la même marche, de présenter la même gravité et de réclamer les mêmes moyens thérapeutiques. Les inflammations du sein doivent donc être étudiées sous ces trois nuances principales, si on veut en avoir une idée exacte. Chacune de ces nuances offre en outre deux variétés qu'il est encore important de ne point confondre dans la pratique. C'est assez dire que l'anatomie chirurgicale telle qu'elle est comprise de nos jours va nous servir de guide.

Le tableau suivant indique la marche que nous suivrons dans cette étude.

1° Inflammations superficielles ou sous-cutanées,
   A. Du tissu cellulo-graisseux.
   B. De l'aréole et du mamelon.

2° Inflammations profondes ou sous-mammaires,
   A. Idiopathiques.
   B. Symptomatiques.

3° Inflammations de la glande, ou glandulaires,
   A. Engorgements laiteux.
   B. Inflammation proprement dite.

1° INFLAMMATIONS SUPERFICIELLES OU SOUS-CUTANÉES. — La couche cellulo-graisseuse interposée entre la glande et les téguments est loin d'offrir sur tous les points de la région mammaire la même disposition anatomique. Examinée en dehors de l'aréole, cette couche est plus ou moins épaisse, raréfiée, et présente tous les caractères du tissu cellulaire sous-cutané général. Aussi verrons-nous les inflammations qui s'y établissent se comporter de la même manière que dans les autres régions du corps. Mais il n'en est plus de même au mamelon et sur son aréole. En approchant de cette partie, la couche cellulo-graisseuse diminue d'épaisseur, perd peu à peu son tissu adipeux, et finit enfin par se confondre d'une manière intime en dedans avec la glande, en dehors avec la peau. On comprend sans peine qu'une pareille disposition doit exercer de l'influence sur les phlegmasies qui se développent dans cette partie de la région mammaire. Il convient donc d'examiner séparement chacune de ces deux variétés d'inflammation.

A. *Inflammation du tissu cellulo-graisseux.* — Cette première variété n'est, à proprement parler, qu'une inflammation phlegmoneuse dont elle offre à peu près tous les caractères. Cependant, eu égard au voisinage de la glande mammaire, je crois devoir vous en parler avec quelques détails.

Tantôt aiguë, tantôt chronique, quelquefois diffuse, le plus souvent circonscrite, l'inflammation dont il s'agit présente les symptômes suivants :

Lorsque la phlegmasie occupe une grande étendue, les téguments de la région mammaire revêtent dès le principe une rougeur plus ou moins prononcée ; la peau devient chaude et sèche ; une douleur piquante et superficielle, qu'augmente le moindre attouchement, se fait sentir. Bientôt le gonflement apparaît, et il n'est pas rare de lui voir atteindre un développement considérable, surtout lorsque l'inflammation est intense. Il est à remarquer que dans ces cas le mamelon et son aréole ne participent point, ou du moins très peu, à la tuméfaction. On les voit déprimés et former une cavité plus ou moins profonde, suivant le degré de gonflement des parties voisines. C'est là une particularité importante à noter ; elle est très utile dans la pratique pour le diagnostic différentiel des diverses inflammations du sein.

Lorsque la phlegmasie a acquis un tel développement, l'organisme s'en ressent toujours, plus ou moins ; il y a de la fièvre, de l'inappétence ; les malades se plaignent d'un certain degré de céphalalgie ; la langue est blanche ; on observe enfin tous les symptômes qui forment le cortége d'une réaction plus ou moins intense, provoquée par une inflammation phlegmoneuse en général.

Obs. II. — En décembre 1836, un cas remarquable de ce genre d'inflammation s'est présenté dans notre service. Une jeune femme, âgée de vingt-trois ans, mariée depuis quatre ans, nous fut adressée par un praticien de la ville. Elle avait eu deux enfants qu'elle avait nourris sans en éprouver le moindre dérangement. Elle était de nouveau enceinte de trois mois. Le 5 décembre, sans cause appréciable, elle éprouva dans le sein gauche une douleur, vague d'abord, mais qui acquit bientôt un certain degré d'intensité. Dès le lendemain, son sein devint rouge et acquit un développement anormal. Elle se borna à appliquer chez elle des cataplasmes émollients; mais voyant que sa maladie faisait chaque jour des progrès, elle se décida à entrer à l'hôpital. Le sein présente alors une rougeur intense qui disparaît sous la pression. Nous observons un gonflement énorme de toute la région mammaire, à l'exception du mamelon et de son aréole, qui semblent déprimés, et forment au milieu de la tumeur une cavité de près d'un pouce de profondeur. Ce caractère me suffit pour diagnostiquer que l'inflammation était superficielle, et que la glande et les tissus sous-mammaires n'y prenaient aucune part. Il en était réellement ainsi; quelques jours après la tumeur s'abcéda; deux incisions longues et peu profondes suffirent pour opérer le dégorgement, et après deux semaines de traitement, la malade sortit de l'hôpital parfaitement guérie.

Toutefois, ces cas sont assez rares : le plus souvent, comme je vous l'ai déjà dit, la phlegmasie est circonscrite; elle se présente alors sous forme d'une ou de plusieurs bosselures limitées et d'un volume plus ou moins considérable. Chacune de ces tumeurs offre d'ailleurs tous les caractères du phlegmon circonscrit. Sur une femme qui s'est présentée à notre consultation, en février 1838, nous avons observé deux tumeurs de ce genre, du volume d'un œuf de poule, occupant la région inférieure de la mamelle gauche. Elles ne dataient que de trois jours, au dire de la malade qui croyait pouvoir en attribuer la cause à un coup qu'elle avait reçu sur le sein une semaine auparavant.

Dans ces cas, surtout lorsque la phlegmasie est très circonscrite, il y a peu ou point de réaction; l'organisme s'en ressent à peine.

Les inflammations de la couche cellulo-graisseuse du sein s'établissent de trois manières principales : de dehors en dedans, de dedans en dehors, ou de prime abord dans la couche sous-cutanée elle-même. Ce ne sont point là des distinctions minutieuses et purement théoriques, comme on pourrait le croire. L'observation attentive des malades ne laisse aucun doute sur ce point. On comprend d'ailleurs que le pronostic de la maladie sera évidemment influencé par la marche qu'elle aura suivie dans son mode de développement.

Dans le premier cas, la phlegmasie sous-cutanée est déterminée par une irritation quelconque de la peau, par les frottements du corset ou de la chemise, par un vésicatoire, par des piqûres de sangsues, etc., etc. On conçoit, en effet, que l'irritation de la peau, se propageant dans la couche sous-cutanée, trouve là des tissus plus favorables à son développement, et s'y établisse sous forme d'inflammation réelle. Ici donc la glande n'est pour rien dans le développement de la maladie, et le pronostic ne présente le plus souvent aucune gravité. Les faits de ce genre sont très nombreux; c'est pourquoi je crois pouvoir me dispenser d'entrer dans plus de détails.

Dans le second cas, il n'en est plus ainsi : l'inflammation sous-cutanée se rattache alors presque toujours à une maladie préalable du tissu glandulaire (1). Je dis presque tou-

(1) Le fait suivant, que j'ai observé en 1836 à l'Hôtel-Dieu, lorsque M. Vidal (de Cassis) remplaçait par intérim M. Breschet, alors occupé du concours pour la chaire d'anatomie, montre jusqu'à l'évidence que les phlegmasies superficielles du sein peuvent être la suite d'une inflammation préalable de la glande.

Obs. III. — Une jeune nourrice âgée de vingt-deux ans éprouvait depuis près de deux semaines des douleurs sourdes dans le sein droit. Cet organe avait acquis un développement assez considérable. La peau était à l'état normal. M. Vidal reconnut là un engorgement du sein, que je décrirai plus tard sous le titre d'engorgement laiteux, et le traita par les moyens appropriés. Quelques jours après, nous observâmes à la partie interne et inférieure de la mamelle malade une plaque rouge sur la peau. Bientôt cette partie devint le siége d'une bosselure qui ne tarda pas à s'abcéder, et exigea une incision qui fut promptement cicatrisée. Les douleurs sourdes de la mamelle n'en persistaient pas moins, et la glande ne présentait aucune espèce de fluctuation. Plus tard, une nouvelle bosselure, précédée d'une plaque rouge semblable à la précédente, se montra à la partie inférieure et externe du sein.

jours, car on conçoit qu'à la rigueur il est possible qu'une violence extérieure exercée brusquement sur le sein développe une inflammation du tissu cellulaire sous-cutané, allant des parties profondes vers la superficie. Dans le courant de cette année (1838), vous avez dû observer plusieurs exemples de ce genre dans notre service.

Il arrive enfin que la phlegmasie se développe primitivement dans la couche cellulo-graisseuse sous-cutanée. Elle reconnaît alors pour cause, tantôt une action quelconque des corps extérieurs, tantôt une prédisposition interne qui nous échappe le plus souvent, ou bien, comme on le dit, elle apparaît spontanément.

Toutefois vous devez savoir que, quel que soit le mode de développement de la maladie, la marche est toujours à peu près la même, et les caractères qui la décèlent aux yeux de l'observateur sont presque constamment ceux que j'ai indiqués plus haut. Vous pourrez d'ailleurs la distinguer de l'érysipèle, en ce que le gonflement existe réellement entre la glande et la peau; en ce que ce gonflement est fixe; en ce que la rougeur qui l'accompagne est régulière, rose, violacée ou brune; en ce que la douleur et la chaleur sont sourdes et un peu profondes; en ce qu'il n'y a point sur la peau de plaques d'un rouge jaunâtre, se terminant d'une manière brusque par un bord *festonné*, ni cette chaleur âcre et mordicante qui accompagne presque constamment l'érysipèle. Vous la distinguerez en outre de l'angioleucite, par l'absence de stries rougeâtres, allant se rendre au cou ou dans l'aisselle; de la phlébite, par l'absence de tremblements irréguliers et des autres symptômes de l'infection purulente; des phlegmons diffus, par la circonscription de ses limites, par les bosselures qui

La fluctuation ne tarda pas à se faire sentir; une nouvelle incision fut pratiquée et la plaie se cicatrisa avec la même promptitude que la précédente. Dès lors l'engorgement de la glande se ramollit, et la résolution s'opéra en une semaine.

l'accompagnent et par le peu de gonflement qu'elle fait naître.

Les terminaisons les plus fréquentes de ce genre d'inflammation sont la résolution et la suppuration. Il peut arriver pourtant qu'après la disparition de tous les symptômes inflammatoires, il reste encore quelque noyau induré qui persiste plus ou moins long-temps, et qui peut même subir plusieurs sortes de dégénérescences. Mais ne voulant étudier ici les inflammations du sein qu'en ce qui les concerne à l'état de phlegmasie, je n'ai pas à m'occuper de ces cas.

La durée de cette maladie est nécessairement variable, en raison de son intensité, de son étendue, et de la disposition des sujets qui en sont atteints. Abandonnée à elle-même, elle se termine presque constamment par suppuration. Nous nous occuperons du traitement de cette terminaison quand nous étudierons les abcès. Il nous reste donc à examiner quels sont les moyens que la thérapeutique met à la disposition du chirurgien pour amener la résolution.

Traitement. — Quoique le traitement de la phlegmasie qui nous occupe soit à peu près le même que celui que réclament les inflammations sous-cutanées en général, je crois devoir entrer ici dans quelques détails.

Il convient avant tout de faire disparaître, autant que possible, les causes prédisposantes. C'est ainsi que vous devrez combattre par les moyens appropriés toutes les irritations de la peau, que vous conseillerez aux malades d'éviter toute compression, et même tout frottement, sur la région affectée.

Si la femme est jeune et d'une constitution pléthorique, si l'inflammation est intense et qu'il y ait de la réaction, on débute par une ou deux saignées du bras. Une application de sangsues sur la région malade est ensuite prescrite; après quoi on couvre le sein d'un cataplasme de farine de lin que l'on renouvelle deux et même trois fois le jour, et que l'on peut arroser avec avantage, suivant les cas, tantôt de laudanum, tantôt d'extrait de saturne.

Si l'inflammation est peu intense, s'il n'y a pas de réaction générale, ou bien si la malade est d'une faible constitution, il n'est pas nécessaire d'avoir recours aux émissions sanguines générales; les sangsues sont alors suffisantes. On peut en faire appliquer sur la région malade de quinze à quarante. L'expérience m'a démontré que, dans ce cas, placées sur la partie affectée, les sangsues sont plus avantageuses qu'autour du sein.

Si ce genre de médication était contre-indiqué par quelques causes spéciales, ou bien s'il ne produisait pas tout l'effet désirable, on pourrait alors avoir recours avec avantage aux onctions mercurielles abondantes et répétées deux ou trois fois le jour. Vous avez sans doute observé dans nos salles plusieurs engorgements inflammatoires du tissu cellulaire sous-cutané du sein qui n'avaient que médiocrement cédé aux émissions sanguines générales et locales, disparaître complétement et en très peu de temps sous l'influence de ces onctions. C'est dans ces cas encore qu'une compression méthodiquement faite produit le plus souveent des résultats inespérés. Aussi je ne saurais trop engager les praticiens à faire usage de ce moyen, surtout lorsque l'inflammation a été dissipée en partie, et que la maladie est réduite à l'état de phlegmasie subaiguë. Vous devez savoir toutefois que la compression est difficile à maintenir sur le sein, qu'elle exige là beaucoup de soins minutieux de la part du chirurgien, et que beaucoup de malades ne peuvent pas la supporter. A la fin de ces entretiens, je vous dirai quelques mots sur la manière d'établir convenablement cette compression.

Je suis parvenu plusieurs fois à dissiper l'inflammation sous-cutanée du sein en couvrant toute la région douloureuse d'un large vésicatoire volant; mais je me hâte d'ajouter que ce moyen ne réussit pas toujours, et que vous ne devriez y avoir recours, dans votre pratique civile surtout, que si toutes les autres ressources avaient fait défaut.

Quelle que soit d'ailleurs la médication locale à laquelle on ait recours, il convient toujours de soutenir mollement le sein à l'aide d'un bandage approprié, et d'ordonner à la malade de se coucher sur le côté sain. C'est là une précaution qui me paraît importante, surtout dans les cas où le poids de l'organe et le point où la maladie s'est établie, paraissent concourir à l'appel des fluides vers la région enflammée.

Les moyens locaux dont je viens de parler sont sans contredit très avantageux; cependant il est des cas dans lesquels il est très utile d'opérer une certaine révulsion sur le tube intestinal. Si l'inflammation est légère et due à une cause externe, on se borne à prescrire quelques lavements laxatifs et des boissons légèrement amères ou délayantes; mais si la phlegmasie est intense, et surtout si elle est le résultat de couches, ou bien si la malade est une nourrice, il convient de faire usage des purgatifs, tels que l'eau de Pullna, l'huile de ricin, la scammonée, le jalap ou le séné. Le calomel, dont on a tant vanté les bons effets dans ces derniers temps, en Angleterre surtout, ne m'a pas paru mériter, dans le genre d'inflammation qui nous occupe, la réputation qu'on lui a faite. J'en dirai autant du tartre stibié.

Telles sont les différentes ressources thérapeutiques à l'aide desquelles on peut espérer la résolution des inflammations sous-cutanées du sein. Mais qu'on ne s'y trompe point, cette terminaison est loin d'être constante. Le plus souvent, au contraire, la suppuration est inévitable, surtout lorsque la maladie n'a pas été attaquée à son début. On ne doit même plus espérer de voir l'inflammation se résoudre lorsqu'elle existe depuis cinq ou six jours à l'état franchement aigu. Dans ces cas, il serait tout-à-fait irrationnel de s'en tenir au traitement résolutif.

B. — Inflammation du mamelon et de son aréole. — Les tissus qui composent le mamelon et son aréole sont tellement serrés et si intimement unis à la glande, qu'on ne conçoit guère qu'ils puissent être le siége d'une inflammation purement sous-cutanée, indépendante d'une affection de la glande elle-même. Cependant il n'est pas rare de voir des phlegmasies se développer sur cette région et être caractérisées par une rougeur tirant sur le livide, par une douleur circonscrite et lancinante, et par une protubérance plus ou moins marquée du mamelon et de son aréole, ce qui donne au sein une forme conoïde. C'est surtout chez les nourrices et les nouvelles accouchées qu'on observe ce genre d'inflammation, qui trouve ses causes dans des exulcérations, des gerçures ou toute autre irritation des téguments; très souvent aussi elle est due à la succion de l'enfant. C'est d'ailleurs une affection si légère, que les femmes se soignent elles-mêmes sans avoir recours aux hommes de l'art : aussi n'en observe-t-on que peu d'exemples dans les hôpitaux. J'en ai constaté un cas remarquable en juin 1837.

Obs. IV. — Une jeune nourrice se présente à notre consultation, se plaignant de vives douleurs dans le mamelon du sein gauche; elle dit souffrir depuis cinq jours. Il n'existe aucune excoriation sur la peau, qui offre une rougeur presque livide. Un gonflement assez considérable existe sur toute l'aréole; le mamelon est double de son volume naturel. La malade ne voulant point entrer à l'hôpital, je fais suspendre l'allaitement; j'ordonne une application de dix sangsues, et l'usage de cataplasmes émollients. Deux jours après, elle revient à la consultation : la tumeur s'était abcédée, et le pus s'était fait jour au-dehors à travers cinq petites ouvertures de la peau. Nouvelles applications émollientes. Nous n'avons plus revu cette malade. D'après la promesse formelle qu'elle nous avait faite de revenir, nous sommes porté à croire qu'elle a été radicalement guérie.

Dans ma pratique civile j'ai observé plusieurs autres faits du même genre.

Cette variété d'inflammation a ceci de particulier, qu'elle marche très rapidement vers la résolution si on en supprime les causes déterminantes ou si on la traite convenablement dès le principe; qu'elle peut se terminer aussi en peu de jours par de petits foyers purulents ordinairement multiples, de forme irrégulière, et qui amincissent très rapidement la peau.

Traitement. — Retirer l'enfant du sein de la mère, si celle-ci nourrit, est la première condition à remplir dans le traitement de cette affection. Si la phlegmasie est intense, si la femme est d'une forte constitution, et s'il existe un certain degré de réaction, on pratique une saignée du bras; on ordonne une application de sangsues autour du siége du mal et des cataplasmes émollients. Il est bon aussi de faire usage de quelques dérivatifs intestinaux. Mais dans les cas ordinaires, quelques sangsues et des cataplasmes de farine de lin suffisent pour amener promptement la résolution.

2° Inflammations sous-mammaires ou profondes. — Le tissu cellulaire qui sépare la glande du muscle grand pectoral et des cartilages sterno-costaux, est loin d'offrir la même disposition que celui qui est interposé entre la mamelle et les téguments. Sous le sein, ce tissu se présente sous l'aspect de lames foliacées semblables à celles de la couche profonde de l'abdomen et des membres. Aussi les inflammations qui s'y développent ont-elles une grande tendance à occuper une large surface et à revêtir la forme du phlegmon diffus. Nous avons vu au contraire que celles qui se développent dans la couche sous-cutanée sont ordinairement circonscrites et se présentent sous forme de bosselures.

Comme les inflammations sous-cutanées, les inflammations profondes du sein peuvent s'établir de trois manières différentes : tantôt elles reconnaissent pour cause une irritation de la glande elle-même ; ces cas sont les plus fréquents; tantôt elles trouvent leur origine dans une affection des parois thoraciques, ou même des organes contenus dans la cavité pectorale ; tantôt enfin elles se développent spontanément dans le tissu sous-mammaire lui-même, et alors les causes en sont le plus souvent inappréciables. Ce dernier mode de développement est sans contredit le plus rare. Disons quelques mots sur chacun de ces cas.

A. — Il n'est pas rare de voir à la suite d'une inflammation plus ou moins intense de la glande mammaire le tissu cellulaire profond de cette région s'enflammer à son tour et présenter les symptômes que je vous indiquerai bientôt. Entre autres exemples de ce genre, je vous citerai l'observation suivante :

Obs. V. — Au mois d'avril 1836 était couchée au n° 15, de la salle Sainte-Catherine, une nourrice, âgée de trente-deux ans, affectée d'un engorgement de la mamelle gauche. Il était facile de reconnaître aux signes que présentait la maladie que la glande seule était affectée, et que les tissus environnants étaient sains. Elle était soumise depuis six jours au traitement que réclamait son affection, lorsque tout-à-coup une fièvre assez intense se développa : le sein prit un accroissement considérable et revêtit la forme que je vais bientôt décrire ; les douleurs devinrent profondes et sourdes. Je reconnus dès lors que le tissu cellulaire sous-mammaire avait été envahi par l'inflammation. Ce diagnostic se réalisa. Trois jours après le développement des symptômes dont je viens de parler, la tumeur inflammatoire profonde s'abcéda. Je pratiquai une large incision à la partie inférieure et interne du sein, et je donnai ainsi issue à une quantité considérable de pus. Il est évident que dans ce cas la phlegmasie profonde avait son point de départ dans une affection primitive de la glande.

B. — Il est peu de praticiens qui n'aient observé la

maladie qui nous occupe en ce moment, à la suite d'une affection quelconque des parois thoraciques ou des organes contenus dans la poitrine. Pour moi, j'ai vu l'inflammation profonde du sein dépendre tantôt d'altérations organiques du poumon, tantôt de fracture, de carie, de nécrose des côtes; tantôt d'épanchements de pus, de sang, de sérosité dans la plèvre. Le fait suivant mérite d'être mentionné ici.

OBS. VI.—Au mois de décembre 1836, une femme âgée de trente-sept ans fut admise dans notre service. Elle était affectée depuis plusieurs mois d'une carie de la quatrième côte dans la partie correspondante au côté externe de la mamelle gauche. Une ouverture fistuleuse existait sur ce point. Je me proposais de réséquer la portion malade de l'os, lorsqu'une inflammation violente se développa dans le tissu cellulaire profond de la mamelle. Il y eut une si forte réaction, que la malade faillit succomber. Le sein acquit un développement considérable sans que la peau changeât de couleur. Néanmoins cette tumeur s'abcéda six jours après. Je pratiquai sur le point déclive une large incision qui donna issue à près d'un litre de pus; et peu après tout rentra dans l'ordre. Je pus alors songer à la résection.

C. — S'il est vrai de dire que l'inflammation sous-mammaire reconnaît le plus souvent pour cause une affection préalable de la glande ou des parois thoraciques, il n'en est pas moins vrai qu'elle se développe aussi quelquefois primitivement dans le tissu qui en est le siége. Ici, comme on le comprend facilement, les causes en sont le plus souvent obscures. Néanmoins, on conçoit que ce genre d'inflammation du sein puisse se développer à la suite de quelque violence extérieure qui ne laisse aucune trace dans la glande ou sur les parois thoraciques. Le fait suivant avait évidemment une pareille origine.

OBS. VII. — Au mois de juin 1838, une jeune personne de dix-huit ans se présente à notre consultation. Cinq jours auparavant elle avait reçu un coup assez violent sur le sein droit. Depuis lors des douleurs sourdes et profondes tourmentaient la malade. La mamelle affectée avait acquis un développement double de celle du côté opposé. La peau était presque à l'état normal, et sans le rapport de la malade, on ne se serait nullement douté que la région affectée avait été le siége d'une violence extérieure. Le gonflement inflammatoire était évidemment situé dans les couches profondes; la mamelle était comme soulevée en avant. Le pouls était plein et résistant. D'après le refus que fait la malade d'entrer à l'hôpital, j'ordonne une saignée de seize onces, une application de trente sangsues autour du sein, et immédiatement après de larges cataplasmes émollients. Trois jours après elle revient à la consultation; il y avait alors une fluctuation évidente. Une large incision pratiquée à la partie inférieure et interne du sein donna issue à plus d'un verre de pus. Nouvelles applications de cataplasmes émollients. Quatre jours après nous la revoyons de nouveau. Le sein avait repris son volume normal; il n'existait plus qu'un léger suintement purulent; la plaie avait un bon aspect, et tout donnait à penser que la guérison complète ne se ferait pas long-temps attendre. En effet, neuf jours après tout était rentré dans l'ordre.

Il résulte de ce qui précède que les inflammations profondes du sein peuvent être idiopathiques ou symptomatiques. Quoi qu'il en soit d'ailleurs de leur mode de développement, voici les principaux caractères au moyen desquels vous pourrez reconnaître cette maladie : le sein offre un développement plus ou moins considérable; sa surface est tendue, hémisphérique et sillonnée quelquefois de grosses veines. Lorsque l'inflammation est intense, les téguments sont chauds et offrent une teinte légèrement rosée. Dans les cas ordinaires, la peau, tant soit peu chaude, présente d'ailleurs sa couleur normale. Le gonflement a ceci de particulier, c'est que la glande mammaire paraît comme soulevée d'arrière en avant, et qu'on n'observe point, comme dans les inflammations sous-cutanées, de bosselures, de plaques, soit fongueuses, soit livides, à l'extérieur. Ce genre d'inflammation est ordinairement accompagné d'une réaction plus ou moins vive, et de tous les symptômes d'une fièvre inflammatoire. A ces signes il sera toujours assez facile de distinguer une inflammation profonde du sein de celle qui occupe le tissu cellulo-graisseux sous-cutané de la même région. Nous verrons bientôt quels sont les caractères qui la distinguent des phlegmasies de la glande elle-même.

La texture, la disposition des tissus, qui sont ici le siége de la phlegmasie, expliquent assez pourquoi sa marche est ordinairement si rapide; quelques jours suffisent, en effet, pour voir ce genre d'inflammation atteindre son plus haut degré de développement. J'ai observé plusieurs cas dans lesquels quarante-huit heures ont suffi pour donner au sein le double et même le triple de son volume naturel. Chez une femme qui s'est présentée à notre consultation dans le mois de juillet 1838, le sein gauche, affecté d'une inflammation du tissu cellulaire profond, avait acquis en trois jours, au dire de la malade, le volume de la tête d'un adulte.

Les terminaisons ordinaires de ce genre d'inflammation sont la suppuration et la résolution. La gangrène du tissu cellulaire a été observée quelquefois; mais je ne sache pas que la maladie se soit jamais terminée par induration. Ces cas, du moins, devraient être excessivement rares. La disposition du tissu affecté semble se refuser, pour ainsi dire, à une pareille terminaison. D'ailleurs, la marche de cette inflammation est si rapide, que la résolution elle-même est assez rare, et que le plus souvent on voit ces tumeurs inflammatoires s'abcéder en quelques jours. Néanmoins, comme la chirurgie doit tout faire pour éviter cette dernière terminaison, et que d'ailleurs la résolution peut être provoquée lorsque la maladie est attaquée à son début, je vais vous indiquer les moyens thérapeutiques dont vous pourrez faire usage en pareil cas.

Traitement. — Dire que la marche des inflammations profondes du sein est très rapide, et que quelques jours suffisent souvent pour produire la suppuration, c'est établir en principe que ce genre de phlegmasie doit être attaqué à son début avec plus ou moins de force, suivant l'intensité du mal et la constitution des sujets. Le siége profond de la maladie explique assez pourquoi, dans cette classe de phlegmasies, les topiques, de quelque nature qu'ils soient, exercent ordinairement si peu d'influence sur sa marche. Ce n'est pas à dire pour cela qu'on doive les rejeter d'une manière absolue; il convient, au contraire, de couvrir le sein de cataplasmes émollients, narcotiques ou résolutifs; mais ne l'oubliez point : ce ne sont là que des moyens palliatifs, et vous vous berceriez d'une vaine espérance, si vous pensiez provoquer ainsi la résolution. C'est à un autre ordre de médication qu'il faut avoir recours en pareil cas : les émissions sanguines générales et locales; les premières surtout doivent être placées ici en première ligne. Les saignées devront être larges et pratiquées à des époques rapprochées, pourvu toutefois qu'il n'existe aucune contre-indication. La méthode coup sur coup m'a procuré quelquefois des avantages incontestables pour juguler l'inflammation. Les sangsues doivent être appliquées autour du sein et non à sa surface. Conjointement à cette médication, il convient de faire usage à l'intérieur du calomel et du tartre stibié à haute dose; j'en ai souvent retiré des résultats fort avantageux. C'est par un usage sagement combiné de ces différentes ressources que vous pourrez espérer de faire avorter la maladie. Mais tous ces moyens deviennent généralement inutiles dès que la suppuration est établie, et j'ai déjà dit qu'il est rare qu'après quelques jours d'un état franchement aigu, la tumeur inflammatoire ne soit pas abcédée.

Il est inutile d'ajouter que ce serait perdre un temps précieux que de s'arrêter à l'usage des pommades résolutives mercurielles, iodurées ou autres. L'action d'une pareille médication serait trop lente, en supposant même qu'elle pût avoir prise sur le mal.

3° Inflammation de la glande mammaire. — Beaucoup d'auteurs ont confondu sous le titre général d'engorgement parenchymateux du sein plusieurs phlegmasies diverses dont la glande mammaire peut être le siége. Il importe d'établir une distinction sur ce point.

Quoique les inflammations de la glande mammaire puissent se développer sous l'influence des mêmes causes qui produisent cet état pathologique dans les autres régions du corps, il n'en est pas moins vrai qu'elles se rapportent presque toutes au travail de la lactation. Aussi est-ce chez les nourrices et les femmes en couche qu'on les observe le plus souvent. Celles qui résultent d'une cause externe quelconque s'établissent le plus ordinairement dans le tissu cellulaire interlobulaire. Celles qui se développent sous l'influence d'une cause interne débutent tantôt par les conduits lactés, tantôt par le tissu sécréteur, tantôt par l'élément fibro-cellulaire. Celles enfin qui dépendent de la sécrétion laiteuse ont le plus souvent leur point de départ dans les masses lobulaires ou dans l'intérieur de leurs canaux.

La glande mammaire seule offre donc trois variétés distinctes d'inflammation : inflammation des canaux galactophores, inflammation des lobules sécréteurs, inflammation de la trame fibro-cellulaire.

A. Engorgement laiteux. — Inflammation des canaux galactophores. — Retenu, épaissi, concrété dans les canaux qui lui livrent passage, le lait dilate ces conduits, en augmente le volume, fait naître ainsi de vives douleurs accompagnées le plus souvent d'une réaction générale plus ou moins vive, et constitue par là un engorgement du sein assez fréquent, que l'on observe dans les derniers mois de la grossesse de la femme, chez les nouvelles accouchées et chez les nourrices. Cet engorgement n'est point, à proprement parler, une véritable inflammation; mais on conçoit facilement qu'il puisse en devenir très souvent la cause.

Cette variété d'engorgement du sein est caractérisée par les symptômes suivants : la mamelle prend un accroissement plus ou moins considérable, ordinairement facile à distinguer de celui qui dépend d'une inflammation profonde, en ce que le gonflement, au lieu d'être régulier et uniforme, est bosselé et comme sillonné de cordons durs; chaude et très sensible à la moindre pression, la peau du sein est peu rouge; quelquefois même elle est plus pâle que dans l'état normal. Il existe ordinairement de vives douleurs, et les malades en expriment la sensation en disant que leur mamelle semble être traversée par une foule d'épingles. Il y a toujours un certain degré de fièvre, et l'appétit est plus ou moins suspendu.

Il est facile de voir, d'après cette courte description, que c'est évidemment cette variété d'engorgement du sein qu'Aristote désigne sous le nom de *poil*.

Tantôt l'engorgement laiteux occupe toute la glande; tantôt il est circonscrit sur un ou plusieurs de ses points. Dans ces derniers cas, il se présente sous forme de bosselures plus ou moins dures, d'un volume variable, qui persistent quelquefois fort long-temps, et qui ont pu donner le change pour des tumeurs de mauvaise nature (1).

(1) Obs. VII (*bis*) Un fait de ce genre s'est présenté à mon observation dans le service de M. Velpeau, en novembre 1837. Une femme couchée au n° 28 de la salle Sainte-Catherine portait au sein droit, depuis plusieurs mois, une tumeur dure et résistante du volume d'un œuf de poule. Son médecin avait diagnostiqué une tumeur cancéreuse, et l'avait engagée à entrer à l'hôpital pour se faire opérer. D'après les antécédents fournis par la malade et les caractères que présentait la tumeur, M. Velpeau crut reconnaître un engorgement laiteux partiel, et rassura la malade sur les chances de l'opération. La

Les causes de ce genre d'engorgement sont faciles à saisir; on les trouve dans les transitions subites du chaud au froid, dans une sécrétion de lait trop abondante, dans la rétention trop prolongée de ce liquide dans la glande. C'est ainsi qu'on l'observe chez les nourrices qui exposent leur sein à un courant d'air, chez celles dont la *montée du lait* se fait trop brusqueent ou dont le nourrisson exerce une succion trop précipitée, chez celles enfin qui ne donnent à téter qu'à de longs intervalles. Je dois ajouter néanmoins qu'on le voit quelquefois survenir à la suite de quelques maladies internes.

Abandonné à lui-même, l'engorgement laiteux peut disparaître sans développer dans le sein une véritable inflammation. Le rétablissement pur et simple de l'excrétion du lait s'exécute alors sans trouble bien manifeste. Ces cas sont plus fréquents qu'on ne semble le croire généralement. D'autres fois cet engorgement développe une inflammation plus ou moins vive des canaux galactophores, inflammation qui peut aussi s'emparer, dans quelques cas, de toute la glande, et qui se termine très souvent par suppuration et par décomposition du lait. Il importe donc d'étudier avec le plus grand soin les moyens que fournit la thérapeutique contre cette variété d'engorgement du sein.

Traitement.— Il faut avant tout distinguer l'engorgement laiteux pur et simple, sans phlegmasie manifeste des canaux galactophores, de celui qui est accompagné d'une inflammation plus ou moins vive de ces conduits. C'est pour avoir méconnu ou négligé cette distinction que la thérapeutique est encore assez obscure sur ce point.

Contre le simple engorgement laiteux, les premiers moyens à employer consistent à évacuer le lait soit par les

tumeur fut extirpée; elle offrait l'aspect d'un fromage. On l'écrasait sous les doigts avec assez de facilité; l'analyse démontra que c'était un composé laiteux. Cinq jours après, la plaie était entièrement cicatrisée, et la malade sortit de l'hôpital après un séjour de moins de deux semaines.

moyens naturels, soit par des moyens artificiels. C'est ainsi qu'on ordonne à la femme de donner plus souvent à téter à l'enfant ; si ce moyen ne suffit pas ou est impuissant, on peut avoir recours à une personne adulte ou à un jeune animal, ou bien encore à l'usage des ventouses *ad hoc*. Le moyen préconisé par MM. Chassaignac et Richelot, et décrit dans une note à la traduction des œuvres de sir Astley Cooper, est ici très avantageux (1). On doit aider l'efficacité de cette première indication, au moyen de linges souples et de coussins ouatés, appliqués très chauds sur la mamelle. Il faut aussi soumettre la malade à un régime régulier et attaquer en même temps les maladies internes, s'il en existe. Il arrive néanmoins que toutes ces ressources sont insuffisantes ; on doit alors recourir à l'usage de certains topiques. Un liniment composé d'eau de laurier-cerise, d'extrait de belladone et d'éther proposé par M. Ranque (*Jour-*

(1) Voici cette note : « C'est une chose très difficile et souvent très douloureuse que le début de l'allaitement chez une femme qui n'a point encore donné à téter, et dont les mamelons ne sont point formés. Il existe cependant un moyen bien simple de rendre sans douleur le bout des seins propre à remplir ses fonctions, et nous sommes étonnés que ce moyen ne soit pas généralement employé. Pour que les mamelons soient suffisamment allongés, au moment de la naissance de l'enfant, on commence à les façonner un mois, six semaines ou deux mois avant le terme de la grossesse. On se sert dans ce but d'une de ces petites bouteilles en verre blanc et mince, à goulot long et étroit, connues sous le nom de *fioles à médecine*. On remplit cette fiole d'eau très chaude avec quelques précautions, afin de ne pas la fêler ; quand ses parois sont bien échauffées, on rejette cette eau, et l'on applique immédiatement l'extrémité du goulot sur le mamelon. A mesure que la bouteille se refroidit et que l'air qu'elle renferme se condense, le mamelon, qui est soumis ainsi à une véritable succion très douce et très graduée, s'introduit dans le goulot et s'allonge, sans qu'il en résulte aucune douleur. On peut répéter cette opération tous les jours une ou plusieurs fois. La seule précaution à prendre, c'est de ne pas appliquer la bouteille à un degré de température tel qu'il en résulte une brûlure.

» Le même moyen présente les mêmes avantages dans les cas où il est nécessaire de dégorger les seins douloureusement distendus par le lait. » (Œuvres chir. de A. Cooper, trad. par MM. Chassaignac et Richelot, pag. 507.)

nal des Prog., t. XIV), et vanté par M. Couty de la Pommeraie (*Arch. gén. de méd.*, t. XX, p. 591), est réellement utile dans ces cas. J'en dirai autant du liniment avec l'huile, l'ammoniaque et le camphre, préconisé par sir A. Cooper. Mais qu'on ne s'y trompe point, ces topiques ne sont avantageux et on ne doit y avoir recours que lorsqu'il s'agit d'un engorgement laiteux pur et simple : s'il existait une véritable inflammation, ils seraient nuisibles, comme j'ai été à même de m'en convaincre quelquefois. La formule qui m'a le mieux réussi en pareil cas, consiste en un ou deux jaunes d'œufs, un gros d'ammoniaque et un demi-gros de camphre ; j'y ajoute quelquefois autant d'éther. Quatre ou cinq fois le jour je fais enduire doucement le sein avec cette préparation. A l'aide de ce moyen, j'ai obtenu bien souvent une fluidification rapide du lait, et un dégorgement très manifeste des parties. Il est inutile d'ajouter que s'il existait une véritable inflammation du sein, ce liniment ne serait pas moins dangereux que les précédents.

Lorsque l'engorgement laiteux coexiste avec une phlegmasie assez intense des parties, il faut alors avoir recours aux traitements généraux et locaux, dont nous nous occuperons en traitant des inflammations du tissu mammaire (1).

(1) On ne lira pas sans intérêt les trois observations suivantes :

Obs. VIII. — *Engorgement laiteux. — Tumeur inflammatoire. — Abcès. — Ponction. — Érysipèle. — Mort.* — Le 5 mars 1838 est entrée dans le service de M. Velpeau (salle Sainte-Catherine, n° 5) la nommée Flachet, âgée de trente-six ans. Employée comme nourrice depuis près de huit mois à l'hôpital des Enfants, cette femme a vu depuis cette époque sa santé se détériorer. Il y a deux mois environ, elle a ressenti autour du mamelon gauche (elle allaitait le plus souvent de ce côté) une vive démangeaison, et bientôt de la douleur, surtout lorsqu'elle donnait à téter. Forcée de suspendre l'allaitement, elle a vu son sein s'accroître et acquérir un volume considérable; c'est alors qu'elle s'est décidée à entrer à l'hôpital.

Le sein gauche est près du double de son volume naturel; il est tendu, régulier, douloureux à la pression. Il n'y a pas de changement de couleur à la peau. Le pourtour du mamelon présente un ruban eczémateux. Il n'y a point de réaction. La malade reste pendant deux jours encore dans cet état sans

B. — *Inflammation du tissu mammaire et de sa trame cellulo-fibreuse.* — Soit que l'inflammation s'établisse de primo abord dans les lobules de la glande ou dans le tissu cellulaire qui les unit, soit qu'elle s'y transmette des canaux galactophores, elle n'en présente pas moins à peu près les mêmes caractères séméiotiques. C'est surtout, et même presque exclusivement chez les nourrices, que l'on observe ce genre d'inflammation. Cependant je l'ai rencontré plusieurs fois chez des femmes enceintes, et même dès le troisième mois de la grossesse. Chacun sait, d'ailleurs, que c'est la phlegmasie du sein que détermine le plus souvent la lactation ou l'état des couches.

Les symptômes qui la caractérisent sont les suivants : Au début, la peau de la région mammaire est peu rouge ; il existe quelques douleurs sourdes, vagues, disséminées çà et là dans l'épaisseur de la mamelle. Il y a peu de gonflement ; les doigts font seulement reconnaître quelques

présenter aucun signe d'inflammation. C'était là sans contredit un simple engorgement laiteux ; tous les moyens échouèrent pour en amener la résolution.

Le 18, la scène avait changé : la glande était le siége d'une violente inflammation. (Trente sangsues, cataplasmes émollients.)

Le 19, il y a de la fluctuation. Une ponction est pratiquée avec le bistouri, et une assez grande quantité d'un pus évidemment mêlé de lait s'écoule par la plaie.

Les jours suivants, un érysipèle grave survint et emporta la malade. L'autopsie confirma de tous points le diagnostic porté par M. Velpeau.

Obs. IX. — *Cessation de l'allaitement. — Engorgement des mamelles. — La malade reprend l'allaitement. — Disparition de la maladie.* — Dans le courant du mois de mai 1838, une femme d'une trentaine d'années s'est présentée à la consultation de M. Velpeau à l'hôpital de la Charité. Elle a eu quatre enfants ; elle a nourri les trois premiers sans éprouver aucun accident, elle n'a jamais été sérieusement malade ; elle est du reste d'une fort bonne constitution. Il y a trente-trois jours qu'elle a accouché de son quatrième enfant ; elle l'a nourri pendant quatorze jours ; mais alors pour des raisons qu'elle n'est pas disposée à nous communiquer, elle a cessé d'allaiter. Depuis lors, ses deux seins ont acquis un développement considérable, le droit surtout. Elle nous a observé que c'était précisément celui-là qu'elle

bosselures dures, résistantes, de volume variable. Mais bientôt, si la maladie n'est point arrêtée dans sa marche, les téguments revêtent une rougeur plus ou moins intense; le sein prend un développement assez considérable, ordinairement facile à distinguer de celui qui dépend d'une inflammation profonde. Les douleurs deviennent lancinantes et concentrées autour de l'aréole; elles diffèrent de celles que produisent les inflammations superficielles ou profondes, en ce qu'elles ne sont ni pongitives, ni gravatives, ni larges.

On comprend facilement que la marche de cette variété d'inflammation du sein doit être généralement moins rapide que celle des deux espèces de phlegmasies précédemment étudiées. La structure de la glande donne une expli-

présentait le plus souvent à son enfant. La peau de la région mammaire n'a pas changé de couleur.

La malade éprouve dans le sein une espèce de constriction douloureuse; elle nous désigne cette sensation en disant *que ses deux mamelles semblent distendues*. Il y a peu de réaction générale.

D'après les antécédents de la maladie et les symptômes qui la caractérisaient, il fut facile de reconnaître un engorgement laiteux. M. Velpeau ordonna à la malade de reprendre l'allaitement, et de couvrir les deux seins de linges souples et chauds.

Trois jours après, elle revint à la consultation: le gonflement avait diminué de près de la moitié.

La semaine suivante, tout était rentré dans l'ordre.

Obs. X. — *Engorgement laiteux. — Liniment composé de jaunes d'œufs, d'ammoniaque et de camphre. — Résolution complète en moins de quinze jours.* — Une jeune nourrice, portant au sein droit un engorgement laiteux assez considérable, se présenta à mon observation en novembre 1836 dans le service de M. Velpeau, à l'hôpital de la Charité. La mamelle affectée n'offrait aucun signe d'inflammation. Le gonflement datait depuis sept jours, et l'allaitement, ainsi que les moyens artificiels employés dans ces cas pour extraire le lait, n'avaient produit aucun résultat M. Velpeau soumit la malade au liniment qu'il emploie en pareille circonstance: deux jaunes d'œufs, un gros d'ammoniaque et un demi-gros de camphre. Le sein fut enduit de cette préparation quatre fois le jour. En moins de quinze jours il s'opéra une résolution complète, et la malade sortit de l'hôpital parfaitement guérie.

cation satisfaisante de ce fait. En effet, la phlegmasie pouvant passer successivement d'une cloison, d'une bride, d'un lobule à plusieurs autres, il n'est pas rare de la voir durer des semaines, des mois même, avant d'atteindre une terminaison définitive.

Je dois ajouter que le tissu de la glande communiquant par des cloisons fibro-celluleuses, en avant avec la couche cellulo-graisseuse sous-cutanée, en arrière avec le tissu cellulaire foliacé, l'inflammation dont je m'occupe en ce moment a une grande tendance à se compliquer de phlegmasies sous-cutanées ou de phlegmasies profondes, et quelquefois de toutes les deux ensemble. Aussi le prognostic en est toujours plus grave.

Traitement. — Pour bien saisir la médication qui convient au genre d'inflammation qui nous occupe, il est important de bien distinguer les cas dans lesquels la malade est une femme enceinte ou une nouvelle accouchée, de ceux où il s'agit d'une nourrice. Ainsi, pendant la grossesse, il est évident qu'on ne peut point songer à extraire le lait. Il en est de même pour les nouvelles accouchées qui sont dans l'impossibilité de nourrir, ou qui n'en ont pas la volonté. Il faut, dans ce dernier cas, se borner à diminuer la sécrétion laiteuse qui tend à s'établir. La médication la plus rationnelle consiste donc en des saignées générales plus ou moins abondantes, suivant l'intensité de l'inflammation et la constitution de la malade. Les saignées peu abondantes et pratiquées à des intervalles assez rapprochés, m'ont paru plus avantageuses en pareils cas, que de larges émissions sanguines. Des sangsues en plus ou moins grand nombre doivent aussi être appliquées sur le sein ou autour de cet organe. Comme complément de cette médication, on aura recours à quelques purgatifs salins, à des bains généraux et à des topiques émollients ou narcotiques d'abord, résolutifs ou légèrement excitants ensuite. Les tisanes altérantes, celles de pervenche, de canne de

Provence, le petit-lait de Weiss, peuvent aussi être employés avec avantage. Un moyen dont on peut espérer les plus heureux résultats, en pareille circonstance, c'est une compression méthodiquement faite. Je ne saurais trop vous engager à en faire usage dans votre pratique; mais, ne l'oubliez point, c'est une ressource qui ne réussit qu'entre des mains expérimentées. Mal appliquée, non seulement elle perd tous ses avantages, mais encore elle devient très nuisible. Il est inutile d'ajouter que la malade doit être tenue à un régime sévère.

La médication dont je viens de vous entretenir est applicable à toutes les femmes qui ne nourrissent pas.

Si la malade est une nourrice, la première question qui se présente est celle-ci : Faut-il ou ne faut-il pas continuer la lactation? Dans la majorité des cas, surtout si la phlegmasie est intense, il faut suspendre l'allaitement. Si le lait s'accumulait en trop grande quantité dans la mamelle, il vaudrait mieux l'extraire par les moyens artificiels dont j'ai déjà parlé. Dès que les symptômes inflammatoires ont perdu de leur intensité, il convient alors de présenter de nouveau le sein à l'enfant, avec la précaution toutefois de ne pas l'y laisser long-temps, et de lotionner chaque fois le mamelon avec de l'eau tiède. On doit en outre couvrir le sein de larges cataplasmes de farine de lin, et se borner à entretenir la liberté du ventre à l'aide de quelques lavements, du petit-lait, du jus de pruneaux, etc. Mais, à moins d'indications toutes spéciales, il faut mettre de côté les émissions sanguines, la saignée surtout, les purgatifs et les tisanes dites dépuratives (1).

(1) Obs. XI. — Au mois de septembre 1836, j'observai dans le service de M. Velpeau, à la Charité, une nourrice âgée de vingt-sept ans, dont le sein gauche était le siége d'une violente inflammation. Cette malade, d'une bonne constitution, avait nourri ses deux premiers enfants sans ressentir la moindre influence de l'allaitement; elle nous dit même qu'à cette époque sa santé semblait en éprouver une impression heureuse. Il y a trois mois et demi,

§ II. ABCÈS DU SEIN.

Les abcès du sein, soit aigus, soit chroniques, comme les inflammations dont je viens de parler, et dont ils sont la terminaison la plus fréquente, doivent aussi être divisés en trois classes, d'après leur siége ou leur point de départ. Ainsi ils peuvent s'établir de prime-abord : 1° dans la couche sous-cutanée ; 2° entre les parois thoraciques et la glande mammaire ; 3° dans le tissu glanduleux lui-même. C'est sans doute pour n'avoir pas pris en considération cette division tout anatomique que le sujet qui va nous occuper est resté jusqu'ici fort obscur et fort vague. Je résume

elle a accouché de son troisième enfant, qu'elle a d'abord nourri aussi heureusement que les deux premiers ; mais il y a environ huit jours que, dans une promenade qu'elle fit à la campagne, elle donna à téter à son enfant sans prendre la précaution de couvrir son sein. Peu d'instants après, elle éprouva quelques frissons dont elle devina facilement la cause. Pendant la nuit, le sein gauche (c'était celui qu'elle avait donné à son enfant) devint le siége de quelques douleurs.

Le lendemain, l'inflammation se développa, et deux jours après elle entra à l'hôpital.

Le sein droit est à l'état normal ; la mamelle gauche offre au contraire un développement considérable. Les téguments présentent une rougeur assez intense, surtout autour de l'aréole. Le gonflement est concentré sur ce point, et donne ainsi au sein un aspect conoïde, de forme assez régulière. Les douleurs sont lancinantes, continuelles, et augmentent par la pression, surtout autour du mamelon ; il y a de la fièvre ; le pouls est peu développé ; il existe un malaise général ; il n'y a pas d'appétit. La veille de son entrée à l'hôpital, la malade avait cessé d'allaiter. (Cataplasmes de farine de lin répétés trois fois le jour ; petit-lait ; lavement émollient matin et soir ; diète.)

Le lendemain, les symptômes inflammatoires sont un peu calmés. Même prescription.

Trois jours après, le gonflement avait diminué de près des deux tiers. La fièvre avait cessé ; l'inflammation locale était très peu intense. M. Velpeau ordonne à la malade de reprendre l'allaitement. Celle-ci sort en conséquence de l'hôpital, nous promettant de revenir à la consultation. Sept jours après, elle revint en effet : elle était parfaitement guérie.

en conséquence les abcès du sein dans le cadre suivant.

1° Abcès superficiels ou sous-cutanés :
- A. De l'aréole ou tubéreux.
- B. Du tissu cellulo-graisseux.

2° Abcès profonds ou sous-mammaires :
- A. Idiopathiques.
- B. Symptomatiques.

3° Abcès glanduleux :
- A. Primitifs.
- B. Secondaires.

Ayant étudié plus haut les symptômes de chacune des inflammations qui correspondent à la division indiquée par ce tableau, je n'y reviendrai pas.

1° Abcès superficiels ou sous-cutanés. — Les abcès superficiels du sein, comme les inflammations qui leur correspondent, offrent des caractères différents, suivant qu'ils ont leur siége sur l'aréole ou dans la couche cellulo-graisseuse sous-cutanée proprement dite. Cette première classe de foyers purulents comprend donc deux genres qu'il importe d'étudier séparément.

A. Abcès de l'aréole ou tubéreux. — Lorsque l'inflammation de l'aréole se termine par suppuration, on observe sur cette région de petits dépôts ordinairement multiples, de forme globuleuse, et de volume variable d'une noisette à une moitié d'œuf. Le tissu qui est le siége de ces petits foyers étant aréolaire et traversé par les conduits lactés, cette région étant en outre comme cloisonnée à la circonférence, on conçoit facilement que les abcès de l'aréole doivent être en général très circonscrits. La finesse et le peu de résistance des téguments expliquent assez la tendance qu'ils ont à proéminer en avant. Ils se présentent sous forme de petites bosselures, douloureuses à la moindre pression, et d'une teinte livide et bleuâtre. La fluctuation est assez souvent obscure et difficile à constater d'une manière évidente. Un bon moyen néanmoins pour atteindre ce résultat, et que vous me voyez employer en pareille circonstance, consiste à saisir et à comprimer transversalement la totalité de la mamelle avec la main gauche, tandis qu'avec l'index de la main droite on explore les petites tumeurs inflammatoires. Par ce procédé, on donne aux véritables abcès une teinte livide, un aspect lisse, une tension, une flexibilité qu'on ne rencontre point dans les engorgements purement inflammatoires. D'ailleurs, avec un peu d'habitude, et en prenant en considération les antécédents de la maladie, il est facile de distinguer ces bosselures, résultat de foyers purulents, des inégalités naturelles, de l'aspect fongueux, que présente quelquefois l'aréole de certaines femmes, et des simples dilatations des conduits galactophores. De plus, les malades éprouvent dans la région affectée des battements et une espèce de constriction assez vive avec chaleur à la peau. Il existe ordinairement un mouvement fébrile plus ou moins prononcé.

Abandonnés à eux-mêmes, les abcès de l'aréole, qu'on pourrait appeler aussi abcès *tubéreux*, font naître quelquefois dans la glande ou dans le reste de la couche sous-cutanée du sein des inflammations, et de là des foyers purulents. Mais dans la grande majorité des cas, ils ulcèrent la peau et se font jour au-dehors.

Traitement. — Si les foyers purulents ne comprennent point le mamelon, et si l'on a quelque raison de penser que les conduits lactés sont intacts, il n'est pas nécessaire de retirer le sein à l'enfant; dans le cas contraire, la prudence exigerait qu'on soutirât le lait par les moyens artificiels. Ces abcès étant produits le plus souvent par des irritations, des gerçures, des crevasses du mamelon et de son aréole, il convient avant tout de faire disparaître ces maladies par les moyens que nous avons déjà indiqués. Cela fait, toute la thérapeutique des abcès qui nous occupent en ce moment consiste à savoir s'il vaut mieux les ouvrir avec l'instrument que d'en confier l'ouverture aux efforts de l'organisme. Il est vrai de dire que bien souvent la nature seule triomphe avec assez de facilité de la maladie, et qu'en très peu de temps ces abcès s'ouvrent au-dehors; j'en ai observé une foule de cas. Mais qu'on examine ce qui se passe en pareille circonstance : les téguments, de plus en plus amincis et décollés empêchent les petits foyers de se déterger, de se mondifier, et de se recoller aussi promptement que quand on a fait usage du bistouri. Entre autres exemples de ce genre, je vous citerai le fait suivant, dont quelques uns d'entre vous ont été témoins.

Obs. XII. — Dans le courant du mois de juillet 1838, une femme se présente à notre consultation pour une contusion de l'épaule gauche. En visitant la partie affectée, nous nous aperçûmes que l'aréole du sein du même côté était le siége d'une suppuration peu abondante, et que les téguments de cette région étaient en partie décollés et considérablement amincis. Interrogée sur ce point, cette femme nous dit qu'elle avait eu un mois auparavant un abcès sur ce point; qu'elle l'avait laissé s'ouvrir de lui-même, et que depuis cette époque sa plaie ne pouvait plus se cicatriser.....

Ce fait et une foule d'autres du même genre que je pourrais vous rapporter ici prouvent combien est peu rationnelle la pratique des chirurgiens, qui confient ainsi l'ouverture de ces foyers aux ressources de l'organisme. Je pense donc que les tumeurs inflammatoires du mamelon doivent être ouvertes dès qu'on s'est préalablement assuré qu'il y a collection purulente. En vous conduisant ainsi, vous éviterez bien des souffrances aux malades, et la guérison sera plus prompte et plus sûre. Je crois même qu'il y aurait moins d'inconvénients à plonger l'instrument dans une bosselure non abcédée qu'à laisser un de ces foyers purulents s'ouvrir de lui même. Je vous conseille en outre de les ouvrir largement pour en extraire immédiatement tout le pus par la pression.

Quoi qu'il en soit, qu'on en pratique l'ouverture ou qu'on la confie aux efforts de l'organisme, les abcès tubéreux du sein ne réclament d'autre médication que des topiques émollients, des cataplasmes de farine de lin surtout. Il est inutile d'ajouter que s'ils développaient une réaction intense, et qu'il n'existât d'ailleurs aucune contre-indication, on aurait recours à la saignée; mais ces cas sont rares. Le plus souvent, ouverts de bonne heure, et immédiatement recouverts de cataplasmes de farine de lin, les abcès de l'aréole se tarissent et se cicatrisent en quelques jours.

Obs. XIII. — Le 13 avril 1838, entra dans notre service (salle Sainte-Catherine, n° 17) la nommée Lebrun (Marie), âgée de trente-sept ans, se plaignant de vives douleurs autour du mamelon droit. Elle est d'une bonne constitution; elle nourrit son cinquième enfant depuis deux mois. L'aréole droite offre un développement assez considérable: la peau est d'un rouge livide. La moindre pression exaspère les douleurs. Nous ne pûmes constater aucun signe de fluctuation. Quinze sangsues; cataplasmes de farine de lin.

Le lendemain, même état, même prescription.

Le 16, les douleurs sont un peu calmées; la tension des téguments a diminué; la fluctuation est évidente. Je pratiquai alors une incision qui ne donna issue qu'à une cuillerée de pus; mais à l'aide de la pression j'en fis sortir une assez grande quantité qui était sans doute infiltrée dans les mailles du tissu. Cataplasmes émollients. Deux jours après la suppuration était tarie. Le 1er mai, la malade sortit de l'hôpital; elle était complétement guérie depuis cinq à six jours.

B. Abcès du tissu cellulo-graisseux. — Cette variété d'abcès du sein s'établit et se comporte de la même manière que les abcès phlegmoneux de la couche sous-cutanée des autres régions du corps. La texture aréolaire, feutrée, du tissu qui en est le siége, tend continuellement à en circonscrire les limites; elle explique en outre pourquoi ces abcès sont assez souvent multiples. J'en ai observé jusqu'à six chez une femme qui avait été affectée d'un érysipèle ambulant : chacun d'eux offrait le volume d'une grosse noix. Je les ouvris, et la guérison ne se fit pas longtemps attendre. Une autre femme en présenta quatre, comme terminaison d'un érythème noueux (1).

Lorsque ces abcès sont multiples, ils ont une base souple et assez régulièrement circonscrite; la peau qui les recouvre est presque également mince dans toute leur étendue; on les dirait situés dans les couches les plus superficielles du fascia sous-cutané. Leur ramollissement est aussi plus rapide. Vous avez vu dans l'observation précédente

(1) OBS. XIV. — *Abcès multiples.* — *Incisions.* — *Guérison.* — Vers la fin du mois de décembre 1836, une femme d'environ vingt-quatre ans entra dans le service de M. Velpeau à l'hôpital de la Charité, et fut couchée au n° 19 de la salle Sainte-Catherine. Elle était sortie deux semaines auparavant d'une des salles de médecine de l'Hôtel-Dieu, où elle avait été traitée d'une affection aiguë de poitrine. Elle parait d'ailleurs d'une fort bonne constitution. Six jours avant son entrée à la Charité, elle éprouva, sans cause appréciable, quelques douleurs vagues dans le sein gauche. Le lendemain, une plaque rouge se montra sur le côté externe de la mamelle. Deux jours après, une seconde plaque se développa sur la partie inférieure et interne; enfin le même phénomène se renouvela sur la partie inférieure et externe. Les progrès de l'inflammation furent si rapides, que lorsque la malade se présenta à notre observation, c'est-à-dire six jours après l'invasion de la maladie, nous trouvâmes à la place de ces plaques trois tumeurs du volume d'un œuf chacune, et offrant une fluctuation évidente. La peau de chacune d'elles était amincie, celle surtout qui recouvrait l'abcès situé à la partie externe de la mamelle. M. Velpeau ouvrit immédiatement ces foyers, qui donnèrent issue à une assez grande quantité de pus. L'abcès dont la peau était le plus amincie fut ouvert par deux incisions parallèles. Une seule incision suffit pour les deux autres, quoique ces trois tumeurs fussent d'un volume à peu près égal. M. Velpeau pratiqua deux incisions sur le premier abcès, dans le but d'aider par là le recollement de la peau. Cela fait, le sein fut couvert d'un large cataplasme de farine de lin. Le lendemain, la suppuration était abondante; il n'existait aucun symptôme de réaction. Nouveaux cataplasmes émollients. Les jours suivants, la suppuration diminua de plus en plus, et dix jours après la malade sortit de l'hôpital complétement guérie.

que quelques jours suffirent pour amener ce ramollissement

S'il n'existe qu'un seul abcès, la base est assez ferme et ordinairement mal limitée. Le ramollissement s'opère alors lentement du centre vers la circonférence; ils semblent situés moins superficiellement que les précédents. C'est surtout dans ces cas que la tumeur présente une forme conoïde.

Quoi qu'il en soit, les abcès de la couche cellulo-graisseuse du sein acquièrent parfois un volume considérable, surtout lorsqu'il n'en existe qu'un seul. J'en ai observé qui avaient le volume d'une grosse orange, ou même d'une moitié de tête d'enfant. Leur siége de prédilection est à la partie inférieure et externe de la mamelle. Il n'est pas rare néanmoins de les rencontrer dans les autres régions du sein.

Les symptômes de ce genre d'abcès sont caractérisés, comme pour les abcès phlegmoneux en général, par la saillie, l'amincissement et la teinte bleuâtre de la peau. La fluctuation est assez facile à reconnaître; on y parvient aisément en pressant contre les parois thoraciques avec la main gauche la mamelle, sans y comprendre toutefois la totalité de la tumeur, tandis qu'avec l'index de l'autre main on en explore la partie qu'on a laissée libre. On pourrait aussi faire usage du procédé que j'ai indiqué en parlant des abcès de l'aréole.

Dans le plus grand nombre de cas, ces abcès se distinguent facilement de ceux qui occupent la glande, et surtout de ceux qui ont leur siége dans le tissu sous-mammaire. Le diagnostic pourrait néanmoins offrir quelques difficultés, si la femme était douée d'un grand embonpoint ou si le sein était dilaté, soit par le travail de la lactation, soit par un véritable engorgement laiteux. Dans ces cas même, il sera encore assez facile d'éviter toute méprise, si, tenant compte des antécédents de la maladie, on observe la peau qui recouvre la tumeur d'un rouge plus foncé et plus amincie que dans les parties environnantes, et si cette tumeur est le siége d'une douleur sourde et permanente.

Cette classe d'abcès ne disparaît presque jamais par résorption ni par métastase ; cependant je dois ajouter que j'ai quelquefois réussi à faire résorber des dépôts assez considérables à l'aide d'un moyen dont je vous parlerai bientôt. Abandonnés à eux-mêmes, ils finissent presque constamment par s'ouvrir au-dehors L'époque de l'ouverture spontanée de ces abcès n'a rien de fixe ; je l'ai vue ne s'effectuer dans quelques cas qu'au bout d'un mois. Il est vrai de dire pourtant que le plus souvent cette ouverture s'opère avant le quinzième jour.

Traitement. — La glande mammaire étant ici étrangère à la maladie, et continuant à remplir librement ses fonctions, il est évident qu'il n'est pas nécessaire de suspendre l'allaitement. Cette suspension pourrait même être plus ou moins nuisible, puisque l'engorgement laiteux qui surviendrait alors ne manquerait pas d'augmenter l'irritation, et exercerait une influence plus ou moins fâcheuse sur la maladie.

La meilleure médication consiste ici à ouvrir largement le foyer dès qu'on y a constaté la fluctuation. En se comportant ainsi, on évite des fusées purulentes dans les différentes régions voisines, et lorsque les abcès occupent le pourtour de la glande, on empêche, autant que possible, l'inflammation de se communiquer au tissu cellulaire profond. J'ai observé plusieurs cas de ce genre, celui entre autres d'une jeune femme qui était dans notre service dans les premiers mois de 1837 (1),

(1) Obs. XV. — Dans les derniers jours du mois de février 1837, une femme âgée d'environ trente ans entra dans le service de M. Velpeau à l'hôpital de la Charité. Cette malade portait sur la partie inférieure et externe du sein gauche une tumeur inflammatoire du volume d'une petite orange. Cette tumeur ne datait que de quelques jours et était survenue, au dire de

et dont quelques uns d'entre vous doivent encore se rappeler les principaux détails. Beaucoup de chirurgiens conseillent de ne faire usage de l'instrument que lorsqu'on s'est assuré de la fonte *complète* de l'engorgement. Je ne partage pas cette opinion. En suivant cette pratique, vous vous exposeriez à voir les téguments s'amincir, se décoller même, et devenir par là un obstacle plus ou moins grand à une prompte cicatrisation. Mieux vaut sans doute, comme vous me le voyez pratiquer dans cet hôpital, donner issue au pus avant la *maturité complète* de la tumeur. Je me suis plusieurs fois convaincu que le bistouri plongé par ponction au centre de ces foyers avant leur complète maturité, en arrête le développement, et même en favorise la disparition. Quant à l'engorgement qui subsiste en pareil cas, on peut être tranquille sur ses conséquences ; la résolution s'en empare bientôt, et tout rentre dans l'ordre.

J'ai déjà dit que ces abcès doivent être largement ouverts ; il est inutile d'ajouter que l'incision devra être faite sur le point le plus déclive. Si la tumeur est volumineuse et que la peau soit amincie, ou bien si le pus a eu le temps de se creuser des cavernes, il convient de pratiquer plusieurs incisions. Lorsque les foyers sont larges et sinueux, et qu'on ne pratique qu'une seule incision, on doit placer

la malade, sans cause appréciable. La fluctuation était évidente; néanmoins la fonte n'était pas encore complète, ce qu'il était assez facile de reconnaître en palpant le pourtour du gonflement. Elle s'était déjà refusée hors de l'hôpital à une simple ponction. *J'ai horreur*, nous dit-elle, *de tout ce qui coupe* (ce sont ses propres expressions); *je n'en veux pas*. M. Velpeau tacha par tous les moyens imaginables de vaincre sa résistance sur ce point; mais tout fut inutile. Il lui proposa alors un vésicatoire volant; nouveau refus; même obstination. Quelques jours après, elle eut à s'en repentir : des fusées purulentes s'établirent sur tout le côté gauche de la poitrine, jusque dans l'aisselle ; des abcès se formèrent sur divers points de ces régions, et nécessitèrent plusieurs incisions auxquelles la malade ne crut plus pouvoir se refuser. Une réaction générale survint et donna les plus vives inquiétudes. Cependant, à l'aide d'un traitement approprié, on parvint à conjurer l'orage ; mais la guérison complète n'arriva que cinq semaines après.

entre les lèvres de la plaie une mèche de charpie enduite de cérat pour l'empêcher de se cicatriser avant que la caverne purulente se soit complétement détergée.

Après l'ouverture de ces abcès, on applique à nu sur le sein de larges cataplasmes émollients, que l'on renouvelle matin et soir jusqu'à ce que la suppuration soit épuisée et que le foyer soit complétement mondifié. On leur substitue un pansement simple, lorsqu'il ne reste plus que la plaie faite par l'instrument tranchant. L'engorgement voisin qui subsiste assez souvent, est alors avantageusement combattu par une compression méthodiquement faite. Il arrive quelquefois que le foyer fournit pendant long-temps une suppuration plus ou moins abondante, et que la plaie prend un aspect blafard qui indique que la guérison radicale se fera long-temps attendre. Dans ces cas, on fait usage d'injections irritantes. J'aurai à revenir plus tard sur cette dernière médication, que je me borne à indiquer ici.

Le meilleur traitement des abcès cellulo-graisseux du sein consiste donc à les ouvrir largement et de bonne heure. Néanmoins, comme il arrive assez souvent, dans la pratique civile surtout, que les femmes se refusent formellement à l'emploi de l'instrument tranchant, je crois qu'on pourrait alors faire usage du large vésicatoire volant appliqué sur la tumeur. J'en ai retiré moi-même des avantages incontestables dans plusieurs cas de ce genre. Je couvre la tumeur d'un vésicatoire, et je fais panser la plaie matin et soir avec la pommade d'iodure de plomb ou la pommade mercurielle. Quelquefois je suis parvenu à faire résorber ainsi des dépôts considérables. Vous devez savoir en outre qu'ici, comme dans toutes les autres inflammations phlegmoneuses au surplus, le vésicatoire a l'avantage de décider l'absorption, la résolution, si cela est réellement possible, ou bien de ramollir le foyer, d'émousser les douleurs, d'amincir la peau, de hâter enfin la suppuration si elle est inévitable. Le vésicatoire est donc, à tous ces titres, une ressource qui ne doit pas être négligée dans la pratique. Malheureusement les femmes s'y refusent avec autant d'obstination que pour l'instrument tranchant.

Toutefois disons en terminant que, dans la plupart des cas, quelque moyen qu'on prenne, le pus doit être expulsé au-dehors. Les chirurgiens doivent donc tout faire pour décider les malades à se laisser pratiquer une opération qui leur épargnera bien des souffrances, et qui leur procurera une guérison plus prompte et plus satisfaisante.

2° ABCÈS PROFONDS OU SOUS-MAMMAIRES. — La distinction de ces collections purulentes en abcès idiopathiques et en abcès symptomatiques est de la plus haute importance dans la pratique. Il est évident que la première classe de ces foyers est loin d'offrir la même gravité que la seconde, qui se lie toujours à une maladie d'organes plus ou moins éloignés. En 1834, j'ai traité à l'hôpital de la Pitié une femme affectée d'un énorme abcès sous-mammaire communiquant avec les bronches, et qui s'était établi à la suite d'une pneumonie en apparence assez bénigne. Sur plusieurs autres sujets, j'en ai vu qui étaient déterminés ou par l'inflammation et la suppuration du périchondre d'un cartilage sterno-costal brisé, ou par une altération des côtes. Une femme que nous avons soignée dans cet hôpital en 1836 en présentait un dont une masse caséeuse sous-sternale avait été le point de départ. A la même époque, j'en observai un autre chez une jeune fille; il avait sa racine entre le bord antérieur du poumon droit et la plèvre costale. Toutes les maladies de poitrine peuvent en un mot leur donner naissance. Ce ne sont là, après tout, comme on le comprend très bien, que des variétés de l'abcès par congestion. Le fait suivant mérite d'être mentionné ici.

OBS. XVI. — En mars 1836, une femme âgée de trente-quatre ans, dont la région profonde du sein gauche était depuis plus d'un mois le siége d'une suppuration abondante, fut admise dans notre service. Depuis environ seize mois elle éprouvait des douleurs sourdes dans la région postérieure et moyenne de la poitrine. A dater de cette époque, sa santé s'était beaucoup altérée. Depuis un mois surtout ses forces l'abandonnaient chaque jour, et il était facile de voir que la mort ne se ferait pas long-temps attendre. D'après les antécédents fournis par la malade et les symptômes que présentait la maladie, je fus porté à penser que l'abcès du sein avait son origine dans une affection d'une ou de plusieurs vertèbres dorsales, et que c'était là un abcès par congestion. Cette malheureuse femme succomba peu de temps après, et nous mit à même de vérifier la justesse du diagnostic. Les troisième et quatrième vertèbres dorsales étaient cariées en grande partie. Des trajets fistuleux indiquaient que le pus avait fusé le long des troisième et quatrième côtes correspondantes du côté malade, et était venu se faire jour sous la mamelle au niveau de l'union des côtes avec leur cartilage.

Les abcès profonds du sein dépendent en outre assez souvent d'une affection de la glande mammaire elle-même. On conçoit en effet qu'une inflammation du tissu glanduleux se communiquant à la couche graisseuse profonde détermine là des foyers purulents.

Obs. XVII. — Au mois de septembre 1837, une femme âgée de vingt-sept ans, couchée au n° 9 de la salle Sainte-Catherine, était affectée d'un abcès développé dans le tissu glanduleux de la mamelle droite. Aux caractères que présentait la maladie, et qu'il est inutile de rappeler ici, il était facile de voir que la glande seule était affectée, et que les couches celluleuses profondes ne prenaient aucune part au mal. Cette malade était soumise depuis près de vingt jours à un traitement approprié, lorsque tout-à-coup, sans cause appréciable, la mamelle devint plus volumineuse; des douleurs profondes et sourdes s'y firent sentir; deux jours après, la fluctuation était évidente dans la région profonde du sein ; je pratiquai une incision au côté externe et inférieur de la mamelle ; elle donna issue à plus d'un verre de pus. Cette ouverture fournit une suppuration abondante pendant cinq à six jours ; après quoi la plaie se cicatrisa. L'abcès glanduleux ne fut complétement guéri que près d'un mois plus tard.

Les abcès profonds du sein peuvent aussi se développer à la suite de foyers purulents situés dans la couche cellulo-graisseuse sous-cutanée. Le fait suivant avait évidemment une pareille origine.

Obs. XVIII.—En janvier 1838, une femme affectée d'un abcès superficiel du sein droit se présenta à notre consultation. La tumeur, du volume d'un œuf, était située à la partie inférieure et externe de la mamelle ; elle datait d'environ huit à dix jours. La fluctuation y était évidente ; les téguments qui la recouvraient étaient rouges et un peu amincis ; les douleurs n'étaient pas très vives. Je proposai immédiatement une incision, mais la malade s'y refusa formellement, disant que la tumeur s'ouvrirait d'elle-même, et qu'elle ne se sentait pas le courage de supporter l'opération. Toute tentative fut inutile. Elle promit de revenir ; elle revint en effet deux jours après. Mais le pus avait fusé dans les couches profondes ; un abcès sous-mammaire était venu compliquer l'affection primitive. La malade fut immédiatement admise dans notre service, et en sortit onze jours après parfaitement guérie.

Plus de détails sur ce point deviendraient fastidieux. Il n'est aucun praticien qui osât mettre sur la même ligne, pour le pronostic et pour le traitement, les abcès profonds, idiopathiques, et ceux qui se développent à la suite d'une affection des organes voisins.

Quoi qu'il en soit, les symptômes qui caractérisent cette classe d'abcès sont ordinairement assez tranchés pour qu'on ne puisse pas les confondre avec les foyers purulents précédemment étudiés. Nous verrons plus tard quels sont les signes qui les différencient des abcès qui se développent dans le tissu glanduleux.

Lorsque la suppuration commence à s'établir, la femme éprouve des frissons irréguliers, des sueurs partielles; le sein affecté lui paraît lourd et comme distendu; la peau est lisse, un peu chaude, et ordinairement peu colorée. Soumise à la pression, la glande, qui est d'ailleurs soulevée en avant, présente une rénitence particulière, semble reposer sur une vessie remplie de liquide, et fait éprouver une sensation bien différente de celle que donnent les abcès superficiels ou glanduleux. Avec un peu d'habitude, ce caractère suffit assez souvent pour porter un diagnostic à peu près certain. Néanmoins je dois ajouter que lorsque ces abcès sont peu volumineux, la fluctuation est difficile à constater d'une manière évidente. Il faut alors avoir recours aux antécédents de la maladie, à sa durée, au degré d'intensité de l'inflammation qui a précédé le développement du foyer purulent. Ainsi, lorsqu'après huit ou dix jours d'existence des symptômes que j'ai déjà énumérés en traitant de l'inflammation sous-mammaire, vous verrez la rougeur des téguments, la douleur et la réaction générale perdre de leur intensité sans que pour cela la tumeur s'efface, sans que la fièvre cesse tout-à-fait, sans que l'appétit renaisse et que la langue se nettoie, tout doit vous porter à croire qu'il s'est formé une collection purulente. Si avec ces signes vous observez, soit autour, soit à la surface de la mamelle, un empâtement, et si cet empâtement conserve l'impression du doigt en même temps qu'un certain degré de coloration rougeâtre, il n'y a plus de doute; un abcès s'est définitivement établi.

Assez souvent ces abcès acquièrent rapidement un volume considérable. J'en ai observé plusieurs qui contenaient près de deux litres de pus. En 1837, j'en ai ouvert un dans cet hôpital, qui donna issue à plus d'un litre de matière purulente; tout le côté gauche de la poitrine semblait transformé en une vaste poche qui refoulait au-devant d'elle la glande mammaire.

Quelque tendance qu'aient ces foyers purulents à s'étendre, vu la disposition anatomique des parties, il ne faudrait pas croire pourtant qu'ils occupent toujours toute la largeur du sein. On comprend en effet que l'inflammation puisse être adhésive dans certains points, qu'il s'établisse là des brides, des cloisons qui circonscrivent la collection; c'est ainsi sans doute que doivent se former ces petits abcès, tantôt uniques, tantôt multiples, qu'on observe quelquefois dans la région profonde du sein, et qui se présentent alors sous forme de bosselures plus ou moins volumineuses. Mais, je me hâte de le dire, ces cas sont rares; ordinairement la maladie se présente sous forme diffuse, et elle offre alors les caractères dont je viens de parler.

Le siége qu'occupent ces foyers, la texture du tissu au milieu duquel ils se trouvent, en font une maladie sérieuse qui mérite la plus grande attention de la part des praticiens. J'ai déjà parlé des fusées purulentes qui peuvent se former vers l'aisselle, dans l'hypocondre, à l'épigastre, ou sur tout autre point circonvoisin. Qui ne voit en outre que la maladie peut se propager jusque dans la poitrine, et donner lieu à des affections d'organes importants? Ce sont là sans doute des cas rares; mais il suffit qu'ils aient été observés pour que les chirurgiens doivent se tenir sur leurs gardes à ce sujet.

Traitement. — Dès que l'existence de la collection purulente est bien constatée, ce serait s'abuser soi-même et exposer la malade à des dangers que de s'en tenir à l'emploi des topiques et des médications interne. Ce sont là tout au plus des moyens que le chirurgien peut mettre en usage pour satisfaire les désirs de la malade. Le remède essentiel ici, le seul même qui soit réellement efficace, consiste à porter le bistouri dans le foyer pour en évacuer le liquide qu'il contient. Mais comme cette pratique subit, suivant les cas, des modifications importantes, je crois devoir entrer dans quelques détails sur ce point.

Lorsque les abcès profonds du sein sont limités en arrière de la glande, qu'ils n'ont point traversé cet organe pour venir faire saillie sous la peau de la région antérieure de la mamelle, le chirurgien doit pratiquer l'incision sur le point le plus déclive du clapier, c'est-à-dire en bas et en dehors. Cependant si la femme est habituée de se coucher sur le côté sain, il faudrait inciser en bas et en dedans de la mamelle. Cette incision doit être large et dirigée perpendiculairement au plan du thorax. Une pareille direction donne plus de liberté au pus de s'écouler au-dehors, et s'oppose à l'occlusion trop prompte de la plaie. Il est bien entendu que si la peau était amincie sur plusieurs points, il faudrait pratiquer tout autant d'incisions, en se conformant aux règles précédentes. Ainsi ouverts, ces abcès sont immédiatement couverts de cataplasmes émollients. Si l'on craint que la plaie se cicatrise trop promptement, on interpose entre ses lèvres une mèche de charpie enduite de cérat. Traités de cette manière, ces foyers purulents se tarissent bientôt, pourvu toutefois qu'il n'existe aucune des complications dont j'ai parlé plus haut. J'ai vu plusieurs de ces abcès guérir radicalement après quelques jours de traitement. D'ailleurs, si une semaine après l'ouverture de ces abcès la guérison n'arrivait point, on la hâterait puissamment à l'aide d'une compression méthodiquement faite.

Jusqu'ici, on le voit, la thérapeutique est simple, et le traitement de cette variété d'abcès ne peut être le sujet d'aucune discussion.

Mais il n'en est plus de même lorsque le pus a traversé la glande sur un ou plusieurs points et qu'il est venu constituer en avant de cet organe, soit sur l'aréole, soit sur tout autre point de la face antérieure du sein, un ou plusieurs foyers. Alors les incisions pratiquées sur la périphérie de la glande n'offrent plus les mêmes avantages. Il faut porter le bistouri dans les tumeurs antérieures, et se conformer à certaines règles que je vais indiquer.

Dans ces cas, l'abcès est constitué par une caverne située sous la glande et par un nombre plus ou moins considérable de petits foyers placés au-devant de cet organe, et formant pour ainsi dire autant de branches du foyer profond principal. Je me suis souvent convaincu, et des observations nombreuses le démontrent jusqu'à la dernière évidence, qu'à ce degré et sous cette forme, les abcès profonds du sein constituent une maladie très tenace qui exige beaucoup de temps avant d'arriver à une guérison parfaite, quels que soient d'ailleurs les moyens qu'on lui oppose. La meilleure médication, celle qui procure les plus prompts résultats en pareille circonstance, consiste à fendre la mamelle dans une grande étendue et dans toute son épaisseur. Lorsque l'abcès est épanoui en arrière et en avant de la glande, de telle sorte que cet organe l'étrangle dans son milieu à la manière d'un bouton de chemise, je pense que cette pratique est la plus sûre, et quelquefois la seule qui puisse conduire à une guérison radicale. En effet, si dans ces cas on se bornait à une simple ponction ou à une petite incision, l'élasticité de la glande détruirait bientôt la communication des deux foyers, et mettrait par là obstacle à la sortie du pus renfermé dans la caverne profonde. De plus, il n'est pas rare aussi de voir ces petites ouvertures se maintenir indéfiniment à l'état d'ulcères fistuleux qu'il est extrêmement difficile de guérir. Ce sont ces conséquences qui ont porté Hey à conseiller de fendre la glande d'outre en outre sur toute l'étendue du clapier. Quoi qu'en dise sir A. Cooper, je n'hésite pas à penser que ce moyen, tout violent qu'il paraît, est bien souvent la seule ressource rationnelle. Le seul inconvénient qu'il présente, si toutefois c'en est un réel, c'est d'effrayer les malades.

Je dois ajouter que ce n'est point au début qu'on doit avoir recours à ces larges incisions, mais lorsque les ouvertures que l'on a déjà pratiquées ne peuvent point se cicatriser, qu'elles restent à l'état d'ulcères fistuleux. Voici comment je procède en pareil cas : Une sonde cannelée est introduite à travers une des ouvertures primitives jusqu'au fond du foyer principal ; je conduis sur elle un bistouri droit, et je tranche largement la mamelle d'un seul coup. Le doigt introduit ensuite dans le fond du clapier, sert de guide pour détruire de la même manière toutes les sinuosités de la caverne. Une forte mèche de charpie est ensuite interposée entre les lèvres de la plaie pour s'opposer à la trop prompte réunion de ses bords. Il faut faire en sorte, en un mot, que la cicatrisation marche du fond à la superficie. C'est bien souvent pour avoir négligé cette précaution qu'on voit de nouveaux foyers se former, alors que la plaie extérieure est complétement cicatrisée.

Si les malades se refusent obstinément à ces larges incisions, ou même si cette pratique ne convenait pas à quelque chirurgien, on pourrait se borner aux incisions ordinaires, en ayant le plus grand soin de maintenir les lèvres de la plaie convenablement écartées ; mais alors il faudrait s'attendre à voir la maladie se prolonger long-temps. M. J. Cloquet a proposé, en pareil cas, de placer à demeure dans le fond du clapier une grosse sonde de gomme élastique. Ce chirurgien a retiré d'heureux résultats de ce procédé. Toutefois je l'ai assez souvent essayé pour être en droit de dire qu'il échoue le plus souvent, et que les praticiens qui l'ont le plus vanté n'en ont probablement retiré de si grands avantages que parce qu'ils l'ont appliqué indistinctement à plusieurs variétés des abcès du sein. Je dois ajouter pourtant que c'est une méthode à ne pas négliger dans la pratique, lorsqu'on se borne à pratiquer de petites incisions.

Vous voyez, d'après tout ce qui précède, que l'ouverture des abcès profonds du sein doit être pratiquée à la circonférence du sein toutes les fois que la glande mammaire est restée intacte; et que lorsque cet organe est traversé par le pus, et que cette matière est venue faire saillie au-devant de lui, c'est sur chacun des points fluctuants qu'il faut porter le bistouri. Dans tous les cas, le sein doit être immédiatement couvert de larges cataplasmes émollients.

D'ailleurs, quelque moyen que l'on emploie, il arrive assez souvent que le foyer une fois ouvert, met un temps plus ou moins long à se déterger, à se mondifier. Il faut alors avoir recours à une compression méthodiquement faite; c'est là une ressource dont j'ai presque toujours retiré de grands avantages. Toutefois, si après quelques jours ce moyen ne produit pas l'effet désirable, que les lèvres de la plaie soient blafardes et flasques, il convient d'en cesser l'emploi et de faire usage d'injections irritantes, soit avec la décoction de quinquina, soit avec une solution affaiblie de teinture d'iode, ou bien encore avec la solution suivante vantée par sir A. Cooper (*oper. cit.*, p. 506): deux ou trois gouttes d'acide sulfurique concentré dans une once d'eau de roses.

Telle est la série des moyens locaux dont vous pourrez faire usage dans votre pratique.

C'est spécialement contre les abcès profonds du sein qu'on a proposé une foule de traitements internes; je ne vous parlerai que de ceux qui sont le plus généralement répandus, et que j'ai cru devoir essayer. Voici le résultat de mes expériences dont plusieurs d'entre vous ont été témoins. Un assez grand nombre de femmes ont été soumises à l'usage des purgatifs simples, répétés à de courts intervalles pendant dix à vingt jours; chez d'autres, j'ai fait usage de la même façon, soit des émétiques, soit des éméto-cathartiques; plusieurs ont été traitées, tantôt par la teinture de colchique à la dose d'un à deux gros par jour, tantôt par la teinture d'iode et les bains iodés, tantôt enfin par le calomel, soit à dose purgative, soit à petite dose, soit à haute dose, comme altérant. Hé bien, je peux le dire, et plusieurs d'entre vous en ont été convaincus comme moi, aucune de ces médications n'a paru procurer par elle-même des avantages manifestes, et mériter en conséquence la réputation que leur accordent encore plusieurs praticiens.

L'émétique à dose fractionnée ou à dose rasorienne, tant préconisé en Angleterre par MM. Kennedy, Beatty et Lever, a surtout été essayé par moi. J'ai fait prendre par cuillerée dans les vingt-quatre heures, quatre, six, huit, dix grains de tartre stibié dans six onces d'infusion de feuilles d'oranger, avec une once et demie de sirop diacode. Or vous avez vu que les résultats que nous avons obtenus ont été loin de légitimer la confiance que les chirurgiens anglais accordent à cette médication. Quoique j'aie continué l'usage de ce moyen de trois à huit jours, les abcès n'en ont pas moins continué à parcourir leur période. D'ailleurs, examinez sans prévention les observations qui ont été publiées sur ce sujet, et il vous sera facile de vous convaincre qu'il s'en faut beaucoup qu'elles soient concluantes.

En résumé, les abcès profonds du sein réclament avant tout une médication locale énergique telle que je l'ai indiquée plus haut. Il faut néanmoins avoir égard ici, comme dans toute autre circonstance d'ailleurs, à la constitution des femmes et aux causes générales qui pourraient entretenir la maladie.

3° Abcès parenchymateux ou glandulaires. — Les abcès qui se développent dans le parenchyme de la glande mammaire offrent deux variétés principales : les uns s'établissent de prime abord dans les conduits galactophores, et reconnaissent le plus souvent pour cause une inflammation préalable de ces canaux. Aussi est-ce chez les nourrices et les nouvelles accouchées qu'on les observe le plus souvent ;

on en rencontre cependant quelques exemples chez les femmes vers l'âge de retour. Cette première variété débute le plus souvent par un engorgement laiteux. Le conduit affecté se transforme alors en un kyste dont les parois enflammées sécrètent du pus qui, se mêlant au lait, finit par constituer un véritable abcès. Les autres étant le résultat d'une phlegmasie du tissu cellulaire ou du parenchyme celluleux de la glande, s'établissent d'abord dans l'épaisseur des cloisons, des brides qui séparent les différentes parties de l'organe.

Quoi qu'il en soit d'ailleurs, ces abcès sont ordinairement multiples. Dans un assez court espace, il peut s'en développer un nombre considérable chez la même femme. Tantôt on les voit survenir simultanément, tantôt ils se développent les uns après les autres. Leur nombre est d'ailleurs plus ou moins grand, suivant qu'il y a eu un plus ou moins grand nombre de canaux galactophores ou de lobules de la glande qui ont été le siége de l'inflammation. Leur volume est ordinairement peu considérable; vous en saisirez facilement la raison, si vous réfléchissez au nombre de cloisons, de brides, qui divisent et subdivisent la glande. J'ai vu trente-trois de ces abcès se développer successivement dans le même sein. Vous avez dû observer dans ce service plusieurs cas de ces abcès multiples; nous en avons eu un exemple remarquable dans le mois de novembre 1837 (1).

(1) OBS. XIX. — *Abcès multiples du sein droit pendant la grossesse chez une primipare. — Mort. — Autopsie.* — Le 22 novembre 1837 est entrée à l'hôpital de la Charité (salle Sainte-Catherine, n° 5) la nommée Carterne (Athalie), âgée de dix-neuf ans. Cette jeune femme, d'une constitution un peu lymphatique, a toujours joui jusqu'à ces derniers temps d'une santé parfaite. Réglée à l'âge de quinze ans, elle n'a cessé de l'être que depuis environ huit mois, époque où elle est devenue enceinte. Les six premiers mois de sa grossesse n'ont exercé aucune influence sur sa santé; au dire même de la malade, son embonpoint aurait augmenté pendant ce temps, malgré les soucis que lui causait son état. Il ne devait plus en être ainsi. A

S'il est vrai de dire que les abcès parenchymateux du sein sont ordinairement multiples, il faut ajouter qu'il n'est pas très rare de n'observer qu'un seul foyer de ce genre. Dans ces cas, ils sont plus volumineux, et leur siége de prédilection semble être autour du mamelon; ils peuvent d'ail-

cette époque, elle aperçut sur son sein droit une tumeur un peu douloureuse. Ne pouvant en reconnaître la cause, elle l'attribua d'abord à sa grossesse; mais voyant ensuite que le sein du côté opposé avait un volume moins considérable, et que les douleurs augmentaient chaque jour, elle entra à l'hôpital vers la fin du mois d'août 1837. L'état général de la malade était alors très satisfaisant; ses chairs étaient fermes et colorées; elle se disait enceinte de six mois. Le sein gauche était à l'état normal; mais à la partie inférieure et externe du sein droit on observait une tumeur du volume d'un œuf de poule, avec rougeur et amincissement de la peau et douleurs assez vives à la pression. La fluctuation était évidente. A ces signes, à la situation et à la forme bosselée que présentait cette tumeur, M. Velpeau reconnut un abcès de la glande mammaire. Une incision est immédiatement pratiquée: elle donne issue à une assez grande quantité de pus. En pressant le sein en divers sens, on voit que plusieurs foyers communiquant entre eux existent dans la glande; il est dès lors prévu que la maladie sera longue, et que peut-être, entretenue par l'état de grossesse, elle se prolongera jusqu'à l'accouchement. Une mèche de charpie est introduite entre les lèvres de la plaie, et le sein est couvert d'un cataplasme de farine de lin.

Les jours suivants, deux autres petits abcès se développent autour du foyer principal. Ils sont ouverts aussitôt, et on les panse de la même manière.

Après vingt jours de traitement, la maladie semblait marcher vers la guérison, lorsque Carterne fut obligée de sortir de l'hôpital pour quelques jours.

Elle ne rentra que le 10 octobre. La maladie était devenue sérieuse. Le foyer s'était enflammé; de nouveaux abcès s'étaient formés sur d'autres régions du sein; la mamelle, en un mot, avait été envahie presque en totalité par la maladie. Trente sangsues; cataplasmes émollients.

Le 17, l'inflammation a diminué considérablement; la suppuration est moins abondante. M. Velpeau fait appliquer une compression modérée que l'on continue jusqu'au 4 novembre. La malade était alors dans un état assez satisfaisant; le volume du sein avait considérablement diminué. La suppuration s'affaiblissait de jour en jour, et tout portait à penser que Catherine était à l'abri de tout accident sérieux à ce sujet, lorsqu'elle voulut sortir de nouveau de l'hôpital, promettant d'ailleurs de rentrer s'il survenait de nouveaux accidents, et se proposant du reste de suivre un régime chez elle.

Le 22 novembre elle rentra; mais alors la scène avait changé; la maladie

leurs se développer sur tous les autres points de l'organe. Entre autres exemples de ce genre, je vous citerai le fait suivant.

Obs. XX. — Au mois de juin 1838, une jeune nourrice se présenta à notre consultation, portant à la partie infé-

avait revêtu un caractère de gravité; l'inflammation était à son summum d'intensité. La suppuration était très abondante. La malade était faible et en proie à une toux fréquente. Trente sangsues sur la partie enflammée; cataplasmes de farine de lin.

Les jours suivants, ces symptômes augmentent et inspirent des craintes. Le ventre est libre. Le 27, la malade se sent plus faible; elle est pâle, comme bouffie. Le pouls devient petit, mais sans fréquence; les extrémités supérieures et inférieures s'infiltrent.

Les jours suivants, l'infiltration devient générale; les membres ont presque doublé de volume.

A la visite du 8 décembre, la malade se plaint de violentes coliques qu'elle éprouve de temps à autre depuis cinq heures du matin; elle prétend même avoir eu une perte par le vagin. M. Velpeau pratique le toucher, constate que le col est complétement effacé, et annonce que l'accouchement se terminera bientôt. A trois heures après midi, la malade fut délivrée avec un peu de difficulté, sans accidents néanmoins pour elle et pour l'enfant.

Le 9, l'état général offre de vives inquiétudes; la nuit s'est passée sans sommeil. Peau chaude, pouls petit et fréquent, langue limoneuse; l'infiltration a persisté au même degré; il y a un peu de désordre dans les idées.

Le 10, les accidents généraux ont redoublé d'intensité. La malade est immédiatement transportée dans le service de M. Rayer, et succombe le 11 à cinq heures du soir.

Autopsie quarante heures après la mort. — La matrice ne présente aucune trace d'inflammation; elle est revenue sur elle-même et est logée presque en entier dans le petit bassin. Les reins ne présentent aucune altération. Un peu de sérosité blanchâtre est contenue dans la cavité du péritoine; mais cette membrane n'offre aucune trace d'inflammation. Tous les autres organes sont à l'état normal.

A la partie inférieure des parois abdominales, on constate un phlegmon très étendu qui n'était point encore arrivé à la période de suppuration.

Le sein malade examiné avec soin a confirmé de tous points l'opinion que M. Velpeau avait émise sur le siége précis de l'abcès. Toute l'épaisseur de la glande est parcourue par des trajets plus ou moins étendus qui font communiquer douze ou quinze petits foyers, dont les deux principaux s'ouvrent à l'extérieur par une ouverture peu considérable.

rieure et externe du sein gauche une tumeur du volume d'un œuf. Sept jours auparavant, elle avait ressenti une assez vive douleur sur ce point, sans pouvoir en déterminer la cause; une plaque rouge se forma, et la tumeur avait acquis en quatre ou cinq jours le volume que je viens d'indiquer. Les téguments sont peu amincis et d'une teinte presque livide; la fluctuation est évidente. Une incision est pratiquée, et donne issue à trois ou quatre cuillerées de pus; nous pûmes constater dès lors d'une manière précise que le siége de la collection était réellement dans le parenchyme de la glande; il fut facile de nous convaincre en outre par la pression que le foyer était unique. Des cataplasmes sont appliqués, et la malade retourne chez elle.

Cinq jours après, elle revient à la consultation; la plaie était presque entièrement fermée; il n'y avait plus de suppuration.

Les abcès parenchymateux du sein sont sans contredit les plus fréquents de tous; on peut même dire que c'est par eux que débutent presque tous les abcès que l'on observe chez les femmes enceintes, chez les nourrices et les *nouvelles accouchées*, et qui ne reconnaissent point pour cause une violence extérieure. La question se rattachant évidemment ici aux fonctions de l'allaitement et de la sécrétion laiteuse en général, on s'est demandé si ces abcès sont plus fréquents chez les femmes qui nourrissent que chez celles qui n'allaitent pas. Beaucoup d'auteurs prétendent que l'allaitement est un préservatif contre ces sortes de foyers purulents. C'est là, à mon avis, une erreur évidente; l'observation le démontre de la manière la plus formelle. Il est prouvé pour moi que les femmes qui nourrissent sont beaucoup plus souvent affectées d'abcès du sein que celles qui ne nourrissent pas. Chez les nouvelles accouchées qui n'allaitent point, la mamelle est débarrassée de la sécrétion laiteuse dans l'espace de huit à quinze jours, et à partir de cette époque, la glande rentre dans le repos, et n'est plus, par conséquent, sous l'influence d'irritations continuelles ; tandis que chez les femmes qui nourrissent, le sein est sans cesse exposé, pendant dix à quinze mois, aux causes de phlegmasie et d'abcès du sein. Qu'on remarque en outre que ce n'est généralement qu'après les dix premiers jours de l'accouchement que les abcès dont il est question apparaissent. Je le répète, on s'est fait évidemment illusion à ce sujet. Les abcès parenchymateux du sein se manifestent d'ailleurs par des signes qu'il n'est pas toujours facile de distinguer de ceux des deux espèces que nous avons déjà étudiées. Cependant si la mamelle a d'abord été le siége d'un simple engorgement, soit partiel, soit total, si, à la suite de douleurs profondes et lancinantes, on voit survenir quelques bosselures au bout de six à douze jours ; si quelques unes de ces bosselures deviennent molles, tout porte à penser qu'on a affaire à un abcès glandulaire. Disons en outre que leur siége de prédilection est autour de l'aréole.

La marche de ces abcès est sensiblement moins rapide que celle des deux espèces précédemment étudiées ; leur durée est aussi beaucoup plus considérable. La nature du tissu au milieu duquel ils se trouvent rend assez compte de la lenteur qu'ils mettent quelquefois à se développer. Il est inutile d'ajouter que ces abcès peuvent se compliquer de foyers superficiels ou profonds. Dans ces derniers cas, la maladie présente deux phases bien distinctes : l'une est lente, c'est celle qui se rapporte à l'abcès glandulaire ; l'autre est plus ou moins rapide, c'est celle qui a trait à l'une ou à l'autre des complications dont je viens de parler.

Traitement. — Dans le traitement des abcès superficiels ou profonds, la question de l'allaitement n'est que secondaire. La sécrétion laiteuse n'est point alors nécessairement troublée, et il n'en résulte par conséquent aucun danger pour le nourrisson. La succion exercée par l'enfant ne pourrait avoir d'autre inconvénient que d'augmenter un peu l'irritation ou l'inflammation concomitante. Mais évidemment il n'en est plus de même pour les abcès parenchymateux. Cette question se présente ici dans toute sa force, et, grâce aux expériences modernes, les chirurgiens peuvent se féliciter que la solution en est définitivement acquise à la science. Le sein des femmes atteintes d'abcès parenchymateux de la mamelle ne doit point être présenté à l'enfant. Du pus est ici mêlé au lait dans des proportions variables; c'est là un fait que M. Donné a démontré jusqu'à la dernière évidence à l'aide du microscope. Cette expérience est d'ailleurs si facile et si simple, que tous les praticiens peuvent aisément la faire. Pour cela, il suffit de placer sous le microscope une goutte de lait provenant d'un sein affecté d'abcès parenchymateux, on voit clairement alors qu'outre la matière diaphane qui en forme la base, le liquide est composé de globules régulièrement circulaires qui appartiennent au lait, et de globules à bords frangés qui appartiennent au pus; l'ammoniaque détruit les uns sans altérer les autres. Je ne crois pas devoir entrer ici dans plus de détails : on comprend qu'une pareille nourriture ne serait pas sans dangers. Cependant il ne faudrait pas en conclure que l'allaitement serait nuisible à la maladie; tous les dangers seraient ici pour le nourrisson.

Il est encore une particularité que vous devez connaître; elle explique jusqu'à un certain point la résistance que les abcès parenchymateux de la glande mammaire opposent assez souvent aux médications les mieux dirigées : la sécrétion laiteuse sollicite sans cesse la sécrétion du pus, et la formation du foyer purulent tend de son côté à activer la sécrétion laiteuse. Ce sont là, comme on le comprend très bien, deux phénomènes qui entretiennent et prolongent la maladie.

Il résulte de ce qui précède que le traitement des abcès parenchymateux du sein n'offre pas la même simplicité que nous a présentée celui des deux espèces que nous avons étudiées. S'il est vrai de dire que les abcès superficiels et profonds doivent être ouverts largement et le plus tôt possible, on comprend qu'une pareille pratique ne peut point être généralisée ici. Ce n'est que lorsque la fluctuation est bien évidente que les abcès glandulaires réclament l'emploi du bistouri. L'incision doit être en général peu étendue ; une simple ponction suffit lorsque le foyer est très circonscrit. Si ces abcès sont multiples, il faut pratiquer autant de ponctions qu'il y a de bosselures. Je dois ajouter toutefois que lorsque la collection purulente est volumineuse, il convient d'avoir recours aux larges incisions. Quoi qu'il en soit, eu égard à la tendance qu'ont ces abcès à se prolonger, il convient d'interposer, dans tous les cas, entre les lèvres de la plaie, une mèche de charpie enduite de cérat, ou bien une sonde de gomme élastique. Le pansement consiste ensuite dans l'application de cataplasmes émollients, que l'on remplace bientôt par des pommades résolutives. Plus tard, si la guérison radicale se fait attendre, et ces cas sont très fréquents, on retirera de très grands avantages d'une compression méthodiquement faite. Ceux d'entre vous qui suivent assidûment ce service doivent être bien convaincus de l'efficacité de ce dernier moyen en pareille circonstance.

Telle est en peu de mots la médication locale que réclament les abcès dont je parle. Mais ne vous y trompez point, ce traitement a moins de puissance ici que dans les deux espèces d'abcès précédemment étudiés ; il faut le plus souvent associer à ces moyens thérapeutiques une médication générale ou interne ; sans cela vous vous exposeriez à voir la maladie se prolonger plus ou moins long-temps. En conséquence, dès que vous verrez ces abcès persister, il faudra tarir par les moyens appropriés la sécrétion laiteuse, qui, comme je vous l'ai déjà dit, est une des causes principales de la prolongation de la maladie. Pour atteindre ce but, vous pourriez vous servir avec avantage des préparations d'iode à l'intérieur, du calomel à doses fractionnées, des purgatifs de différentes sortes, du tartre stibié par la méthode rasorienne. Vous pourriez aussi faire usage de la compression. Cette médication diminue peu à peu, suspend même la sécrétion laiteuse, et c'est alors que le traitement local exerce toute son influence, et que la guérison ne tarde pas d'arriver. Mais, comme vous le comprenez très bien, il est impossible de modifier un des seins par cette voie sans agir aussi sur l'autre; or, comme plusieurs mères ne veulent point consentir à sevrer leur enfant, cela constitue une médication d'un emploi aussi difficile que délicat. Lors donc que la femme veut continuer de nourrir, ces abcès ne peuvent être attaqués que par les moyens locaux; mais alors la maladie persiste tojours plus ou moins long-temps.

§ III. CONTUSIONS ET DÉPÔTS SANGUINS DU SEIN.

Sous le titre d'*ecchymose* du sein, A. Cooper (*op. citat.*, p. 535) décrit un état anormal de cet organe caractérisé par une ou plusieurs taches brunes ou jaunâtres, d'étendue variable, semblables à celles que produirait une contusion. Ces ecchymoses, qu'on observe plus particulièrement à l'approche des règles ou à l'âge de retour, sont ordinairement le siége de vives douleurs, et d'une sensibilité exquise à la pression, douleurs qui s'irradient souvent vers l'aisselle, dans le bras, et jusques aux doigts. Elles ne sont ordinairement accompagnées d'aucun engorgement, d'aucune induration. Elles dépendent d'une infiltration de sang dans le tissu sous-cutané ou dans l'épaisseur même de la mamelle. Ces ecchymoses ne persistent pas, dans la plupart des cas, au-delà de dix jours; cependant on en a vu se prolonger jusqu'à l'époque menstruelle suivante. Ce sont, en résumé, des taches analogues à celles qui s'établissent quelquefois dans la conjonctive oculaire ou dans l'épaisseur des paupières. Une considération qui ne doit point être perdue ici, c'est la coexistence de ces ecchymoses avec l'approche du flux menstruel. Ce fait prouve, entre mille autres, les rapports de sympathie qui existent entre l'utérus et les mamelles.

Cette affection ne m'a paru entraîner aucune espèce de dangers; elle se dissipe presque toujours d'elle-même. En conséquence, je ne pense pas qu'il soit utile de lui appliquer aucun traitement actif. Toute l'attention du chirurgien doit être dirigée ici sur la menstruation. Cependant si l'on pensait devoir agir, une saignée générale, quelques sangsues autour du sein, des compresses résolutives, quelques dérivatifs intestinaux ou des emménagogues, formeraient la série des moyens auxquels on pourrait avoir recours. Le meilleur topique en pareil cas, dit A. Cooper, est l'acétate d'ammoniaque liquide uni à l'alcool, dans la proportion de cinq onces du premier pour une once du second.

Les *contusions* proprement dites du sein peuvent donner lieu à une infinité de lésions diverses. Il importe d'établir quelques distinctions à ce sujet. Lorsque la lésion ne porte que sur la peau et la couche cellulo-graisseuse sous-cutanée, il n'en résulte qu'une ecchymose plus ou moins large, plus ou moins volumineuse, qui présente les mêmes caractères que sur les autres régions du corps, et n'offre rien de particulier, soit dans sa marche, soit pour son traitement. Je ne m'y arrêterai pas. Mais il n'en est plus de même lorsque la glande elle-même est atteinte. Les lobules de cet organe peuvent être alors écrasés, altérés de toutes sortes de façons; quelques vaisseaux peuvent être déchirés; de là une infiltration de sang, de véritables dépôts sanguins, ou même des dégénérescences diverses. Il est évident pour moi que certaines tumeurs du sein doivent être rapportées à ce genre de lésion. Je ne dois point m'en occuper ici. Quoi qu'il en soit, pour prévenir de pareils accidents, il importe de faire usage ici d'un traitement antiphlogistique bien entendu et de topiques résolutifs convenablement appliqués. C'est surtout au début que le mal doit être attaqué. Les émissions sanguines générales et locales, proportionnées à la constitution du sujet et à l'étendue de la lésion, les cataplasmes émollients, doivent être employés de prime abord. Si ces moyens ne suffisaient pas, on ferait usage de compresses imbibées d'eau de saturne, d'eau de sel ammoniac, ou bien des pommades iodurées. Lorsque la contusion est peu étendue, ces derniers topiques peuvent suffire. Si, malgré l'usage de ces moyens, un abcès se forme, on le traite comme je l'ai déjà dit.

Lorsque l'action contondante pénètre plus profondément encore, les couches celluleuses sous-mammaires peuvent être atteintes; il en résulte alors une ecchymose qui offre quelques particularités que vous devez bien connaître. Ce n'est ordinairement que plusieurs jours après l'accident qu'elle apparaît au dehors, et elle se montre plutôt sur la circonférence du sein qu'au-devant de la mamelle. Assez souvent, même, il s'établit une véritable collection sanguine. Ce dépôt sanguin se distingue de l'abcès de la même région aux caractères suivants : la peau du pourtour de la mamelle, au lieu d'être rouge et chaude, comme dans les inflammations, présente une teinte livide, bleuâtre ou jaunâtre, et n'offre pas un changement notable de température. Le sein n'est que par exception aussi considérablement soulevé en avant que dans les abcès. La maladie est peu douloureuse, même à la pression. A tous ces signes et à ceux fournis par les antécédents de l'affection, il est assez difficile de se méprendre sur le diagnostic. Ce genre de dépôt sanguin peut d'ailleurs, comme sur toutes les autres régions, s'échauffer et se transformer en un véritable abcès. Le traitement de cette affection est le même à peu de choses près que celui des dépôts sanguins profonds qui s'établissent sous l'influence de la même cause dans les autres parties du corps. Le fait suivant est digne d'être rapporté ici.

Obs. XXI. — En avril 1837, une femme âgée d'environ quarante ans entra dans notre service pour être traitée d'une tumeur assez volumineuse du sein gauche. Six mois auparavant elle s'était violemment heurtée contre l'angle d'une table. Elle éprouva pendant quelques jours une assez forte douleur, qui se dissipa néanmoins à tel point, que la malade se croyait complétement guérie. Mais, une semaine après, elle vit apparaître une tumeur sur la partie inférieure et interne de l'organe. N'en éprouvant que quelques souffrances très légères, et voyant d'ailleurs qu'elle n'augmentait pas de volume, elle finit par ne plus s'en occuper; mais cinq mois après l'accident, cette tumeur devint douloureuse; la malade appliqua alors des cataplasmes émollients. Un mois après, elle se fit admettre à l'hôpital. Le sein était encore entouré d'un reste d'ecchymose. La fluctuation, bien qu'obscure, était cependant appréciable au fond de la tumeur. Je plongeai immédiatement un bistouri droit dans le foyer, et cette incision donna issue à près d'un verre de sang, moitié coagulé, moitié à l'état liquide, et mêlé d'une assez grande proportion de pus. Je traitai ensuite ce foyer comme un dépôt sanguin ordinaire en suppuration. La guérison fut lente. La caverne ne fut complétement mondifiée qu'après deux mois de soins.

§ IV. AMPUTATION DU SEIN.

Avant de décrire les règles du manuel opératoire, je crois devoir vous présenter quelques courtes considérations préliminaires. La question suivante se présente naturellement ici : *Faut-il, ne faut-il pas opérer les cancers du sein?* C'est là un point de doctrine qui a soulevé bien des discussions, et sur lequel tous les chirurgiens ne sont pas encore complétement d'accord. Il y a d'ailleurs dans cette question une foule de particularités dont l'examen me conduirait évidemment trop loin. Je me bornerai ici à vous formuler rapidement mon opinion à ce sujet.

Convaincu que, contrairement à l'opinion de Monro et de Delpech, les tumeurs squirrheuses, encéphaloïdes ou colloïdes, sont dans une foule de cas une affection primitivement locale; que les liquides et les solides de toute l'économie ne s'en infectent que secondairement, je soutiens qu'on doit opérer les cancers du sein, et même qu'on doit les opérer le plus promptement possible. La question de la repullulation se présente ici dans toute sa force; c'est sans contredit cette idée qui fait reculer plus d'un chirurgien. Il est vrai que bien souvent le cancer a reparu après l'opération; un grand nombre d'observations le démontrent. Mais il faut avouer aussi que la science compte plusieurs succès complets authentiques. Depuis quelques années, vous avez dû en observer un grand nombre d'exemples dans notre service. Si la séméiotique était assez avancée pour mettre à même de reconnaître le cancer du sein à son début et de le distinguer de toute autre tumeur, l'opération serait sans contredit beaucoup moins souvent suivie de récidive. Toute temporisation serait alors dangereuse et coupable à mes yeux. Si l'on est appelé quand la maladie a déjà fait quelques progrès, il ne faut pas s'en laisser imposer par quelques glandes vers le creux de l'aisselle ou dans la région sus-claviculaire. J'ai fait maintenant un assez grand nombre d'opérations de ce genre, dont plusieurs d'entre vous ont été témoins dans cet hôpital; et les résultats que j'en ai obtenus sont loin de me faire varier d'opinion à ce sujet. Une légère teinte jaunâtre, un commencement de ce qu'on appelle la *cachexie cancéreuse*, ne forme pas non plus toujours une contre-indication. Vous n'avez point oublié à ce sujet cette femme qui était couchée en mars 1837 dans la salle Sainte-Catherine, et que l'opération a sans contredit arrachée à une mort prochaine et inévitable. Il m'est impossible d'entrer dans plus de détails. Je déclare donc d'une manière générale que l'opération doit être pratiquée toutes les fois que les dernières racines de la maladie peuvent être extirpées sans occasionner une perte de substance peu considérable, et que rien n'en démontre l'existence dans les autres organes.

Rangée parmi les opérations graves de la chirurgie, l'amputation du sein en réclame toutes les précautions sous le point de vue des règles générales, du régime, des préparations et de l'appareil. Les différences, dans le manuel opératoire, portent tantôt sur la position qu'il convient de donner à la malade, tantôt sur la forme et la direction des incisions, tantôt sur la manière d'arrêter l'hémorrhagie et de cicatriser la plaie.

1° *Position de la malade.* — On ne peut poser à ce sujet aucune règle absolue. Ce prélude de l'opération est abandonné aux goûts et aux habitudes de chaque chirurgien. Toutefois, comme vous n'êtes point encore lancés dans la pratique, je crois devoir vous indiquer la position qui me paraît la plus commode et la plus avantageuse. La position assise expose évidemment plus à la syncope que la position horizontale. D'ailleurs, en plaçant ainsi la malade, vous seriez obligés de prendre vous-même une attitude gênante, fatigante même, si l'opération était tant soit peu longue et difficile. Je vous conseille donc de placer votre malade sur un lit d'une hauteur convenable et assez dur. Sa tête doit être modérément élevée, le bras du côté malade légèrement reporté en arrière et en haut, le côté de la tumeur en face de l'opérateur. Une alèze est passée derrière la poitrine et au-dessous du sein pour protéger le lit et les vêtements. Toutes les fois que vous le pourrez sans inconvénient, vous aurez à votre disposition cinq aides, que vous distribuerez de la manière suivante : un tient une compresse devant les yeux de la malade, et maîtrise les mouvements de la tête et des épaules; un autre est chargé du bras correspondant au côté malade ; un troisième fixe le bassin et la main du côté sain ; un quatrième tend les parties et les absterge avec une éponge à mesure qu'on les divise (ce doit être le plus intelligent) ; le cinquième enfin est chargé de présenter les instruments. Je crois inutile d'ajouter que ce cortége est loin d'être indispensable. Dans la pratique civile, par exemple, là où il importe par-dessus tout, pour ainsi dire, de rassurer le moral des malades, vous auriez *mauvaise grâce* de vous présenter ainsi escorté. Dans ces cas, un seul aide intelligent, ou tout au plus deux, peuvent satisfaire à tous les besoins.

2° *Incisions.* — Vous comprenez facilement qu'on ne peut établir des règles à ce sujet pour les cas dans lesquels la peau est altérée au point d'en rendre l'ablation nécessaire. Ce n'est évidemment que pour les tumeurs indépendantes des téguments qu'il est permis de choisir entre les différentes méthodes qui ont été proposées. En parcourant ce que les auteurs disent à ce sujet, on voit que chacune des variétés de l'incision a trouvé des partisans. Ainsi les uns préfèrent l'incision cruciale, d'autres l'incision circulaire, d'autres enfin l'incision en T. Pour moi, je pense qu'à moins d'indications particulières on peut s'en tenir à l'incision simple, ou bien à l'incision elliptique : à la première dans les cas où la totalité des téguments peut être conservée ; à la seconde, lorsque, pour une raison quelconque, on veut enlever une portion plus ou moins considérable de la peau qui recouvre la tumeur. J'avais préconisé l'incision sous forme d'un croissant, dans l'idée qu'après l'enlèvement de la tumeur je pourrais abaisser le lambeau supérieur à la manière d'une soupape sur toute l'étendue de la plaie. Mais je me suis convaincu que cette méthode n'offre aucun avantage réel dans la plupart des cas.

A la rigueur, tous les instruments tranchants sont bons

pour l'amputation du sein. Cependant le bistouri convexe pour l'incision des téguments, et le bistouri droit pour le reste de l'opération, remplissent mieux les diverses indications qui peuvent se présenter.

La direction à donner à l'incision a aussi occupé les chirurgiens. Les uns, avec Ch. Bell, placent le grand diamètre de cette incision de haut en bas; d'autres préfèrent qu'il soit dirigé transversalement; d'autres enfin veulent qu'il soit dirigé obliquement de haut en bas et de dehors en dedans, c'est-à-dire dans le sens des fibres du muscle grand pectoral. Ce dernier procédé est généralement adopté par les modernes. Sans vouloir rejeter d'une manière absolue aucune de ces méthodes, je dirai que, si la réunion immédiate doit être tentée, et si le mal ne se prolonge pas du côté de l'aisselle, on doit préférer l'incision parallèle à l'axe du tronc, parce qu'elle est évidemment la plus favorable de toutes à l'application des bandelettes, à l'emploi des divers moyens unissants; si, au contraire, la tumeur est très élevée, ou bien si elle a son grand diamètre absolument dirigé en travers, l'incision transversale pourrait être préférée. Mais dans presque tous les autres cas, l'incision oblique de haut en bas et de dehors en dedans mérite la préférence qu'on lui accorde actuellement, non point parce qu'elle met mieux à même de respecter le muscle grand pectoral, mais bien parce qu'elle permet de pénétrer du côté de l'aisselle aussi loin que l'état du mal peut l'exiger. Il fut un temps où, avant de faire les incisions, on en marquait le trajet avec de l'encre. De nos jours, on ne s'arrête plus à une pareille précaution. Une règle que vous ne devez point perdre de vue est celle qui consiste à commencer par l'incision la plus déclive; en vous comportant ainsi, vous ne serez point gêné par le sang de la première en pratiquant la seconde.

Voici maintenant le mode opératoire: l'aide tend les téguments; le chirurgien divise alors la peau et la couche sous-cutanée avec le bistouri convexe, et fait tirer ensuite la tumeur à l'aide des doigts ou d'une érigne. Saisissant alors le bistouri droit, il énuclée la tumeur d'abord par en bas, ensuite par en haut, tandis que l'aide écarte les bords de la plaie, et qu'un autre est occupé à l'absterger ; arrivé à la face profonde de la tumeur, il doit user ici de grandes précautions pour ne point s'exposer à laisser dans le fond de la plaie une portion de tissu malade. Dans ce but il se sert du doigt indicateur pour guide ; il importe d'ailleurs d'enlever toujours une certaine portion des parties saines avec la tumeur proprement dite.

Dès que la masse morbide principale est enlevée, il importe de s'assurer qu'il ne reste plus aucune portion de tissu malade ; on absterge donc convenablement tout l'intérieur de la caverne, et on s'assure soit par la vue, soit par le toucher, que tout a été emporté. Si quelques parcelles de tissu dégénéré avaient échappé au bistouri, il faudrait immédiatement en faire l'extraction, sans craindre de sacrifier quelques fibres du muscle grand pectoral et même d'aller jusqu'aux côtes ; car, ne l'oubliez point, si vous voulez avoir quelque chance de succès, il faut que vous enleviez le mal jusqu'à ses dernières racines ; de plus si les côtes ou les cartilages étaient sensiblement affectés, il faudrait aussi les ruginer ou en pratiquer la résection ; mais il est bon que vous sachiez que ces cas sont désespérés, et qu'il ne reste plus alors que de bien faibles chances de succès, à tel point que si vous pouviez être sûr avant d'opérer que le mal va si profondément, vous devriez vous dispenser de l'opération.

Quant aux tumeurs concomitantes qui existent assez souvent dans le creux de l'aisselle, ou dans la rainure sous-pectorale, il importe d'entrer dans quelques détails à leur occasion. Si l'on était porté à penser que ces tumeurs peu volumineuses sont purement ganglionnaires, on ne devrait point y toucher. On trouve dans les annales de la science plusieurs engorgements axillaires qui se sont dissipés après l'extirpation de tumeurs volumineuses du sein. J'en ai moi même observé des exemples dans ma pratique civile et dans les hôpitaux; toutefois il faut faire ici une distinction très importante et dont vous sentirez facilement toute la justesse. Lorsque la maladie du sein n'est point constituée par une tumeur de nature maligne, il n'est nullement indispensable d'extirper les tumeurs développées dans l'aisselle. Dans ces cas ces engorgements se terminent presque constamment par résolution après l'amputation de la tumeur de la glande mammaire. Si, au contraire, il s'agit d'une des variétés du squirrhe, d'une tumeur cérébriforme, mélanique ou colloïde du sein, il est prudent, pour ne pas dire nécessaire, d'aller chercher le mal jusqu'au fond du creux axillaire et de l'enlever jusques dans ses derniers prolongements. Ce temps de l'opération varie suivant les cas; si la tumeur accessoire n'est pas très éloignée du sein, on peut la mettre à découvert par un simple prolongement de la plaie principale; dans les autres cas, il vaudrait mieux pratiquer une incision nouvelle vers le creux de l'aisselle. Vous comprenez très bien avec quelle prudence et quelle délicatesse il convient d'agir dans cette région où siégent des nerfs et des vaisseaux importants. Aussi est-il plus sage, lorsque la tumeur est très profondément située, d'étrangler avec une forte ligature le pédicule de la masse à enlever, avant de la séparer complétement du creux de l'aisselle, que de la détacher avec le bistouri (1).

Il est inutile de rappeler que le manuel opératoire, dont je viens de vous tracer les principales règles, devra être

(1) J'ai vu plusieurs fois M. Velpeau enlever et extirper avec une habileté et une dexterité vraiment remarquables des tumeurs qui entouraient pour ainsi dire l'artère axillaire et le plexus de cette région. C'est à tel point que je me suis dit assez souvent qu'il fallait être bien hardi ou bien sûr de soi-même pour pouvoir se permettre de pareilles opérations. Mais, on l'a dit avec beaucoup de raison, le succès légitime les entreprises les plus hardies.

diversement modifié suivant les cas. J'ajouterai en terminant que lorsqu'on a affaire à une tumeur de mauvaise nature, lors même que la glande ne serait pas envahie en totalité par le mal, il serait prudent d'enlever tout l'organe. S'il s'agissait au contraire de tumeurs bénignes, il faudrait n'extirper que la portion affectée, et surtout conserver le mamelon s'il était possible.

5° *Hémorrhagies.* — Quelques chirurgiens ont établi en règle que les vaisseaux doivent être liés immédiatement après leur division pendant l'opération ; mais c'est là une pratique qui prolonge inutilement les angoisses de la malade, et qui gêne en quelque sorte l'opérateur ; mieux vaut sans doute faire appliquer les doigts d'un aide sur les vaisseaux volumineux qui sont ouverts. Dès que la tumeur est enlevée, on agit alors plus à l'aise ; on éponge convenablement la plaie, et on a recours aux moyens propres à arrêter l'écoulement du sang. De nos jours les chirurgiens n'ont pas une grande confiance à la compression, à l'agaric et aux styptiques, si les vaisseaux divisés sont d'un certain calibre ; on préfère généralement la ligature ou la torsion, et on a parfaitement raison. Reste maintenant à savoir laquelle de ces deux dernières opérations est préférable. Sans entrer dans de grands détails à ce sujet, je vous dirai que la plaie, qui résulte de l'amputation des tumeurs du sein, étant une de celles qui se prêtent le mieux aux tentatives de la réunion immédiate, la torsion offre ici des avantages sur la ligature. En conséquence, lorsque les artères divisées sont faciles à isoler, et que l'on veut tenter la réunion par première intention, la torsion peut être préférée ; mais dans les autres cas, je pense qu'on doit s'en tenir à la ligature. Quoi qu'il en soit, il arrive quelquefois qu'après avoir été divisées, les *artères* cessent de fournir du sang et se cachent dans les tissus : dans ces cas vous pourriez les retrouver le plus souvent avec assez de facilité en détergeant la plaie avec une éponge imbibée d'eau tiède.

4° *Pansement.* — Toutes les précautions dont je viens de parler étant convenablement prises, on s'occupe alors de fermer la plaie. Ici encore il y a diversité d'opinions. Quelques chirurgiens, dans le but de donner le temps aux vaisseaux qui auraient pu se rétracter d'abord, de reparaître, et pour laisser à la plaie le temps de se déterger convenablement du sang qui suinte à sa surface, conseillent de ne faire le pansement que quelques heures après l'opération. A mon avis, cette méthode ne devrait être adoptée que lorsqu'on a réellement à craindre une hémorrhagie dans les premières heures de l'opération ; à l'exception de ces cas, il faut procéder sur-le-champ au pansement. Ici tout ce qu'on a dit pour et contre la réunion immédiate trouve son application. Je ne crois pas devoir aborder actuellement cette question ; qu'il me suffise de déclarer que j'ai souvent tenté la réunion immédiate dans les cas qui nous occupent, et que je ne l'ai obtenue d'une manière complète que trois fois, et encore dois-je ajouter que c'était après l'enlèvement de tumeurs d'un petit volume, ou sur des sujets maigres, et qu'aucune ligature n'avait été nécessaire. Je dirai en outre qu'en s'efforçant d'obtenir une réunion tout-à-fait complète, on court risque, pour peu qu'il s'épanche de sang et de sérosité au fond de la plaie, de voir bientôt tous les accidents du phlegmon ou de l'érysipèle phlegmoneux se manifester. En conséquence, s'il paraît trop difficile de mettre et de maintenir exactement en contact tous les points de la division, il vaut mieux ne pas la fermer entièrement. Voici du reste la méthode que j'ai adoptée depuis long-temps et que vous me voyez mettre en pratique dans cet hôpital.

Si la plaie est peu étendue et très nette, je tente la réunion immédiate dans toute l'acception du mot. Pour peu que cette plaie soit irrégulière, ou présente des parties mâchées, de tendance à un suintement sanguin, je me borne à en rapprocher les bords avec des bandelettes jusqu'auprès de son angle le plus déclive. Ce dernier point, restant ouvert, est une sorte d'égout pour toutes les matières qui viendraient à s'épancher au-dessous de la peau. Si je crains que cela ne suffise pas, si la plaie est caverneuse, ou si, pour arrêter le suintement du sang, il paraît nécessaire d'exercer la moindre compression sur les petits vaisseaux, je la remplis de boulettes de charpie, j'en rapproche modérément les côtés par-dessus, et je couvre le tout d'un linge troué enduit de cérat, puis de gâteaux de charpie et du bandage. Au bout de trois ou quatre jours, toutes les boulettes compressives peuvent être enlevées sans effort. Le même pansement, renouvelé chaque jour pendant une semaine, manque rarement de donner à la plaie un aspect vermeil et granuleux qui permet d'en tenter alors la réunion immédiate avec de nombreuses chances de succès. Ce mode de pansement est sans contredit celui qui occasionne le moins de réaction et qui expose à moins d'inconvénients, tout en permettant de guérir les plus longues plaies du sein dans l'espace de quinze jours ou de trois semaines.

Si, dans le cours de l'opération, on a été obligé de sacrifier une grande étendue de téguments, on peut, pour éviter les inconvénients d'une cicatrisation graduelle et purement concentrique, avoir recours à quelques uns des procédés de l'autoplastie; celui qui me paraît le plus convenable ici, consiste à disséquer, à détacher des parties sous-jacentes le contour de la division dans une étendue plus ou moins considérable, suivant les cas, de telle sorte enfin qu'on puisse par une extension modérée rapprocher les lèvres de la plaie comme dans la réunion immédiate.

Un assez grand nombre de bandages ont été imaginés, soit pour exercer une compression méthodique sur la mamelle, soit pour maintenir d'une manière convenable les pièces de pansement après l'amputation totale ou partielle de cet organe; mais je n'ai rien trouvé de plus commode en pareil cas qu'un bandage qui réunit en quelque sorte le 8 de chiffre au cataphraste des anciens ; je le construis de la manière suivante :

On a une bande longue de sept à huit aunes; on laisse pendre une demi-aune de cette bande derrière la poitrine, où un aide la retient pendant que le chirurgien en porte la suite sur l'épaule du côté sain, pour la descendre par le devant de la poitrine sous l'aisselle du côté malade, et la ramener en arrière, puis faire des circulaires de bas en haut autour du thorax, depuis le niveau de l'appendice xyphoïde jusqu'au-dessus des régions mammaires. Cette bande est ensuite passée de la partie postérieure de l'aisselle malade au-dessus, puis au-devant, au-dessous et en arrière de l'aisselle saine, pour faire quelques nouvelles circulaires et revenir de la même façon autour du côté malade, afin d'épuiser la bande par quelques circulaires définitives. Le chef, déposé d'abord en arrière, et qu'on a eu soin d'emprisonner dans le bandage par sa racine, est alors relevé d'arrière en avant sur l'épaule du côté malade, et abaissé vers l'épigastre, à la manière d'une bretelle que l'on fixe avec une ou plusieurs épingles. Ce bandage, d'une extrême solidité, se moule exactement sur les parties et ne manque pas d'une certaine élégance, s'il est bien fait.

Si on voulait établir une compression permanente sur la mamelle, on devrait appliquer au-dessous du cataphraste, soit des compresses graduées, soit des plaques d'agaric ou d'amadou ; on le rendrait alors tout-à-fait immobile et d'une solidité complète en le recouvrant ensuite d'une bande imbibée de dextrine distribuée comme la première.

ARTICLE IV.

DES ANKYLOSES ET EN PARTICULIER DE LEUR TRAITEMENT PAR L'EXTENSION BRUSQUE ET FORCÉE (1).

Le 3 du mois d'août dernier (1839) je lus dans la *Gazette des Hôpitaux* (Lancette française) les deux paragraphes suivants en tête d'un long article :

« Du département du Doubs est récemment arrivé à Paris M. Louvrier, jeune médecin, inventeur d'une nouvelle méthode et d'un appareil pour la guérison des ankyloses, qui vient tenter dans la capitale les succès qu'il a déjà obtenus à Besançon et ailleurs. On n'aura, certes, pas assez d'éloges et de reconnaissance à lui offrir, si les résultats qu'il promet sont aussi certains, aussi efficaces qu'il en donne l'assurance.

» Pour lui, en effet, une ankylose, à tel état qu'elle soit, ne présente ni embarras, ni difficulté; quelques instants lui suffisent pour guérir radicalement l'affection, et au bout de fort peu de jours il rend au malade un membre plein de vigueur et de souplesse; en sorte qu'il faudrait peut-être bien plutôt désirer que craindre cette terminaison à des affections nombreuses des diverses articulations, si le traitement des ankyloses est si sûr et si facile, en comparaison des soins si pénibles, si longs et si souvent inutiles que l'on se donne pour combattre les causes qui la produisent. C'est ainsi du moins que M. Louvrier s'avance; il est fort à souhaiter que l'expérience lui soit toujours propice. »

L'auteur de cet article ajoute dans un autre paragraphe :

(1) Leçons faites le 31 décembre 1839, les 3, 4, 14 et 24 janvier 1840.

« L'opération demande moins d'une minute pour être achevée, et il ne faut, dit le médecin, que quelques jours pour faire disparaître toute trace d'inflammation consécutive. »

Je dois l'avouer, un pareil début ne fut pas de nature à me disposer favorablement pour une méthode de traitement qui, il faut bien en convenir, emporte de prime abord avec elle quelque chose de cruel et de barbare. Toutefois la mission que j'ai à remplir près de vous, Messieurs, m'imposait le devoir de vous faire connaître ce mode opératoire. Je me bornai en conséquence à cette époque à vous en dire quelques mots, me proposant de vous en entretenir avec soin lorsque quelques malades auraient été soumis à l'opération.

Depuis cette époque, M. Louvrier a eu plusieurs fois l'occasion, soit dans les hôpitaux de Paris, soit en ville, d'appliquer sa méthode et de faire manœuvrer son appareil. Déjà à deux reprises différentes (le 5 novembre et le 27 décembre) vous avez vu ce médecin à l'œuvre dans cet amphithéâtre. Ce n'est pas ici le moment de vous entretenir des deux malades que je crus devoir soumettre à ce traitement; nous y reviendrons plus tard. Aujourd'hui donc, M. Louvrier compte environ douze malades opérés par lui dans Paris. M. Bérard jeune est chargé de faire un rapport sur ce sujet à l'Académie royale de médecine. M. Louvrier a en outre soumis son appareil à l'examen de l'Académie des sciences (séance du 23 décembre). Je dois même ajouter que cette présentation a fourni à un médecin rédacteur d'un journal politique (*National*, 25 décembre) le thème d'une tirade et contre la méthode, et contre les chirurgiens des hôpitaux qui confient leurs malades à des mains étrangères au service des établissements à la tête desquels ils sont placés.

Le moment est donc arrivé, je crois, d'examiner sérieusement cette question. Les faits ne sont point encore, il est vrai, ni assez nombreux, ni assez bien connus dans tous leurs détails, pour pouvoir porter un jugement définitif et sans appel. Mais on en sait maintenant assez, d'un côté pour dissiper, en partie du moins, les craintes que cette méthode de traitement devait naturellement inspirer aux chirurgiens, et de l'autre pour réduire de beaucoup les prétentions du médecin de Pontarlier.

J'ai cru devoir entrer dans ces détails préliminaires pour bien faire comprendre que je n'ai pas l'intention, dans cette circonstance, de présenter l'histoire complète de ce que les pathologistes sont convenus d'appeler une *ankylose*. C'est surtout la méthode de traitement préconisée et vantée par M. Louvrier que je me propose d'examiner devant vous. Cependant pour pouvoir apprécier ce moyen thérapeutique d'une manière convenable, je dois entrer avant tout dans quelques considérations générales qui me paraissent indispensables pour bien préciser la question.

De nos jours, on ne confond plus, comme dans les siècles passés, sous le titre d'*ankyloses*, une foule de maladies des articulations ou des parties environnantes. Ce mot est actuellement consacré à exprimer la perte plus ou moins complète des mouvements des articulations, abstraction faite des affections morbides qui peuvent lui donner naissance. En limitant ainsi ce sujet, les auteurs modernes l'ont évidemment simplifié de beaucoup. Pour moi, l'ankylose est le résultat d'une maladie et non une maladie proprement dite; c'est pour ainsi dire la *cicatrice* de l'état morbide préexistant. On ne pourrait la considérer comme une maladie réelle qu'en ce sens qu'elle est un obstacle à l'accomplissement de certaines fonctions.

On a divisé les ankyloses en deux grandes classes : 1° *ankyloses vraies* ou *complètes*; 2° *ankyloses fausses* ou *incomplètes*. L'ankylose est *vraie* ou *complète* lorsque les mouvements de l'articulation affectée sont entièrement abolis; elle est *fausse* ou *incomplète* lorsque la jointure n'est pas tout-à-fait immobile. Cette division est basée, comme on le voit, sur les fonctions de l'articulation (1). Chacune de ces deux grandes classes comprend plusieurs variétés qu'il est très important de ne point confondre dans la pratique, comme je vous le démontrerai plus tard.

Toutes les articulations mobiles peuvent s'ankyloser; les symphyses elles-mêmes n'en sont point exemptes. Cependant l'observation a démontré que l'ankylose est plus fréquente dans les articulations ginglymoïdales que dans toutes les autres espèces.

Le plus souvent l'ankylose n'affecte qu'une seule articulation; mais il n'est pas très rare de la voir exister sur plusieurs à la fois. On cite aussi des cas dans lesquels toutes les articulations d'un même sujet se sont successivement ankylosées. Vous connaissez sans doute le fait d'ankylose universelle rapporté par Samuel Cooper. Vous trouverez dans le Musée Dupuytren le squelette d'un pêcheur dont presque toutes les articulations sont également ankylosées; c'est M. Larrey (de Toulouse) qui nous l'a adressé. Vous trouverez aussi dans le même musée le squelette d'un officier mort à Metz en 1802, à l'âge de cinquante ans, dont toutes les articulations sont tellement soudées qu'il ne forme qu'une seule pièce. C'est le cas le plus remarquable d'ankylose générale. Je pourrais vous mentionner quelques autres exemples qui sont consignés dans les annales de la science. Presque tous les faits de ce genre ont été observés sur des individus d'un âge plus ou moins avancé; la seule exception que je connaisse est le fait d'un enfant de vingt-trois mois, dont l'observation se trouve consignée dans l'histoire de l'Académie des sciences (année 1716).

Pendant l'été de 1838, nous avons eu dans notre service

(1) M. Vidal (de Cassis) pense qu'il est préférable de prendre pour base de division des ankyloses l'anatomie pathologique, et propose la division suivante : 1° ankylose *intra-capsulaire*; 2° ankylose *extra-capsulaire* (*Traité de Pathologie externe et de Médecine opératoire*, t. II, p. 392).

un malade dont je crois devoir vous rapporter l'histoire avec quelques détails.

OBS. I. — *Ankyloses complètes de toutes les articulations des membres inférieurs. — Amputation de la cuisse gauche. — Hémorrhagie consécutive. — Esquille enlevée. — Guérison. — Amputation de la cuisse droite. — Hémorrhagie consécutive abondante. — Guérison. — Quatre mois de séjour dans l'hôpital.* — Le 7 juin 1838 fut admis dans notre service (salle Sainte-Vierge, n° 35) le nommé Cortasse, âgé de vingt-huit ans, ouvrier en soie, né à Gordes, département de Vaucluse, arrivé à Paris depuis quatre jours. Il est d'un tempérament bilieux, d'une constitution peu détériorée, car, d'après son dire, il se porte tout aussi bien qu'avant le début de sa maladie.

Il y a douze ans environ (c'est à cette époque qu'il fait remonter l'origine de son mal), Cortasse fut obligé, pour surveiller les récoltes, de coucher pendant quinze jours dans une cabane froide et humide. Quelque temps après, les articulations des membres inférieurs devinrent le siége de douleurs assez vives qui furent suivies de roideur et de gêne dans les mouvements. Admis à l'hôpital d'Avignon, il y fut traité par les ventouses, les vésicatoires et les moxas. Après neuf mois de séjour dans cet hôpital, il éprouva une amélioration notable, et retourna dans sa ville natale. Toutefois il n'était pas guéri, car le moindre changement de température ramenait ses douleurs. Plusieurs mois après, il entra à l'hôpital de Nîmes, où on le traita par les frictions et les bains de vapeur. Ce traitement fut très favorable, car, au dire du malade, après environ trois mois de séjour dans cet hôpital, il retourna dans son pays; il marchait alors facilement, et se croyait radicalement guéri. Cinq mois après, il se rendit à Lyon pour continuer l'état que sa maladie l'avait forcé de suspendre. Pendant plus de deux ans, il put vaquer librement à ses occupations; mais, à dater de cette époque, il ressentit encore par intervalles, surtout dans les changements brusques de température, des douleurs dans les membres. En mars 1832, les phénomènes morbides qui s'étaient présentés au commencement de la maladie se manifestèrent avec plus d'intensité que jamais. Ici le malade ne peut point nous rendre compte des différentes phases qu'a parcourues la maladie; il se borne à nous dire qu'en septembre 1832 toutes les articulations de ses membres inférieurs étaient complétement ankylosées. Il était alors à l'Hôtel-Dieu de Lyon, et déjà il réclamait, de la part des chirurgiens de cet hospice, l'amputation de ses deux membres. Comme on ne voulut point accéder à sa demande, il retourna dans son pays, où il séjourna pendant plusieurs années. Enfin, ennuyé de son état, il résolut d'en finir d'une manière quelconque. Il fut à Montpellier, dans l'intention d'obtenir des chirurgiens de cette ville ce que ceux de Lyon lui avaient formellement refusé : il ne fut pas plus heureux. Ce fut alors qu'il vint à Paris, plus décidé que jamais à mettre un terme quelconque à son état. Il entra immédiatement dans cet hôpital dans le service de M. Rayer, qui le fit passer le lendemain dans nos salles.

Tels sont les principaux détails que nous fournit Cortasse sur les antécédents de sa maladie. J'ai omis bien des circonstances qui n'ajouteraient rien à la valeur scientifique de ce fait ; toutefois, je crois devoir ajouter que dans le courant de cette narration, ce malheureux parlait avec une telle fermeté et une telle résolution de caractère, que nous ne pûmes douter qu'il n'eût pris un parti définitif.

Voici l'état dans lequel il était lorsqu'il entra dans notre service. Toutes les articulations des membres inférieurs étaient soudées d'une manière complète. Les deux cuisses étaient fortement fléchies en avant sur le bassin, et rapprochées l'une de l'autre; les deux jambes, fléchies en arrière et un peu en dehors, formaient avec la cuisse correspondante un angle assez aigu; les pieds étaient étendus. On comprend facilement tout ce qu'offrait de gênant et de pénible une pareille conformation. Ce malheureux ne pouvait se tenir ni debout, ni assis, ni sur les côtés; il était obligé d'être sans cesse couché sur le dos. Je dois ajouter qu'il disait éprouver encore assez fréquemment de vives douleurs dans les articulations tibio-tarsiennes, du côté gauche surtout. Cette dernière circonstance indiquait que le travail morbide n'était pas encore terminé dans ces régions. Les deux membres étaient atrophiés et réduits presque au seul volume des os.

Que faire en pareille circonstance? Je donnai immédiatement à comprendre au malade qu'il ne devait pas plus espérer de moi que des autres chirurgiens qu'il avait déjà consultés. Ces paroles portèrent la désolation dans l'âme de ce malheureux. Tous les moyens mis en usage dans ces cas, et que je ne décrirai point ici, n'eurent aucun succès. Six jours après Cortasse était dans la même résolution et réclamait à chaque visite un terme quelconque à son état; il ajoutait même qu'il saurait bien en finir lui même, si je ne voulais pas accéder à ses instances. Voyant enfin que tout était inutile, je me résolus à l'opérer. Je me livrai dès lors à une exploration minutieuse pour voir si rien dans l'organisme ne contre-indiquait l'opération; j'eus recours aussi aux lumières de mes collègues de cet hôpital. Rassuré sur ce point, j'annonçai au malade qu'il serait amputé dans trois jours de la cuisse gauche. *Vous êtes le seul homme*, s'écria alors Cortasse avec effusion et en me serrant fortement la main, *qui ayez bien compris ma position; quoi qu'il arrive, je vous en remercie d'avance.*

Le 18 juin, la cuisse gauche est amputée, sans que le malade profère une seule plainte. Les quatre jours suivants, il est dans un état tout-à-fait satisfaisant; mais le 22 du même mois, une fièvre assez intense se déclare; le malade est pâle et affaibli; il dit souffrir beaucoup dans le moignon. La plaie est vermeille; cependant du pus est accumulé dans un foyer assez considérable : je l'évacue, et, à l'aide de cataplasmes émollients et d'une légère compression, le moignon reprend en quelques jours un bon aspect. Tout allait fort bien, lorsque, le 1er juillet, le malade fut pris tout-à-coup d'une hémorrhagie dans le moignon. L'interne de garde parvint à arrêter cet accident à l'aide de la compression. Les jours suivants, Cortasse se trouve fort bien et demande à manger. Le 9 juillet, la suppuration était presque tarie, et tout semblait annoncer que la guérison ne se ferait pas attendre. Le malade mange la demi-portion avec beaucoup d'appétit ; mais le 16 juillet, il se plaint de nouveau de vives douleurs dans le moignon ; du pus s'y est de nouveau accumulé. Je pratique une contre-ouverture, et je place une mèche de charpie entre les lèvres de la plaie pour empêcher leur trop prompte réunion. Cependant la suppuration ne tarit point. J'introduis alors un stylet dans le foyer, et je reconnais l'existence d'un petit séquestre, que j'enlève immédiatement. Dès lors la guérison s'opéra avec rapidité.

Le 31 juillet, la plaie était complétement cicatrisée. Pour ne pas trop prolonger cette observation, j'ai omis bien des détails auxquels il est facile de suppléer. Qu'il me suffise d'ajouter que les suites de cette première opération furent telles, que nous ne croyions pas que le malade eût assez de force d'âme pour réclamer l'amputation de l'autre membre. Nous étions dans l'erreur. A peine guéri, Cortasse réclama avec la même instance la seconde opération, qui fut pratiquée le 6 août.

Les suites de cette opération ne furent pas si pénibles, si nous en exceptons une hémorrhagie fort abondante qui survint dans le moignon, le 14 du même mois, et qui nécessita l'emploi du garrot. A part cet accident, tout se passa parfaitement bien. La plaie était complétement cicatrisée dans les premiers jours de septembre. Cortasse séjourna encore un mois dans l'hôpital et en sortit le 13 octobre, disant qu'il pourrait remplir maintenant un emploi auquel une de ses tantes le destinait.

Actuellement Cortasse, commodément placé sur une petite voiture, a augmenté le nombre des musiciens ambulants qui vivent de la commisération du public parisien.

Depuis quelques années on a cherché à déterminer le mécanisme suivant lequel se forment les ankyloses. M. J. Cloquet (1) admet les modes de production suivants, sur lesquels je crois devoir fixer un instant votre attention.

1° *Ankylose par le repos de l'articulation.* — « On sait, dit M. Cloquet (*oper. citat.*), que les mouvements entretiennent dans les articulations la souplesse des liens fibreux qui les unissent, et la sécrétion de l'humeur synoviale qui lubrifie les surfaces correspondantes des os. Lorsqu'une articulation est retenue long-temps dans une parfaite immobilité, les ligaments se raccourcissent; ils reviennent sur eux-mêmes; ils ne sont plus alternativement tendus et relâchés, pliés et redressés par les mouvements; ils perdent leur souplesse, deviennent de plus en plus roides, rapprochent et serrent fortement les unes contre les autres les surfaces articulaires. L'exhalation de la synovie est de moins en moins abondante; cette liqueur devient fort ténue; elle se change en une simple rosée séreuse; la membrane synoviale semble revenir sur elle-même, éprouver, ainsi que les autres parties de l'articulation, une véritable atrophie; les surfaces articulaires se rétrécissent; la synovie finit par se tarir; les feuillets contigus de la membrane qui la secrétait perdent leur poli, deviennent rugueux, et ne tardent pas à contracter des adhérences entre eux; il se fait une véritable transformation celluleuse de la membrane synoviale, sans qu'il s'y développe aucune inflammation préalable. On ne trouve plus de membrane synoviale dans beaucoup d'articulations ainsi ankylosées; on

(1) *Diction. de médec.*; deuxième édition, tom. III, p. 179.

observe seulement un tissu filamenteux, celluleux, blanchâtre, qui réunit les surfaces articulaires ; les cartilages d'incrustation, presque toujours aussi, ont diminué d'épaisseur, et quelquefois même ont été absorbés et ont entièrement disparu. Sur plusieurs articulations, on rencontre encore dans quelques endroits des portions de la membrane synoviale dont la cavité n'a point été oblitérée. Après un temps variable, le tissu cellulaire serré qui réunit les surfaces articulaires est envahi par l'ossification ; la substance spongieuse de chaque os reste cependant assez long-temps séparée par une lame de cartilage et de tissu compacte fort mince, analogue à celle qu'on observe immédiatement après la disparition des épiphyses chez les jeunes sujets ; entre le corps de l'os et ses extrémités, cette lamelle finit elle-même par être absorbée, et il ne reste plus alors aucune marque de séparation : par exemple, entre les tissus spongieux des extrémités correspondantes du tibia et du fémur, dans une ankylose du genou ; ce dont on peut s'assurer en sciant ces os suivant leur longueur. Il est rare cependant que toute trace d'articulation ait ainsi disparu. Sur des individus qui étaient restés fort long-temps au lit dans la même position, pour des paralysies, j'ai plusieurs fois fait observer les changements précédents, qui surviennent dans les articulations et en déterminent l'ankylose. Je puis assurer que je n'ai jamais vu chez eux aucune trace d'inflammation dans les membranes synoviales. »

Je suis loin de nier la possibilité de ce mode de production des ankyloses ; toutefois, je dois avouer que je n'en ai observé aucun exemple, et que les faits cités à ce sujet par les auteurs ne sont pas, à mon avis, tout-à-fait concluants. Tous les praticiens savent, il est vrai, que des malades dont les membres, pour une cause quelconque, restent long-temps dans l'immobilité, finissent par avoir les articulations plus ou moins roides; mais ces faits se rapportent évidemment à des ankyloses *incomplètes*, dépendantes du raccourcissement, de l'endurcissement des parties molles, et aussi de ce que les muscles ont perdu l'habitude de se contracter. On conçoit qu'à la longue les surfaces osseuses étant sans cesse en contact finissent par se souder; mais, je le répète, les observations citées à ce sujet manquent de détails suffisants. Je sais bien qu'on a cité sous ce rapport certaines histoires, par exemple, celle de ces fakirs de l'Inde qui étant restés, par esprit de mortification, dans une immobilité absolue pendant des années entières, ont eu leurs articulations ankylosées d'une manière complète; mais ces histoires, dont rien d'ailleurs ne démontre l'exactitude, n'ont aucune valeur. Comment concevoir qu'un homme puisse, pour quelque motif que ce soit, garder *constamment* la même position? Quant à moi, je crois que la question de savoir si les ankyloses *vraies* peuvent survenir seulement par le contact prolongé des surfaces cartilagineuses, sans maladie articulaire préalable, est assez difficile à résoudre de nos jours.

2° *Ankylose par le moyen de fausses membranes.* — Lorsque la membrane synoviale d'une articulation est enflammée, elle laisse exsuder une lymphe plastique qui s'organise quelquefois, forme des lames celluleuses, variables de forme et de volume. Ces lames, d'abord molles et gélatineuses, s'épaississent, deviennent solides, et, contractant des adhérences avec les parties voisines, finissent par s'opposer aux mouvements de l'articulation. J'ai rencontré plusieurs faits de ce genre. Ici, comme vous le voyez, l'ankylose est le résulat d'un état morbide préexistant

3° *Ankylose par le moyen de bourgeons charnus.* — Lorsqu'à la suite d'une cause quelconque les cartilages diarthrodiaux ont été détruits, les têtes osseuses articulaires, ulcérées et contiguës ensemble, finissent ordinairement par se souder entre elles; il en résulte alors une véritable ankylose. Je vous ai indiqué ce mode de production de l'affection qui nous occupe en traitant des arthropathies des cartilages, et de l'arthropathie de la superficie des os. Lorsqu'on a l'occasion d'observer les articulations avant que le travail de consolidation soit très avancé, on trouve entre les surfaces réunies une masse charnue, rougeâtre, d'épaisseur variable, au milieu de laquelle on rencontre encore quelquefois des trajets fistuleux. La consolidation s'opère du reste comme pour la formation du cal dans les cas de fractures compliquées qui ont suppuré pendant long-temps.

4° *Ankylose des articulations amphiarthrodiales.* — « L'ankylose, dit M. J. Cloquet, peut avoir lieu par l'ossification des substances fibro-cartilagineuses qui réunissent les os dans les articulations amphiarthrodiales. C'est ainsi qu'on voit, par les seuls progrès de l'âge, se souder le coxis et le sacrum, les vertèbres entre elles, les différentes symphyses du bassin les unes avec les autres.....

» Le plus souvent l'ankylose a lieu entre les vertèbres par l'ossification de leur périoste et des fibres ligamenteuses qui en couvrent la surface, les fibro-cartilages étant entièrement étrangers à la maladie. On trouve alors de longues plaques osseuses, passant superficiellement des vertèbres les unes sur les autres, et formant quelquefois une sorte de gaîne ou d'étui qui en réunit plusieurs. Les fibro-cartilages restent dans leur état naturel. Ordinairement ces plaques existent des deux côtés du corps des vertèbres ; je les ai vues cependant sur plusieurs sujets, limitées à un seul côté, et s'arrêter subitement sur la ligne médiane de la colonne vertébrale, comme si une moitié seulement de cette tige osseuse avait participé à l'affection. Bornées le plus souvent à la région lombaire, ces plaques s'étendent parfois à toute la longueur du rachis, qui ne forme plus alors qu'une seule pièce osseuse. »

Je n'ajouterai rien à cette description. Il n'est aucun de vous qui n'ait observé quelques faits de ce genre dans le cours de ses dissections.

5° *L'ankylose a lieu parfois par la soudure de végétations osseuses développées sur les extrémités des os, et qui se réunissent entre elles en dehors des surfaces articulaires.* —Dans cette variété de la maladie, les surfaces articulaires restent intactes, mais les mouvements de la jointure sont supprimés à cause des végétations précédentes, qui forment une espèce de ciment solide autour de l'article. C'est principalement au corps des vertèbres chez les vieillards qu'on observe cette espèce de soudure. Il n'est pas rare aussi de trouver les articulations des pieds et des mains ankylosées chez quelques goutteux par le moyen d'incrustations tophacées, blanches, friables, d'un aspect crayeux ou soyeux, qui semblent provenir des os comme des espèces de stalactites.

Vous avez sans doute compris, messieurs, que les cinq modes de production que nous venons de passer en revue conduisent tous au même résultat définitif, à une soudure de l'article, et par conséquent à la perte complète des mouvements de la jointure; en d'autres termes, on a alors affaire à une ankylose vraie ou complète. Je dois ajouter que cette première classe d'ankylose présente quelques variétés qu'il importe de connaître. Il peut arriver, en effet, que toute l'étendue des surfaces articulaires soit soudée; j'en ai observé plusieurs exemples. Dans un cas de ce genre, la tête du fémur était si intimement soudée avec la cavité cotyloïde, qu'après avoir scié l'os de la cuisse et l'os coxal verticalement, il me fut impossible d'apercevoir aucune trace de séparation entre eux. Je dois ajouter toutefois que ces cas sont assez rares. On trouve ordinairement vers le point de réunion des deux os une ligne de démarcation qui indique assez leur séparation primitive.

Les soudures de toute l'étendue des surfaces articulaires ne se présentent guère que dans les articulations orbiculaires ou à surfaces planes. Dans les autres jointures, les os ne sont pas assez bien moulés les uns sur les autres, ne s'emboîtent pas assez exactement, pour que les choses se passent ordinairement ainsi. Le plus souvent alors, il y a soudure inégale, incomplète, n'occupant que quelques uns des points des surfaces articulaires. C'est ce qu'on rencontre surtout dans les articulations ginglymoïdales. Ici, en effet, la soudure est ordinairemunt disséminée. Cette remarque n'est pas sans importance, car elle explique comment, quand on rompt une ankylose, il est possible que la rupture ait lieu plutôt dans l'endroit de l'ancienne articulation qu'au-dessus ou au-dessous. Dans ces cas, il y a en général plus de surfaces libres que de parties soudées; en effet, les maladies qui produisent ces ankyloses ont souvent leur point de départ dans les parties molles environnantes, en sorte que les cartilages diarthrodiaux ne sont pas toujours détruits en entier. Assez souvent même lorsque le mal a débuté par le tissu osseux, il n'y a que de petites portions de cartilages qui aient été détruites. Je suis entré du reste dans de longs détails à ce sujet en traitant des *tumeurs blanches*.

Voilà pour ce qui a trait aux ankyloses *vraies* ou *complètes*. Quant aux ankyloses *fausses* ou *incomplètes*, leur mécanisme est subordonné à une foule d'affections diverses qui peuvent survenir dans les parties molles qui entourent les articulations. De là un grand nombre de variétés de cette seconde classe d'ankyloses. Je me bornerai ici à les mentionner, en vous indiquant les maladies auxquelles elles correspondent. Ces maladies sont au nombre de cinq principales :

1° Une ancienne brûlure, une cicatrice, dont le tissu peut devenir très dense, très résistant, et empêcher la mobilité des parties voisines;

2° Toute plaie avec déperdition de substance, comme les plaies d'armes à feu;

3° Une phlegmasie des parties molles qui séparent l'articulation de la peau, ou du tissu cellulaire qui sépare les ligaments, comme chez les goutteux;

4° Une maladie des muscles ou des tendons qui a amené leur rétraction ;

5° Une maladie ancienne de l'articulation, comme une hydarthrose ou toute autre arthropathie, qui, si elle dure long-temps et si on n'y prend pas garde, au genou, par exemple, entraîne le membre dans la flexion ; puis, la maladie étant guérie, fait place à une ankylose.

Il suffit, je crois, d'indiquer ces causes diverses pour qu'il soit facile de se faire une idée du mécanisme suivant lequel se forment les différentes variétés de l'ankylose fausse ou incomplète. J'ajouterai seulement que dans tous ces cas, le degré plus ou moins grand d'immobilité de l'articulation ne mérite réellement le nom d'ankylose que quand l'état morbide de la jointure a complétement disparu, et qu'il ne reste plus qu'une difformité, ou, si vous l'aimez mieux, une infirmité.

La diagnostic de l'ankylose est facile à établir, surtout depuis qu'on s'est appliqué à élaguer de son cadre toutes les affections morbides des articulations. Lorsque à la suite d'une des maladies articulaires dont j'ai parlé plus haut, on éprouve de la difficulté ou une impossibilité de faire exécuter des mouvements à une articulation, tout indique qu'une ankylose existe. Cependant il ne faudrait pas s'en laisser imposer ici par une contraction comme tétanique de tous les muscles qui environnent la jointure, contraction qui, selon quelques auteurs modernes, pourrait aussi accompagner l'inflammation aiguë des synoviales articulaires. Le fait suivant, mentionné dans le Dictionnaire abrégé des *sciences médicales*, doit être connu de vous. Un enfant offrait une immobilité complète de la cuisse sur le bassin. Cette partie du membre inférieur était fléchie avec une telle force qu'on ne pouvait lui communiquer aucun mouvement, et que plusieurs praticiens habiles crurent à l'existence d'une ankylose, tandis que tout porte à penser qu'on avait affaire à une coxalgie. Des questions adressées au malade, et qui fixèrent son attention sur un objet étranger à sa maladie, permirent d'étendre la cuisse avec facilité jusqu'au moment où, s'apercevant de ce mouvement, l'enfant reprit brusquement sa première position. En pareil cas, vous devriez user du même moyen; mais il faudrait avoir soin de ne faire exécuter que des mouvements légers pour ne pas réveiller les douleurs. Du reste, je vous le répète, il est assez rare qu'on soit embarrassé pour diagnostiquer une ankylose, surtout si on tient compte de l'état préexistant de la partie.

Mais il n'en est plus de même pour distinguer entre elles les différentes espèces et variétés de l'affection qui nous occupe. C'est là pourtant le côté pratique de cette question; car, comme je vous le dirai bientôt, le traitement doit varier suivant chacun de ces cas. Vous seriez dans l'erreur si vous croyiez qu'il est toujours très facile de distinguer, je ne dis pas les différentes nuances des deux grandes classes d'ankylose, mais même ces deux grandes classes entre elles. Parcourez ce que disent à ce sujet les auteurs modernes, et il vous sera facile de voir que cette question, en apparence très simple, est loin d'être clairement résolue. Ainsi, d'après la définition que je vous ai donnée de l'ankylose *complète*, il semblerait de prime-abord qu'il est toujours facile de la distinguer de l'ankylose *incomplète*. Il est pourtant certains cas dans lesquels les praticiens les plus expérimentés n'osent se prononcer. Cela se conçoit. En effet, de ce qu'une articulation est immobile, il ne s'ensuit pas nécessairement que les os soient soudés entre eux; car la rigidité des ligaments et la rétraction des muscles suffisent quelquefois pour rendre toute espèce de mouvement impossible. J'ai observé quelques cas de ce genre. Il est donc évident que pour établir le diagnostic des différentes espèces d'ankyloses, il ne suffit pas toujours de prendre pour point de départ la mobilité ou l'immobilité d'une articulation; il faut encore s'aider de la connaissance des maladies qui les ont produites, de la conformation particulière de l'articulation affectée, et des rapports dans lesquels peuvent se trouver les surfaces osseuses articulaires et les parties molles environnantes.

Le pronostic de l'ankylose, considérée sous le point de vue des dangers qu'elle peut faire courir à la vie des sujets, est ordinairement peu grave. Il est des cas cependant dans lesquels la santé des malades peut en éprouver une atteinte plus ou moins profonde. Tels sont ceux dans lesquels plusieurs articulations sont prises à la fois, et forcent les malades à garder toujours à peu près la même position. Mais, hâtons-nous de le dire, ce sont là des exceptions.

Du reste, considéré d'une manière générale, le pronostic de l'ankylose varie suivant une foule de circonstances. L'ankylose complète, celle qui dépend de la soudure des os, a été considérée jusqu'à ces dernières années comme tout-à-fait incurable; on pensait même qu'il y aurait de graves inconvénients à vouloir la guérir. Ce point de doctrine sera examiné plus tard. L'ankylose incomplète, lorsqu'elle n'est pas fort ancienne, cède ordinairement à une série de moyens que je vous exposerai bientôt.

Quoique l'ankylose ne soit point en elle-même une maladie dangereuse, il n'en est pas moins vrai qu'elle constitue toujours une difformité ou une infirmité plus ou moins incommode, et qu'elle peut même dans quelques cas exceptionnels, comme je l'ai déjà dit, avoir des suites plus ou moins fâcheuses. Aussi doit-on applaudir aux efforts qui ont été faits dans ces dernières années pour en triompher. Nous aurons du reste à revenir sur ces différents points en nous occupant du traitement.

Pour avoir une idée claire et nette des moyens que l'art met à la disposition des chirurgiens pour combattre l'affection qui nous occupe, il importe d'étudier séparément le traitement que réclament les deux grandes classes d'ankyloses.

Traitement des ankyloses fausses ou incomplètes. — Lorsque l'ankylose est récente, on peut quelquefois en triompher sans avoir recours à une opération. On a conseillé dans ce but des bains ou des douches avec l'eau de Bourbonne, de Baréges, des frictions douces avec de l'huile d'olive chaude répétées trois fois le jour. On peut aussi associer les fomentations et les cataplasmes émollients avec les bains, les douches et les frictions. S'il existe en même temps roideur des ligaments, rétraction des muscles, engorgement du tissu cellulaire et des autres parties molles, les émollients seuls resteraient souvent impuissants, il faut les associer avec les résolutifs.

Lorsqu'à l'aide de ces différents moyens les tissus commencent à se relâcher, il faut faire exécuter des mouvements à l'articulation. Ces mouvements sont de la plus grande importance; mais il faut que vous soyez bien prévenus que le succès de ce moyen dépend en grande partie de la manière dont il est employé. Ainsi, vous ne donnerez à ces mouvements qu'un degré d'extension convenable. Dans les premières tentatives de ce genre, vous entendrez une espèce de craquement et de crépitation dans la jointure : c'est là le résultat de l'allongement des ligaments et des frottements des surfaces articulaires dépourvues de synovie; en conséquence, vous ne devez point en être tourmentés.

C'est à l'aide des moyens dont je viens de parler que M. V. Duval a obtenu un succès publié dans la *Revue des spécialités*, dirigée par ce médecin (n° 3, 1840). Je dois vous faire connaître ce fait.

Lucile Barbier, âgée de quinze ans, éprouva, vers l'âge de vingt-trois mois, dans le genou, une douleur qui eut pour conséquence la flexion permanente. Le genou était resté douloureux, chaud et gonflé. A l'âge de sept ans, le mal sembla diminuer; les moyens que l'on employa rétablirent le membre à peu près dans son état normal. A dix ans, après une longue course, nouvelles douleurs, nouvelle inflammation fort grave du genou; en sept ou huit mois, l'articulation devint parfaitement immobile.

En mai 1838, les parents me l'amenèrent, dit M. Duval. Après un soigneux examen, trouvant le genou volumineux, l'articulation inflexible, quelques efforts que je misse à vaincre sa résistance, je conseillai de ne rien faire, car je regardai le cas comme totalement incurable; cependant, la mère de la pauvre enfant insista avec tant d'émotion, que je me déterminai à prescrire un traitement. J'ordonnai de faire prendre chaque soir un bain de vapeur émollient et narcotique qui durerait une demi-heure. (Trois litres de décoction de guimauve versée bouillante sur une forte poignée de morelle au fond d'un seau à bain de pied. On plaçait le genou malade au-dessus du seau; le tout hermétiquement abrité par une couverture de laine repliée.) Le bain pris, on essayait de porter la jambe dans la flexion; ensuite on couvrait le genou d'un large cataplasme de farine de graine de lin délayée dans une décoction très concentrée de ciguë. Le matin on devait enlever le cataplasme, essayer encore quelques mouvements de flexion, puis frictionner l'articulation avec une dose grosse comme une petite noix de la pommade suivante :

Pr. Axonge.	64 grammes.
Bromure de fer	8 »
Extrait de ciguë	12 gr. de chaque.
Id. de jusquiame. . . .	
camphre.	

La friction opérée, envelopper le genou dans une peau de lièvre, et faire beaucoup d'exercice.

La jeune fille était nourrie de viandes rôties, de consommés. Elle buvait quatre ou cinq verres par jour d'infusion de houblon; on faisait dissoudre dans chaque, cinquante centigrammes de bicarbonate de soude.

Au bout d'un an, Lucile marcha de manière à ne pas

laisser supposer qu'il y a eu chez elle difformité du membre inférieur.

Je n'ai cité ce fait que pour bien vous faire comprendre que ces simples ressources peuvent être quelquefois suffisantes pour triompher des fausses ankyloses; mais hâtons-nous d'ajouter que dans la majorité des cas ce mode de traitement resterait impuissant, et qu'il faut alors avoir recours à des moyens plus directs.

Il suffit de bien connaître la maladie qui a produit la variété d'ankylose à laquelle on a affaire, pour savoir de suite quel est le traitement qu'il convient de lui appliquer. Ainsi, s'il s'agissait de brides ou de plaques purement cutanées, suites de brûlures, d'ulcérations, peut-être devrait-on les enlever et les remplacer, au moyen de l'autoplastie, par des lambeaux empruntés aux régions voisines. Je dois ajouter cependant que je n'ai pas, dans cette circonstance, une grande confiance à ce genre d'opération. La peau de la jambe, du jarret et de la cuisse n'est pas assez vasculaire, est trop mince, et doublée d'une couche graisseuse trop épaisse pour que ces lambeaux n'aient pas une grande propension à se mortifier, à l'exception de ceux qu'on pourrait prendre au-devant du tibia. J'ai échoué, par suite de cet accident, dans une autoplastie que je voulais effectuer à la partie externe et supérieure de la cuisse.

En supposant que les brides fussent dues, non pas à une altération de l'aponévrose, comme l'admettent à tort Dupuytren pour les doigts, et M. Froriep pour le genou, mais bien à la transformation fibreuse de la couche sous-cutanée, il serait facile de les extirper ou de les inciser, et de redonner ensuite par degrés au membre sa direction et ses mouvements naturels. Pour peu que la peau fût mobile ou pût être écartée de la bride, j'aimerais mieux alors me servir d'un bistouri étroit, et, par ponction latérale, suivre de tous points, enfin, la méthode employée pour la section du tendon d'Achille, que de me conformer aux préceptes donnés par Dupuytren et par M. Froriep (1). Je n'entrerai pas dans plus de détails sur le traitement que réclament les diverses variétés d'ankylose fausse; car ce n'est pas là le but principal que je me suis proposé dans ces leçons; qu'il me suffise d'ajouter que les différentes ressources de l'orthopédie, la ténotomie, trouvent ici leur application.

Traitement des ankyloses vraies ou complètes. — Il existe aujourd'hui trois sortes d'opérations qui pourraient à la rigueur être tentées pour remédier à la soudure des articulations : 1° l'excision cunéiforme des os ; 2° l'établissement d'une fausse articulation ; 3° la rupture violente et brusque. J'ai assez insisté sur les deux premières dans la deuxième édition de mon *Traité de Médecine opératoire* pour que je me dispense de m'y arrêter dans cette circonstance ; il me reste donc à vous dire toute ma pensée sur la troisième (2).

1° *Excision cunéiforme des os.* — Si l'ankylose était accompagnée d'une déviation trop fatigante du membre malade, peut-être serait-il possible de lui appliquer une opération dont il n'a encore été parlé que par M. Barton (3). Je suppose une ankylose du genou avec déviation de la jambe : ne serait-il pas permis alors de découvrir le point du fémur le plus rapproché de la peau, et d'en enlever par deux traits de scie un fragment qui devrait avoir la forme d'un coin ou d'une tranche de melon? Coudant ensuite l'os en sens inverse de l'articulation, on en obtiendrait la soudure dans cette position au moyen d'un appareil inamo-

(1) *Encyclographie médicale*, t. I, p. 252.

(2) Je crois faire quelque chose d'utile en rapportant ici textuellement ce qu'a écrit M. Velpeau sur l'excision cunéiforme des os, et sur l'établissement d'une fausse articulation; le lecteur aura ainsi toutes les pièces sous les yeux.

(3) *Amer. journal of the med. sc., febr.* 1838.

vible. La jambe ainsi redressée permettrait au pied de re garder le sol. Il est vrai que le membre prendrait alors e partie la forme d'un Z; mais, outre que cette double cour bure serait peu marquée, si on l'établissait très près du ge nou, elle n'enlèverait point aux malades l'utilité de leu pied. On conçoit d'ailleurs qu'au lieu d'agir sur le fémur on pourrait attaquer le tibia lui-même directement au-des sous du genou.

Je ne me dissimule pas les inconvénients d'une opéra tion pareille; mais je l'ai essayée sur le cadavre, et elle n m'a point paru d'une exécution trop difficile. Je la cro par conséquent applicable à certaines déviations du pied aux déviations du genou, du poignet, et même du coude.

A. *Pied.* — Si le piédequin, par exemple, tenait à un ankylose tibio-tarsienne, je ne vois pas pourquoi on n tenterait pas l'enlèvement d'un coin du tibia et du péroné il faudrait pour cela une incision longitudinale étendue d bord antérieur de la malléole interne, à trois pouces au dessus. Après avoir isolé de l'os toutes les parties molles on les ferait écarter de chaque côté à l'aide d'un croche mousse qu'un aide repousserait en même temps en arrièr ou en dehors. Une scie en crête de coq, portée en traver diviserait l'os perpendiculairement pour le trait supérieur obliquement de bas en haut pour le trait inférieur, jusqu' quelques lignes de sa face postérieure, et de manière à ci conscrire un coin dont la base plus ou moins large, selo le degré de déviation du pied, serait tournée en avant. Aprè avoir répété la même opération sur le péroné, on achève rait de rompre les os de la jambe en agissant sur le pie Celui-ci étant ensuite relevé, mettrait les deux faces de l section en contact, en donnant une direction horizontale la face plantaire de l'organe dévié. L'appareil dextriné de fractures de jambe serait aussitôt appliqué, et l'on tente rait d'ailleurs la réunion immédiate des plaies. Comme ne s'agit point dans cette opération de rétablir la mobilit de la jointure, on comprendrait sans dangers réels les tendons de la région dans les lambeaux des parties molles.

B. Au *genou*, la section du tibia offrirait toutes les chances possibles de succès. Une incision en demi-lune, à convexité inférieure, s'étendant de la partie inférieure d'un des condyles du tibia à l'autre, permettrait de circonscrire un large lambeau de tégument qui comprendrait dans sa base l'extrémité du ligament rotulien. Ce lambeau étant relevé par un aide, le chirurgien couperait en travers, un peu au-dessus de la tubérosité, la tête du tibia perpendiculairement jusqu'au voisinage du jarret. Reportant la scie à un pouce ou un pouce et demi au-dessous, il la dirigerait obliquement de bas en haut pour venir joindre le fond de la première section et séparer un coin de l'os. On éviterait ainsi l'artère tibiale antérieure et la nécessité d'agir sur le péroné. La fracture serait aisée à compléter par des tractions exercées sur la jambe. Le vide opéré de cette manière en avant mettrait à même de redonner au membre une grande partie de sa rectitude naturelle, sans le raccourcir ni le déformer outre mesure.

L'appareil inamovible des fractures compliquées, et le rapprochement des lèvres de la plaie à l'aide de la suture ou des simples bandelettes, seraient immédiatement mis en usage. L'artère récurrente du genou est la seule qui court risque d'être blessée quand on agit ainsi, et dont la ligature puisse devenir nécessaire.

En supposant qu'il fallût scier le fémur plutôt que le tibia, on aurait à chercher le point de la cuisse où l'opération offrirait le plus d'avantages avec le moins de dangers.

Le lieu le plus convenable serait alors immédiatement au-dessus du genou. Une incision en demi-lune, à convexité inférieure, et dont le bord libre correspondrait à un demi-pouce au-dessus de la rotule, permettrait de tailler un lambeau qu'on relèverait de bas en haut, et qui mettrait à nu la face antérieure de l'os. La scie en séparerait alors un fragment disposé comme celui dont j'ai par dans l'article précédent. Redressant ensuite la jambe on ferait disparaître l'échancrure osseuse en rapprocha le plan inférieur du trait de scie de son plan supérieur. I lambeau des parties molles abaissé, puis retenu en place a moyen de la suture ou des bandelettes agglutinatives, re couvrirait aussitôt le tout; il ne resterait plus qu'à entou rer le membre d'un appareil inamovible.

M. Barton (1) a fait récemment l'application de cett méthode à la partie inférieure du fémur pour une ankylos du genou. M. S. Deaz, le jeune médecin qui l'a subi le 27 mai 1835, écrivait le 6 novembre 1837 : « J'ai la sa tisfaction de dire que l'opération que vous avez pratiqué sur ma jambe a complétement réussi. Je marche très bien je vaque à mes affaires, je monte à cheval, et fais quelque fois trente à cinquante milles par jour sans me fatiguer toute la plante de mon pied touche le sol, et je boite peine. »

L'auteur a taillé dans les parties molles un lambea triangulaire, dont la pointe répondait à la partie antéro interne du jarret, et qui s'arrêtait par sa base sur le bor externe de la même région. Ayant ainsi découvert la fac antérieure du fémur, il en a excisé, par deux traits de scie, un fragment cunéiforme, comme dans le cas de redressement que j'ai supposé plus haut. Du reste, M. Barton (2) s'est comporté comme je l'ai dit en ce qui concerne la réunion de la plaie. Quant à moi, j'aimerai mieux, dans ce cas, le lambeau semi-lunaire, décrit dan le paragraphe précédent, que le lambeau triangulaire de M. Barton; j'ajouterai que les appareils inamovibles employés chez nous rendraient les suites et le succès de cette opération infiniment plus simples.

(1) *Archiv. gén. de méd.*, juin 1838, p. 357.

(2) *Southern, med. and surg. journal*, vol. 2, p. 471; mars 1838.

On pourrait, il est vrai, découvrir le fémur sur tout autre point de sa longueur; mais à une plus grande distance du genou, le redressement de la jambe entraînerait un coude trop prononcé de la cuisse, et un raccourcissement considérable du membre; tandis qu'immédiatement au-dessus ou au-dessous des condyles, le redressement s'opère en quelque sorte sans déviation nouvelle.

C. Si la *cuisse* était seulement ankylosée, et qu'elle fut en même temps inclinée en avant ou en dedans, peut-être serait-il possible aussi d'en essayer le redressement. C'est immédiatement au-dessous du muscle carré, que je conseillerais alors de pratiquer l'opération. Le lambeau en demi-lune, mentionné dans les deux cas précédents, aurait sa base au niveau de la racine du grand trochanter, et le milieu de son bord libre à deux pouces au-dessous. Ce lambeau devrait s'étendre tranversalement de la face externe du grand trochanter au niveau de la tubérosité de l'ischion; mais on éviterait avec soin en le taillant, de toucher au grand nerf sciatique. L'os une fois découvert serait scié par sa partie externe et postérieure, si le membre était tourné dans l'abduction en même temps que dans la flexion.

S'il n'y avait qu'une simple flexion sans déviation en-dedans, il pourrait être utile de détacher les fibres du muscle troisième abducteur, puis de refouler toutes les parties molles en-dedans et en avant, au moyen d'une plaque de corne, de bois souple ou de fer-blanc, afin d'enlever le coin directement de la face portérieure du fémur. On compléterait la fracture de l'os en tirant la cuisse en arrière; le lambeau de parties molles serait abaissé, maintenu comme précédemment, et tout le membre placé aussitôt dans un appareil inamovible.

Les avantages de l'opération que je décris ne sont pas aussi évidents aux membres supérieurs qu'aux membres intérieurs.

D. *Aux doigts*, par exemple, elle ne pourrait guère être appliquée que du côté de leur face dorsale. Or, je ne sais lequel est le moins gênant de la flexion ou de l'extension quand il y a ankylose des phalanges, et l'on comprend que redresser un doigt ce n'est pas en rétablir les mouvements. Cependant s'il arrivait qu'un ou plusieurs doigts fussent fléchis en crochet au point d'empêcher les fonctions de la main, il y aurait, je crois, quelque utilité à pratiquer sur le dos de la phalange coudée le genre d'excision que j'ai proposé d'appliquer au tibia et au fémur, puisqu'il serait possible d'amener ainsi les doigts déviés à un état intermédiaire entre la flexion et l'extension.

E. Pour une ankylose avec flexion outrée de la main, l'opération devrait être effectuée à trois travers de doigt au-dessus du poignet; le radius serait découvert dans cet endroit, immédiatement au-dessus des muscles profonds de la région par une incision longue de deux pouces, et parallèle à la direction de l'os. Les deux lèvres de la plaie étant convenablement écartées et protégées par une plaque de carton chacune, permettraient au chirurgien d'enlever un fragment cunéiforme du radius au moyen de la scie en crête de coq, comme je l'ai dit à l'occasion de l'ankylose du pied.

On procéderait de la même façon à l'excision du cubitus; on se comporterait ensuite pour le redressement du membre, la réunion des plaies et la consolidation des fractures, comme je l'ai dit plus haut. Une incision en demi-cercle pour former un lambeau qui comprendrait toute l'épaisseur des parties molles du dos de la région, rendrait l'opération plus simple, et devrait être préférée si les tendons avaient perdu leur mobilité.

F. L'ankylose du *coude* n'est point en mesure de réclamer ce genre d'excision des os. Si l'avant-bras est dans la flexion, c'est la position la moins gênante qu'il puisse prendre; s'il se trouvait dans l'extension, on ne pourrait y remédier qu'en divisant soit l'humérus, soit les os de l'avant-bras par-devant; ce que personne sans doute n'aurait le courage de faire pour une simple difformité. Je ne vois aucune circonstance non plus qui puisse exiger l'excision cunéiforme des os dans le voisinage de l'articulation scapulo-humérale.

Au demeurant, l'excision cunéiforme des os ne convient, à ce qu'il semble, comme remède à l'ankylose, que pour rétablir l'extension ou la flexion de quelque partie des membres.

Au lieu d'attaquer le corps même des os, on pourrait encore porter la scie sur l'articulation elle-même, et en enlever un fragment semi-lunaire ou cunéiforme. Ce procédé, qui serait applicable au genou et même aux doigts, où il aurait l'avantage de ne produire aucune difformité nouvelle tout en permettant de corriger heureusement l'ancienne, ne conviendrait pas partout. Les parties molles, ordinairement altérées dans ce point, y sont presque toujours peu favorables à la formation des lambeaux. Si la suppuration venait à s'établir au fond de la plaie, le danger serait manifestement plus grand dans le lieu de l'articulation que sur la continuité des os.

Je ne voudrais point, au surplus, pratiquer de pareilles opérations, à moins que toute irritation, que toute trace de phlegmasie n'eût disparu depuis long-temps de la jointure ankylosée; encore faudrait-il que la courbure du membre fût excessivement gênante, et que le malade eût lui-même le désir bien arrêté d'en être en partie débarrassé.

2° *Établissement d'une fausse articulation.* — Une opération, qui a fait naître chez moi l'idée de celle dont il vient d'être question, consisterait à établir artificiellement une articulation au-dessus ou au-dessous de celle qui est ankylosée. Ce ne serait plus dès lors dans le but de redresser un membre dévié, mais bien pour rétablir les mouvements de la partie. On voit, en conséquence, qu'il s'agit alors de remédier aux ankyloses, même quand la direction d[u] membre est aussi peu gênante que possible.

Pour effectuer cette opération, il faut découvrir l'os et [le] scier de manière à en interrompre la continuité. Afin d'e[n] empêcher ensuite la consolidation, on a soin de lui impr[i]mer de temps à autre des mouvements légers, d'employ[er] tous les moyens capables de produire une fausse articul[a]tion. A la longue, les deux bouts de l'os se moulent [en] partie l'un sur l'autre; le bout mobile s'arrondit et s'[é]mousse, l'autre se creuse en s'élargissant un peu; les mu[s]cles, qui se façonnent bientôt à cette jointure nouvell[e,] permettent à la fin aux malades de s'en servir en quelq[ue] sorte comme de l'ancienne.

Au premier coup d'œil, cette opération n'en sera p[as] moins rejetée, et parce qu'elle semble dangereuse, et par[ce] qu'on ne voit pas qu'elle puisse conduire au but que d[oit] désirer le chirurgien. Les fausses articulations, suites [de] fractures non consolidées, ne sont-elles pas là, dira-t-o[n,] pour mettre les praticiens à même d'en apprécier la v[a]leur, pour en justifier le rejet? Cependant, si on réfléch[is]sait que les fractures non consolidées sont accompagné[es] de fragments à extrémités inégales qui se croisent obliqu[e]ment, tandis qu'ici l'os est divisé transversalement, [on] comprendrait bientôt qu'il ne faut pas juger l'un des cas p[ar] l'autre. Puis n'existe-t-il pas des exemples d'articulatio[ns] accidentelles qui ont fini par permettre le rétablisseme[nt] d'une grande partie des fonctions du membre? M. La[r]rey (1) cite un malade qui avait ainsi à la cuisse une fau[sse] articulation, suite de fracture, et qui n'en marchait p[as] moins sans béquilles. M. Sanson m'a dit avoir rencont[ré] un cas semblable, et j'ai vu de mon côté une femme [qui] marchait avec une simple canne, quoiqu'elle eût dep[uis] quinze ans une fausse articulation vers le milieu du fém[ur].

(1) Caron, thèse n° 83. Paris, 1826.

Un tailleur dont parle Saltzmann (1), et qui portait aisément le pied en arrière et en avant, ne boitait que par raccourcissement, quoiqu'il eût une pseudarthrose au milieu de la cuisse. Sue (2) en dit autant d'un malade dont il n'avait pu obtenir la consolidation d'une fracture du fémur.

Quant aux dangers, ils seraient infiniment moindres que ceux de l'amputation ou de la résection des os. Au surplus, l'établissement d'une articulation artificielle dans le but de rémédier à l'ankylose n'est plus un simple projet aujourd'hui; deux exemples au moins en ont déjà été recueillis sur l'homme.

Il n'y a toutefois qu'un certain nombre de parties des membres qui puissent la réclamer. Je ne pense pas, par exemple, qu'elle convienne au pied ni aux orteils; je doute aussi qu'elle pût être d'une grande utilité à l'épaule; mais il est quelques ankyloses des doigts et du coude, du genou et de la hanche, qui en seraient notablement améliorées.

A. *Membres thoraciques.* — Si l'articulation phalangienne était ankylosée sans que les tendons voisins eussent perdu leur mobilité, rien n'empêcherait de découvrir l'os par sa face dorsale, de le scier transversalement vers le milieu, de réunir ensuite la plaie par trois points de suture qui comprendraient et la peau et le tendon extenseur, de laisser à cette plaie le temps de se cicatriser, et de ne commencer les mouvements artificiels des deux fragments de la phalange qu'au bout de huit à dix jours.

Si les mouvements des doigts n'étaient point anéantis par l'ankylose du poignet, on pourrait également essayer d'établir une articulation nouvelle à quelques lignes au-dessus des apophyses styloïdes de l'avant-bras. Une fente sur le radius et une autre sur le cubitus permettraient, à la

(1) Reissessen, *De articul. analog.*, chap. II, § 5.

(2) Sur quelques maladies des os, 1803.

rigueur, de passer la scie à chaîne autour d'eux et de les diviser.

Pour le coude, l'opération devrait être pratiquée de préférence immédiatement au-dessus de la jointure. On ferait une incision longue de deux à trois pouces sur le bord externe de l'humérus; puis, après avoir séparé par une dissection convenable le muscle brachial antérieur et le triceps, on passerait autour de l'os la scie à chaîne, qui, bien protégée et bien conduite, en opérerait facilement la section. Je ne sais si je m'abuse, mais il me semble que cette opération ne serait ni très difficile ni très dangereuse, et qu'elle offre de véritables chances de succès.

B. *Membre abdominal.* — C'est au membre abdominal, et en quelque sorte pour lui exclusivement, que l'idée d'établir une articulation artificielle s'est présentée d'abord. Un chirurgien d'Amérique, M. R. Barton, en est le véritable inventeur. C'est le 22 novembre 1826 qu'il l'a pratiquée pour la première fois. Sur son malade, le jeune Coyle, âgé de vingt-un ans, M. Barton incisa et détacha toutes les parties molles qui entourent le grand trochanter; il opéra ensuite la division du fémur à l'aide d'une petite scie. La plaie étant réunie par la suture, le membre fut placé dans l'appareil à extension de Desault. La cicatrisation des parties molles mit deux mois à se compléter; mais, mort au bout de neuf ans de phthisie pulmonaire, et après s'être servi de son membre pendant cinq à six ans, ce garçon, adonné à l'ivrognerie, et se livrant, dit M. Barton, à toutes sortes d'excès, fut pris de douleur dans la cuisse et d'une ankylose dans l'articulation nouvelle deux ans avant sa mort. L'examen du cadavre a permis de constater la disposition anatomique dont j'ai parlé en commençant.

Un chirurgien de New-York, M. Rodgers, a pratiqué la même opération le 24 novembre 1830, en présence des docteurs Mott et Stevens. Au bout de six à huit jours, quelques accidents graves survinrent; mais six semaines plus tard, la plaie était cicatrisée, et le malade sortit de l'hôpital complètement guéri quatre mois après l'opération. Cet homme, que sur des renseignements inexacts j'avais indiqué comme mort dans la première édition de mon *Traité de médecine opératoire*, se portait encore très bien en juin 1833, époque à laquelle M. Rodgers eut la bonté de m'en adresser l'histoire. Ainsi, là où elle paraît le plus difficile et le moins capable de réussir, l'articulation artificielle a été tentée deux fois, et deux fois avec succès.

Je ne dois point terminer cet article, néanmoins, sans faire remarquer qu'au membre inférieur des opérations semblables ne doivent être que rarement pratiquées. Une ankylose du genou, une ankylose de la hanche même, le membre conservant sa rectitude, gêne les malades, mais ne les empêche pas positivement de marcher et ne les fait point souffrir; l'établissement d'une articulation nouvelle peut, au contraire, compromettre leur vie. En supposant même que l'opération ait tout le succès possible, il est probable que dans beaucoup de cas la jointure factice n'offrira pas une grande solidité à la station ni à la progression; des articulations semblables doivent en outre conserver une grande tendance à se souder : l'observation de M. Barton en est une preuve concluante. Il faudrait donc, tout en admettant qu'elle doive être conservée, se garder d'adopter avec trop d'enthousiasme cette nouvelle conquête de la chirurgie.

3° *Rupture de l'ankylose par l'extension brusque et forcée.* — Par les deux méthodes opératoires dont je viens de parler, on laisse intacte la soudure des os, comme vous le comprenez très bien; mais il n'en est plus de même pour celle qu'il nous reste à examiner.

Lorsque, par suite d'une maladie quelconque, les os d'une articulation viennent à se souder entre eux, il en résulte une infirmité qui a été considérée jusqu'à ces dernières années comme tout-à-fait incurable. L'idée de rompre l'ankylose en pareil cas est donc toute naturelle ; aussi ne doit-on point être étonné qu'il ait existé de tout temps quelques chirurgiens qui, d'accord sur ce point avec les gens du monde, aient conseillé de détruire ainsi les diverses sortes de roideurs articulaires. Quelques observations déjà anciennes semblaient même encourager à cette pratique. Ainsi, F. de Hilden raconte l'histoire d'une espèce d'ankylose des doigts et du poignet qui fut guérie par une chute suivie de fracture de l'avant-bras. On voit aussi, dans Job A. Meckren, une roideur du coude, suite d'abcès, disparaître sous l'influence d'une chute sur le bras. Bartholin mentionne l'exemple d'un malade qui, s'étant luxé l'avant-bras, fut pris de gangrène au coude au point d'empêcher toute tentative de réduction, et chez lequel une chute de cheval rétablit, l'année suivante, les mouvements de l'articulation. Mais en supposant que, dans ces observations, il fût réellement question d'ankylose, il y aurait à leur opposer des faits tout-à-fait contraires et bien propres à décourager les praticiens. Ainsi, M. Amussat a communiqué à l'Académie royale de médecine (séance du 22 mars 1831) le fait suivant : « Une jeune fille de vingt-quatre ans, d'une bonne constitution, éprouva, plusieurs années après une chute sur le genou droit, une tuméfaction considérable de cette partie, accompagnée de douleurs très vives qui rendirent la marche impossible. Après un séjour de six mois à l'Hôtel-Dieu, où elle fut soumise à de nombreuses applications de sangsues, de ventouses et même du cautère actuel, elle sortit assez bien portante et en état de marcher; mais bientôt, le mal faisant de nouveaux progrès, elle entra tour à tour dans différents hôpitaux de Paris.

» Dans ces derniers temps, un chirurgien lui appliqua plus de huit cents sangsues, et, pour lui donner de la mobilité, fléchit fortement la jambe sur la cuisse. Au même instant, un craquement douloureux se fit entendre dans le genou, et dès lors il se développa des symptômes alarmants du côté du ventre et de la poitrine auxquels la malade succomba peu de jours après. » M. Amussat, à qui tout ce qui précède avait été rapporté par la sœur de cette fille, fit l'ouverture du cadavre. Le genou est peu volumineux; la peau qui le recouvre est couverte d'une quantité prodigieuse de piqûres de sangsues et de traces des ventouses et des cautères actuels. L'articulation ouverte laisse voir un épanchement de sang considérable et récent entre les condyles du fémur et le tibia. L'ankylose existait entre la face postérieure de la rotule et la partie antérieure du condyle interne du fémur. (*Revue médicale*, t. II, 1831.)

Voici, du reste, ce que je disais en 1836 de la rupture brusque des ankyloses. (*Dict. de méd.*, 2e *édit.*, t. XIV, pag. 135-137.) Vous verrez par cet extrait que cette méthode de traitement, préconisée par M. Louvrier, n'est point absolument nouvelle, et que de plus, à cette époque (1836), j'avais, à peu de chose près, les mêmes opinions qu'aujourd'hui sur ce sujet.

« Lorsque le tibia et le fémur, disais-je alors, sont réellement soudés et complétement immobiles l'un sur l'autre, la difformité doit être considérée comme irremédiable. Si la soudure est peu étendue ou disséminée de manière à permettre quelques légers mouvements, la prudence autorise-t-elle à rompre, soit brusquement, soit insensiblement, l'ankylose? Oui, si la difformité est assez grande pour rendre la marche et la station impossibles sans moyens prothétiques; non, dans le cas contraire. Quand la cuisse et la jambe font un tout droit ou à peu près droit, le malade peut marcher en boitant, il est vrai, mais assez bien pour qu'il fût imprudent de rétablir de vive force la mobilité du genou. La rupture des ankyloses, en effet, assez difficile à opérer, est ensuite assez dangereuse, et le succès n'en est rien moins que certain, car la soudure tend sans cesse à se reproduire....

» Il faut donc, pour justifier de semblables essais, que la

jambe soit dans un état de flexion ou de déviation qui en abolisse l'usage. Si le malade la réclame avec instance, dans ce cas l'opération doit être pratiquée ; on s'en abstiendrait encore, du reste, *si la rotule était adhérente au fémur.* Un ulcère, une ouverture quelconque qui permettrait à l'air de pénétrer dans l'article serait également une contre-indication.....

» *Aucune opération n'aura de succès, après tout, si la rotule a perdu sa mobilité.* Quand elle existe seule, l'adhérence de cet os au-devant ou à la partie inférieure des condyles du fémur ne paraît pas avoir suffisamment fixé l'attention des praticiens : l'action des muscles extenseurs de la jambe se trouve ainsi anéantie. Il en résulte que, dépourvus d'antagonistes, les muscles fléchisseurs entraînent insensiblement la tête du tibia dans le jarret, ou la jambe dans la flexion ; que la mobilité du reste de l'articulation se soit maintenue, ou qu'on l'ait rétablie par un procédé quelconque, peu importe, l'ankylose de la rotule n'en sera pas moins un obstacle insurmontable au rétablissement des fonctions du genou ; elle ferait même que si, après avoir détruit les adhérences ou les autres causes de rétraction pathologique, on voulait tirer sur la jambe, elle se luxerait en arrière plutôt que de reprendre son degré d'extension et sa direction de l'état normal. »

Il résulte donc que le traitement de M. Louvrier n'est pas chose absolument nouvelle ; c'est seulement le mode d'application qui est nouveau. Il est évident, en outre, que la seule modification qu'ait subie mon opinion, consiste à ne plus regarder la soudure de la rotule comme une contre-indication formelle, et cela d'après les dires seulement de M. Louvrier, qui prétend pouvoir réussir à détacher la rotule ; car si nous consultons ce qui s'est passé sous nos yeux dans cet amphithéâtre, nous voyons que chez les deux femmes que j'ai cru devoir confier à ce médecin, la rotule était soudée au fémur avant l'opération, et qu'elle l'était également après.

Quoi qu'il en soit, examinons avec soin ce mode de traitement, et voyons jusqu'à quel point il peut être admis dans la pratique.

Vous avez vu manœuvrer la machine imaginée par M. Louvrier; en conséquence, je crois inutile de vous en présenter la description (1). Je dois vous dire toutefois que

(1) Comme ce livre sera lu par des chirurgiens qui n'ont point vu cette machine, je crois devoir en donner ici une courte description; je la prends textuellement dans l'excellent *Dictionnaire des dictionnaires de médecine*, 1840, 4 vol. in-8°, publié sous la direction de M. le docteur Fabre (tom. I, p. 396).

« Le patient est placé sur un tabouret garni d'alèzes; il est maintenu dans cette position par un cuissart lacé, fixé au bord antérieur du tabouret par une forte courroie, et à la cuisse seulement par le lacet et quelques lanières à boucles. Afin que le malade ne soit pas blessé par la pression des lanières et des attelles, on environne le membre d'ouate, de compresses et d'un bandage roulé assez lâche. Le pied du malade est chaussé d'une bottine lacée au-devant de la jambe, et dont la semelle, vers le talon, présente une mortaise métallique d'environ deux pouces, sur laquelle sera fixée par le milieu une barre métallique de sept à huit pouces, terminée aux deux bouts par une roulette en cuivre qui, pendant l'extension, sert à diriger la jambe sur un double plan incliné ascendant. Dans l'échancrure de la mortaise est engagée et fixée une des poulies du treuil sur lequel s'enroule la corde qui fait l'extension.

» On embrasse alors la cuisse et la jambe avec une espèce de gouttière en cuir. Cette gouttière se ferme en avant et à l'aide de lanières et de boucles. Sur sa longueur en dehors et en dedans, elle est garnie de fortes attelles d'acier : deux en dehors s'articulent au niveau du genou, et forment d'abord l'angle que forme l'ankylose; l'une est parallèle à la cuisse, l'autre à la jambe; au côté interne deux attelles semblables.

» M. Louvrier a pensé que pour donner à sa machine toute l'efficacité désirable, il fallait encore exercer sur le fémur, au genou, une pression directe d'avant en arrière, pour le pousser en ce sens en même temps que la jambe est étendue. Il a réalisé cette idée à l'aide de deux montants verticaux, fixés de chaque côté du genou par leur extrémité inférieure sur les attelles d'acier, et dont les quatre bouts supérieurs sont réunis par un parallélogramme rectangle, dans lequel ils s'engagent et sont maintenus à l'aide de boutons en cuivre. Une compresse épaisse est placée sur le genou, et, entre le rectangle métallique et cette compresse, on place un coussinet formé d'une plaque métallique portant une pelote que l'on tourne vers le fémur.

» Le membre ainsi serré est placé sur une gouttière en bois rectangulaire,

cet appareil pourrait être beaucoup simplifié; mais c'est là un inconvénient qu'il sera très facile de corriger, si la méthode curative est réellement bonne.

Observons avant tout que M. Louvrier n'a encore opéré que sur des ankyloses de l'articulation fémoro-tibiale. De plus, ce médecin n'a rien écrit à ce sujet, et il serait difficile de dire quelles sont les règles qu'il se propose d'établir relativement aux cas dans lesquels sa machine pourrait être employée. Je ne sache pas même qu'il ait fait des distinctions entre l'ankylose vraie et l'ankylose fausse. Aussi, dans les détails que je vais vous présenter, je n'aurai en vue que la méthode en elle-même.

Dans l'examen de cette méthode, trois questions principales se présentent : 1° Cette méthode peut-elle être appliquée? — 2° Est-elle dangereuse? — 3° Quels avantages les malades peuvent-ils en retirer?

1° La *possibilité* du redressement brusque des ankyloses est une question jugée aujourd'hui; d'ailleurs, elle n'a jamais été niée, et la preuve, c'est qu'on s'est toujours élevé contre cette opération. Je crois donc inutile d'insister sur ce point.

2° *Cette méthode est-elle dangereuse?* — Ici, nous devons entrer dans quelques détails, car les faits récents qui nous sont connus semblent devoir modifier jusqu'à un certain point les opinions généralement reçues à cet égard.

Le redressement brusque des ankyloses vraies a paru si dangereux, que la très grande majorité des chirurgiens l'ont de tout temps rejeté. Pour bien comprendre les dangers

à l'extrémité de laquelle est un treuil; en dedans de ses plans règne un bord que devra parcourir le pied, soutenu latéralement par la barre fixée à la semelle de la bottine.

» Un système de cordages unit ces parties, les joint au treuil, et en quelques tours de manivelle la jambe est redressée, toujours en moins d'une minute, et le plus souvent lorsque l'ankylose est angulaire, avec un ou deux craquements bien distincts et successifs. »

qu'on a toujours craints et ceux qu'on a réellement à craindre sous ce rapport, il faut revenir sur quelques variétés des ankyloses.

M. Louvrier n'ayant encore opéré, comme je l'ai déjà dit, que sur des ankyloses de l'articulation fémoro-tibiale, nous prendrons le genou pour exemple dans l'examen auquel nous allons nous livrer.

Au genou, les ankyloses vraies peuvent présenter cinq variétés principales : le tibia seul peut être soudé avec le fémur; il en est de même pour la rotule; le tibia peut être soudé incomplétement au fémur, en même temps que la rotule y est soudée complétement; l'inverse peut avoir lieu; enfin il peut y avoir soudure complète à la fois du tibia et de la rotule au fémur. Relativement à la soudure de la rotule seule, on pourrait en faire plusieurs variétés selon le lieu où cet os se trouve placé; ainsi, elle peut être soudée dans le lieu qu'elle occupe normalement, ou audessus, sur la ligne médiane, ou sur l'un des condyles du fémur. Cette déviation de la rotule se fait plutôt vers le condyle externe que vers le condyle interne. La raison en est simple; en général, le genou est incliné en dedans, et par suite la rotule est portée en dehors. Cependant, la déviation de cet os a quelquefois lieu en dedans.

Maintenant, voyons comment on a entendu les dangers qui peuvent résulter de la rupture brusque des ankyloses.

On a d'abord parlé de la douleur qui, théoriquement, paraît effrayante. L'expérience n'a pas prouvé que l'on se fût trompé. Assurément cette opération est horriblement douloureuse; mais, comme elle est terminée en moins d'une minute, on ne devrait pas trop s'en exagérer la portée. Il en est ici comme pour l'enlèvement d'une dent. On comprend en conséquence que ce ne serait pas là un reproche sérieux à adresser à cette méthode de traitement. Aussi je passe outre.

On a dit qu'il fallait s'attendre à une inflammation intense de l'intérieur de l'articulation; inflammation qui peut devenir purulente, et qui par conséquent doit inspirer les plus vives craintes. Ce reproche est sérieux et mérite de nous arrêter un instant.

Je suis loin de méconnaître la gravité de l'inflammation purulente d'une articulation, surtout de celle du genou; c'est là un fait qui se trouve confirmé tous les jours par l'expérience. Dans la très grande majorité de ces cas, l'amputation du membre est la seule ressource; souvent même la mort en est la funeste conséquence. Mais, par la méthode opératoire qui nous occupe, cette inflammation purulente est-elle aussi constante qu'on serait porté à le croire de prime abord? Avant de nous appuyer sur les faits qui sont à notre connaissance, on peut trouver, je crois, dans l'analogie, des raisons capables de diminuer la crainte de ce danger. Vous savez, et des exemples nombreux vous l'ont démontré dans ce service, que les fractures, les lésions diverses des membres, quand elles ne sont pas accompagnées de plaies aux téguments, guérissent en général très bien. Vous n'avez point oublié cette femme qui eut, il y a quelques mois, la cuisse et le genou broyés par une roue de diligence. Je crus devoir proposer l'amputation immédiate, tant le cas me parut grave; mais elle s'y refusa formellement. Il n'existait aucune plaie pénétrante des téguments. Je vous prévins que, eu égard à cette dernière circonstance, je ne serais point étonné que la guérison eût lieu : c'est ce qui arriva. En moins de deux mois cette malade sortit de l'hôpital parfaitement guérie. J'ai été si souvent témoin de faits analogues dans ma pratique, qu'actuellement je ne propose jamais l'amputation aux malades affectés de fractures, quelque compliquées qu'elles soient (pourvu, bien entendu, qu'il n'y ait aucune déchirure de gros troncs nerveux ou artériels), s'il n'y a pas de plaie pénétrante des téguments. C'est aussi d'après ces principes que je suis revenu le premier, je crois, parmi mes contemporains, à conseiller la rupture du cal anguleux. Il est facile de voir par là que je me rapprochais en quelque sorte de la question qui nous occupe actuellement, car avant d'avoir vu les faits nouveaux, je ne m'exagérais pas autant que la plupart des chirurgiens modernes les dangers de la rupture brusque des ankyloses. Reste maintenant à savoir si les faits viennent à l'appui de ces raisons. En laissant de côté les observations relatées dans les ouvrages anciens, parce qu'elles ne sont pas assez détaillées pour avoir une grande valeur, et en prenant seulement les faits récents qui sont à notre connaissance, nous sommes autorisés à dire qu'on s'est beaucoup exagéré, quant à l'inflammation purulente, les dangers qui peuvent survenir dans le redressement brusque des ankyloses. Il ne faudrait point conclure de cela que cette crainte est chimérique; je veux dire seulement que, d'après ce qui s'est passé jusqu'à ce jour, la rupture des ankyloses paraît devoir entraîner l'inflammation purulente des articulations moins souvent qu'on ne serait porté à le croire.

Pour vous donner une idée nette et précise des dangers plus ou moins redoutables auxquels expose cette méthode de traitement, je dois passer en revue les principaux accidents qui peuvent survenir à la suite de cette opération. Ces accidents sont la déchirure des téguments, des gros troncs artériels ou veineux, des nerfs et des ligaments, et de plus une contusion plus ou moins profonde des parties molles.

Si la peau est déchirée; vous comprenez facilement, d'après ce que je vous ai dit plus haut, qu'il y a alors danger réel; car on a ainsi une plaie contuse et l'inflammation est inévitable. Il est vrai de dire que cette inflammation pourra rester limitée aux parties superficielles, et épuiser là toute sa force; mais il est évident aussi que la phlegmasie pourra dans certains cas s'étendre plus ou moins profondément, et dès lors tout indique que cette inflammation, développée autour d'une articulation qu'on vient de rompre, est u cause déterminante de suppuration: or, vous savez que d lors l'affection devient horriblement dangereuse. La phle masie, au lieu de gagner en profondeur, peut s'étendre e surface et devenir diffuse; cet accident, déjà fâcheux e lui-même, le devient encore davantage dans le voisina d'une articulation dont on vient de détruire des adhérence plus ou moins intimes, plus ou moins étendues : je do ajouter toutefois qu'en prenant des précautions convenabl on pourrait dans quelques cas triompher de ces accident

Si l'artère poplitée est déchirée pendant l'opération, danger est sensiblement plus grand que dans le cas pré cédent. On conçoit à la rigueur que des caillots sanguir compriment ce vaisseau et arrêtent bientôt l'hémorrhagie Mais comme cette artère est la seule à gros calibre qui al mente la partie inférieure du membre, si elle est oblitérée on se trouve dans le même cas que si on l'avait liée; et d plus les collatérales, comprimées par le sang épanché, n pourraient pas la suppléer. Vous comprenez dès lors le dangers que court la jambe de se mortifier. Malheureuse ment l'expérience est déjà venue confirmer à ce sujet le prévisions théoriques. Chez un malade que M. Louvrier opéré, la gangrène de la jambe est survenue, probabl ment par suite de la rupture de l'artère poplitée, et il y peu de jours on pensait qu'on serait très heureux si on pou vait sauver le malade par l'amputation. C'est là d'ailleur un danger trop évident pour que je croie inutile d'entre dans plus de détails.

Quant à la déchirure de la veine poplitée, je ne pens pas que ce fût là un accident très grave. J'ai vu plusieur fois de très grands épanchements de sang veineux se résor ber avec assez de rapidité et sans déterminer aucun acci dent sérieux. Je sais bien qu'ici le voisinage de l'articulatio rompue doit être pris en considération; mais comme l veine se cicatriserait bientôt, et que d'ailleurs elle serai de suite fermée par des caillots qui la comprimeraient, tout me porte à penser que cet accident ne serait pas en réalité très grave.

On comprend que les déchirures devront porter difficilement sur les nerfs dont l'extensibilité et la résistance sont bien connues. D'ailleurs un nerf étant rompu, il en reste un autre qui le supplée en quelque sorte : il n'y aurait donc pas à s'inquiéter beaucoup de cet accident.

Tout indique que la rupture des ligaments doit avoir lieu dans un certain nombre de cas. Ainsi, dans les ankyloses anciennes qu'on redresse en entier et brusquement, je regarde la rupture des ligaments croisés comme à peu près inévitable. Ces ligaments sont courts et se raccourcissent après un temps un peu long; ils sont peu extensibles, en sorte que dans le redressement brusque du membre, ils doivent se déchirer souvent. Il est vrai de dire que cette rupture n'amène pas d'inconvénients immédiats; les ligaments déchirés ne s'enflamment pas davantage que ne le ferait tissu cellulaire déchiré sous la peau. Mais on comprend sans peine qu'après la guérison il est douteux que le membre puisse avoir alors une grande force. Cette rupture a déjà été constatée chez un malade qui a succombé à l'hôpital Beaujon. La rupture des ligaments latéraux paraît encore possible quand l'ankylose est ancienne, quand elle a succédé à une maladie des parties molles avoisinant l'articulation. Ces ligaments ont dû alors se rétracter, et ils se rompront probablement quand on redressera brusquement le membre. Ajoutons toutefois que cette rupture pourrait ne pas avoir lieu, si l'ankylose était due uniquement à une maladie des os ou à une rétraction des muscles.

J'ai dit que les dangers de l'opération qui nous occupe peuvent encore résulter de la contusion. Ici, il importe d'établir quelques distinctions. Si la contusion ne porte que sur les parties plus ou moins profondes, sans intéresser la peau, cet accident est peu sérieux; l'épanchement qui a lieu alors se résorbe avec assez de facilité, comme je vous l'ai dit si souvent : il est bien entendu toutefois que je n'entends point parler ici des cas dans lesquels il y a déchirure des gros vaisseaux. Mais si la contusion atteint la peau, si les téguments sont lésés, il peut y avoir danger réel; car alors on peut comparer, comme je l'ai déjà fait dans ma thèse sur les contusions, cet accident à une brûlure, et en établir quatre (même six) degrés analogues à ceux qu'a établis Dupuytren pour les brûlures; premier degré, lorsqu'il y a excoriation de l'épiderme; deuxième degré, lorsque la lésion est plus profonde et comprend la surface du derme; troisième degré, lorsque toute l'épaisseur de la peau est atteinte; quatrième degré, lorsque la lésion s'étend jusqu'aux parties profondes. Les deux premiers degrés sont ici sans danger; mais dans le troisième il n'en est pas de même; s'il y a escarrification, il faut d'abord que l'escarre tombe; quand l'escarre s'est détachée, il reste un ulcère, de là nécessairement une suppuration, et par conséquent on a à craindre les mêmes accidents que j'ai mentionnés en parlant de la déchirure des téguments. Il y a cependant entre ces deux cas une différence que vous devez bien connaître, c'est que la plaie résultant de la déchirure suppure immédiatement avant que l'inflammation adhésive ait eu le temps de se déclarer pour limiter la suppuration; tandis que dans le second cas, pour éliminer l'escarre, l'inflammation ne s'établit que progressivement autour de la plaie. Dans la contusion au quatrième degré, si les os ou les parties profondes peuvent être en contact avec l'atmosphère, il est inutile de dire que le cas est excessivement grave. On comprend toutefois que cet accident ne doit avoir lieu ici que par exception. Il est bon que vous sachiez que ces dangers de la contusion, et par suite de l'escarrification de la peau, ont déjà été malheureusement constatés par l'expérience. La jeune fille couchée au n° 21 de la salle Sainte-Catherine, et que

M. Louvrier a opérée ces jours derniers, nous en offre un exemple. Cette malade présente sur le genou une assez large escarre; jusqu'ici il n'y a pas eu d'accidents; mais nous ne sommes point encore arrivés à la période d'élimination. Il me serait même difficile de dire si cette escarre est ou non très profonde. Je crois en comprendre l'origine: il m'a semblé qu'au moment où on opérait l'extension, la traverse qui comprime le devant du genou était entraînée de haut en bas; et comme le genou de cette femme était un peu dévié en dedans, il a dû s'opérer là un frottement qui, joint à la pression exercée par la machine, a pu amener la formation de l'escarre en écrasant les tissus. Il est possible, après tout, que les choses se soient passées de toute autre manière. Je n'émets cette idée que pour être tout-à-fait juste dans l'appréciation de cette méthode, et pour ne pas lui attribuer un accident qui pourrait ne pas devoir lui être rapporté.

Nous devons encore placer parmi ces accidents la luxation du tibia en arrière. Nous reviendrons bientôt sur ce sujet.

Tels sont en peu de mots les divers accidents qu'on peut craindre dans le redressement brusque des ankyloses. Ce sont là sans contredit des dangers réels. Si maintenant nous jetons un coup d'œil sur les malades opérés par M. Louvrier, nous voyons que sur environ vingt sujets soumis à cette opération, il n'en est qu'un petit nombre chez lesquels des accidents immédiats plus ou moins sérieux se sont manifestés. Je sais bien que ces faits sont encore trop peu nombreux; toutefois on peut prévoir, d'après ce qui s'est passé jusqu'à ce jour, que cette méthode de traitement ne sera pas aussi dangereuse qu'on aurait été porté à le croire. Notez bien que ce jugement n'est que provisoire : c'est là une question que le temps et l'expérience peuvent seuls résoudre d'une manière complète.

3° *Quel bien les malades peuvent-ils retirer de cette*

méthode? — Pour résoudre cette question, nous devons évidemment mettre de côté les accidents dont je viens de parler. Or, voici ce qu'on peut attendre d'une pareille opération.

Avant l'opération, la jambe est fléchie sur la cuisse, et nécessite pour le malade une jambe de bois. (Il est évident que j'entends parler ici de l'ankylose du genou.)

Après l'opération, la jambe est droite ou *presque* droite.

Ici, le plus ou moins n'est pas indifférent, comme cela le serait au membre thoracique; car si la jambe était redressée de telle sorte qu'elle n'eût pas assez de force pour soutenir le poids du corps, c'est une question que de savoir s'il n'aurait pas mieux valu la laisser pliée. Si le pied ne porte pas dans la station par toute sa face plantaire, il y aura, sans contredit, moins de difformité; mais les fonctions du membre ne s'exécuteront pas librement. Cependant, si l'articulation du genou est solide, à l'aide d'un talon plus ou moins élevé, ou de toute autre machine appropriée, le malade pourra marcher en s'aidant d'une canne; dans quelques cas même, il pourra se passer de ce secours; dans ces deux hypothèses, son état sera singulièrement amélioré, et l'opération lui aura été avantageuse. Il est inutile d'ajouter qu'en ne considérant que la partie inférieure de la jambe, la méthode de traitement qui nous occupe aura procuré un résultat tout-à-fait satisfaisant lorsque la plante du pied appuiera en totalité sur le sol.

Si du pied nous passons au genou, la première question à examiner est celle-ci : les mouvements de l'articulation se rétabliront-ils? La théorie ne permet pas trop de répondre par l'affirmative; et les faits de M. Louvrier ne peuvent pas encore être invoqués sous ce rapport. Pour s'opposer à une nouvelle soudure des os, il faudrait opérer de fréquents mouvements au membre, et tout porte à penser que ces mouvements, dans ces cas, ne seraient pas sans dangers.

Si on ne remue pas tous les jours l'articulation, les os se souderont évidemment de nouveau; et alors de deux choses l'une, ou le membre restera parfaitement droit, et le pied posera à plat sur le sol; ce serait là un résultat très favorable; ou bien le membre restera plus ou moins fléchi, le pied ne portera plus à plat, et le malade ne pourra marcher qu'à l'aide de moyens prothétiques. Dans ce dernier cas, si la soudure de l'articulation du genou était complète et assez résistante pour soutenir le poids du corps, ce serait encore là un résultat avantageux pour le malade. Mais pour qu'il en soit ainsi, il faut qu'il n'y ait pas de luxation.

La luxation du tibia en arrière se produit assez souvent, et pour bien comprendre le mécanisme de sa production, il faut connaître les différentes variétés d'ankyloses du genou dont je vous ai déjà parlé. Cette espèce de luxation peut avoir lieu quand la rotule est soudée en bas du fémur. Lorsqu'on opère la rupture d'une ankylose de ce genre, le genou représente une espèce de compas dont les branches n'ont pas la même solidité; il peut se faire alors que dans le redressement rapide de la jambe le tibia vienne heurter contre la rotule et parvienne à la détacher du fémur. Le redressement complet peut alors avoir lieu sans qu'il y ait luxation. Si la rotule est intimement soudée au fémur, ou placée de telle manière que le bord du tibia en se relevant ne la pousse pas fortement, ou bien ne puisse pas la détacher, elle devient évidemment, ainsi que le ligament rotulien, un véritable coin contre lequel le tibia s'arc-boute. Dans ce cas, l'os de la jambe est repoussé pour ainsi dire en arrière par la rotule, qui lui résiste, et le résultat de l'opération est une luxation de la jambe en ce sens. Notre malade, couchée au n° 23 de la salle Sainte-Catherine, nous a offert cette circonstance comme résultat primitif de l'opération; il en est de même d'une malade opérée à l'hôpital Beaujon dans le service de M. Laugier. Or, s'il y a luxation de la jambe en arrière, je doute que le redressement du membre soit alors d'un grand secours pour les malades. On comprend en outre que dans ces cas les vaisseaux poplités puissent être déchirés, et je vous ai déjà parlé des dangers que court alors le malade. J'ai vu un homme qui, étant tombé de cabriolet, eut un gonflement considérable autour de l'articulation du genou; après quelques jours, lorsque ce gonflement eut cessé en partie, on put constater une luxation en arrière du tibia sur le fémur; la mortification d'une partie du pied et de la jambe survint. Cependant, après beaucoup de soins, le malade guérit, en conservant néanmoins une difformité considérable; on put constater alors que l'artère poplitée, se coudant sur le tibia comme sur une poulie de renvoi, était seulement aplatie et non entièrement oblitérée, puisqu'on la sentait battre sous les téguments.

En admettant même que la luxation du tibia en arrière n'entraîne par elle-même aucun accident sérieux, il nous reste à examiner ce que deviendra le membre, et quels avantages pourra retirer le malade de l'opération. Ou le membre sera droit, et alors il sera plus ou moins court que celui du côté opposé, ou bien il sera un peu courbé, et alors le pied incliné ne pourra reposer sur le sol que par sa pointe. Mais ce n'est pas tout : dans l'un et l'autre cas, il n'y aura pas assez de solidité dans le genou pour permettre au malade de se servir de sa jambe, à moins qu'on ne place sur le genou une machine particulière; et encore faut-il ajouter que cette machine pourrait ne pas être exempte de tout inconvénient. La femme qui est dans notre service, couchée au n° 23 de la salle Sainte-Catherine, a sa jambe presque droite, mais il y a luxation du tibia en arrière, et ce membre ne peut soutenir le poids du corps, par la raison que l'articulation du genou n'existe pour ainsi dire plus, et qu'il n'y a plus par conséquent de point d'appui. Je dois ajouter qu'il est possible que par la suite le tibia se soude contre la partie postérieure des condyles du fémur; toutefois, on comprend qu'une pareille soudure ne pourrait guère donner au membre une bien grande solidité. Quoi qu'il en soit, cette femme n'a pas retiré sous ce rapport de grands avantages de l'opération. Cependant, il faut noter que le jour même qu'elle fut opérée je crus devoir vous prévenir qu'à mon avis c'était un cas défavorable présentant peu de chances de succès. Je ne laissai opérer M. Louvrier que parce que la malade n'était entrée dans notre service que pour subir l'opération, et qu'elle la réclamait avec les plus vives instances.

Quant aux soins accessoires et consécutifs à l'opération, voici quelle serait ma conduite : si le redressement du membre était complet, et la rotule mobile, je voudrais qu'on ne maintînt le membre dans l'immobilité que pendant huit ou quinze jours, seulement pour obtenir la résolution des liquides épanchés ; au bout de ce temps, je commencerais à faire exécuter des mouvements de plus en plus étendus, et enfin je ferais marcher les malades. Si la rotule restait soudée, ou s'il y avait luxation en arrière, une nouvelle ankylose étant alors le seul résultat favorable qu'on pût attendre de l'opération, je ferais ramener bout à bout autant que possible les extrémités rompues, et je les maintiendrais dans cette position à l'aide d'un appareil dextriné. Je laisserais ce bandage jusqu'à ce que la nouvelle ankylose fût reproduite.

Il est inutile de dire que le chirurgien devrait se tenir en garde, surtout pendant les premiers jours qui suivent l'opération, contre les accidents inflammatoires qui peuvent se développer.

Disons maintenant quelques mots sur les faits qui sont à notre connaissance.

Parmi les faits anciens de redressement brusque des ankyloses, il n'y en a aucun de bien concluant ; ils manquent de détails suffisants : je ne m'y arrêterai point.

Les faits récents, abstraction faite de ceux de M. Louvrier, sont au nombre de trois; quant à moi, du moins, je n'en connais pas d'autres. Le premier est celui de la jeune fille dont j'ai parlé plus haut, qui a été communiqué à l'académie de médecine le 22 mars 1831. Je n'y reviendrai pas. Les deux autres ont été relatés par M. Cazenave de Bordeaux dans le *Journal des connaissances médico-chirurgicales* (Tom. IV, pag. 201-203, mai 1837). Ces deux observations me paraissent si curieuses, que je crois devoir vous les rapporter textuellement avec tous leurs détails. Je n'y ajouterai aucune réflexion.

Obs. I. « *Plaie pénétrante de l'articulation tibio-fémorale droite, suivie d'ankylose complète accidentellement guérie.* — M. Expert, de Cerons, propriétaire et maître forgeron, âgé de cinquante à cinquante-un ans, d'un tempérament sanguin prononcé, fortement constitué et très laborieux, était dans la position que prennent ordinairement les vignerons de ce pays-là pour aiguiser les échalas (genou droit en terre), lorsque la pointe très aiguë de la serpe, qu'il tenait dans la main droite, étant mal dirigée, alla pénétrer profondément dans le côté externe de l'articulation tibio-fémorale droite. M. Expert n'éprouva qu'une légère douleur, se releva immédiatement, fit exécuter quelques mouvements à son articulation blessée, et retourna chez lui sans éprouver la moindre difficulté dans la marche, quoiqu'il eût à parcourir une forte demi-lieue.

» Son pantalon étant relevé, on vit une plaie longue d'environ un pouce à travers les lèvres de laquelle coulait fort peu de sang et une assez grande quantité d'un fluide visqueux, transparent, filant et d'un blanc verdâtre, surtout quand le blessé essayait des mouvements de flexion ou d'extension, pour bien s'assurer si son genou jouait convenablement.

» 13 août. Le chirurgien du lieu, mort depuis cet accident, fut prié d'aller voir M. Expert, auquel il conseilla l'exercice, même forcé, *pour ne pas laisser la jointure s'en-*

gourdir, et des lotions fréquemment répétées de vin chaud avec addition d'eau-de-vie pendant toute la nuit. Le jeu *forcé* du genou et les lotions excitantes provoquèrent de très vives douleurs dans l'articulation et de la fièvre. Quoi qu'il en fût, et dès le lendemain matin de bonne heure (14 août), le chirurgien insista pour que le malade marchât encore toute la journée. Cette prescription fut ponctuellement suivie, c'est-à-dire que M. Expert marcha en boitant et en se soutenant avec un bâton, jusqu'à ce que le gonflement et la violence des douleurs le forcèrent à se mettre au lit. Je fus appelé sur ces entrefaites (15 août). Un peu de synovie coulait de la plaie, quand je découvris le malade; le genou était énormément tuméfié, douloureux, ne pouvait pas supporter le contact des plus légères couvertures; l'intérieur de l'articulation était le siége d'un sentiment de brûlure et de déchirement difficile à rendre; toute tentative de mouvement était impossible, excessivement redoutée par le malade, dont la main prévoyante suivait toujours celle du chirurgien qui explorait; la figure est rouge, les yeux brillants, la fièvre forte, le pouls dur et plein, la chaleur générale très prononcée; la langue rouge, pointue; la soif vive, l'haleine brûlante, la respiration vite et courte; l'anxiété, le malaise, l'impatience et la crainte extrêmes.

» Quelles que fussent les fautes qu'on avait commises, et quel que fût le temps qu'on avait perdu, je ne désespérai pas de parvenir à ramener le calme, et à prévenir de funestes conséquences.

» Saignée du bras d'une livre et demie; articulation placée dans la demi-flexion; application de quarante sangsues sur les côtés du genou, avec recommandation de favoriser l'écoulement du sang pendant sept à huit heures; puis compresses imbibées et continuellement arrosées d'eau froide; application de plusieurs couches surperposées d'emplâtre de diachylon sur la plaie; boissons délayantes; diète absolue; fomentations émollientes sur l'épigastre, qui est un peu tendu et douloureux.

» *Visite de l'après-midi.* — Le malade est un peu plus calme, souffre un peu moins de l'articulation; du reste le pouls est toujours dur et plein, la fièvre est forte, le visage très coloré, la soif un peu diminuée, la chaleur générale à peu près la même, et la respiration encore laborieuse. Je prescrivis une nouvelle saignée du bras d'une livre, une seconde application de trente sangsues sur le côté de l'articulation, avec recommandation de les remplacer par dix autres, cinq à droite et cinq à gauche, dès quelles seraient tombées, et ainsi de suite jusqu'au lendemain matin. Continuation des autres moyens déjà conseillés.

» 16 aout. — J'arrivai seul chez le malade, qui me parut être plus souffrant que la veille. Les douleurs, le gonflement et la chaleur de l'articulation avaient considérablement augmenté; la plaie était découverte; le membre avait été déplacé. Je reconnus qu'on n'avait pas suivi ma prescription quant au nombre et à la manière dont on devait appliquer les sangsues. La fièvre était forte, le pouls vibrait très vite; face vultueuse, luisante, langue très rouge et pointue, soif inextinguible, tête douloureuse, chaleur générale insupportable.

» Voici ce qui s'était passé : la veille, dans l'après-midi, étant pressé de quitter le malade pour en aller voir d'autres, fort éloignés de chez moi, je laissai au chirurgien le soin de faire la saignée; il ne tira que quatre ou cinq onces de sang, blâma le traitement que j'avais prescrit, ne fit appliquer que sept à huit sangsues, déplaça le membre, tortura l'articulation, sans écouter le malade qui criait miséricorde; prescrivit du bouillon et l'application d'une bouse de vache bien chaude sur le genou; tout cela avec la recommandation très expresse de ne point me dire ce qui avait été fait pendant mon absence.

» Mettant alors toutes les convenances de côté, je n'attendis pas mon confrère ; je fis une saignée du bras de vingt onces, fermai la plaie de l'articulation avec des emplâtres de diachylon superposés, appliquai moi-même trente sangsues autour du genou, et recommandai d'en placer cinq de chaque côté de l'articulation dès que les premières seraient tombées ; ainsi de suite jusqu'à ma visite du soir. Boissons délayantes, diète absolue, demi-lavement émollient, administré sans faire faire de mouvements au malade.

» A peine fus-je sorti que le chirurgien arriva, blâma sans réserve tout ce que je venais de prescrire et de faire, déclara à M. Expert qu'il serait estropié si on ne suivait pas absolument ses avis, si surtout on laissait l'articulation blessée immobile, disant à la famille que j'avais pris une mauvaise direction, que le malade serait la dupe de mon entêtement, de mon inexpérience, de mes théories ; que les choses étaient devenues très graves depuis qu'on avait mis de côté tout ce qu'il voulait faire, et qu'il était urgent d'appeler en consultation un médecin de Bordeaux. J'habitais alors une petite ville.

» 16 *août*, *visite du soir*. — Tous les symptômes généraux s'étaient amendés ; le malade éprouvait un mieux sensible ; l'articulation était moins chaude, moins tuméfiée, un peu moins douloureuse, et le sang avait coulé presque toute la journée, grâce au renouvellement permanent des sangsues : toutefois il y avait encore de la fièvre et de la chaleur, et un peu de céphalalgie. Quoi qu'il en fût de ce mieux, la famille du malade et le malade lui-même me prièrent de trouver bon qu'on appelât un médecin de Bordeaux en consultation. J'approuvai fort cette résolution, et j'écrivis sur-le-champ à M. Canihac. En attendant l'arrivée de ce confrère, je me contentai de prescrire pour la nuit des fomentations émollientes, le repos le plus absolu, la demi-flexion de l'articulation, les mêmes boissons, la diète, et de rassurer M. Expert sur les suites de son accident.

» 17 *août*, 6 *heures du matin.* — La fièvre est modérée; l'agitation et le malaise ont un peu augmenté; la soif continue, l'épigastre est légèrement douloureux à la pression, l'articulation est un peu plus douloureuse, la peau qui la recouvre est tendue et d'un rouge érysipélateux.

» *Consultation dans l'après-midi.* — Je racontai à M. le Dr Canihac ce qui s'était passé et ce que j'avais cru devoir faire jusqu'alors pour combattre l'arthrite traumatique et les phénomènes sympathiques qu'elle avait provoqués; j'ajoute que j'ai l'intention de continuer l'usage des antiphlogistiques locaux et généraux, jusqu'à ce que les douleurs et le gonflement de l'articulation aient complétement cédé, ou du moins jusqu'à ce que la manifestation des accidents inflammatoires ne soit plus à craindre; que je me propose d'insister sur le repos le plus absolu du membre, sur la diète, etc.; et que l'ensemble de cette médication me paraît être d'autant plus importante chez le malade qu'il est d'une constitution éminemment sanguine, qu'il lui reste encore des forces, que le système capillaire de la périphérie est partout injecté, et que la gravité de l'arthrite exige d'ailleurs qu'on agisse énergiquement et vite.

» M. Canihac voulut bien approuver sans réserve tout ce qui avait été fait, et partagea ma manière de voir sur le traitement éventuel que je venais de proposer.

» Voici ce que nous arrêtâmes dans une consultation écrite : nouvelles saignées générales si elles sont utiles, en les proportionnant toujours aux forces du sujet; saignées capillaires locales répétées et à peu près continuelles si les douleurs et l'inflammation persistent; fomentations émollientes, continuation du repos et de la demi-flexion du membre; mêmes boissons, diète continuelle, demi-lavements, tantôt émollients et d'autres fois laxatifs; beaucoup plus tard, et lorsqu'il n'y aura ni chaleur ni douleur, frictions légèrement excitantes, bains sulfureux et mouvements graduels faits avec les plus grandes précautions. Si enfin l'ankylose est inévitable, on la fera s'opérer dans l'extension de la jambe sur la cuisse.

» Ce plan de traitement fut exactement suivi; les phénomènes locaux et généraux s'amendèrent assez rapidement sous l'influence d'une légère saignée du bras, de plusieurs applications de sangsues; mais il fut impossible de prévenir l'ankylose. J'usai en pure perte de tous les moyens conseillés pour y remédier, et le malade fit l'année suivante le voyage de Baréges, dont il ne retira aucun fruit.

» Un mois et demi après son retour des Pyrénées, et vers la fin des vendanges, M. Expert, s'impatientant de ne pas voir arriver son bouvier, mit lui-même ses bœufs à la charrette, se tint debout sur elle, en s'appuyant le dos contre un support, et en fut violemment renversé par le choc que le moïeu de l'une des roues reçut en se heurtant contre une borne; la chute eut lieu sur le genou ankylosé. M. Expert ne se fit aucun mal et se releva complétement guéri de son infirmité. »

M. Cazenave ajoute dans une note qu'il vient d'adresser à la *Gazette médicale* (n° 10, pag. 156, année 1840) : « M. Expert vit encore, habite toujours la commune de Cerons; tout le pays connaît les particularités que je viens de rapporter, mais notamment mes confrères, MM. Ramade, Dubroca, Gardel, Brumont, Levillain, Moreau, et mon ami M. Théry, de Langon, auquel M. Expert lui-même raconta la manière merveilleuse dont il avait été débarrassé de son ankylose, lorsque ce même M. Théry et moi nous donnions des soins à son fils aîné. D'autre part, M. le docteur Canihac habite Bordeaux, et pourrait, s'il en était besoin, donner des éclaircissements sur ce qu'il vit lors de notre réunion à Cerons. »

Obs. II (1). — « *Ankylose de l'articulation huméro-cubito-radiale à la suite d'une plaie par arme à feu. — Chute sur*

(1) Observation rédigée par M. le docteur Bermond, de Bordeaux.

l'avant-bras. — Mouvements rendus faciles dans l'articulation. — Nouvelle ankylose survenue par la négligence du malade. — Le nommé Gallain, âgé de quarante-cinq ans, demeurant rue Tourat, n° 12, étant au service militaire dans le département du Nord, fut atteint, dans les premiers jours du mois de mars 1814, d'un éclat d'obus qui contusionna violemment l'articulation huméro-cubito-radiale et détacha un lambeau assez considérable dans les parties molles qui recouvrent la partie antérieure de cette articulation. Le malade ne put recevoir les premiers secours que le lendemain de l'accident, et ce ne fut qu'avec beaucoup de difficultés qu'on parvint à maîtriser les symptômes inflammatoires qui se développèrent.

» Dix jours après son accident, Gallain reçut un congé définitif et crut mieux faire de sortir de l'hôpital pour aller auprès de ses parents, afin de compléter sa guérison. La fatigue d'un long voyage fait à pied, la négligence qu'il mit à panser une large plaie en pleine suppuration, quelques excès de régime qu'il commit, ne contribuèrent pas peu à son arrivée chez lui à aggraver sa position. Le médecin qui fut appelé à lui donner des soins, reconnaissant toute la gravité du mal, prescrivit un régime intérieur convenable, et assujettit la partie malade à un repos complet et à des pansements régulièrement faits. La suppuration diminua peu à peu, la plaie se cicatrisa, mais il resta, avec un gonflement assez considérable des surfaces articulaires et des tissus environnants, une ankylose complète. Le bras conservait alors une position demi-fléchie.

» Depuis cette époque jusqu'au mois de septembre 1835, Gallain s'était servi de son membre ankylosé, mais avec assez de peine, lorsque, en conduisant ses chevaux en promenade, il fit une chute dans laquelle tout le poids de son corps porta sur l'avant-bras malade. La flexion du membre fut forcée. Gallain entendit un craquement qui lui fit craindre quelque fracture; mais quel fut son étonnement, lorsque, en se relevant, il vit les mouvements d'extension et de flexion faciles dans l'articulation malade; que sa main pouvait être portée à la bouche, qu'il pouvait saisir et poser un chapeau sur sa tête, et que la chute ne lui avait occasionné aucune fracture, pas même la plus légère contusion !

» Gallain n'ayant éprouvé aucun mal dans cette chute, ne demanda des conseils à personne, et comme son avant-bras, fléchi sur le bras, le gênait beaucoup dans son travail, il profita de la circonstance, non pour exécuter des mouvements, les graduer successivement et remettre l'articulation dans son état normal, mais pour étendre seulement le bras et favoriser, par l'immobilité de la partie, une nouvelle ankylose dans cette nouvelle position.

» Depuis un an l'articulation huméro-cubito-radiale est sans mouvement; tout le membre est étendu, et Gallain *se trouve encore heureux* d'avoir su tirer parti de son accident pour donner à son membre une position plus commode pour le genre de travail auquel il se livre. »

Ces deux faits prouveraient deux choses, l'une qu'il n'y a pas autant de danger qu'on aurait pu le croire à rompre les ankyloses, l'autre que les ankyloses rompues peuvent se reproduire.

Quant aux opérations faites jusqu'ici par M. Louvrier, elles ne me sont pas encore connues avec tous leurs détails; c'est pourquoi je n'insisterai pas longuement sur ce point. Nous pouvons dire cependant que cette méthode compte quelques succès réels constatés; mais il reste à savoir sur quelle espèce d'ankylose on agissait dans ces cas, et en outre si la guérison sera radicale. Or, vous comprenez facilement que jusqu'à ce que l'on ait sur ce sujet des détails exacts et précis, il sera impossible de pouvoir formuler une opinion rationnelle. Mais si ce mode de traitement compte des succès, il compte aussi des revers. Quelques uns de ces résultats défavorables sont rapportés dans la deuxième livraison du *Dictionnaire des dictionnaires*, publié sous la direction de M. le docteur Fabre. Voici ces faits :

1° Un jeune homme de dix-sept ans, opéré, rue l'Evêque, a été pris, quelques jours après l'opération, de gangrène du pied et d'une partie de la jambe ; il a été transporté à l'hôpital Necker et placé dans le service de M. Bérard ; il faudra l'amputer.

2° Une femme opérée dans le service de M. Blandin, à l'Hôtel-Dieu, a eu une jambe très mobile ou plutôt trop mobile ; il y avait après l'opération luxation incomplète de la jambe, et rétraction des muscles fléchisseurs tendant à fléchir de nouveau le membre.

3° Un jeune homme, opéré en ville, a été pris d'accidents qui ont paru à M. Roux exiger l'amputation de la cuisse ; l'opéré a succombé.

4° Une femme, opérée à l'hôpital Beaujon, dans le service de M. Laugier, est morte à la suite de l'opération. Il y a eu chez elle, primitivement, luxation de la jambe en arrière, rupture de la peau du jarret, du filet du nerf sciatique, dénudation d'un tendon, rupture presque complète du droit interne, arrachement des ligaments croisés, puis, secondairement, rétention d'urine, phlegmon érysipélateux, escarre, arthrite violente, destruction des ligaments, ostéite avec altération des cartilages, suppuration abondante, phlébite de la veine poplitée, cystite, néphrite, et mort avec symptômes de pneumonie aiguë. L'ankylose chez cette malade était fausse : la rotule était mobile !

5° Une autre femme, opérée à Beaujon, souffre de l'articulation du genou ; elle a sans doute une inflammation chronique dans ce point. Aussitôt qu'elle abandonne la machine à extension, elle ne peut plus marcher.

Chez les deux malades qui ont été opérées ici sous vos yeux, nous n'avons pas non plus à nous féliciter des résultats de l'opération. Voici en peu de mots leur histoire.

La première opération a été pratiquée dans cet amphithéâtre le 5 novembre 1839. La femme qui y fut soumise avait au genou droit une ankylose complète datant d'environ dix ans. La jambe était fléchie sur la cuisse à angle droit; la rotule et le tibia étaient soudés tous deux au fémur; tout travail pathologique avait cessé depuis longtemps. Cette malade n'était entrée dans mon service que pour être opérée par M. Louvrier. Je vous ai déjà dit que je considérais ce cas comme peu favorable; M. Louvrier l'admettait aussi; cependant, il pensa que l'opération pourrait être de quelque utilité à cette femme, et il se décida à l'opérer. Le résultat immédiat de l'opération fut une luxation du tibia en arrière.

Il n'est survenu aucun accident consécutif fâcheux; mais dès que je me fus aperçu que la luxation était réellement opérée, je me demandai si cette malade retirerait un grand profit de l'opération, car il y avait un raccourcissement d'environ trois pouces, et si la malade avait vécu, il lui aurait fallu sans doute un soulier fabriqué *ad hoc* pour marcher. De plus, la jambe n'était pas droite, et le pied n'aurait pu reposer sur le sol que par son extrémité antérieure. Le membre n'aurait pas pu d'ailleurs supporter le poids du corps puisqu'il y avait luxation complète du tibia en arrière, et partant aucun point d'appui solide dans le genou. M. Louvrier n'admettait pas, il est vrai, tous ces accidents; mais je dois dire qu'en raisonnant avec lui sur ce sujet, je me suis aperçu qu'il ne comprend pas comme nous l'histoire des ankyloses.

Quoi qu'il en soit, nous fîmes appliquer sur le membre, depuis le pied jusqu'au haut de la cuisse, un bandage dextriné. A l'aide de ce bandage et de béquilles, la malade pouvait assez bien marcher. Dès que nous enlevâmes cet appareil, il lui fut impossible de se tenir sur sa jambe; elle souffrait même beaucoup quand on imprimait quelques mouvements à son membre. Je fus dès lors convaincu que cette femme n'avait retiré aucun avantage de l'opération, et tout me porte à penser que, si elle avait vécu, elle s'en serait repentie. En effet, elle pouvait marcher assez bien auparavant avec son pilon, tandis qu'il lui aurait fallu, pour pouvoir marcher avec la jambe ainsi redressée une machine très compliquée.

Cette femme avait d'ailleurs une constitution détériorée; elle fut prise, il y a environ un mois, d'une pleurésie que nous traitâmes vainement par les sangsues et les vésicatoires volants. Elle était si faible que nous ne pûmes point faire usage des émissions sanguines générales. Elle a succombé.

Nous avons pu voir dans cette circonstance ce qui se passe dans les articulations à la suite de la méthode du redressement brusque des ankyloses. On a déjà fait, il est vrai, une autopsie pour un cas de ce genre dans le service de M. Laugier, à l'hôpital Beaujon; je vous ai cité ce fait; mais il y avait eu dans l'articulation de cette malade un travail morbide très étendu, travail qui l'avait nécessairement dénaturée, et qui ne permit pas de bien voir les choses telles qu'elles s'étaient passées. Chez notre femme, au contraire, il ne s'est opéré aucun travail morbide local, et nous avons pu voir clairement le résultat de l'opération.

Voici d'une manière très abrégée ce que nous trouvâmes à l'autopsie :

Les muscles sont intacts. L'artère poplitée, qu'on a injectée, ne présente aucune lésion; il en est de même pour la veine poplitée.

La partie supérieure du tibia est placée en arrière des condyles du fémur; il y a luxation; mais cette luxation est limitée par les muscles jumeaux, qui sont soulevés par les tubérosités du tibia et les emboîtent. Cette tension des muscles jumeaux avait réagi sur le talon, et cela explique l'apparence du pied équin présentée par la malade après l'opération.

Les ligaments latéraux, soit internes soit externes, sont

tout-à-fait intacts, ainsi que le ligament rotulien. Un des ligaments croisés, le postérieur, n'est pas déchiré; il est seulement allongé en avant et rétracté en arrière; l'antérieur n'a pas été assez bien trouvé pour pouvoir dire les modifications qu'il avait subies.

On voit très distinctement les traces de la soudure de la rotule, du tibia et du fémur. Le tibia est très déformé dans son extrémité supérieure, où il est taillé en biseau, dirigé en avant, formant un coin qui s'adapte à un coin analogue existant à l'extrémité inférieure et postérieure du fémur. Le condyle externe de ce dernier os est extrêmement mince; l'interne est un peu plus épais. Il est évident, d'après cela, que lors même qu'on aurait ramené le tibia en avant, le fémur ne présentant rien pour le recevoir, la luxation, malgré tous les efforts qu'on aurait pu faire, se serait toujours reproduite.

On peut se demander maintenant quelle aurait été, dans ce cas, l'utilité de la rupture brusque, puisque les os avaient une tendance à se remettre en contact par les mêmes points par lesquels ils étaient primitivement soudés.

Quoi qu'il en soit, cette autopsie prouve deux choses :

1° Dans la rupture brusque des ankyloses, il n'y a pas nécessairement rupture des ligaments, des parties molles, ni des vaisseaux environnant les articulations;

2° Quand une ankylose est complète et qu'il y a flexion à angle droit, il est douteux que la rupture brusque puisse apporter pour la suite un grand secours au malade, surtout si l'ankylose est ancienne, parce qu'alors les têtes osseuses se sont plus ou moins déformées, et ont perdu leurs rapports.

La seconde malade que vous avez vu opérer ici le 27 du mois de décembre 1839, et qui était couchée au n° 21 de la salle Sainte-Catherine, a également succombé. L'escarre dont je vous ai parlé pénétrait jusqu'au fémur, dont le condyle interne avait été brisé. Une vaste suppuration s'était établie dans le genou. Les parents et M. Louvrier ont retiré cette malade de l'hôpital. Des symptômes d'infection purulente sont survenus, et la mort est arrivée dix jours après. L'autopsie n'a point été faite.

Avant de résumer toute ma pensée sur le redressement violent et brusque des ankyloses, je désire soumettre à votre examen trois pièces anatomiques qui me paraissent offrir de l'intérêt.

La première est une ankylose du genou, communiquée par M. Demeaux, interne dans mon service. La soudure est complète, et il n'y a plus de ligne de démarcation évidente; on voit seulement un petit trait assez difficile à suivre, tant il est peu apparent, et qui indique à peu près la séparation primitive des os. On peut se demander si, pendant la vie, on avait rompu brusquement cette ankylose, la rupture aurait eu lieu plutôt dans l'ancienne interligne qu'au-dessous ou au-dessus; il est permis d'en douter; il est même probable qu'il n'en aurait pas été ainsi, le tibia et le fémur présentant beaucoup moins de force, le premier au-dessous, le second au-dessus du lieu de leur soudure, que dans ce lieu même. La rotule est aussi soudée au fémur, mais d'une manière moins complète que le tibia; elle est encore libre dans le tiers de sa partie inférieure et un peu aussi à son extrémité supérieure, en sorte que probablement si on avait opéré le redressement brusque, le tibia serait venu arc-bouter contre l'angle inférieur de la rotule et l'aurait dessoudée.

La deuxième pièce est une ankylose du coude, fournie par M. Debrou. L'avant-bras forme avec le bras un angle assez obtus. Ici la soudure est complète et intime entre le cubitus et l'humérus; leur tissu compacte se prolonge entièrement de l'un à l'autre, sans qu'il soit possible d'y trouver aucune ligne de démarcation; de plus, le canal médullaire du cubitus a fini par s'aboucher avec celui de l'humérus, de manière que les deux os n'en forment pour ainsi dire qu'un seul coudé dans son milieu.

La troisième pièce, qui appartient à M. Desprez, est une ankylose *incomplète* du genou. Le tibia est encore mobile sur le fémur contre lequel il est serré seulement par son condyle externe. La rotule n'est soudée que dans une portion de son étendue. Ici, il n'y a pas à en douter, le tibia, venant arc-bouter contre l'angle de la rotule, l'aurait infailliblement décollée; c'est ce qui s'est passé chez quelques uns des malades de M. Louvrier. Cette pièce fait voir, à mon avis, comment, dans des cas analogues, on ne pourrait pas obtenir le redressement complet du membre sans avoir recours à une machine analogue à celle de M. Louvrier. Cela tient à deux circonstances que vous devez bien connaître; d'abord, au rôle que joue la rotule et qui n'est pas généralement bien compris. La rotule est un os sésamoïde destiné à transmettre à la jambe l'action des muscles extenseurs; si elle est soudée avec le fémur, il est évident que cette action ne peut pas être transmise, et par suite la jambe ne peut pas être portée dans l'extension; alors les muscles fléchisseurs, dont l'action n'est plus contre-balancée, entraînent le tibia en arrière, et de là la production de la luxation dont je vous ai parlé. Une seconde circonstance, c'est que dans ces cas on ne pourrait pas redresser le membre ankylosé au moyen de la section des tendons et des ligaments, puisque la rotule restant soudée empêche ce redressement; au contraire le redressement violent et brusque détruit en même temps ces deux obstacles; il distend ou déchire les ligaments et détache la rotule, et on conçoit que dès lors la jambe peut reprendre ses fonctions. Je dois ajouter toutefois, et cela résulte du reste de tout ce que j'ai dit jusqu'ici, que même après le redressement brusque la rotule reste assez souvent soudée.

Les deux premières pièces prouvent que si on avait appliqué la méthode de M. Louvrier, la rupture n'aurait pas probablement eu lieu dans l'ancienne ligne de séparation, mais bien au-dessus ou au-dessous. Néanmoins ce ne serait pas là, à mon avis, une raison suffisante pour ne pas rompre une ankylose; car une fois qu'elle est rompue, on redresse le membre, et on le maintient dans la position que l'on désire pour faire ressouder les deux os dans la direction la plus favorable à l'accomplissement des fonctions du membre. Dans le cas même où il devrait se créer une nouvelle articulation, il n'y aurait pas grande nécessité que ce fût dans l'interligne plutôt qu'un peu au-dessus ou au-dessous. Ce ne serait donc pas, je le répète, un motif pour rejeter le redressement brusque; je crois même que c'est là le cas dans lequel il convient plus spécialement, parce qu'alors aucune autre méthode ne pourrait réussir.

En résumé, voici toute ma pensée actuelle sur la thérapeutique des ankyloses.

Quand la rotule est mobile, et qu'il y a simplement fausse ankylose, il faut préférer la section sous-cutanée des ligaments ou des tendons à la rupture brusque, parce qu'elle est infiniment moins dangereuse et moins douloureuse, et quelle donne pour le moins d'aussi bons résultats. D'ailleurs pour les fausses ankyloses dues à une rétraction des tendons, le redressement brusque ne procurerait pas une guérison durable; les muscles ne seraient vaincus que pendant un certain temps; quand on abandonnerait le membre à lui-même, ils se contracteraient probablement de nouveau et reproduiraient l'ankylose : pour ces cas donc, il faut s'en tenir aux moyens connus.

Quand l'ankylose est vraie, il vaudrait peut-être mieux, dans la très grande majorité des cas, ne rien faire du tout. Cependant, s'il fallait agir, pour un motif quelconque, on pourrait choisir entre la rupture violente et brusque, la section cunéiforme des os et l'établissement d'une fausse articulation. Je me suis déjà expliqué sur ces deux dernières opérations. Quant à la rupture, si la soudure de la rotule est disposée de manière à rendre très probable la luxation du tibia en arrière, il faudrait n'opérer que sur les instances pressantes des malades et qu'après les avoir avertis eux ou leurs proches de ce qui peut leur arriver. Cette opération serait indiquée, si la flexion n'était pas tout-à-fait à angle droit, si la rotule n'était pas tellement soudée qu'on pût espérer de la détacher, ou bien si elle était disposée de telle manière qu'on pût, malgré sa soudure, ramener le tibia sous le fémur.

Vous le comprenez, messieurs, et c'est par là que je termine, en définitive il n'est pas possible aujourd'hui de juger sans appel la question du traitement des ankyloses. Quant à la méthode de M. Louvrier, il serait tout aussi injuste de vouloir trop en généraliser l'application que de la rejeter entièrement de la pratique. M. Louvrier est évidemment allé trop loin; il a imité du reste en cela tous ceux qui ont préconisé un moyen thérapeutique quelconque. Je n'en doute pas, ce médecin reviendra plus tard et de lui-même à de plus justes bornes, lorsqu'il verra revenir à lui et se plaignant amèrement de leur position, les malades qu'il aura opérés, et qui, dans les premiers temps, étaient enchantés de voir leurs membres redressés.

ARTICLE V.

DES FISTULES VÉSICO-VAGINALES ET EN PARTICULIER DE LEUR TRAITEMENT.

On donne le nom de *fistule vésico-vaginale* à une solution de continuité qui fait communiquer entre eux le vagin et la vessie, et donne lieu à un écoulement continuel ou intermittent, mais involontaire, d'urine par le canal vulvo-utérin.

On comprend facilement que, eu égard au peu d'épaisseur de la cloison vésico-vaginale, la dénomination de *fistule* n'indique pas d'une manière rigoureusement exacte la lésion dont il s'agit; mais l'usage a consacré ce mot, et il n'y aurait évidemment aucun avantage à lui en substituer un autre.

Lorsqu'on réfléchit au nombre de femmes qui sont atteintes de fistules vésico-vaginales, et aux conséquences douloureuses et dégoûtantes de cette maladie, on est tout étonné que les chirurgiens s'en soient si peu occupés avant le siècle actuel. En effet, avant J.-L. Petit, aucun auteur n'avait rien dit de précis sur cette affection; encore faut-il ajouter que ce célèbre chirurgien n'en parle lui-même que d'une manière très superficielle. On ne peut se rendre compte de ce silence qu'en l'attribuant à l'opinion généralement répandue alors que la cure radicale de cette affection était au-dessus des ressources de l'art. Nous en trouvons d'ailleurs une preuve dans le fait suivant, mentionné par J.-L. Petit. Une dame, atteinte d'une fistule vésico-vaginale à la suite d'un accouchement laborieux, vint le consulter. Petit, d'après le désir de la malade, assemble les sommités chirurgicales de la capitale : la réunion leur paraît la seule indication curative; cependant on ne trouve aucun moyen capable de la procurer. Un seul propose la suture ;

mais il recule devant les difficultés de l'opération. On décide alors qu'il n'y a à employer que des moyens palliatifs.

Desault et Chopart, qui se sont acquis une si grande et si juste réputation dans le traitement des maladies des voies urinaires, insistent si peu sur l'affection qui nous occupe, qu'on serait tenté de croire que déjà toutes les ressources de l'art avaient fait défaut, et que la chirurgie n'avait plus que des moyens palliatifs à opposer aux fistules vésico-vaginales. Ces deux chirurgiens parlent, il est vrai, de certains succès obtenus à l'aide de leur procédé; mais nous y reviendrons plus tard. Quoi qu'il en soit, on peut avancer, sans crainte d'être démenti, qu'avant les premières années de ce siècle la science n'était pour ainsi dire qu'ébauchée sur cette importante question, et que ce n'est guère que depuis environ quinze ans que les fistules vésico-vaginales ont fixé l'attention des chirurgiens d'une manière toute particulière. Il est même juste de dire que le mémoire publié en 1825 dans les *Archives générales de médecine*, par M. Lallemand, de Montpellier, donna l'éveil sur ce sujet. Mais depuis cette époque des travaux plus ou moins importants ont été publiés sur ce point de pathologie; la chirurgie a multiplié les moyens d'investigation; toutes les ressources de l'art ont été mises à contribution pour triompher d'une affection aussi dégoûtante. Je dirai plus tard jusqu'à quel point on a atteint le but qu'on se proposait.

Aujourd'hui donc nous possédons assez de matériaux pour pouvoir présenter une histoire, sinon complète, du moins suffisante, des fistules vésico-vaginales. Je ne me propose pas d'entrer ici dans tous les détails que comporterait une pareille question; mon principal but est de vous présenter quelques considérations d'une importance toute pratique. Ces considérations éclairciront, j'en suis convaincu, la thérapeutique, et mettront probablement un terme à toutes les discussions qui s'élèvent encore si souvent parmi nous sur la puissance ou l'impuissance des moyens que l'art met aujourd'hui à la disposition des chirurgiens pour combattre cette infirmité.

Les fistules vésico-vaginales ont été distinguées en congéniales ou accidentelles. Les premières sont sans contredit infiniment plus rares. On n'en trouve que quelques exemples dans les auteurs. On a expliqué leur formation par un arrêt de développement de la cloison pendant l'évolution embryonnaire.

Les fistules vésico-vaginales accidentelles peuvent dépendre d'une foule de causes diverses sur lesquelles je dois fixer un instant votre attention. La plus fréquente de toutes est sans contredit un accouchement long et laborieux. Tous les chirurgiens et tous les accoucheurs sont d'accord sur ce point. On comprend en effet que lorsque la tête de l'enfant reste long-temps enclavée dans le détroit supérieur du bassin, elle doit exercer une pression plus ou moins forte sur la cloison vésico-vaginale contre le pubis, pression qui peut déterminer une affection gangréneuse sur cette cloison, et par suite une fistule de cette portion du réservoir urinaire après la chute de l'escarre. Le même accident peut survenir lorsque l'enfant se présente par le siége ou par les extrémités inférieures; on en a mentionné plusieurs exemples. M. Lallemand rapporte cinq cas de fistules vésico-vaginales survenues chez des femmes dont les enfants s'étaient présentés en quatrième position des pieds. Dans ces cas, l'écoulement d'urine par la voie artificielle ne survient pas immédiatement après l'accouchement; il faut pour cela que l'escarre gangréneuse se soit détachée. Ce n'est en conséquence qu'après trois, quatre, six et quelquefois même quinze jours, que les femmes sont averties de leur infirmité. Souvent alors l'incontinence d'urine est précédée d'une rétention due à l'inflammation qui se développe autour des parties gangrenées, et qui gagne le col de la vessie.

De mauvaises manœuvres obstétricales, l'usage vicieux du forceps, des crochets, du céphalotome, etc., peuvent aussi amener le même résultat. Quelquefois même la cloison vésico-vaginale peut être déchirée immédiatement par les instruments, et dès lors l'urine s'écoule aussitôt par le vagin. On a observé des fistules vésico-vaginales produites par des fragments de crâne de fœtus morts chez lesquels la tête avait été ouverte peu méthodiquement.

Nous devons placer aussi au nombre des causes qui peuvent produire l'infirmité qui nous occupe, des tumeurs ou des brides développées dans le vagin. On conçoit en effet que portant obstacle à la libre sortie de l'enfant, ces tumeurs, ces brides puissent le retenir plus ou moins longtemps au passage, et donner lieu par là à une compression du vagin et de la vessie, compression qui amènerait, comme dans le cas précédent, une inflammation gangréneuse, et de là une perforation plus ou moins étendue de la cloison vésico-vaginale. J.-L. Petit mentionne un cas de ce genre survenu chez une dame qui portait une tumeur de la grosseur d'un œuf de poule située au-dessus de l'orifice externe du vagin.

Toutes ces circonstances devront être sans cesse présentes à votre esprit, lorsque vous serez appelés à faire un accouchement laborieux.

Les fistules vésico-vaginales reconnaissent encore d'autres causes que celles qui dépendent d'un accouchement laborieux : je dois vous les faire connaître en peu de mots. Ce sont les ulcérations, soit cancéreuses, soit vénériennes, de la paroi antérieure du vagin et même du col de l'utérus; le séjour prolongé d'un calcul volumineux dans le réservoir urinaire; des abcès développés dans l'épaisseur de la paroi vésico-vaginale; des pessaires laissés trop longtemps dans le vagin; les progrès d'un cancer utérin; l'extirpation de la matrice ou seulement l'amputation du col de cet organe. Je pourrais vous citer plusieurs observations de ce genre que l'on trouve consignées dans les auteurs.

L'incision cystotomique vaginale peut aussi se transformer en fistule : quelques faits le prouvent sans réplique. Ainsi, sur trois femmes opérées par M. Clémot, une est restée atteinte de fistule urinaire ; trois des malades opérées par M. Flaubert en ont été affectées, et une opérée par M. Rigal n'a pas été plus heureuse. Il est vrai de dire pourtant que les incisions franches et nettes de la paroi vésico-vaginale, dont les lèvres seraient convenablement affrontées par les moyens unissants qu'on possède aujourd'hui, seraient bien souvent à l'abri de cet accident.

Les fistules vésico-vaginales peuvent aussi être produites par des corps étrangers contenus dans la vessie. Ainsi, outre les calculs dont j'ai déjà parlé, on a vu des épingles, de longues aiguilles à cheveux, introduites dans le réservoir urinaire par l'urètre, donner ensuite lieu à une perforation de la paroi vésico-vaginale et par là à l'infirmité qui nous occupe. Morgagni cite un cas de ce genre ; Morand en a rapporté un autre dans les *Mémoires de l'Académie des sciences* pour l'année 1735.

Je n'insisterai pas davantage sur les causes qui peuvent déterminer les fistules vésico-vaginales ; j'ai hâte d'arriver à des considérations qui touchent de plus près à la pratique.

Le siége précis des fistules vésico-vaginales n'a pas assez fixé l'attention des chirurgiens ; on ne s'est pas non plus attaché avec assez de soin à déterminer leur forme, leur étendue, leur direction, leur date plus ou moins ancienne. Les observations qui ont été publiées jusqu'à ce jour en font foi. Nous verrons cependant, lorsque nous nous occuperons de la thérapeutique de cette affection, que ce sont là les circonstances capitales sans la connaissance desquelles il est impossible d'arriver à quelque chose de précis.

Les fistules vésico-vaginales ont leur siége tantôt au col de la vessie, tantôt près du col de l'utérus, au-dessus de l'ouverture des uretères, et tantôt entre ces deux parties ; ce dernier cas est le plus fréquent. La solution de continuité a ordinairement une direction transversale ; on en observe pourtant plusieurs qui sont dirigées longitudinalement. Leur forme varie aussi beaucoup; les unes sont rondes, les autres sont plus ou moins irrégulièrement allongées. Tantôt il existe une perte de substance plus ou moins considérable; d'autres fois les lèvres de la solution de continuité sont presque en contact, et la lésion n'occupe que quelques lignes d'étendue. On cite des cas dans lesquels toute la paroi vésico-vaginale est détruite; mais ce serait donner une singulière extension au mot *fistule* que de l'appliquer à de tels délabrements. Tantôt la lésion est récente; tantôt elle est d'une date plus ou moins ancienne; il en est qui sont le résultat d'une plaie par instrument tranchant, comme je l'ai déjà dit, et alors les bords sont réguliers; d'autres sont survenues à la suite d'une inflammation gangréneuse. Nous ferons plus tard l'application de toutes ces circonstances à la thérapeutique; occupons-nous maintenant à rechercher les signes à l'aide desquels il est possible de distinguer chacune de ces variétés; car c'est là, je le répète, que se trouvent tous les éléments de la question qui nous occupe.

Il est difficile, dit-on, de se tromper dans le diagnostic des fistules vésico-vaginales. Ici il faut s'entendre : si l'on veut dire par là qu'il est aisé de constater que la cloison vésico-vaginale est perforée, on est dans le vrai; car à l'aide d'un spéculum, ou bien d'une sonde introduite dans la vessie et d'un doigt porté dans le vagin, ou mieux encore, lorsque la fistule est très étroite, au moyen d'un liquide coloré qu'on injecte dans le réservoir urinaire, tous les doutes sont bientôt levés à cet égard. Mais il ne suffit pas aujourd'hui de savoir que l'urine sort par le canal vulvo-utérin, il est une foule d'autres particularités qu'il faut nécessairement connaître. Entrons dans quelques détails à ce sujet.

L'écoulement des urines par la fistule peut indiquer jusqu'à un certain point quel est le siége précis de la lésion. Ainsi, lorsque la solution de continuité existe au col de la vessie, l'urine ne coule point d'une manière continue, surtout si la malade reste tranquille dans le lit. Dans ces cas on a vu des femmes rester plusieurs heures sans perdre une seule goutte d'urine par le vagin ; alors encore, si la perforation est petite, il peut s'écouler une grande partie du liquide par l'urètre. Lorsque la fistule a son siége au-dessus de l'ouverture des uretères, les malades peuvent aussi garder plus ou moins long temps leurs urines, surtout si elles restent assises ou debout ; vous en comprenez facilement la raison. Notons d'avance que ces cas sont les plus favorables à la guérison. Lorsqu'au contraire la solution de continuité occupe le bas-fond de la vessie, l'urine s'écoule continuellement par le vagin ; et c'est là, comme nous le dirons plus tard, le principal obstacle à la cure radicale de la maladie. Je dois ajouter qu'on peut aussi reconnaître le siége précis des fistules vésico-vaginales à l'aide d'une exploration attentive par le vagin.

Vous pourrez reconnaître avec assez de facilité la forme, l'étendue et la direction des fistules vésico-vaginales, au moyen d'un bâton de cire molle d'un volume assez considérable pour remplir le vagin sans trop le distendre. Ce corps, introduit dans ce canal et retiré avec précaution, vous fournira sur sa surface des notions à peu près exactes sur ce sujet.

Quoi qu'il en soit, lorsque la fistule est un peu large, et qu'elle donne continuellement passage à l'urine, on observe une série de symptômes qui ne permettent pas de la confondre avec une autre affection. Le vagin, la vulve, les cuisses, perpétuellement baignés par le liquide irritant, s'enflamment, s'excorient, et deviennent le siége de douleurs cuisantes ; quelquefois même il s'établit sur ces parties des pustules, des ulcérations qui d'abord ont pu donner le change pour une affection syphilitique. Lorsque la maladie est ancienne, les lèvres de la plaie sont dures, calleuses, plus ou moins épaissies. Les malades sont obligé d'avoir continuellement une éponge dans le vagin, et de la renouveler souvent; elles portent avec elles une odeur repoussante qui les prive du contact de la société. Il n'est aucun d'entre vous qui n'ait observé quelques uns de ces cas, c'est pourquoi je crois inutile d'entrer dans plus de détails.

Le pronostic des fistules vésico-vaginales est subordonné aux circonstances diverses que j'ai énumérées plus haut. Ainsi une solution de continuité ayant son siége au col de la vessie ou au-dessus de l'ouverture des uretères, une plaie régulière ou peu étendue, sans perte de substance, de fraîche date, seront tout autant de circonstances favorables à la guérison. Au contraire, lorsque la fistule existe au bas-fond de la vessie, qu'elle est d'une date ancienne, et qu'il y a perte de substance, la cure radicale en est des plus difficiles; je dois même dire que les observations de ce genre qui ont été publiées jusqu'à ce jour porteraient à penser que les guérisons radicales obtenues dans ces cas ne sont que de rares exceptions. Dans un mémoire détaillé sur ce sujet, publié dans le journal *l'Expérience* (t. I, p. 257), M. Jeanselme s'est appliqué à rechercher si une seule de ces observations prouve d'une manière claire et précise qu'on soit jamais parvenu à triompher complétement d'une lésion de ce genre, et il a cru pouvoir conclure après un examen minutieux que rien ne démontre qu'on soit parvenu à obtenir un seul succès réel. Quoique M. Jeanselme eût bien prévenu que la bonne foi de chacun était mise hors de cause dans son travail, plusieurs praticiens se sont scandalisés des doutes qu'il a émis sur la valeur de certaines observations. Je dois dire que, pour mon compte, je ne suis pas tout-à-fait aussi incrédule que M. Jeanselme; cependant je suis forcé d'avouer qu'il y a lieu de révoquer en doute la presque totalité des cas de guérison qui ont été publiés jusqu'ici. Vous pouvez d'ailleurs consulter le mémoire de M. Jeanselme et je suis persuadé que vous partagerez mon opinion (1)

Traitement. — Depuis que l'attention des chirurgiens est fixée sur les fistules vésico-vaginales, on a imaginé une foule de moyens pour triompher de cette dégoûtante infirmité. Nous allons les passer successivement en revue, en indiquant les cas dans lesquels ils offrent plus ou moins de chances de succès.

Avant que M. Vidal (de Cassis) eût proposé l'oblitération du vagin, le traitement des fistules vésico-vaginales ne comprenait qu'une seule méthode : c'était la méthode directe ; c'est-à-dire que tous les efforts de l'art étaient dirigés sur la solution de continuité elle-même. Ce chirurgien a donc ouvert une nouvelle voie, et c'est à lui que l'on doit la division du traitement de l'affection qui nous occupe en deux méthodes principales : l'une, dite *directe*, est celle par laquelle on agit sur l'ouverture anormale elle-même; l'autre, dite *indirecte*, est celle par laquelle on dirige les moyens plus ou moins loin de la partie lésée. On ne possède encore qu'un procédé de cette seconde méthode ; il consiste dans l'oblitération du vagin. La méthode *directe* comprend au contraire un assez grand nombre de procédés que je dois vous décrire avec détails.

A. *Procédé de Desault.* — Ce mode de traitement est le plus ancien, et le seul dont s'occupe Boyer. Je dois ajouter qu'il était connu avant Desault, et que ce chirurgien n'a fait, pour ainsi dire, que le perfectionner. Il consiste à placer à demeure dans la vessie par l'urètre une sonde d'un gros calibre dont les yeux sont bien percés, et à introduire dans le vagin, soit un tampon de linge, soit une espèce de doigt de gant garnie de charpie, soit un mor-

(1) Pour que le lecteur puisse juger par lui-même de ce que j'ai avancé dans le travail que M. Velpeau m'a fait l'honneur de citer dans ses Leçons, j'ai cru devoir le placer à la suite de cet article, avec les modifications que j'ai dû lui faire subir d'après de nouvelles recherches et d'après des renseignements exacts qui m'ont été transmis.

ceau de liége ou de toute autre substance approchant de la forme cylindrique et enduit ou de gomme élastique ou de cire. Quel que soit celui de ces corps, dit Desault, il doit remplir le vagin sans le distendre.

Pour maintenir la sonde immobile dans la vessie, Desault et Chopart imaginèrent le moyen suivant : au lieu du double bandage en T, sur lequel on attachait les rubans portés par l'extrémité de l'instrument, au lieu d'unir ces rubans aux poils de la vulve, ces chirurgiens firent construire une sorte de brayer dont la pelote arrive presque sur le mont de Vénus, et qui présente dans cet endroit une plaque métallique courbée en arc, qu'on descend à volonté sur le devant du pudendum, et qui est ouverte à son extrémité pour recevoir la sonde. Mais c'est là un appareil beaucoup trop compliqué, et qui ne paraît pas, en définitive, offrir beaucoup plus de fixité ou d'avantage que l'appareil en linge employé par les autres praticiens.

Lorsqu'on a observé quelques fistules vésico-vaginales anciennes, que l'on a considéré l'état calleux des lèvres de la plaie, on est tout étonné que Desault et Chopart soutiennent avoir guéri par un moyen si simple une maladie qui de nos jours résiste à tant de traitements d'une énergie bien supérieure. S'ils avaient limité l'efficacité de cette méthode aux fistules de l'urètre et du col de la vessie, et si, dans les fistules du bas-fond, ils s'étaient bornés à la donner à titre de moyen palliatif et adjuvant, tous les chirurgiens auraient été de leur avis, en rejetant toutefois l'usage du tampon, qui, comme on le comprend facilement, doit nécessairement mettre obstacle au resserrement de la fistule. Mais pour soutenir qu'en suivant ce procédé on est venu à bout de guérir des fistules urinaires et vaginales très anciennes à travers lesquelles on pouvait porter le doigt dans la vessie, il fallait en donner des preuves matérielles. Or, sur ce point, Desault et Chopart gardent le silence; ils se bornent à citer une seule observation, qui est loin d'entraîner la conviction. Au surplus, puisqu'il faut attendre des mois, quelquefois même des années pour obtenir une guérison parfaite à l'aide de ce moyen, n'est-il pas à croire que la fistule disparaît alors spontanément, par les seules forces de la nature ?

En résumé, le procédé de Desault n'est qu'un moyen palliatif; mais c'est un adjuvant nécessaire des autres procédés dans les cas de fistules du bas-fond de la vessie. On pourrait même à la rigueur attendre de lui la guérison de certaines fistules de l'urètre et du col de la vessie. Disons toutefois qu'en le combinant avec la cautérisation, la cure radicale serait beaucoup plus sûre et se ferait beaucoup moins long-temps attendre. Mais on se bercerait d'une espérance vaine, si on croyait pouvoir guérir par ce procédé des fistules du bas-fond de la vessie, avec perte de substance et d'une date ancienne. Cependant, il faut le dire, ce procédé est loin d'offrir les dangers qu'on a à craindre dans l'emploi des autres moyens; il apporte toujours plus ou moins de soulagement aux souffrances des malades. D'ailleurs n'est-il pas dans une foule de cas la seule et dernière ressource des malheureuses femmes qui ont épuisé sans aucun profit tous les moyens chirurgicaux ?

Je dois mentionner ici une modification que M. J. Cloquet a apportée à ce procédé. Ce chirurgien, persuadé, comme nous le sommes tous, que le contact continuel de l'urine avec les lèvres de la fistule constitue le principal obstacle à leur agglutination, s'est servi d'un siphon inspirateur pour pomper toute l'urine dans la vessie. Mais, vous le comprenez facilement, quelque moyen que l'on emploie, on ne parviendra jamais à soustraire les bords d'une fistule, située au bas-fond de la vessie, du contact absolu de l'urine.

B. *Cautérisation.* — Le but que se propose le chirurgien par la cautérisation est de provoquer sur les bords de la fistule un degré d'inflammation suffisant pour en déterminer l'adhésion. C'est une méthode qui mérite toute l'attention des praticiens, et qui paraît devoir suffire, lorsque la solution de continuité a son siége au col de la vessie, ou qu'elle a peu d'étendue. On l'exécute avec le nitrate d'argent, avec le cautère actuel, avec le nitrate acide de mercure et les divers acides concentrés. Cependant, l'expérience a démontré que ces deux derniers moyens doivent être rejetés de la pratique. Le fer rouge a l'avantage d'agir plus rapidement et avec plus d'énergie que le nitrate d'argent; malheureusement il expose à la formation d'une escarre, à détruire les tissus qu'on voudrait se borner à enflammer; il est d'ailleurs d'un emploi beaucoup plus difficile; c'est pourquoi le nitrate d'argent doit lui être généralement préféré. Le cautère actuel ne devrait lui être substitué que dans des cas particuliers, par exemple lorsque les bords de la fistule sont calleux ou trop difficiles à irriter.

Comme le plus souvent il n'est pas facile de cautériser convenablement les lèvres de la fistule, vu la profondeur de la lésion, les chirurgiens ont employé divers moyens pour vaincre autant que possible cette difficulté. Ainsi, Dupuytren portait le nitrate d'argent fixé à l'extrémité d'une tige métallique ou d'une pince à anneau. M. Lallemand (de Montpellier) a imaginé pour porte-caustique une espèce de bague plate et à ressort qu'on peut fixer solidement sur l'extrémité du doigt indicateur, à cause de l'élasticité dont elle est douée. Un morceau de nitrate d'argent est enchâssé dans le chaton de cette bague. M. Flamand a aussi inventé un instrument assez commode : il est composé de deux tiges, réunies dans leur milieu par une goupille; l'une de ces tiges est armée du caustique, l'autre porte une gaîne pour le cacher; on fait sortir le caustique de dessous la gaîne en exécutant un petit mouvement de bascule. On pourrait à la rigueur se servir dans cette petite opération d'une simple pince à pansement; on fixerait alors à l'extrémité de cette pince une portion de nitrate d'argent, au moyen d'un fil, de manière que le caustiq formât un relief à angle droit sur le bord de l'instrume Je me suis plusieurs fois servi de ce moyen, et je cr avoir atteint convenablement le but que je me proposa Quoi qu'il en soit, l'important ici consiste à promener nitrate d'argent sur toute la surface des lèvres de la so tion de continuité, car si on ne touchait que la surface i terne du vagin, on ne remplirait pas toutes les indicatio

L'emploi du cautère actuel réclame évidemment plus précautions. Il faut commencer par introduire un spé lum dans le vagin. Le spéculum brisé ordinaire vaut t autant qu'un autre. Cependant, pour protéger plus sû ment les tissus environnants, et ne laisser que la fistul découvert, on pourrait faire usage d'un spéculum cylin que simple, percé sur un des côtés. Cet instrument, in duit dans le vagin de manière à mettre la fistule à nu, porterait dans l'ouverture soit un stylet chauffé à bla soit un cautère en haricot, en ayant soin de ne l'y lai qu'un instant, et de l'y reporter une seconde fois si la mière cautérisation était insuffisante. Delpech a consi dans le *Mémorial des hôpitaux du Midi* un succès rem quable obtenu à l'aide de ce moyen. Ce chirurgien p que le cautère actuel ne doit pas agir sur la circonfére vésicale, mais bien seulement sur la portion vaginal la fistule, afin, dit-il, de ménager la déperdition de stance, tout en mettant en jeu la force de coarctation. C là une remarque dont les chirurgiens devront tenir co dans leur pratique.

Quant à la question de savoir dans quel cas il conv drait d'avoir recours au nitrate d'argent ou au cautère tuel, voici en peu de mots quelle serait la règle de conduite : Lorsque les bords de la fistule ne sont ni épa ni indurés, et peu éloignés l'un de l'autre, l'action nitrate d'argent me paraît suffisante. Mais si les b sont durs, épais, calleux, s'ils sont écartés l'un de l'a ce caustique ne serait pas assez énergique ; j'aurais alors recours au cautère actuel.

D'ailleurs, de quelque manière que la cautérisation ait été opérée, il est bon de faire, immédiatement après, une ou plusieurs injections dans le vagin, et de placer la malade dans un bain. Il importe en outre de placer une sonde à demeure dans la vessie, et de la disposer de manière que les urines puissent s'échapper librement. Peu après l'application du caustique, les lèvres de la fistule s'enflamment, se boursouflent; mais ces phénomènes s'apaisent bientôt, et on doit alors recommencer la même opération. On y revient ainsi quatre, cinq, six fois, selon l'avantage qui en résulte, c'est-à-dire jusqu'à ce que l'urine ait cessé de passer par le vagin. A l'aide de cette pratique, on parvient, dans un grand nombre de cas, à oblitérer des fistules du col de la vessie. Lorsque la fistule est réduite à une petite dimension, il est souvent difficile d'en obtenir l'oblitération compléte. On ne devrait pas alors désespérer du succès, car on en a vu se fermer enfin au bout de plusieurs semaines, quoiqu'elles eussent semblé ne devoir plus marcher vers la guérison.

Maintenant, il nous reste à préciser les cas dans lesquels la cautérisation est réellement avantageuse. Lorsque la fistule siège dans l'urètre ou au col de la vessie, tout porte à penser qu'on pourra en triompher à l'aide de ce moyen combiné avec l'usage des soudes. Plusieurs succès de ce genre ont été constatés, et il est facile de les concevoir; en effet, si l'on vide fréquemment le réservoir urinaire, les bords de la fistule se trouvent soustraits au contact de l'urine, et dès lors on ne voit pas pourquoi cette lésion ne cèderait pas à l'usage des caustiques; car, je ne saurais trop vous le répéter, le principal obstacle à la curé radicale de l'affection qui nous occupe consiste dans le contact habituel de l'urine avec les lèvres de la solution de continuité. Mais peut-on réellement compter sur la cautérisation, lorsque la fistule occupe le bas-fond de la vessie, qu'elle est d'une date ancienne, et qu'il y a perte de substance? Les faits publiés jusqu'à ce jour sont loin de résoudre cette question d'une manière affirmative. L'observation publiée par Delpech indiquerait pourtant qu'on ne devrait pas désespérer complétement d'en triompher. Mais en admettant ce fait comme un succès incontestable, ce que quelques personnes révoquent en doute, toujours est-il qu'un seul cas de guérison n'est pas capable d'inspirer une grande confiance aux chirurgiens. Quant aux autres exemples de succès qui ont été publiés, il est facile de se convaincre après un examen attentif, ou bien qu'il s'agissait de fistules du col de la vessie ou de l'urètre, ou bien que les observations manquent de détails suffisants pour entraîner la conviction. Il ne faudrait pas conclure de ce que je viens de dire que dans ces cas la cautérisation doit être mise de côté; je pense au contraire que lorsque la fistule offre de petites dimensions, on doit essayer ce moyen avant d'avoir recours aux autres ressources qu'il nous reste à examiner.

C. *Suture.* — La suture, qui a dû se présenter de prime abord à la pensée, est d'une application si difficile, qu'on a été fort long-temps sans oser la tenter, et qu'il en était à peine question dans les ouvrages sortis de l'école de Paris. Cependant, depuis le commencement du siècle actuel, cette opération a été mise bien souvent en usage. Les différentes espèces de suture ont été essayées, et je ne sache pas qu'on soit parvenu à triompher à l'aide de ce moyen d'une seule fistule du bas-fond de la vessie avec perte de substance et d'une date ancienne. Quoi qu'il en soit, Roonhuysen, qui, au dire de Chelius, l'a le premier recommandée, ne l'avait point essayée sur le vivant. Si j'ai bien compris, c'est son neveu qui lui en parle, et qui pense qu'après avoir avivé les bords de la division, on pourrait les traverser et les maintenir en contact avec une tige de plume taillée en pointe.

Cette opération comprend deux temps principaux : aviver les lèvres de la fistule, les rapprocher et les maintenir en contact. L'avivement n'est pas chose facile, comme vous le comprenez très bien ; on s'est servi tantôt du nitrate d'argent, tantôt du fer rouge, tantôt de l'instrument tranchant. Il n'est pas indifférent de faire usage de l'un ou de l'autre de ces moyens. En traitant de la cautérisation, j'ai indiqué les règles qui doivent diriger le chirurgien dans l'emploi des deux caustiques. Quant à la préférence à accorder aux caustiques ou à l'instrument tranchant, je ne crois pas qu'il y eût à balancer, du moins lorsque l'ouverture offre une certaine étendue. On sait en effet que les caustiques donnent une plaie moins favorable à la réunion immédiate ; ils détruisent les tissus en produisant une escarre qui ne tombe qu'après un certain temps, et qui laisse une surface qui suppure. Tous les chirurgiens conviennent de cela ; mais aussi que de difficultés pour rafraîchir les lèvres de la plaie d'une manière convenable ! C'est pour vaincre ces difficultés que M. Sanson a imaginé un procédé opératoire capable de mettre le chirurgien à l'aise, en refoulant en avant de la vulve la partie lésée. Voici comment il procéda. En septembre 1836, ce chirurgien ayant à traiter une fistule vésico-vaginale du bas-fond de la vessie, divisa avec le lithotome double l'urètre de la malade, et introduisant par cette nouvelle voie son doigt dans la vessie, il ramena la fistule au-dehors, et put ainsi rafraîchir convenablement ses bords. La suture fut immédiatement appliquée. Mais le succès ne répondit pas à cet ingénieux essai : huit jours après la malade était dans le même état qu'avant l'opération.

En supposant même qu'on puisse parvenir à aviver ou à rafraîchir convenablement les lèvres de la solution de continuité, il reste ensuite à les maintenir en contact à l'aide de points de suture. Or, il est évident que les difficultés sont ici pour le moins aussi grandes. En effet, comment agir sur une cloison mobile? comment pouvoir maintenir parfaitement en contact toutes les parties des lèvres de la plaie? Et de plus, pense-t-on qu'on pourra toujours impunément tirailler en sens divers les tissus environnants? n'est-il pas à craindre que l'organisme tout entier n'en reçoive une atteinte plus ou moins défavorable? Et qu'on ne dise point que c'est là de la théorie; quelques faits authentiques prouvent que la mort peut en être la suite. Ces cas sont heureusement rares; mais enfin on en a observé, et il n'en existerait qu'un seul, que vous devriez l'avoir sans cesse présent à votre mémoire. Il est une autre considération que vous ne devez point oublier; c'est que lorsque l'opération ne réussit point, l'état des malades, bien loin d'être amélioré, se trouve le plus souvent aggravé. Si vous avez observé quelques femmes qu'on avait soumises à ce mode de traitement, vous avez dû vous convaincre de la justesse de cette remarque.

Toutes ces circonstances doivent être prises en considération, lorsqu'on se propose d'attaquer la maladie qui nous occupe par la suture.

Quoi qu'il en soit, si on était bien décidé à pratiquer cette opération, des essais répétés sur le cadavre me portent à croire qu'on réussirait mieux en s'y prenant comme je l'ai indiqué dans la seconde édition de ma *Médecine opératoire*, (tome IV, page 437). « Je fais placer la malade sur un lit ou sur une table convenablement élevée et garnie. Un matelas roulé est glissé sous le ventre, de manière qu'elle puisse avoir les cuisses fléchies, tout en restant couchée sur l'abdomen. Un aide tient le vagin dilaté au moyen d'une large gouttière en métal, en corne ou en bois mince. D'un coup de ciseaux droits, j'agrandis d'une ligne ou deux la fistule en arrière, j'en fais autant sur son angle antérieur avec un bistouri étroit, afin de pouvoir en saisir successivement chaque lèvre avec de bonnes pinces à staphyloraphie, et d'en réséquer le bord à l'aide de ciseaux droits ou modérément courbes sur le plat. Les points de suture sont ensuite passés à trois ou quatre lignes en dehors des surfaces rafraîchies. Les pinces remplacent le pouce et l'indicateur de la main gauche, pour soutenir les parties, pendant qu'on les traverse avec de petites aiguilles. Enfin chaque fil est noué au fond du vagin à l'aide des doigts. Si la fente est transversale, un bistouri courbe sur le plat près de la pointe, et très aigu, porté par le vagin, détache assez facilement un liséré de son bord profond, tenu renversé d'autre part ou abaissé à l'aide d'une érigne ou de bonnes pinces. »

Du reste, il faut bien le reconnaître, si la suture des fistules vésico-vaginales réussit avec tant de peine, et constitue une opération si difficile, peut-être faudrait-il en accuser les imperfections de l'appareil instrumental. Aujourd'hui qu'avec l'aiguille spiroïde de M. Colombat on peut effectuer d'un même trait la suture à surjet dans quelque lieu que ce soit du vagin; qu'en agrandissant largement l'urètre, comme l'a fait M. Sanson; qu'avec les pinces porte-aiguille de MM. Bineau, Soteau, Beaumont, Bourgougnon, Foratier, on peut aisément passer tel nombre de points de suture qu'on voudra sans difficultés sérieuses tout autour de la fistule; on aura, il me semble, quelques chances nouvelles de guérison, et de quoi justifier de nouvelles tentatives à ce sujet.

Convaincu des difficultés que je viens de signaler, M. Lewziski imagina, en 1802, un instrument particulier qu'il se proposait de mettre en usage sur une femme, lorsque celle-ci fut obligée de partir. Cet instrument est une sonde plate un peu courbe et percée de deux fentes près de son bec, pour le passage d'une aiguille également courbe. Une tige ou un ressort renfermé dans cette canule est destiné à pousser l'aiguille par le vagin, au travers de la lèvre postérieure de la fistule, dès que l'instrument est placé dans la vessie. Extraite par la vulve, cette aiguille entraîne un fil, dont on fait une anse ou un point de suture. Après en avoir placé plusieurs de la même manière, on les passe dans un serre-nœud, afin de fermer l'ouverture vésico-vaginale.

D. *Moyens unissants.* — Convaincus de l'insuffisance du procédé de Desault, du peu de chances de guérison qu'offre la cautérisation seule dans certains cas, et des dangers auxquels expose la suture, des chirurgiens se sont occupés à rechercher un procédé à l'aide duquel on pût tenir en contact, sans point de suture, les bords de la fistule préalablement avivés. MM. Lallemand, Dupuytren et Laugier ont imaginé chacun un instrument pour atteindre à ce but; mais, je me hâte de le dire, l'idée première appartient au chirurgien de Montpellier. Les instruments de Dupuytren et de M. Laugier ne sont même que des modifications de celui de M. Lallemand. Voici du reste en quoi ils consistent :

1° *Sonde-érigne de M. Lallemand.* — C'est en 1825 que M. Lallemand conçut l'idée de cet instrument. Le mémoire qu'il publia à cette époque dans les *Archives générales de médecine* fit dans le monde chirurgical une impression d'autant plus vive, que l'auteur donnait un succès pour la première application de son instrument, dont le principe offre quelque analogie avec celui de M. Lewziski que j'ai décrit plus haut. L'appareil du professeur de Montpellier se compose : 1° d'une grosse canule, longue d'environ quatre pouces; 2° d'un double crochet, qu'une tige fait mouvoir dans l'instrument principal, de manière à le pousser au-dehors ou le faire rentrer dans sa gaîne; 3° d'une plaque circulaire que porte l'autre extrémité de la sonde, et qui empêcherait, au besoin, celle-ci de pénétrer trop profondément dans l'urètre; 4° d'un ressort en boudin destiné à tirer en avant les petits crochets une fois engagés dans la lèvre postérieure de la fistule. La sonde conduite dans la vessie par l'urètre permet de pousser les deux petits crochets jusque dans le vagin à travers la cloison vésico-vaginale, que le doigt indicateur gauche est chargé de soutenir. Par un tour de vis, on les fixe dans cette position; un rouleau de charpie ou de linge fin, destiné à protéger les tissus, est ensuite placé entre le devant de l'urètre et la plaque externe de la sonde; enfin, on lâche le ressort, qui agit dès lors tout à la fois en tirant sur la lèvre postérieure par le moyen des crochets, et en refoulant la paroi inférieure de l'urètre par l'intermède de la plaque circulaire ou de la charpie qui lui sert de point d'appui. Par un mécanisme qu'il serait trop long de décrire ici, et dont vous trouverez tous les détails dans les *Archives générales de médecine* (1), on peut graduer la détente du ressort, de telle sorte qu'il n'en résulte qu'une pression modérée, quoique suffisante pour opérer le contact des deux bords de la fistule.

A l'aide de cet instrument très ingénieux, M. Lallemand est parvenu à guérir radicalement plusieurs fistules vésico-vaginales. Ce professeur m'a dit en octobre 1837 qu'il avait guéri sept ou huit malades sur quatorze ou quinze qu'il avait soumises à l'opération.

2° *Instrument de Dupuytren.* — C'est une sorte de grosse canule ou de sonde de femme présentant sur les côtés deux opercules ou onglets qui s'ouvrent comme deux ailes, ou se ferment en entier, selon qu'on retire en dehors ou qu'on repousse en dedans une tige centrale, en forme de ressort chargé de les faire mouvoir. Cet instrument est introduit fermé dans la vessie. Alors, après avoir écarté les opercules et les avoir fixés, on tire l'instrument à soi, comme s'il s'agissait d'enlever le tout. La lèvre postérieure de l'ouverture anormale se trouve ainsi refoulée en avant, tandis qu'avec du linge ou de la charpie, placés entre le méat urinaire et la plaque externe de la canule, l'urètre se trouve refoulé en arrière. Cet instrument, qui n'a l'incon-

(1) Tome VII, 1825.

vénient ni de perforer ni de déchirer la cloison vésico-vaginale, qui est en outre infiniment moins compliqué que le précédent, devrait sans doute lui être préféré, s'il était réellement de nature à produire la coaptation parfaite des bords de la fistule. Mais malheureusement il n'en est pas ainsi, et je doute qu'on puisse l'admettre dans la pratique autrement qu'à titre d'accessoire de la cautérisation.

3° *Procédé de M. Laugier.* — Quoique l'instrument imaginé par ce chirurgien ait de la ressemblance avec la sonde-érigne de M. Lallemand, et que l'idée première soit pour ainsi dire la même, il n'en est pas moins vrai que le procédé opératoire préconisé par M. Laugier est assez distinct de celui du chirurgien de Montpellier pour être étudié à part.

Voulant approprier la méthode de M. Lallemand à toutes les espèces de fistules vésico-vaginales, soit transversales, soit longitudinales, soit obliques, M. Laugier a fait fabriquer une pince-érigne qui s'articule comme un forceps de Smellie, et dont la forme doit être déterminée par la direction qu'affecte la fistule que l'on est appelé à traiter. S'il s'agit d'une fistule transversale, les griffes de l'instrument sont coudées sur l'une de ses faces, l'une à droite, l'autre à gauche, directement en haut. Dans les fistules longitudinales, au contraire, les deux crochets de chaque griffe doivent être parallèles à l'axe du corps, et l'extrémité qui les supporte coudée sur le bord. On comprend enfin qu'il faudrait couder la pince obliquement si la fistule avait une direction oblique. Les crochets de la pince doivent être très courts, dit M. Laugier, afin qu'ils ne puissent pas traverser d'outre en outre la cloison vésico-vaginale. On sait que M. Lallemand introduit sa sonde-érigne par l'urètre; M. Laugier place son instrument par le vagin. Les crochets de l'une des branches sont appliqués à quelques lignes en dehors d'une des lèvres de la fistule, préalablement avivées; ceux de l'autre branche s'appliquent de la même manière sur le côté opposé ; l'instrument est alors fermé, et les lèvres de la plaie se trouvent ainsi rapprochées. Ce rapprochement est déterminé par une vis qui traverse les deux manches de la pince, à peu près comme dans l'entérotome de Dupuytren. De la charpie disposée convenablement dans l'intérieur du vagin, ou du moins à l'ouverture de ce canal, garnit le tout.

Le procédé de M. Laugier, mis en pratique sur la femme vivante, a toujours échoué jusqu'ici, et je doute qu'il jouisse d'une grande efficacité. Il est difficile de croire que sur une paroi aussi mobile que la cloison vésico-vaginale, de simples crochets soient assez fixes pour maintenir pendant trois ou quatre jours un affrontement exact des lèvres d'une fistule un peu étendue. S'ils ne traversent pas toute l'épaisseur des tissus, les crochets glisseront presque inévitablement, en déchirant la membrane vaginale, ou bien l'urine s'engagera par la dépression laissée dans la vessie, et ne manquera pas de se faire jour du côté de la pince. Si ces crochets pénètrent jusque dans le réservoir urinaire, leur passage, que la suppuration agrandirait avant qu'on pût retirer l'instrument, n'exposerait-il pas à faire naître de nouvelles fistules plutôt qu'à guérir celle que l'on se propose de détruire ? De plus, ne sait-on pas que le contour d'une fistule vésico-vaginale est loin d'offrir toujours la même épaisseur sur ses différents points ? Celles, par exemple, qui occupent la fin du bas-fond de la vessie (et ce sont incomparablement les plus communes) ont en général une très grande épaisseur du côté de l'urètre, et sont au contraire fort minces en arrière. La griffe antérieure de l'instrument devrait alors pénétrer à deux ou trois lignes de profondeur, tandis que l'autre ne s'implanterait que sur une lamelle épaisse d'une ligne ou même d'une demi-ligne. Dans les fistules longitudinales, les crochets ne produiraient probablement qu'une coaptation partielle, attendu que leur contour offre à peu près toujours des points plus résistants que d'autres. Enfin, pour les fistules plus reculées, la suture ne présenterait-elle pas plus de sûreté? serait-elle beaucoup plus difficile à mettre en pratique?

E. *Procédés anaplastiques.*—L'anaplastie a rendu depuis plusieurs années de grands services à la chirurgie. Ce mode opératoire, diversement modifié, a déjà trouvé une foule d'applications heureuses, et son domaine s'étend chaque jour. Ayant constaté que le procédé de Desault, la cautérisation, la suture, les moyens unissants et quelques autres procédés opératoires ne triomphaient presque jamais des fistules vésico-vaginales situées au bas-fond de la vessie, les chirurgiens ont dû applaudir à l'idée de toute opération nouvelle : l'anaplastie a été mise à contribution. Nous verrons toutefois qu'il n'y a guère que *l'anaplastie indienne* qui ait été mise en pratique pour remédier aux fistules du vagin. Je dois dire que l'idée première de cette opération, appliquée aux fistules urinaires, me revient de droit. En effet, personne n'en avait parlé, avant que j'eusse imaginé en 1832 de fermer les fistules laryngiennes avec un bouchon de téguments. Voici ce que je disais à cette époque : « Si l'analogie ne m'abuse pas, cette méthode conviendrait également à d'autres fistules, et pour fermer une foule d'autres ouvertures. Les fistules profondes, étroites, avec déperdition de substance de l'urètre, les fistules thoraciques, abdominales, les anus accidentels, lorsque l'obstacle au cours des matières n'existe plus, certaines fistules salivaires, lacrymales, en retireraient probablement plus de fruit que des diverses méthodes plastiques essayées jusqu'à présent. » Mais, je me hâte de le dire, en m'exprimant ainsi, je n'étais guidé que par l'analogie; mes assertions ne reposaient sur aucun fait pratique.

M. Jobert est le premier qui se soit emparé de cette idée et qui en ait fait l'application. C'est à ce titre que l'*élytroplastie* (c'est ainsi que M. Jobert a désigné cette opération) doit être considérée comme appartenant à ce chirurgien. Quoi qu'il en soit, cette méthode a déjà été appliquée plusieurs fois sur la femme vivante ; et s'il est vrai de dire qu'elle a échoué souvent, il paraît démontré aussi qu'une fistule du bas-fond de la vessie a été radicalement guérie. Cette opération doit donc rester dans la pratique. Je vous ferai connaître plus tard les cas dans lesquels elle peut être indiquée.

C'est le 14 février 1836 que M. Jobert fit connaître à l'académie des sciences sa nouvelle méthode opératoire et le résultat de ses premières expériences. En mars et avril de la même année, son travail fut publié en entier dans la *Gazette médicale* de Paris. Placer entre les bords de la fistule préalablement ravivée un lambeau de chair pris aux dépens des grandes lèvres, ou de la fesse, ou de ces deux parties à la fois, et l'y maintenir jusqu'à sa fusion complète avec la plaie ; telle est l'idée qui a dirigé M. Jobert. On le voit, ce procédé est exactement calqué sur celui que j'ai décrit à l'occasion de la bronchoplastie. Il se compose de quatre temps : 1° raviver les lèvres de la plaie ; 2° former le lambeau ; 3° appliquer ce lambeau et le maintenir à l'aide de la suture ; 4° rétablir le cours des urines.

Pour raviver les bords de la fistule, M. Jobert préfère l'instrument tranchant aux caustiques. « Au prime abord, dit ce chirurgien, le ravivement paraît difficile à exécuter ; mais si on réfléchit que la cloison vésico-vaginale peut être, par des tractions ménagées, attirée au dehors, on ne sera pas embarrassé alors pour retrancher une portion des lèvres de la fistule et les rendre saignantes. Il m'a suffi plusieurs fois, ajoute-t-il, d'introduire un doigt dans la fistule et de la tirer à l'extérieur. »

Comme M. Jobert, je préfèrerais le bistouri aux caustiques dans cette circonstance. Cependant, je dois ajouter que ce premier temps de l'opération me paraît beaucoup moins facile qu'à lui. J'ai déjà dit que pour vaincre ces difficultés, M. Sanson n'avait pas craint de diviser l'urètre.

Dès que le ravivement est opéré, on s'occupe de tailler le lambeau qui doit servir de tampon, d'obturateur, et dont le volume et la longueur doivent être proportionnés aux dimensions et à la position plus ou moins profonde de la fistule. Il est inutile de dire que s'il existait des ulcérations ou des brides dans le vagin, il faudrait, avant de commencer cette opération, guérir les unes et exciser les autres. Le lambeau ne doit pas être formé seulement par la peau, il faut qu'il comprenne plusieurs couches de tissu adipeux, sans quoi il serait bientôt gangrené, ce qui est arrivé chez une malade opérée par M. Jobert.

Pour tailler le lambeau, l'opérateur saisit d'une main un pli de la grande lèvre, et de l'autre, armée d'un bistouri, il excise une portion convenable des téguments à sommet arrondi. On peut aussi tailler le lambeau entre deux incisions, l'une en dehors et l'autre en dedans de la grande lèvre, et réunies en bas à angle plus ou moins aigu. Cette dernière forme est surtout applicable aux fistules qui offrent peu de largeur, tandis que la précédente convient mieux aux larges pertes de substance. Le pédicule du lambeau doit avoir une certaine dimension, car c'est par là, comme on le comprend très bien, que la vie doit se communiquer. Il faut savoir que le lambeau se rétracte pendant la période de suppuration; de là le précepte de lui donner une certaine longueur et de prolonger les incisions jusque sur la fesse.

Dès que le lambeau est taillé d'une manière convenable, il s'agit de l'interposer entre les lèvres de la fistule. Pour cela, on le plie en deux et on le roule sur lui-même par sa face cutanée, comme je l'ai fait pour la trachée-artère, après quoi on traverse son sommet avec un fil ciré qui offre une certaine largeur. N'oubliez point que le lambeau doit se trouver en contact avec les lèvres de la fistule, non par sa face cutanée, mais bien par sa face celluleuse. Ces précautions étant prises, on introduit dans la vessie, par l'urètre, une sonde que l'on fait parvenir dans le vagin à travers la fistule. Le fil, qui a été préalablement fixé au lambeau, est alors passé dans les yeux de la sonde. En retirant celle-ci, on entraîne le fil au dehors ; on pousse ensuite le lambeau d'une main entre les lèvres de la fistule, tandis qu'on tire doucement sur le fil. Celui-ci est livré à un aide, et l'opérateur procède à la suture du lambeau avec les lèvres de la fistule. Voici le procédé décrit par M. Jobert pour opérer cette suture. « J'introduis, dit ce chirurgien, le doigt le long du lambeau; je glisse dessus une aiguille courbée, montée sur le porte-aiguille à staphyloraphie, ou bien je la dirige à l'aide de la main seulement. J'enfonce alors la pointe d'un seul coup au travers du lambeau et des lèvres de la fistule. L'aiguille est saisie avec des pinces à pansement, et ramenée au dehors, entraînant à sa suite le fil dont elle est armée. J'en fais autant pour l'angle opposé de la fistule. Il est de la plus haute importance que le lambeau et les angles de la fistule soient compris chacun dans une anse de fil ; c'est pour n'avoir pas pris cette précaution nécessaire, que l'on a vu l'urine suinter par la voie contre nature, et exiger de nouveau une opération minutieuse et pénible. Les fils, une fois passés, doivent être noués pour maintenir en contact le lambeau et les lèvres de la fistule ; pour le faire, on les dirige avec une pince, une sonde de femme, etc.

» Le premier nœud est fortement serré; le second consolide le tout. On laisse les fils pendre à l'extérieur, après les avoir enveloppés de manière à les reconnaître. Peu à peu les parties serrées sont enflammées, ramollies, coupées, et bientôt le nœud et le fil tombent. Cette chute a lieu du dixième au quatorzième jour, quelquefois plus tard.

» On peut se dispenser de la suture, ajoute M. Jobert, en agissant comme je l'ai déjà fait, c'est-à-dire en passant les deux bouts du fil qui traverse les lèvres de la fistule dans un serre-nœud, et en les attachant à son extrémité opposée ; on soutient ensuite les serre-nœuds à l'aide d'une ou plusieurs alèzes pliées, pour que l'instrument n'irrite pas les parties molles et ne les déchire pas par son poids. »

Le lambeau étant fixé en place, on doit s'occuper de donner un libre cours aux urines. Pour cela, on place à demeure dans la vessie une sonde proportionnée au diamètre du canal. L'introduction de cette sonde doit être faite avec les plus grandes précautions, de manière à ne pas venir heurter le lambeau. Comme la présence du fil dans l'urètre pourrait occasionner une ulcération dans ce canal, je préfèrerais le passer dès le début dans une sonde de femme, qui lui servirait de soutien en même temps qu'elle donnerait issue aux urines. Il est inutile d'ajouter que cette sonde doit être convenablement fixée.

L'opération se trouve dès lors terminée ; la malade doit garder la position horizontale et le repos le plus absolu.

On pourrait, je crois, apporter quelques légères modifications à ce procédé opératoire. Ainsi, peut-être serait-il avantageux, après avoir doublé le lambeau, de le fixer ainsi replié par la pointe au moyen d'un point de suture, et de lui permettre de se resserrer, de se vasculariser, avant de l'introduire dans la fistule. Il serait encore utile, je crois, de l'entraîner par sa grosse extrémité, et d'employer quelque force pour le faire entrer, afin que sa partie la plus volumineuse étant dans la vessie, fût en quelque sorte retenue au-dessous par la fistule elle-même, qui remplirait dès lors le rôle d'anneau constricteur. De cette façon, aucun point de suture ne serait indispensable, et les parties pourraient rester d'elles-mêmes en place. Toutefois, je me hâte de le dire, ce ne sont là que des idées formulées *à priori*, car je n'ai pas encore fait usage de cette méthode de traitement des fistules vésico-vaginales.

Tout n'est pas fini là ; il nous reste encore à déterminer l'époque à laquelle il faut couper le pédicule du lambeau. Ici, on le comprend facilement, il est impossible de fixer un terme précis. L'organisme, la constitution des sujets, le degré de vitalité du lambeau, doivent être pris en considération. Tout ce qu'on peut dire de plus général à ce sujet, c'est que cette section doit être opérée le plus tard possible, lorsqu'on a acquis la certitude d'une agglutination solide entre le lambeau et le contour de l'ouverture fistuleuse. M. Jobert ne pratique la section du pédicule que du trentième au quarantième jour. Du reste, cette section doit être pratiquée vers le milieu de la longueur du lambeau, de telle sorte qu'en se rétractant, celui-ci puisse représenter une sorte de bouton à deux têtes, dont une dans le vagin, et l'autre dans la vessie.

Quant à la plaie extérieure produite par l'excision du lambeau, il faut la traiter par la suture ou les autres moyens unissants. Mais il conviendrait, pour éviter toute constriction du pédicule du lambeau, de ne pas en rapprocher trop les bords vers sa base.

Maintenant, que se passe-t-il dans les parties mises en contact? quels sont les changements qui s'opèrent dans le lambeau, et comment a lieu la réunion? N'ayant observé aucun cas de ce genre, je ne puis mieux faire que de vous répéter ce qu'a écrit M. Jobert sur ce sujet :

« Aussitôt que les parties sont en contact, il se fait dans la vessie une certaine exhalation ou exsudation de sang qui est portée à l'extérieur par la sonde; dans le vagin même l'exsudation a lieu. Bientôt la surface vulnérée du lambeau se couvre d'une couche de lymphe; les urines deviennent troubles, parce que le sommet du lambeau suppure et que le pus se mêle à ce liquide. Ce trouble des urines dure un temps variable, et le terme n'en peut être que difficilement indiqué; car tant que le sommet du lambeau n'est pas contracté et ne se nivelle pas à peu près avec la vessie, la suppuration persiste. Je l'ai observée jusqu'à vingt et vingt-cinq jours.

» La section du pédicule donne lieu à un écoulement de

sang plus ou moins abondant, et bientôt il y a une sorte de retrait dans les deux parties divisées, l'une se retirant vers le vagin, et l'autre vers l'endroit où le lambeau était implanté. Mais comme le lambeau jouit actuellement de la vie, il en résulte que, comme les autres parties, il est sujet aux diverses maladies ; aussi s'enflamme-t-il sous l'influence de la plus petite quantité d'urine qui s'écoule sur la surface divisée, et par l'effet même de la section. C'est à cause de cela qu'il se gonfle, qu'il se tuméfie, qu'il rougit, qu'il dépasse l'entrée du vagin. Il est gorgé de liquides alors ; prochainement il suppure, et à mesure que la suppuration diminue, on le voit graduellement se retirer, se rétracter vers la cloison vésico vaginale. J'ai été à même d'observer ces divers phénomènes ; j'ai d'abord vu le lambeau, au moment de la section, se retirer dans le vagin, puis en sortir pendant la période inflammatoire, et y rentrer ensuite à ce point que lorsqu'on veut le voir, il faut écarter fortement les grandes lèvres et abaisser la commissure postérieure.

» Un phénomène très remarquable, c'est que ce lambeau ne jouit désormais plus de la sensibilité, toute communication étant détruite avec les centres nerveux; et cependant il jouit de la vie.

» La peau conserve en totalité sa structure ; elle n'a rien perdu de son organisation, et les phénomènes vitaux s'y passent comme avant l'opération ; les poils y croissent comme par le passé.

» Ainsi, dès que le pédicule a été coupé, une partie de la surface cutanée du lambeau devient vaginale, c'est-à-dire qu'elle est tournée vers le vagin et qu'elle est déprimée. Or, cette surface, qui autrefois était ombragée par des poils, devrait en être dépourvue, si on s'en rapportait à ce qu'a dit M. Dieffenbach au sujet de la rhinoplastie..... Je puis affirmer cependant que non seulement les poils renaissent, mais encore qu'ils se développent, s'allongent, se collent, et prennent de la vie comme si la peau n'avait pas changé de place........ J'ai vu sur une jeune femme, chez laquelle j'avais pratiqué cette opération, des poils se développer, blanchir, friser; et à mesure que la maigreur de la femme a disparu, que sa santé est devenue meilleure, reprendre leur coloration noire habituelle..... La peau conserve donc, comme je viens de le dire, sa même structure; elle n'a rien perdu de son organisation. Enfin, si à cette époque on introduit le doigt dans le vagin, on finit par rencontrer le tampon qui bouche la fistule; et si on le presse, il cède un peu, comme un corps élastique, pour revenir sur lui-même lorsque la pression cesse. »

Je n'ai pas besoin d'ajouter que pour les soins de propreté et les précautions que réclame l'excrétion des urines, il faut se conformer, quand on se décide à l'élytroplastie, aux règles établies à l'occasion du traitement des fistules vésico-vaginales en général.

Élytroplastie par soulèvement d'une arcade tégumentaire. — Ayant rencontré quelques femmes qui avaient subi en vain l'élytroplastie par la méthode de M. Jobert, j'ai pensé qu'on pourrait tenter une autre variété de l'anaplastie. Voici le procédé que je mis en usage chez une malade : Saisissant avec une érigne à double crochet la paroi postérieure du vagin vis-à-vis de la fistule, et tirant vers la vulve cette partie que l'indicateur introduit dans le rectum pousse et soulève en avant, je donne l'érigne à un aide pour avoir la main droite libre. Un bistouri droit tenu comme une plume me sert ensuite à inciser en travers la paroi vaginale dans l'étendue d'un pouce ou d'un pouce et demi au-dessus, puis au-dessous du point soulevé par l'érigne, en ayant soin de ne pas pénétrer jusqu'à l'intérieur du rectum. Les limites de l'arcade à construire étant ainsi établies, je glisse la pointe du bistouri à plat, de l'incision inférieure vers l'incision supérieure, dans l'épaisseur de la cloison, de manière à détacher le milieu de cette plaque du vagin à droite et à gauche dans l'étendue d'environ un pouce sans ouvrir le rectum, et sans en détacher les deux extrémités. La fistule préalablement avivée est aussitô traitée par la suture. Chaque fil armé de son aiguille courbe est d'abord passé d'avant en arrière ou de bas en haut au-dessous du pont vaginal, puis de la vessie dans le vagin à travers la lèvre postérieure de la fistule, et ramen ensuite sous le pont, puis au-dehors. Un second temps d l'opération consiste à traverser d'arrière en avant, et de l vessie dans le vagin, la lèvre antérieure de la fistule avc l'autre extrémité de chaque fil également armé d'aiguille Cherchant à nouer ces fils en dernier lieu, on force l'ar cade décollée à remonter dans la fistule, à se placer dar la vessie, en même temps que les lèvres de l'ouverture pa thologique viennent se mettre en contact au-dessous. L lambeau emprunté ainsi au vagin proémine dans la vessi et se trouve réellement à cheval sur la suture.

Ce procédé, qui me semblait offrir quelques chances succès, n'en a pas moins échoué chez la seule malade q j'y aie soumise; mais je dois ajouter que la fistule av plus d'un pouce de diamètre, et que le vagin était dep long-temps dénaturé par des tentatives d'opérations tout genre. Du reste, si l'agglutination se fût opérée, m intention était de couper au bout de dix ou quinze jour d'abord une des extrémités, et un peu plus tard l'au extrémité du lambeau, puis de laisser cicatriser insensib ment la plaie.

Agglutination directe. — Une autre méthode que voulu appliquer deux fois, mais à laquelle les femmes n' pas voulu se soumettre, offrirait peut-être quelque cha de succès : elle consisterait à cautériser énergiquemen contour de la fistule et la paroi correspondante de la c son recto-vaginale, puis à maintenir cette cloison rele au moyen d'un tampon ou de tout autre corps dilatant troduit dans le rectum. Si l'agglutination s'effectuait, pourrait alors disséquer une portion de la cloison recto-vaginale appliquée contre la fistule, et on rétablirait ainsi la continuité du vagin.

Peut-être réussirait-on mieux dans quelques cas d'ouverture étroite, en excisant un triangle allongé de la moitié de l'épaisseur de la paroi vésico-vaginale à chaque extrémité de la fistule? La cicatrisation de ces nouvelles plaies me semble de nature à resserrer et peut-être à fermer complétement l'ancienne.

Tels sont les procédés opératoires que j'ai consignés dans le premier volume de ma *Médecine opératoire*. Jusqu'à quel point ces procédés méritent-ils d'être essayés? C'est ce que je n'ose dire, ayant échoué moi-même lorsque j'ai voulu les mettre en pratique.

Abaissement de l'utérus. — Dans ces dernières années on a proposé un autre procédé dans les cas de fistule située très profondément. Le pourtour vaginal de la fistule étant fortement cautérisé, on accroche ensuite le col de l'utérus avec une érigne ou avec une anse de fil pour l'abaisser et le faire glisser en tiroir jusqu'au-dessous de l'ouverture vésicale. Mais, je le répète, toutes ces données manquent de base concluante. L'abaissement de l'utérus a déjà été essayé quelquefois, et je ne sache pas qu'on n'en ait encore obtenu un seul succès.

Méthode indirecte. — Obturation de la vulve. — Désespérant de réussir par les procédés opératoires connus et que nous venons de passer en revue, convaincu que l'oblitération complète des fistules vésico-vaginales du bas-fond de la vessie, avec perte de substance considérable, est impossible, et ne voulant point abandonner à leur malheureux sort les femmes affectées de lésions de ce genre, M. Vidal imagina de chercher dans une méthode indirecte ce que la méthode directe ne lui paraissait pas pouvoir offrir. C'est dans ce but qu'il a proposé d'aviver le contour vulvaire du vagin, et de réunir la plaie par la suture, pour fermer complétement l'entrée de ce canal. C'est en 1833 que M. Vidal tenta pour la première fois cette opération à l'hôpital du Midi; ce chirurgien, après avoir largement avivé l'orifice externe du conduit vulvo-utérin, en maintint les bords en contact à l'aide de trois points de suture; les fils furent enlevés le sixième jour; les urines mêlées au sang des règles sortirent par l'urètre, et l'opération parut d'abord offrir quelques chances de succès; mais, soit par suite de l'imprudence d'un élève qui conduisit mal l'instrument en voulan sonder la malade, soit par l'action même de la vessie sur le urines, l'agglutination ne s'est point maintenue. M. Vida a répété une seconde fois la même opération à l'hôpita Necker; mais il n'en a pas obtenu de résultats plus satisfaisants.

Le fond de cette méthode a d'ailleurs besoin d'être examiné. Or, comme l'obturation de la vulve n'a plus ét essayée depuis, et que je ne crois pas devoir modifier encore ce que j'en ai dit dans ma *Médecine opératoire*, je n puis mieux faire que de vous répéter ici ce passage :

« Dans le cas où l'obturation du vagin aurait été obtenue, les règles seraient obligées de refluer par la vessie travers la fistule, de sortir par l'urètre pour arriver au dehors; de là un inconvénient grave pour les femmes q n'ont point encore dépassé l'âge du retour. Mettant un obstacle insurmontable à la procréation, cette oblitératio n'est guère proposable non plus qu'à titre de dernière ressource à celles dont l'âge ne permet pas de renoncer au actions génitales. Forcées de tomber, de stagner dans vagin comme dans une seconde vessie, avant de sort les urines y déposeraient presque inévitablement des ma tières salines, des concrétions lithiques qui ne tarderaie pas à constituer une maladie réelle. Je n'accepterais dor la méthode de M. Vidal qu'après avoir vainement essa toutes les autres (1). Encore est-il à craindre qu'il ne soit pas beaucoup plus facile de fermer hermétiquement l'ouverture vulvaire du vagin, que la fistule vésico-vaginale elle-même. Les deux essais de M. Vidal en sont déjà une preuve. Une femme qui, par suite d'un accouchement pénible, eut la cloison vésico-vaginale rompue, souffrit tellement de la vulve que l'entrée du vagin se réduisit par degrés à un simple pertuis. Lorsqu'elle vint à la clinique, on constatait sans peine, en introduisant la sonde par la vessie, l'existence d'une large ouverture dans la cloison vésico-vaginale, et le pertuis extérieur du vagin n'avait pas plus d'une demi-ligne de diamètre. Avant d'accéder au désir de cette femme qui voulait avant tout guérir de son occlusion vulvaire, j'essayai sous différents prétextes par des cautérisations, tantôt avec le nitrate d'argent, tantôt avec le nitrate acide de mercure, et même avec le fer rouge, et une autre fois par l'intermédiaire de la suture, après avoir avoir avivé les parties, de fermer le petit orifice dont j'ai parlé ; et je dois avouer qu'il m'a été impossible d'y parvenir. Il faut dire en outre que depuis son accouchement, qui datait de près de deux ans, la malade, âgée d'environ quarante ans, n'avait plus été réglée, et que par conséquent elle ne nous a pas permis de constater la difficulté de l'écoulement des menstrues après l'oblitération du vagin, selon la méthode de M. Vidal. »

APPRÉCIATION GÉNÉRALE (2).

Il me reste actuellement un devoir pénible à remplir, c'est de dire que, parmi les exemples cités de fistules vésico-vaginales guéries, il n'en est qu'un très petit nombre

(1) Tel est aussi le précepte formel que donne M. Vidal.

(2) Je transcris textuellement ce passage de la 2e édition de la *Médecine opératoire* de M. Velpeau. Le lecteur y trouvera la base du travail qui suivra cet article.

qui soient tout-à-fait à l'abri de contestation. Il est certain, ainsi que l'a établi M. Jeanselme dans un mémoire détaillé sur ce sujet, que les faits attribués à Desault par Chopart, à Flamand par M. Ehrmann ou par M. Deyber, à Dupuytren par MM. Sanson et Paillard, à M. Nœgœlé, à M. Malagodi, à M. Jobert et plusieurs de ceux qui appartiennent à M. Lallemand, sont loin d'être concluants.

Pour *s'entendre* et permettre à la science de marcher sous ce point de vue, il faut diviser les fistules urinaires de la femme en trois classes. Celles qui font communiquer l'urètre avec le vagin peuvent être traitées avec succès par la cautérisation ou par la suture. Tout indique qu'on en ferait disparaître aussi un certain nombre en prenant la précaution de sonder la femme chaque fois qu'elle a besoin d'uriner, et de ne point lui permettre de vider sa vessie spontanément. J'ai réussi une fois de cette façon. Chez une autre femme que j'ai opérée en 1858, à la Charité, je m'en suis tenu à l'extirpation de la bride urétrale qui séparait la fistule du méat urinaire. Comme le col de la vessie était intact, cette petite opération eut un plein succès, et les urines purent être lancées ensuite comme avant la maladie. Les fistules qui occupent le col de la vessie ou la racine de l'urètre, en d'autres termes, celles qui se sont établies aux dépens du trigone vésical, paraissent encore susceptibles de guérison radicale. Il n'est pas douteux pour moi que plusieurs des malades traitées par M. Lallemand et par M. Jobert aient été dans ce cas. Tout indique que les guérisons attribuées à Dupuytren et à d'autres appartenaient aussi à cette classe de fistules. C'est probablement pour avoir perdu de vue une telle distinction que divers praticiens ont été scandalisés des doutes émis à leur égard par M. Jeanselme dans son mémoire. Quant aux fistules du corps de la vessie, il n'y a point d'observation jusqu'ici qui prouve sans réplique qu'on les ait guéries. Levret, Deleurye, disent bien, il est vrai, que l'abaissement de l'utérus et de son col en triomphe alors ; mais on voit dans l'observation de M. Horner (1) que des tractions exercées sur le col de la matrice avec un éphelcomètre ont été insuffisantes pour guérir celles qu'on a traitées jusqu'ici de la sorte.

Il faut d'ailleurs savoir que les *fistules du corps* et du bas-fond de la vessie présentent des variétés nombreuses. Chez plusieurs des femmes que j'ai observées, la cloison vésico-vaginale était si complétement détruite, que la vessie et le vagin ne faisaient plus qu'une seule et même cavité, que la paroi antérieure de la vessie, cessant d'être soutenue, descendait jusqu'à la vulve sous forme d'un *fungus* rougeâtre, qu'il eût été ridicule de songer à guérir une pareille infirmité autrement que par la méthode de M. Vidal. J'ai pu observer deux femmes dont la fistule était tellement élevée, que son bord supérieur était représenté par la face antérieure du col de l'utérus. N'est-il pas évident que la cautérisation ou l'avivement combiné avec l'abaissement de la matrice eussent offert dans ces cas quelque chance de succès ? Chez une autre femme, la fistule du bas-fond de la vessie, de forme circulaire, se trouvait en dehors de la ligne médiane pour qu'on pût la fermer assez complétement au moyen de légères pressions exercées par le vagin.

En conséquence, il conviendrait à l'avenir de ne point citer de guérisons de fistules vésico-vaginales sans en indiquer avec rigueur le siége précis, la forme, les dimensions. C'est là ce que paraît exiger M. Jeanselme, et je crois que la pratique s'en trouverait bien.

En définitive, cependant, je dirai que les fistules urétro-vaginales cèdent sans trop de difficultés aux ressources de l'art, ou aux efforts médicateurs de l'organisme ; que celles du trigone vésical disparaissent rarement quand elles ont près de huit à dix lignes de diamètre ; que celles des points

(1) *Gazette médicale* de Paris, 1838, pag. 124.

les plus élevés du vagin ne paraissent pas non plus absolument incurables ; mais que pour celles du bas-fond, sans être tout-à-fait aussi incrédule que M. Jeanselme (1), je suis pourtant forcé d'avouer qu'il y a lieu de révoquer en doute la presque totalité des cas de guérison qui en ont été publiés jusqu'ici.

Traitement palliatif. — Lorsque les femmes affectées de fistules vésico-vaginales ne veulent se soumettre à aucune des opérations que nous venons d'examiner, ou, ce qui est beaucoup plus fréquent, lorsque toutes les ressources de l'art ont fait défaut, on a proposé quelques moyens propres à soulager ces malheureuses et à rendre leur existence beaucoup moins insupportable que si l'infirmité dont elles sont atteintes était complétement abandonnée à elle-même. D'ailleurs, on trouve dans les annales de la science quelques succès obtenus à l'aide de ces simples précautions ; mais hâtons-nous d'ajouter qu'on ne peut guère compter sur de pareilles guérisons, qui ne sont que de très rares exceptions.

Quoi qu'il en soit, le but principal qu'on se propose dans ces cas consiste à protéger les organes contre l'âcreté des urines. Il est inutile de dire que les soins de propreté doivent être placés ici en première ligne. Cependant, on a imaginé des instruments destinés à recevoir l'urine, de manière à ce que ce liquide incommode le moins possible la malade. J. L. Petit en avait fait fabriquer un, qu'il désigne sous le titre de *trou d'enfer*, et qui, à l'en croire, remplissait parfaitement le but ; mais cet auteur n'en ayant pas laissé la description, on s'est trouvé dans l'impossibilité d'en tirer parti depuis. L'instrument de Féburier, qu'on peut se procurer chez tous les fabricants d'instruments de chirurgie, ne laisse rien à désirer sous ce rapport. C'est une sorte de *cuvette* en caoutchouc, qui peut être main-

(1) Il n'y a là aucune incrédulité de ma part ; c'est la science qui est exigeante, et elle a seule le droit de l'être.

tenue au-devant de la vulve, et qui se prolonge dans le vagin sans que la femme en soit sensiblement incommodée dans la marche, de telle sorte qu'elle peut vaquer à ses occupations habituelles. M. Barnès, qui s'est beaucoup occupé de ce sujet en Angleterre, se sert d'une bouteille allongée en gomme élastique, qu'il place dans le vagin, et qui offre sur sa face antérieure une ouverture dans laquelle on fixe une éponge, qu'on dirige du côté de la fistule, afin que l'urine s'y engage peu à peu. La malade doit retirer cette bouteille deux ou trois fois le jour, en chasser l'urine par la pression, pression qui réagit sur l'éponge et vide en entier l'instrument. Quelques chirurgiens français, MM. Guillon et Dugès entre autres, ont imaginé des instruments que l'on peut considérer comme un perfectionnement de celui de M. Barnès.

Si les femmes ne voulaient pas, ou ne pouvaient pas se soumettre à l'usage de ces instruments, la seule ressource qui leur resterait alors, consisterait à se garnir d'*éponges fines*, de *linge sec*, qu'elles devraient renouveler un plus ou moins grand nombre de fois chaque jour. On a conseillé aussi dans ces cas la position demi-fléchie sur le ventre, dans le but d'empêcher les urines de se trouver en contact avec la fistule et de les forcer à s'échapper par l'urètre, ou par la sonde, ou par le siphon aspirateur placé dans la vessie. Mais, outre que ce moyen ne peut guère remplir le but qu'on se propose, je dois ajouter qu'il est rare que les femmes puissent conserver cette position au-delà de quelques jours. C'est pourquoi on y a généralement renoncé.

APPENDICE.

EXAMEN CRITIQUE DES CAS DE GUÉRISON DE FISTULES VÉSICO-VAGINALES.

PAR GUSTAVE JEANSELME (1).

Lorsque les fistules vésico-vaginales existent au bas-fond de la vessie, qu'elles sont d'une date ancienne, et qu'il y a perte de substance, sont-elles au-dessus des ressources de l'art? Peut-on espérer d'en triompher par les moyens connus? Telle est la double question qui depuis long-temps est à l'ordre du jour dans le monde chirurgical, et qui cependant n'a pas encore reçu une solution tout-à-fait satisfaisante. Des opinions diverses ont été établies sur des théories plus ou moins hasardées; le génie chirurgical a mis à contribution toutes ses ressources. Mais comme on est bien convaincu à l'époque actuelle que la théorie la plus ingénieuse ne reçoit pas un accueil favorable si elle n'est sanctionnée par des faits, on a publié des observations. Or, je crois qu'un examen attentif de ces observations ne sera pas tout-à-fait perdu pour la science, et que les praticiens pourront y puiser quelques documents d'une certaine importance. D'ailleurs, ce travail n'aurait-il d'autre résultat que celui

(1) Je crois devoir déclarer que M. Velpeau n'est pour rien dans ce travail; j'en assume sur moi seul toute la responsabilité. Quelque précaution que je prenne, je sais d'avance que je vais déplaire à quelques personnes; mais ce n'est pas ma faute si on me prête des intentions que rien ne pourrait légitimer. D'ailleurs, n'ayant imaginé aucun procédé, je n'ai aucun motif pour en faire prévaloir un aux dépens des autres; et c'est là, je crois, une excellente disposition d'esprit pour me livrer à un examen consciencieux

d'engager dorénavant les chirurgiens à tenir compte, dans leurs observations, de certaines circonstances le plus souvent trop négligées jusqu'à ce jour, je croirais n'avoir pas perdu mon temps.

Je vais me trouver en opposition avec des hommes que la science honore, et dont je suis loin de méconnaître les services qu'ils ont rendus à l'art de guérir; aussi, je dois le dire, cette idée m'a arrêté bien long-temps, et il n'a fallu rien moins que la conscience d'un devoir pour me décider à donner à ce travail une nouvelle publicité. Certes si les moyens chirurgicaux qu'on emploie dans le traitement des fistules vésico-vaginales n'étaient qu'impuissants, cet examen n'aurait aucune valeur, et ma critique pourrait paraître toute personnelle; mais il n'en est pas ainsi : je citerai des faits qui prouvent que ces moyens ne sont pas exempts de dangers; nous trouverons même quelques cas de mort, sans parler de ceux qu'un funeste amour-propre tient cachés. Je déclare donc une fois pour toutes que, dans la discussion à laquelle je vais soumettre les faits qui ont été publiés, je ne consulte aucun autre intérêt que celui de la science et de l'humanité. On jugera toute l'importance que j'attache à cette déclaration.

Pour éviter toute méprise, et pour aller au-devant de toute espèce de réclamation, il importe avant tout de bien préciser la question que je me propose de traiter.

Je déclare tout d'abord que je ne m'occuperai que des faits qui ont été publiés, et même de ceux seulement qui l'ont été avec quelques détails. C'est le seul moyen, je crois, d'élaguer toutes les questions de personne. Ainsi quand je prouverai que tel procédé opératoire ne compte aucun succès authentique, je ne prétendrai pas prouver par là que les chirurgiens qui disent en avoir retiré d'excellents résultats se sont proposé d'induire en erreur leurs confrères; sur ce point chacun doit être livré à sa propre conscience; et pour ma part j'ai une trop bonne opinion du corps médical pour penser qu'un seul de ses membres fût capable d'une telle action ; mais la science ne raisonne point ainsi ; elle est beaucoup plus exigeante, et elle en a seule le droit. C'est en ce sens, mais en ce sens seulement que je crois pouvoir répéter, comme d'ailleurs je l'avais déjà déclaré dans mon premier travail, qu'il ne suffit pas de dire : *J'ai guéri, j'ai vu guérir, on a guéri* des fistules vésico-vaginales ; il faut présenter les observations avec tous leurs détails. Qui ne sait que c'est pour avoir ajouté une trop grande confiance à ce qu'on est convenu d'appeler des *on dit* qu'une foule d'erreurs se sont glissées dans la science !

Pour mettre de l'ordre dans ce travail, je rapprocherai chaque observation du procédé opératoire qui aura été mis en usage ; par là le lecteur aura sous les yeux les principaux faits, et il pourra s'aider de cette ressource, qui, il faut le dire, en vaut bien une autre, pour porter un jugement sur la plus ou moins grande valeur de chacun des procédés que nous avons examinés dans les leçons de M. Velpeau, et sur les dangers divers auxquels chacun d'eux expose. Parmi ces observations, il en est quelques unes que je rapporterai avec tous leurs détails ; ce seront celles qui me paraissent offrir de l'intérêt sous le rapport pratique. Mais il est évident que je ne pourrai pas les donner toutes en entier ; je ne présenterai qu'un résumé de la plupart d'entre elles ; mais ce résumé sera suffisant. D'ailleurs j'aurai toujours soin d'en indiquer la source. Je fixerai principalement mon attention sur les causes de la fistule, sur sa date, sa position, sa direction, ses dimensions et sur la plus ou moins grande perte de substance. Considérées sous ces différents points de vue, certaines observations que l'on a beaucoup vantées perdront sans contredit une grande partie de leur valeur. En effet, toute perforation de la cloison vésico-vaginale n'est pas incurable. Chacun sait, et plusieurs faits le prouvent d'une manière incontestable, qu'une perforation par instrument tranchant, sans perte de substance et d'une date récente, peut guérir. Le docteur Faure a consigné dans les *Annales de médecine pratique* de l'école de Montpellier un succès de ce genre ; la science en possède plusieurs autres. On sait encore qu'une fistule placée au col de la vessie n'est point au-dessus des ressources de l'art ; Dupuytren et plusieurs autres chirurgiens en ont triomphé souvent à l'aide de simples cautérisations. Aussi tous ces cas sont mis de côté dans cet examen ; je n'en citerai quelques exemples que pour montrer que ce n'est pas encore aussi facile qu'on le pense généralement d'en triompher d'une manière complète.

Mais qu'on ait guéri par les moyens connus, comme quelques chirurgiens le prétendent, des fistules, suites d'un accouchement laborieux, *d'une date ancienne*, *ayant leur siége au bas-fond de la vessie*, *et avec perte de substance*, c'est ce que l'examen des faits *publiés* ne prouve point. Cette assertion, que j'avais émise dans le journal *l'Expérience* (t. I, pag. 258, première colonne), devrait être modifiée aujourd'hui pour un cas tout-à-fait exceptionnel ; je veux parler du succès obtenu par M. Jobert, succès qui a soulevé une si vive discussion à l'Académie royale de médecine. (Séances du 27 mars et du 3 avril 1838.) Nous reviendrons plus tard sur ce fait. Mais ce n'est là malheureusement qu'une exception à la règle générale ; car il me sera facile de prouver que pour toutes les observations de ce genre qui ont été publiées, ou bien la guérison ne s'est pas maintenue, ou bien le succès a été annoncé trop tôt, ou bien la fistule avait son siége au col de la vessie. Mais n'anticipons point ; bornons-nous pour le moment à bien établir que je ne conteste dans ce travail que les cas de guérison de fistules du *bas-fond de la vessie*, *avec perte de substance et d'une date ancienne*. En répétant et en soulignant ces mots, j'ai tout lieu de croire que je serai compris.

Il est évident que je n'ai point à m'occuper ici des procédés opératoires considérés en eux-mêmes ; tout a été dit à cet égard dans l'article précédent.

En voilà assez, je pense, sur ce point ; abordons immédiatement notre sujet.

A. *Procédé de Desault.* — Lorsque j'ai lu dans les œuvres chirurgicales de Desault (t. III, p. 299) : « En suivant ce procédé, nous sommes venu à bout de guérir de ces fistules urinaires et vaginales très anciennes, à travers lesquelles nous pouvions facilement porter le doigt dans la vessie ; » je me suis livré à la recherche d'observations tendant à prouver cette assertion, mais je n'en ai point trouvé dans les œuvres de ce chirurgien ; le sujet en valait pourtant la peine. Quelque intéressantes que soient les nombreuses observations dont Desault a doté la science, je ne pense pas que celles qui constateraient de pareils succès offriraient un moindre intérêt. Je ne puis m'empêcher de le dire, ce silence est pour moi la preuve que Desault n'a jamais été bien convaincu des succès dont il parle. Cependant Chopart, qui partage entièrement l'opinion de Desault sur les moyens à opposer aux fistules vésico-vaginales, sans entrer dans plus de détails, présente deux observations que nous allons examiner.

Obs. I. (1). — Le sujet est une dame âgée de vingt-deux ans, affectée d'une fistule vésico-vaginale à la suite d'un accouchement laborieux. Il est dit que cette fistule pouvait avoir trois lignes d'étendue, qu'elle était située au *col* de la vessie, et qu'elle présentait une forme allongée et une direction transversale. Après avoir fait usage dans sa province, pendant une année entière, de pessaires de différentes formes ; après avoir dilaté pendant ce temps son urètre avec des bougies tantôt pleines, tantôt creuses, cette dame, désolée de ne pas trouver d'amélioration dans son état, vint à Paris se confier aux soins de Desault. On lui

(1) Chopart, *Traité des maladies des voies urinaires*, 1830, t. I, p. 448

fait garder le lit, on dilate son urètre avec des sondes de gomme élastique de plus en plus volumineuses, et fixées de manière qu'elles dépassent constamment l'ouverture fistuleuse. Il est dit qu'après trois mois de ce traitement, la fistule s'est *presque* totalement fermée, que l'urine a repris son cours par l'urètre, et qu'il n'en sort *quelques gouttes* par le vagin que pendant la marche. Chopart termine cette observation en disant : « Cette dame, de retour dans son pays, a continué encore quelque temps l'usage de la sonde; elle est devenue deux fois enceinte, et est accouchée heureusement : elle *paraît* parfaitement guérie de sa fistule. »

Il serait fastidieux d'insister longuement sur cette observation, dont la valeur est d'ailleurs jugée par tous les chirurgiens. Comment en effet accorder quelque confiance à un succès dont le chirurgien lui-même n'est pas certain? Car les dernières paroles de Chopart décèlent assez ses doutes. D'ailleurs la fistule siégeait au *col* de la vessie et avait une petite étendue; or, personne ne conteste la possibilité de guérir ces sortes de lésions; il est même probable que la cautérisation, aidée de la sonde, en aurait complétement triomphé; de pareils succès ne sont pas très rares dans la pratique. On sait que Dupuytren en a obtenu plusieurs de ce genre. Pourquoi Chopart, qui dit avoir été témoin de guérisons remarquables obtenues par son illustre confrère, ne nous a-t-il pas laissé de préférence un de ces succès? Je laisse au lecteur le choix de la réponse.

Obs. II. — (Op. cit., tom. I, pag. 482.) Il s'agit d'une femme âgée de vingt-sept ans, affectée d'une fistule vésico-vaginale à la suite d'un accouchement laborieux qui nécessita l'emploi du forceps. Je n'entrerai pas dans les détails de cette observation; qu'il me suffise de dire que cette fistule était située au *bas-fond* de la vessie; qu'il y avait une perte de substance telle que le doigt pouvait être introduit dans la vessie à travers l'ouverture anormale. Le procédé échoua complétement. Cette femme sortit quelque temps après de l'hospice dans le même état que lors de son entrée, c'est-à-dire qu'elle rendait entièrement ses urines par le vagin.

Chopart parle aussi de deux autres cas semblables qui se présentèrent à l'hospice du Collége de chirurgie; le procédé échoua encore ici, dit ce chirurgien, parce que l'ouverture fistuleuse, située au-delà du col de la vessie, était si grande qu'on pouvait y introduire le doigt.

Desault et Chopart ne sont pas les seuls qui aient senti les avantages des sondes dans le traitement des fistules urinaires. Tous les chirurgiens savent que le contact de l'urine avec les bords de la fistule est le principal obstacle à leur agglutination, et partant que la sonde en détournant plus ou moins complétement l'urine de l'ouverture anormale, doit être d'un grand secours. Mais il y a loin de là à cette assertion toute hypothétique, qu'à l'aide de cette méthode on guérit des solutions de continuité larges et anciennes de la cloison vésico-vaginale. On a parlé, il est vrai, de certains efforts de la nature; on trouve dans les annales de la science quelques cas de guérison spontanée; mais, je le demande, peut-on raisonnablement compter sur un pareil secours dans ces circonstances?

M. Velpeau, dans son *Traité des accouchements* (tom. II, p. 627, 2e édition), dit que M. Blundell, dans ses Leçons (*The Lancet*, 1828, vol. I, p. 334), cite l'exemple d'une large fistule vésico-vaginale heureusement guérie. Voyons quelle est la valeur de ce fait : « Une femme du voisinage ayant été délivrée après beaucoup d'efforts et par l'emploi du levier, je trouvai, en l'examinant avec soin quelques jours après l'accouchement, qu'il y avait au col de la vessie une fistule par laquelle on pouvait facilement introduire deux doigts dans la vessie. Ayant dû plus tard, sur une assignation judiciaire, faire un rapport sur l'état des parties, je fus fort étonné, quelques semaines après mon premier examen, de trouver, à ma grande satisfaction, que, par l'emploi du cathéter et d'un traitement général, la plaie s'était si complétement fermée, qu'il n'y avait pas même de traces de cicatrisation. Je ne dois pas oublier, ajoute M. Blundell, que cette cure est due à l'habileté de mon confrère M. Gaitskel de Rothertile. »

J'ai cru devoir donner ce fait tel qu'un Anglais de mes amis me l'a traduit. Je ne sais pas jusqu'à quel point de pareilles observations peuvent être prises en considération. Il est vrai de dire que l'ouverture anormale existait au col de la vessie, et qu'elle était d'une date récente lorsque la malade fut soumise à l'usage de la sonde; double circonstance très avantageuse et qu'il ne faut point oublier; mais toujours est-il qu'on comprend difficilement qu'une perforation de ce genre à travers laquelle on peut introduire deux doigts puisse en quelques semaines être si complétement fermée, qu'il ne reste même plus de trace de cicatrisation.

M. Velpeau parle aussi (*op. cit.*, p. 626) d'une guérison citée par Peu (*Pratiq. des accouch.*, p. 384); mais il suffit d'aller à la source pour se convaincre que la science ne peut pas compter sur des faits racontés d'une manière si peu détaillée.

Je n'insisterai pas davantage sur les observations dans lesquelles il est dit que les malades ont été soumis au procédé de Desault. Il n'en est pas une seule qui constate la guérison radicale d'une fistule du bas-fond de la vessie; d'ailleurs tous les chirurgiens sont d'accord sur ce point.

B. *Cautérisation.* — Je ne connais d'observations de fistules vésico-vaginales *guéries* à l'aide de la cautérisation que celles qui ont été puisées dans la clinique de Dupuytren, et une publiée par Delpech dans le *Mémorial des hôpitaux du Midi.* Examinons ces faits.

Je lis dans plusieurs travaux sur les fistules vésico-vaginales, que Dupuytren est parvenu à guérir à l'aide de la cautérisation des perforations anciennes du bas-fond de la vessie. Ce chirurgien lui-même a annoncé à l'Académie de médecine plusieurs succès de ce genre obtenus soit en ville, soit dans son service à l'Hôtel-Dieu; mais, je suis forcé de le dire, ce sont là des allégations sans preuves, et je ne sais pas jusqu'à quel point elles doivent être prises en considération.

On lit dans le livre de MM. Roche et Sanson : « Nous avons vu M. Dupuytren réussir, après trois applications de feu, à guérir une incontinence complète d'urine, occasionnée par une perte de substance disposée en forme de fente longitudinale, qui partait de l'urètre, dont la paroi inférieure était complétement détruite, et s'étendait jusqu'au bas-fond de la vessie (1). » Ce n'est certes pas moi qui mettrai en cause ici la probité scientifique de M. Sanson; mais en dehors de la bonne foi bien reconnue de ce professeur, il y a les exigences de la science. Or, il est évident qu'un pareil fait devrait être publié avec beaucoup plus de détails. Un ancien élève de Dupuytren dit avoir cette observation dans ses cartons; ce serait se rendre utile à la science que de la publier en entier. D'ailleurs M. Sanson ne dit pas que la perte de substance comprenait le bas-fond de la vessie : *elle s'étendait*, dit-il, *jusqu'au bas-fond.*

Un fait qui m'a frappé, et qui est venu confirmer mes doutes sur les succès de Dupuytren, c'est que dans les nombreux comptes-rendus de la clinique de ce grand chirurgien, on n'ait publié que deux observations de fistules vésico-vaginales; et nous verrons bientôt quelle est la valeur de ces deux faits. On doutait cependant alors, comme on doute encore aujourd'hui, de ces guérisons remarquables : or, la meilleure réponse à tous ces doutes c'était de publier ces observations avec tous leurs détails. Certes les faits cliniques du chirurgien de l'Hôtel-Dieu ont eu assez

(1) Roche et Sanson, *Nouveaux éléments de pathologie médico-chirurgicale*, 3e édit., 1833, tom. V, pag. 294.

de retentissement (1)! Je ne puis m'empêcher de le dire encore ici, ce silence est pour moi la preuve que Dupuytren n'a jamais guéri de fistules du bas-fond de la vessie avec perte de substance et d'une date ancienne. Mais n'entrons pas dans plus de détails; les faits vont parler assez haut.

Obs. I (2). — Le sujet est une femme âgée de trente ans environ, affectée d'une fistule vésico-vaginale, suite d'un accouchement long et difficile. Entrée une première fois à l'Hôtel-Dieu, elle fut *complétement* guérie par trois cautérisations avec le fer rouge; mais voulant un jour monter avec beaucoup de vitesse en voiture, elle fit un écart violent; la cicatrice, encore tendre, qui réunissait les bords de la fistule se rompit, et la lésion de continuité se reproduisit.

Cette femme rentra de nouveau dans le service de Dupuytren, où elle fut soumise au même traitement. Il est dit que la fistule était située au *col* de la vessie et à la partie droite du vagin, et qu'elle affectait une direction transversale. La cautérisation fut pratiquée, le 13 octobre 1829, à l'aide d'un cautère en forme de *haricot* et rougi à blanc. M. Paillard s'exprime en ces termes : « Dès cet instant les urines cessèrent de s'écouler par la fistule, le gonflement inflammatoire qui est survenu s'y est opposé; et au moment où nous rédigeons cette observation, elles n'ont pas encore repris leur cours par cette ouverture anormale. Nous aurons soin d'informer nos lecteurs si de nouvelles cautérisations ont été nécessaires, ou si une seule a suffi pour obtenir la guérison. »

Une pareille observation ne saurait satisfaire l'esprit le moins sévère; elle ne constate pas même une guérison de fistule du *col* de la vessie; car la cautérisation a été prati-

(1) *Leçons orales de clinique chirurgicale* faites à l'Hôtel-Dieu de Paris par M. le baron Dupuytren, recueillies et publiées par MM. les docteurs Brierre de Boismont et Marx; 2e édition entièrement refondue; 6 vol. in-8, 1839.

(2) *Journal hebdomadaire*, 1829, tom. V, pag. 255. M. Paillard.

quée le 13 octobre, et l'observation a été publiée le 7 novembre. Or chacun sait qu'il faut un temps plus long pour être en droit de proclamer un succès durable. De plus, pourquoi donner si peu de détails? quelle peut être la valeur d'une observation dans laquelle on se borne à dire: la cautérisation est pratiquée, et dès cet instant les urines cessent de s'écouler par la fistule? D'ailleurs la dernière phrase n'indique-t-elle pas clairement que la fistule n'était pas guérie le 7 novembre? C'est en vain que j'ai cherché les nouveaux détails promis par M. Paillard. Il me semble qu'on aurait pu choisir un fait d'un autre ordre pour pouvoir dire dans les réflexions qui suivent cette observation : « La cautérisation avec le fer rouge a réussi et réussit *très souvent* à l'Hôtel-Dieu, entre les mains de Dupuytren, contre des fistules vésico-vaginales longitudinales très étendues de l'urètre, du col et du *bas-fond* de la vessie, et même contre ces fistules lorsqu'elles affectaient une direction transversale, et qu'elles étaient grandes et déterminées par une perte de substance considérable. » Ceci n'a pas besoin de commentaire.

Obs. II (1). — Il s'agit d'une femme âgée de vingt-huit ans qui entra à l'Hôtel-Dieu, le 25 mars 1829, pour une fistule vésico-vaginale, suite d'un accouchement laborieux. Le 27 mars, Dupuytren, introduisant le doigt dans le vagin, reconnaît une légère perte de substance derrière le col vésical, et à l'aide d'un spéculum il voit distinctement en cet endroit une fente dont le diamètre transversal est de trois lignes et l'antéro-postérieur d'une ligne et demie. On touche deux fois les bords de la fistule avec un cautère rougi à blanc; une sonde est laissée à demeure dans la vessie. Le 29 du même mois, l'urine coule avec la même abondance. — Cette première partie de l'observation a été publiée le 31 mars. — Le 12 mai de la même année on

(1) *Gazette des hôpitaux*, 1829, nos 65 et 83.

termina l'observation en ces termes : « La malade dont il a été question (N° 65) a subi depuis le 28 mars deux nouvelles cautérisations avec le fer rougi à blanc ; la troisième seule a produit quelques changements dans l'état de la fistule. Une quatrième cautérisation a été faite le 28 avril. Avant l'opération, on a aperçu au moyen du spéculum un point noir ayant de deux à trois lignes de longueur sur une demi-ligne de largeur au lieu où siége la fistule. On a cru que c'était un corps étranger, et on a voulu le retirer avec un morceau de linge porté sur une pince, mais alors on a reconnu que c'était l'ouverture fistuleuse elle-même qui paraissait noire à cause de la cavité de la vessie située au-dessus. L'urine du reste ne sortait plus que goutte à goutte ; M. Dupuytren la regardait dès lors comme guérie ; ce pronostic s'est confirmé. La malade rend maintenant toutes ses urines par l'urètre ; il n'en coule plus une seule goutte par le vagin. La cure est complète. »

Que conclure d'une observation publiée avec si peu de détails ? Le 28 avril, l'urine coulait encore goutte à goutte par la fistule, et douze jours plus tard on annonce la cure radicale. C'est, il me semble, un peu trop se hâter. C'est là du reste une source d'erreur que nous aurons à constater bien souvent. On conçoit en effet que si l'ouverture anormale est petite, le gonflement produit par la cautérisation puisse l'oblitérer pour quelque temps ; mais plus tard ce gonflement disparaît, les chairs reviennent sur elles-mêmes, et l'écoulement de l'urine se reproduit. On prétend même que cette femme est allée, quelques mois après, demander de nouveaux secours dans un autre hôpital ; mais comme le nom de la malade n'est pas indiqué, il m'a été impossible d'éclaircir ce fait. D'ailleurs, pour en revenir à mon sujet, était-ce bien réellement une fistule du bas-fond de la vessie ? Le doigt suffit-il pour pouvoir déterminer sûrement le siége précis de la lésion ? Il est au moins permis de rester dans le doute.

Telles sont les seules observations puisées dans la clinique chirurgicale de l'Hôtel-Dieu que je sache avoir été publiées. J'ai pris des informations auprès de plusieurs élèves internes de Dupuytren, et tous m'ont dit qu'ils avaient vu guérir par ce chirurgien des fistules de l'urètre et même du col de la vessie, mais jamais des fistules du bas-fond.

D'après les recherches qu'il avait faites sur le tissu fibreux (corps inodulaire) qui forme la base des cicatrices, Delpech pensa tirer parti de la propriété qu'a ce corps de se rétracter à la suite des brûlures. Les cautérisations, d'après lui, pourraient bien ramener le rapprochement des bords de la fistule, et par suite son oblitération, de la même manière que s'opèrent les cicatrices suite de brûlures, les coarctations de l'anus, de la vulve et des autres ouvertures naturelles. C'était là, comme on le sait, une théorie ingénieuse que le chirurgien de Montpellier avait à cœur. Si à cette première idée nous joignons le brillant des détails qui était tant du goût de Delpech, nous ne serons point étonné qu'il ait laissé une observation des plus circonstanciées.

Il est des faits qui, pour être bien compris, se refusent à toute espèce d'analyse; l'observation de Delpech est de ce genre. Je désirerais pouvoir la rapporter textuellement, mais cela me conduirait évidemment trop loin. On la trouvera d'ailleurs dans le *Mémorial des hôpitaux du Midi*.

Je ne saurais trop engager les lecteurs à prendre connaissance de cette observation. Il ne s'agit de rien moins que d'une fistule du bas-fond de la vessie avec une perte de substance assez considérable pour admettre le doigt indicateur sans le moindre effort, existant depuis trente ans, et radicalement guérie en moins de cinquante jours par deux cautérisations avec le fer rouge et une avec le nitrate d'argent. Certes, c'est là un succès dont on ne trouve pas d'ana logue, je dirai presque un prodige. Mais comme les prodiges sont rares en chirurgie, ce fait doit être examiné avec le plus grand soin, d'autant plus que la cautérisation a échoué un grand nombre de fois contre des fistules qui étaient dans des conditions beaucoup moins défavorables.

Il est fâcheux qu'un pareil fait ne se soit pas présenté dans un hôpital, là où le public médical est à même de porter un jugement définitif. Je ne dois pas toutefois appeler en aide une circonstance qui était indépendante de la volonté du chirurgien ; mais il faut que je dise toute ma pensée ; elle m'est en grande partie suggérée par le doute que des chirurgiens de Montpellier, que des élèves même de Delpech ont manifesté sur ce brillant succès. Qu'on lise attentivement l'observation, et l'on sera certainement pénétré de cette idée : Delpech, en publiant ce fait, n'a-t-il pas été entraîné par sa théorie sur les *inodules?* On connaît toute la puissance d'une idée préconçue, et chacun sait combien le professeur de Montpellier tenait à la sienne. Certes, ce n'est pas là une supposition sans fondement. Tous les détails de cette observation sont pour ainsi dire calqués sur cette idée prédominante. Delpech semble donner ce fait plutôt comme une preuve à l'appui de sa théorie que comme une guérison de fistule vésico-vaginale. Je tiens d'un élève particulier de Delpech, que je pourrais citer, qu'en 1829 le professeur de Montpellier regardait les fistules vésico-vaginales du bas-fond de la vessie, avec perte de substance, et d'une date un peu ancienne, comme une maladie incurable. Plusieurs fois il avait exprimé cette opinion dans ses leçons cliniques. Mais ne nous bornons pas à ces considérations générales ; voyons si certaines particularités de l'observation ne viendront pas confirmer nos doutes.

La première cautérisation a été pratiquée le 2 mai 1830. Les quatre jours suivants, une sonde placée à demeure dans la vessie soutire *de grandes quantités d'urine*, *tandis qu'il n'en passe presque pas dans le vagin.* Le cinquième jour, le contraire a lieu : la sonde ne soutire presque pas d'urine ; le liquide sort par le vagin. Durant les douze jours suivants, on observe une amélioration progressive. Une seconde cautérisation est pratiquée le dix-septième jour ; et la sonde soutire la totalité des urines pendant trois jours ; elles reparaissent ensuite au vagin pendant six jours. Il est dit enfin que, le trente-troisième jour après la première opération, il ne passait plus rien par le vagin, lors même que la malade faisait des mouvements dans son lit ou qu'elle toussait ; cependant l'ouverture n'était fermée que par l'application mutuelle des lèvres de la plaie ; lorsqu'on les écartait, on faisait encore couler l'urine. Ceci n'est pas très clair ; car si les lèvres de la fistule n'étaient pas adhérentes, il est peu probable que, dans les efforts de la toux, les urines ne trouvassent pas un passage à travers l'ouverture. Le quarante-quatrième jour, la fistule ne donnait plus passage qu'à un stylet à bouton. On cautérise avec le nitrate d'argent, et le succès est complet. Voilà à peu près tous les détails qui ont rapport à l'écoulement de l'urine par la fistule, tout le reste se rattache à la formation de la cicatrice, à ses coarctations, à la théorie enfin du tissu inodulaire.

Je n'entrerai pas dans plus de détails. En somme, je me crois en droit de rester dans le doute sur un pareil succès. D'ailleurs, en en admettant même la réalité, que pourrait-on en conclure pour la pratique ? Existe-t-il un seul chirurgien qui osât espérer de triompher par la cautérisation seule d'une fistule du bas-fond de la vessie, datant de trente ans, et capable d'admettre le doigt indicateur ? Je ne le pense pas.

C. *Suture.* — Il est dit dans un mémoire inséré dans le *Répertoire d'anatomie pathologique* (tom. V, pag. 152), que M. Nœgœlé a obtenu des succès à l'aide de la suture ; mais les observations n'ayant pas été publiées, nous ne devons point nous en occuper.

M. Deyber a aussi employé la suture contre les fistules vésico-vaginales. Ce chirurgien regarde cette méthode comme un des moyens les plus efficaces pour obtenir l'oblitération de ces ouvertures anormales. Il donne, dans un mémoire inséré dans le *Répertoire d'anatomie pathologique* (tom. V), deux observations dont la première doit être examinée avec soin, puisqu'on l'a citée comme un cas de guérison radicale.

Obs. I. — A. M. F., âgée de vingt-sept ans, est affectée d'une fistule vésico-vaginale à la suite d'un accouchement laborieux. Le vagin est oblitéré en partie, et transformé en une espèce de cul-de-sac, ayant à peine deux pouces de longueur, et au fond duquel se trouve une petite ouverture qui donne passage à l'urine. L'usage de la sonde, des bains répétés et le repos soulagent la malade sans apporter aucune amélioration à la fistule. Le 4 décembre 1826, cinq mois environ après l'accident, M. le professeur Flamant agrandit l'ouverture dont je viens de parler avec le lithotome de Lombard, et en avive les bords avec un bistouri boutonné. Le doigt introduit dans la vessie par cette ouverture, ne rencontre ni le col de la matrice, ni la partie supérieure du vagin; une sonde est placée à demeure dans l'urètre, et un tampon de charpie est introduit dans le vagin. Le 8 janvier 1827, la fistule est dans le même état. M. le professeur Ehrmann pratique ensuite à huit jours d'intervalle deux cautérisations avec le nitrate acide de mercure; mais c'est en vain; le 5 février rien n'était changé. M. Ehrmann, après avoir donné un mois de repos à la malade, pratique la suture le 8 mars; à l'aide d'un spéculum dilatateur à trois lames, il reconnaît que la fistule a une direction transversale et une longueur d'environ dix lignes. Immédiatement après l'opération, on place une sonde à demeure dans la vessie. Le 10 on remplace la sonde d'argent par une sonde de gomme élastique; l'urine suinte entre la sonde et l'urètre. Le 13 les ligatures sont expulsées par le liquide émollient qu'on injecte dans le vagin pour calmer les douleurs. Les fils sont intacts, preuve évidente que les chairs ont été coupées. Le 18 l'urine suinte toujours; la sonde devient insupportable. Le 19 la malade peut garder son urine pendant un quart d'heure. Le 2 avril elle passe trois quarts d'heure sans uriner. Le 6 M. Deyber examine la malade avec M. Ehrmann. Le jet d'urine est assez considérable, mais inégalement dirigé; chaque émission est suivie de quelques douleurs dans la vulve. Depuis le 25 jusqu'au 30 du même mois, l'urine et les matières fécales sont mêlées de sang. Dans les premiers jours du mois de mai, on voit une petite dépression qui semble être l'orifice d'un petit canal; mais on ne peut pas y introduire un stylet. Le 7 mai la malade quitte la Clinique *parfaitement contente* et pouvant retenir son urine pendant plus de deux heures. M. Deyber termine l'observation par cette phrase: «J'ai appris depuis qu'elle pouvait retenir son urine plus long-temps.»

Cette observation est incomplète sous plusieurs rapports. Le siége de la fistule n'est pas indiqué d'une manière précise. Les détails sur l'écoulement de l'urine par la fistule après les différentes opérations sont certainement insuffisants; d'ailleurs l'observation ne dit pas que la malade est sortie guérie, mais qu'elle a quitté l'hôpital *parfaitement contente*. Ce contentement peut très bien s'expliquer par l'amélioration qu'elle a éprouvée dans son état: mais de là à une cure radicale, il y a loin. Ce qui prouve en outre que la malade n'est pas sortie guérie, ou du moins que le chirurgien était dans le doute, ce sont les dernières paroles de M. Deyber. De plus, nous trouvons encore ici le vice capital qui détruit toute la valeur d'observations de ce genre; la malade a quitté trop tôt la Clinique; quelques jours ne suffisent pas pour proclamer un succès.

La seconde observation que donne M. Deyber offre un cas de fistule du col de la vessie. Le procédé de Desault, la cautérisation et la suture, échouèrent tour à tour ; la malade sortit de l'hôpital sans être guérie.

Le docteur Malagodi, de Bologne, a publié dans le *Raccoglitor medico* (6 juillet 1829), une observation de fistule vésico-vaginale qui eut un grand retentissement. La *Gazette de santé* (15 août 1829) ; les *Archives générales de médecine* (tom. XXI, p. 126), et la *Revue medicale* (1829), en ont parlé avec plus ou moins de détails. Voici ce fait ; je le transcris textuellement (1) : « Marie Reggiani, âgée de vingt-deux ans, portait, depuis son premier accouchement qui avait été très laborieux, une fistule vésico-vaginale, par l'ouverture de laquelle un doigt pouvait pénétrer facilement dans la vessie. Après avoir employé, pendant huit mois, tous les moyens suggérés par l'art, elle alla à Bologne se confier aux soins de M. Malagodi, qui la soumit, le 28 août 1828, à l'opération suivante : aidé des docteurs Montebugnoli et Rosospina, le chirurgien plaça la malade dans la position d'usage pour l'opération de la taille. Il introduisit l'index de la main droite, recouvert d'un doigtier en peau, dans l'ouverture fistuleuse, fléchit les deux dernières phalanges en guise de crochet, et amena le plus possible, en le tirant en bas, le bord calleux gauche de cette ouverture à l'orifice du vagin. Il prit alors, de la main opposée, un bistouri droit, et coupa sur son doigt, au moyen d'une incision semi-lunaire, le bord qu'il avait fait saillir. Il répéta la même opération du côté opposé, en changeant de main, c'est-à-dire, en introduisant l'index gauche et en opérant avec la main droite. Les bords de la fistule ainsi rafraîchis, il s'agissait de les rapprocher et de les maintenir en contact. Trois cordonnets, portant à chacune de leurs extrémités une aiguille très courbe et très petite, et une tige sur laquelle les aiguilles pouvaient être fixées et laissées à volonté, furent les instruments employés

(1) *Arch. génér. de med.*, t. XXI, p. 126, annee 1829.

pour cette réunion. M. Malagodi introduisit l'indicateur droit dans l'ouverture ravivée, de manière que le dos de la main regardait le corps de la malade, le pouce en bas et le petit doigt en haut, et il ramena sous ses yeux la lèvre gauche de l'ouverture vagino-vésicale. Prenant alors de la main gauche une aiguille fixée sur son manche, il l'enfonça près de l'angle postérieur de la plaie, en la faisant pénétrer, avec le secours du doigt, d'arrière en avant. Après cette première aiguille, il en passa une seconde de la même manière, puis une troisième, à des distances égales; ayant répété la même opération du côté opposé, il noua les cordons deux à deux, et put amener ainsi à un contact immédiat et dans toute leur longueur, les bords de la plaie. La malade fut remise dans son lit, avec recommandation de rester couchée sur le dos. Une sonde fut mise à demeure dans la vessie; et un vase placé au-dessous pour recevoir l'urine qui s'écoulerait librement à mesure qu'elle serait apportée par les uretères.

» Pendant tout le cours de la seconde journée, l'urine passa par la sonde, et pas une goutte par la plaie. Il n'en fut pas de même le lendemain, où l'on trouva baigné de ce liquide le peu de charpie qui avait été introduit dans le vagin.

» Le quatrième jour la malade fut replacée dans la position de l'opération. M. Malagodi vit que les deux points de suture postérieurs s'étaient maintenus; il les enleva, et la réunion se trouva parfaitement accomplie là où les bords étaient restés en contact. Le point antérieur, au contraire, avait déchiré la lèvre gauche de la plaie, et il en était résulté qu'un tiers à peu près de l'ouverture primitive ne s'était pas cicatrisé. Bien que la cautérisation par le nitrate d'argent n'eût produit aucun avantage quand l'ouverture fistuleuse permettait le passage du doigt, on eut lieu d'espérer que le même moyen serait plus efficace, alors que cette ouverture avait été réduite au diamètre d'une sonde ordinaire. M. Malagodi eut donc recours à la cautérisation, et au bout de trois semaines environ il obtint une amélioration sensible. La sonde fut constamment laissée dans la vessie. Le docteur Montebugnoli continua, pendant quelques semaines encore, l'emploi du caustique, et la malade fut complétement guérie vers le commencement de janvier. »

J'ai cru devoir donner tous les détails de ce fait parce qu'il est intéressant sous le rapport du procédé opératoire mis en usage. Mais pour peu qu'on y réfléchisse, on se convaincra facilement que, considérée sous le point de vue qui nous occupe, cette observation ne peut avoir *aucune valeur scientifique déterminée.* En effet il n'est pas dit un mot du siége de la fistule; on ne sait pas non plus depuis quand l'urine avait cessé de passer par la fistule lorsque le succès a été proclamé. Tous les détails portent sur le procédé opératoire. Ces particularités mises de côté, l'observation de M. Malagodi se réduit à ceci: J'ai opéré par la suture une fistule vésico-vaginale; cette opération a produit la réunion immédiate des deux tiers postérieurs de la plaie; l'oblitération de son tiers antérieur a été obtenue à l'aide de la cautérisation. Or, je le demande, la science peut-elle réellement compter sur des faits si peu circonstanciés?

M. Dugès a publié en 1831, dans la *Gazette médicale* de Paris (n° 44), une observation intéressante à plus d'un titre. Ce fait prouve que la suture est une opération non seulement difficile et infidèle, mais encore dangereuse. Deux fois M. Lallemand avait tenté inutilement chez cette malade de réunir les bords de la solution de continuité par son ingénieux instrument. La suture, entre les mains de M. Dugès ne fut pas plus heureuse; elle faillit même devenir funeste à la malade. M. Lallemand pratiqua ensuite deux nouvelles tentatives en avivant les bords de la fistule avec le fer rouge, et en les affrontant avec ses crochets, après la chute des escarres; mais rien ne réussit. M. Dugès termine en disant : La femme est aujourd'hui absolument comme avant toutes ces opérations, si même la solution de continuité n'est pas plus grande.

En 1829, M. le professeur Roux tenta, à l'hôpital de la Charité, la suture entortillée sur une malade qui succomba dix jours après l'opération. L'observation a été publiée avec de longs détails par M. J.-C. Sabatier dans le *Journal hebdomadaire* (tom. IV, pag. 241.—1829.) Je me bornerai ici à faire connaître les accidents qui suivirent cette opération et qui conduisirent la malade au tombeau. Je suis persuadé qu'on ne lira pas ces détails sans quelque intérêt.

L'opération fut pratiquée le 21 juillet 1829; elle fut très longue; M. Sabatier dit qu'elle *dura un peu plus de deux heures*. Immédiatement après la malade fut portée à son lit. Le matelas sur lequel elle fut couchée avait été plié en deux, de telle sorte que le bassin seulement reposait sur l'extrémité de ce matelas; les cuisses et les jambes étaient fléchies et soutenues par des coussins.

Une sonde de gomme élastique introduite par l'urètre fut placée à demeure dans la vessie.

« Une heure environ après avoir été couchée, la malade eut un frisson léger suivi de chaleur et d'une moiteur assez forte. Vers le soir la peau avait sa chaleur naturelle. Nulle douleur dans le ventre, langue humide, peu de fréquence dans le pouls; l'urine continua de couler dans le vase placé au-dessous de la sonde : elle était fortement colorée en rouge par du sang (infusion de fleurs de tilleul; lin émulsionné; diète).

» Le 22 la malade est restée assoupie quelques heures pendant la nuit; l'urine a coulé par la sonde, et assez abondamment pour remplir un crachoir : elle est toujours assez fortement colorée en rouge. La présence de la sonde ne paraît pas fatiguer la malade; mais quand on imprime un léger mouvement à cet instrument, une douleur assez vive se fait ressentir dans le canal de l'urètre. La malade se plaint un peu de la position fatigante qu'elle est obligée d'occuper; on s'efforce de la lui rendre aussi supportable que possible. Nulle douleur n'est ressentie dans le ventre, qui reste même insensible à la pression. On aspire dans la journée, avec une petite seringue, l'urine contenue dans la vessie; mais ce moyen n'a pas été mis en usage depuis, le liquide coulant facilement par la sonde. Le soir, même état, l'urine coule toujours goutte à goutte; elle est plus claire qu'auparavant. La malade boit assez abondamment. Sur son désir, on lui accorde de la limonade.

» Le 23, la sécrétion urinaire est augmentée, sans doute parce que la malade prend une plus grande quantité de boisson qu'auparavant. Quelques bouillons lui sont donnés à des intervalles assez éloignés les uns des autres. Les parties extérieures de la génération sont un peu tuméfiées. La malade n'éprouve d'autre douleur que celle qui résulte de la position gênante qu'elle est forcée de garder.

» Le 24, même état; les urines coulent facilement par la sonde, tantôt assez limpides, tantôt mêlées de sang. La langue est blanche, mais non sèche. Nulle douleur à la tête, à la poitrine, ni au ventre; seulement la sensibilité de l'urètre est très vive dans la journée.

» Le 25, état calme; la malade boit assez fréquemment; à cinq heures moins un quart du soir, elle est tout-à-coup saisie d'un frisson et d'un tremblement convulsif des membres; la face perd ses couleurs rosées; le pourtour des lèvres devient violet; claquement des dents, difficulté pour parler; pouls serré, petit, fréquent; malaise extrême; vomissement de boissons prises en assez grande quantité quelque temps auparavant. Après une demi-heure, chaleur forte, insupportable; rougeur de la face, yeux brillants, pouls accéléré et plein; bientôt après moiteur abondante. Sur les dix heures du soir, le calme est rétabli; les urines n'ont pas cessé de couler ; la nuit est un peu agitée.

» Le 25, quatrième jour de l'opération, la malade est abattue et éprouve une lassitude générale. On retire les aiguilles, ce qui l'oblige à rester sur le ventre et dans une position fatigante pendant un temps assez long. Les aiguilles retirées, on enlève la sonde, à la présence de laquelle on croit pouvoir rapporter les accidents qui ont eu lieu. La malade est couchée dans un autre lit, préparé comme à l'ordinaire. Quelque temps après, une sonde d'argent est introduite dans la vessie, et l'on voit avec satisfaction l'urine sortir par jet. (Limonade; eau de groseilles.)

» Cependant quelques heures après la visite, survient brusquement un nouvel accès aussi violent que le premier. La face violette annonce une congestion momentanée vers la tête, et un obstacle au cours du sang veineux. Respiration fréquente; secousses générales du tronc et des membres; sentiment insupportable de froid par tout le corps; pas de trouble dans l'intelligence. Après une grande demi-heure, la chaleur et la sueur se manifestent; un sentiment de brisement général succède à cet accès; aucun organe ne paraît affecté.

» Vers la fin du jour, troisième accès, aussi intense que le précédent. Dès lors il n'y eut plus d'apyrexie; la fièvre devint continuelle, avec des redoublements irréguliers et brusques. La nuit fut mauvaise; cependant l'urine venait encore par la sonde, mais en petite quantité, et toujours teinte de sang.

» Le 26, le changement aussi brusque qu'inquiétant qu'a subi l'état général de la malade, l'altération profonde de ses traits pendant les accès, la suspension momentanée des urines, l'état de faiblesse dans lequel la malade est tombée depuis la veille, tout démontre qu'elle est sous l'empire d'une affection des plus graves, et qui s'annonce avec les caractères d'une fièvre rémittente pernicieuse. Un quatrième accès eut lieu quelque temps avant la visite du matin, et durait encore lorsqu'elle fut achevée. On prescrivit alors une potion composée avec : *eau distillée de tilleul* ℥ iij; *sirop diacode*, ℥ j; *sulfate de quinine*, gr. xij; *eau de fleurs d'oranger*, ʒ j. On fit donner d'heure en heure à la malade une cuillerée de cette potion.

» Dans le cours de la journée il y eut un cinquième accès de fièvre. Un sixième eut lieu vers cinq heures du soir. Cette fois la malade eut des vomissements de matières bilieuses, mêlées avec les boissons qu'elle avait prises peu de temps auparavant ; cependant nulle douleur du côté du ventre, qui reste insensible à la pression. La malade fut sondée souvent dans la journée et pendant la nuit : des caillots de sang se présentèrent fréquemment à l'orifice du vagin, et la sonde ne donna plus issue qu'à une assez petite quantité d'urine sanguinolente. Le pouls, dans l'intervalle de ces accès irréguliers marquait de cent dix à cent vingt pulsations par minute; la respiration était fréquente, les inspirations fort courtes; point de douleur à la poitrine.

» La nuit fut agitée ; et seulement de temps à autre la malade cédait à une sorte d'assoupissement qu'une congestion cérébrale momentanée semblait le plus souvent déterminer; car presque toujours alors la face était plus ou moins fortement injectée.

» Le 27, à sept heures moins un quart du matin, septième accès, aussi long, aussi intense que les précédents : une sueur abondante le termine. Pendant cet intervalle, la face est fortement vultueuse ; de nouveaux caillots sanguins s'échappent par la vulve. La sonde est introduite à plusieurs reprises, tantôt sans résultat, tantôt n'amenant qu'une très petite quantité d'urine.

» Le soir, à cinq heures, frisson prolongé; nouvelle congestion vers la face et le cerveau; pouls rapide, petit et misérable; tremblement et secousses générales de tous les membres et du tronc. Après trois quarts d'heure, l'accès commence à se calmer : la chaleur insupportable qui a succédé au frisson a disparu; tout le corps est en moiteur. Alors on crut ne devoir pas différer à employer avec énergie le seul moyen qu'on pût mettre en usage; et immédiatement l'on fit préparer trois bols contenant chacun huit grains de sulfate de quinine; en cas où le vomissement aurait eu lieu après l'ingestion du premier bol, on tint préparé un demi-lavement composé, dans lequel entraient vingt-quatre grains de la même substance. Les deux premiers bols furent administrés à trois heures d'intervalle, le troisième fut donné deux heures trois quarts après le second: quelque temps après, le vomissement survint; l'infirmière de la salle administra le lavement, qui fut gardé. Plusieurs fois on sonda la malade sans retirer une seule goutte d'urine.

» Le 28 au matin, vers huit heures, survint un accès beaucoup plus court et moins fort que les précédents. La malade se plaignit alors d'une douleur assez vive au-dessus de la région épigastrique, et sa main qui en désigna le siége, était portée sur un point correspondant à la base de la poitrine, du côté gauche.

» La respiration était toujours fréquente; la partie antérieure de la poitrine résonnait assez bien; mais la difficulté pour soulever la malade et la crainte de l'exposer aux fatigues de l'auscultation et de la percussion, nous empêchèrent de soumettre à ce mode d'exploration la partie postérieure du thorax. (On prescrivit de nouveau vingt-quatre grains de sulfate de quinine en six pilules; infusion de tilleul aromat.; potion gommeuse.) La sonde, introduite dans la vessie, donne cette fois issue à deux ou trois cuillerées d'urine. Dans la journée, un point douloureux commence à se faire sentir du côté droit de la poitrine; l'acuité de la douleur augmente rapidement. La malade expectore quelques crachats épais, visqueux et jaunâtres. La respiration s'accélère (soixante inspirations par minute); pouls fréquent plus développé qu'auparavant, mais assez facile à déprimer. A gauche, l'auscultation est impossible par la position de la malade, qui jette des cris lorsqu'on essaie de la soulever; mais à droite, matité, râle crépitant, très sensible sur le côté, et d'autant plus qu'on se rapproche davantage de la partie postérieure. La saignée paraissant ici contre-indiquée en raison de l'état général de la malade, les révulsifs furent mis en usage, mais sans succès. Le soir, il n'y eut point d'accès; il n'en revint plus. Le malade se plaint de ne pouvoir plus respirer; elle ne peut même boire une gorgée de liquide sans que la douleur de côté ne s'exaspère. Les urines cessent de couler par la sonde. Déjections alvines involontaires. Le pouls donne environ cent cinquante pulsations.

» Cependant, malgré les douleurs qu'elle éprouve, la malade a une tendance continuelle à tomber dans un état d'assoupissement, dont il est d'ailleurs assez facile de la retirer. De temps à autre, l'intelligence se trouble; mais le délire n'est que passager. Des sinapismes, des vésicatoires aux jambes, sont sans effet; le ventre reste souple, insensible à la pression, mais la dyspnée est augmentée.

» Le 29, l'état de la malade ne laisse aucune espérance. Cependant, comme chaque mouvement d'inspiration détermine du côté droit une vive douleur, un large vésicatoire est appliqué sur ce côté. Mais tout fut inutile, et cette malheureuse femme expira le 31 juillet à deux heures du matin. »

Suivent de longs détails sur l'autopsie. Je me bornerai à en extraire le paragraphe suivant :

« L'appareil génito-urinaire fut enlevé avec précaution, le rectum séparé du vagin, et la paroi postérieure de ce dernier incisée dans toute son étendue. Cette préparation servit à découvrir l'ouverture de communication de la vessie avec le vagin. L'ulcération et la mortification des bords de cette ouverture en avaient singulièrement agrandi l'étendue ; nous la trouvâmes, en effet, d'un peu plus de deux pouces. Ses bords étaient épaissis, inégalement ulcérés, ramollis, noirâtres, imprégnés d'une matière sanieuse et fétide. Dans l'intérieur de la vessie existaient des mucosités noirâtres, mêlées à quelques caillots sanguins décomposés ; mais nous n'y vîmes point de pus. La muqueuse offrait une teinte d'un gris noirâtre, sans rougeur bien marquée.

» L'utérus, qui n'était point encore revenu à son volume naturel, était mou ; l'ouverture de son col était béante, son intérieur d'un rouge livide. Les trompes, qui baignaient dans le pus épanché dans l'excavation pelvienne, étaient rouges à l'extérieur dans toute leur étendue. »

Une pareille observation n'a pas besoin de commentaire.

Dans une revue des journaux de médecine anglais (1), M. Mondière a fait connaître le fait suivant, puisé dans la pratique de M. J. M. Coley ; je le transcris textuellement : « Une femme mariée, âgée de quarante ans, était atteinte depuis quatre mois d'une fistule vésico-vaginale, large, presque transversale et située au-dessus du col de la vessie. Pour l'opération, la malade fut placée sur une table élevée, dans la même position que pour la lithotomie ; une grosse sonde fut introduite dans l'urètre, et les plis du vagin effacés par des aides, de manière à mettre la fistule bien à découvert. Alors, au moyen d'un bistouri, le chirurgien aviva les deux bords de la fistule, et passa immédiatement deux ligatures au moyen de petites aiguilles courbes tenues dans une position convenable avec une pince particulière, dont les branches sont serrées à volonté au moyen d'une espèce d'anneau. Aussitôt après avoir traversé les parties, ces aiguilles furent enlevées, et les deux ligatures serrées de manière à rapprocher et à tenir en contact les lèvres de la fistule. La grosse sonde fut alors retirée et remplacée par une sonde

(1) *L'Expérience*, tome III, page 302, année 1839.

d'argent, par laquelle, à la grande satisfaction des assistants, sortit l'urine, qui cessa de couler par la fistule. Cette sonde fut laissée dans la vessie, et la malade mise au lit, couchée sur le côté opposé à la fistule ; et bien que, pendant la nuit, la malade eût changé de position, et que la sonde fût sortie de la vessie, l'urine n'en sortit pas moins par l'ouverture naturelle. Le quatrième jour, les points de suture furent coupés, et les fils retirés ; dès ce moment, la réunion des lèvres de la petite plaie parut solide. Cependant, pour s'en assurer davantage, M. Coley boucha l'extrémité libre de la sonde pendant un quart d'heure, et quand il ôta l'obstacle qui s'opposait à la sortie de l'urine, il vit celle-ci former un jet, et rien ne passa par la fistule. Au huitième jour, la guérison paraissait plus solide encore, et l'emploi de la sonde fut cessé. Le seizième jour, la malade parcourut sept milles pour se rendre chez elle. A cette époque, l'urine s'échappait involontairement, et surtout la nuit, de la vessie, qui ne recouvra complétement ses fonctions que vers la fin du cinquième mois après l'opération. »

M. Mondière ajoute : « Les cas de fistules vésico-vaginales guéries au moyen de la suture sont assez rares pour que nous ayons cru devoir traduire en entier l'observation qu'on vient de lire. »

Cette observation, comme plusieurs autres du même genre, n'est pas assez circonstanciée : il est dit, il est vrai, que la fistule était large et située au-dessus du col ; mais on ne connaît pas précisément l'étendue de cette largeur, ni à quelle distance du col se trouvait la lésion ; et tous les chirurgiens savent combien il est facile de se faire illusion sur ces deux points. Cela est si vrai, que M. Lallemand a eu l'heureuse idée d'imaginer un moyen pour avoir des données exactes à ce sujet. Pour moi, je dois le dire, la promptitude de ce succès est une preuve que la perforation était assez circonscrite, et surtout qu'elle était située aux environs du col de la vessie. D'ailleurs, la malade est retournée chez elle le seizième jour de l'opération. Il faudrait donc de plus amples détails pour prouver que c'est là une guérison de fistule du bas-fond de la vessie avec perte de substance. Et qu'on ne dise pas que c'est là une exigence outrée; on verra plus loin, dans le compte rendu d'une séance de l'Académie de médecine, qu'il est des chirurgiens beaucoup plus exigeants encore.

D. *Moyens unissants.* — *Procédé de M. Lallemand.* — Nous avons à examiner ici plusieurs observations. La première se trouve consignée dans les *Archives générales de médecine* (tome VII, 1825). Quoiqu'il s'agisse dans ce cas d'une fistule du *col* de la vessie, je crois cependant devoir entrer dans quelques détails, car on trouvera dans ce fait la confirmation de quelques préceptes précédemment établis. Ajoutons que c'est le premier coup d'essai de la *sonde-érigne*.

Obs. I. — Le sujet est une dame Martin de Marseille, âgée de trente ans, atteinte, en février 1824, d'une fistule vésico-vaginale à la suite d'un accouchement laborieux. Traitée dans sa province par la cautérisation et l'usage des sondes, elle obtint une amélioration notable; mais après trois mois, son chirurgien lui ayant déclaré que sa maladie était incurable, elle vint à Montpellier, se confier aux soins de M. Lallemand. Ce chirurgien, à l'aide de son porte-empreinte, reconnaît que la fistule située à quatorze lignes du méat urinaire occupe *précisément* le col de la vessie, qu'elle représente une fente transversale très étendue, dont les bords, durs et calleux, sont presque en contact. Après deux cautérisations avec le nitrate d'argent, M. Lallemand procède le 24 juin à l'application de sa sonde érigne. Le 10 juillet, l'exploration de la fistule donne une diminution d'un tiers de chaque côté. Le 12, seconde application de l'instrument. Le 17, la malade rend après beaucoup d'efforts une selle dure et copieuse sans qu'il passe une seule goutte d'urine par le vagin. Le 22, le jet d'urine est plus rapide et plus long qu'avant la maladie. Le 25, la malade peut suspendre volontairement le cours des urines, sans que rien ne passe par la fistule. Mais le 28 la malade est au désespoir; une certaine quantité d'urine a passé par le vagin ; quelques gouttes filtrent encore à travers la fistule. Le 29, nouvelle cautérisation, et *immédiatement* après l'incontinence d'urine cesse, et ne reparaît pas après la chute de l'escarre. L'observation est ainsi terminée : « Madame Martin reste encore environ un mois à Montpellier, pour un ongle entré dans les chairs, ne prend aucune précaution, et part sans avoir rien observé de nouveau. » Quelques jours après. M. Lallemand reçoit de la malade une lettre dans laquelle elle lui apprend qu'en arrivant, elle a senti quelques gouttes d'urine passer par le vagin.—Une seconde lettre lui indique que l'urine ne s'échappe par le vagin que pendant son émission naturelle par l'urètre, mais que c'est si peu de chose, que la malade se regarde comme guérie, et qu'elle ne ferait rien si son état n'empirait pas. M. Lallemand apprend enfin que depuis deux mois madame Martin est absolument dans le même état qu'avant son accouchement.

Je dois, avant tout, rectifier une erreur que j'avais commise dans une première publication de ce travail dans le journal *l'Expérience*. J'avais confondu la malade qui fait le sujet de cette observation avec une autre femme dont parle M. Serres dans son *Traité de la réunion immédiate* (p. 254). M. Lallemand crut voir là une mauvaise intention de ma part, et c'est dans cette idée qu'il adressa à messieurs les rédacteurs du journal une réclamation à laquelle j'étais loin de m'attendre de la part d'un homme aussi haut placé. Quoi qu'il en soit, il est bien constaté aujourd'hui que madame Martin est radicalement guérie de sa fistule; mais ce succès ne détruit en rien ma proposition, car la lésion occupait *précisément* le col de la vessie; elle était située à *quatorze lignes* du méat urinaire. Prenons note de ce chiffre; il nous servira pour une des observations suivantes.

J'ai déjà dit plusieurs fois que la guérison d'une fistule vésico-vaginale ne peut être considérée comme réelle et radicale que lorsque l'urine ne passe plus par la fistule depuis un certain temps. L'observation précédente en est une preuve. En effet, lorsque madame Martin quitta Montpellier, l'urine ne passait plus par le vagin depuis un mois; et cependant, à son retour à Marseille, quelques gouttes filtrent encore par la fistule. Il est vrai que la guérison radicale a lieu plus tard, mais il est évident aussi que cette dame n'était pas radicalement guérie lorsque M. Lallemand cessa de lui donner ses soins, quoiqu'à cette époque l'urine sortît entièrement par la voie naturelle. C'est là une considération qu'il ne faut point perdre de vue, et dont M. Lallemand avait senti toute la portée, puisque nous le voyons en correspondance avec son opérée pendant plusieurs mois, et qu'il ne publie ce succès que lorsqu'il s'est écoulé un assez long intervalle. La conduite du chirurgien de Montpellier devrait être imitée par tous ceux qui publient des observations de ce genre.

Voici une seconde observation publiée par M. Lallemand lui-même; je crois devoir la transcrire textuellement (1) :

Obs. II. — « *Fistule vésico-vaginale de plus d'un pouce de long sur quatre lignes de large, complétement guérie après deux ans d'existence, par une seule application de la sonde-érigne.* — Françoise Fépon, des environs d'Aix, en Savoie, blonde, forte, d'un tempérament sanguin très prononcé, d'une santé robuste, devint enceinte à vingt-deux ans. Sa grossesse fut des plus heureuses, mais il n'en fut pas de même de son accouchement. Habitant la campagne, elle fut assistée par une sage-femme qui laissa la tête de l'enfant

(1) *Arch. génér. de méd.*, 2e série, t. VII, p. 482, avril 1835.

engagée dans le bassin pendant vingt-quatre heures, avant de se décider à appeler un chirurgien, et celui-ci ne put opérer la délivrance qu'au moyen des *crochets* : l'enfant était mort.

» Immédiatement après l'accouchement, l'urine s'écoula par le vagin, ce qui doit faire attribuer la perforation de la vessie à l'action des crochets, et non à la pression exercée par la tête de l'enfant. En effet, dans ce cas, qui est le plus ordinaire, la fistule ne se déclare qu'à la chute des escarres. Depuis ce moment, la totalité de l'urine a continué à passer par le vagin, quelle que fût la position de la malade ; et le besoin d'uriner ne s'est plus fait sentir.

» Après deux ans de traitements variés, mais également infructueux, Françoise Fépon vint à Montpellier, et entra à l'hôpital Saint-Éloi, le 14 avril 1833. Son embonpoint était encore remarquable, son teint fort coloré ; ses fonctions continuaient à s'exercer avec la plus parfaite régularité, malgré les tourments inséparables de la plus dégoûtante infirmité et l'action des divers agents employés pour la guérir. Du reste elle était calme, pleine de confiance, et résignée à tout pour guérir.

» Je fis prendre des bains, raser les parties, et, après quelques jours de repos, j'explorai la fistule, afin de déterminer aussi exactement que possible son étendue, sa forme, sa direction et sa distance du méat urinaire. J'y parvins facilement à l'aide d'un spéculum ouvert dans sa moitié supérieure et coupé en bec de flûte, d'un stylet courbe et d'une sonde de femme. Mais, pour plus de précision, je pris une empreinte de la fistule par le vagin. Je constatai par ces divers moyens que le bord antérieur de la fistule était à *un* pouce *quatre* lignes de l'ouverture extérieure de l'urètre, qu'elle avait la forme d'un croissant à concavité tournée en avant, que sa direction était à peu près transversale ; enfin, que son grand diamètre avait au moins un pouce d'étendue, et l'antéro-postérieur environ quatre lignes.

» Le 23 avril, après avoir introduit dans la vessie une sonde de femme pour abaisser la paroi vésico-vaginale, et dans le vagin le spéculum dont j'ai parlé, je cautérisai pour la première fois la fistule à l'aide d'un cylindre de nitrate d'argent, fixé perpendiculairement au bout d'une longue tige de fer, bifurquée et serrée par un anneau. Immédiatement après, je pratiquai plusieurs injections dans la vessie. La malade n'éprouva pas de douleur ni même de cuisson.

» Le 27, seconde cautérisation semblable à la première, suivie de vive cuisson dans les bords de la fistule.

» Le 29, apparition des règles.

» Le 2 mai, troisième cautérisation, suivie de cuisson plus vive et plus prolongée.

» Le 8, quatrième cautérisation, accompagnée et suivie de douleur assez prononcée. Diminution de l'appétit. (Bains, limonade.)

» Le 13, cinquième cautérisation, accompagnée et suivie d'élancements douloureux.

» Le 14, perte de l'appétit, symptômes d'embarras gastrique. (Vingt-quatre grains d'ipécacuanha.)

» Le 15, des mucosités purulentes sortent par le vagin; les bords de la fistule sont tuméfiés, rouges, saignants au plus léger contact; l'urine est mêlée de stries de sang; les escarres commencent à se détacher: tout annonce que l'inflammation est assez intense pour devoir amener la réunion immédiate. Les escarres vont se détacher; c'est le moment le plus favorable à l'application de la sonde-érigne. Il y a trop peu de temps que les règles sont passées pour qu'on puisse craindre leur retour; mais il importe aussi de prévenir la malade contre les besoins d'aller à la selle pendant le travail de la cicatrisation. (Deux onces de sulfate de soude à prendre dans la nuit.)

» Le 16, dans la matinée, plusieurs selles copieuses. Dans la soirée, j'introduis une sonde de femme dans la vessie, et les doigts *indicateur* et *médius* dans la fistule pour achever de faire tomber des débris d'escarre. Les doigts en ramènent en effet quelques débris, mêlés de stries de sang d'un rouge vif. Toute la surface des lèvres de la fistule en laisse exsuder de nombreuses gouttelettes. Cette circonstance me paraît du plus heureux augure. Immédiatement après, j'applique la sonde-érigne. Dès que le ressort est lâché, les bords de la fistule se trouvent exactement affrontés, et le doigt n'est pas encore retiré du vagin, que des gouttes d'urine tombent dans le creux de la main.

» L'instrument, retenu par l'action opposée des crochets de la plaque, reste si solidement fixé dans la position la plus convenable, que je juge inutile d'employer aucun moyen pour l'assujettir. Pendant toute cette opération, la malade ne proféra pas la moindre plainte, et dit seulement avoir éprouvé une piqûre assez vive quand les crochets entraient dans la vessie.

» La poitrine, la tête et les cuisses sont soutenues par des oreillers, et les urines reçues dans un vase plat, etc. (Boissons émollientes, bouillons.)

» Pendant trois jours, calme parfait; le quatrième, douleur dans le vagin, espèce de pincement du côté de la vessie.

» Le 21, cinquième jour, l'instrument est retiré et remplacé par une sonde de femme ordinaire, qui donne également issue à l'urine. Pas une goutte ne passe par le vagin.

» Le 22, la sonde d'argent est remplacée par une sonde de gomme élastique, moins incommode pour la malade.

» Le 23, la sonde s'étant engorgée, l'urine s'accumule dans la vessie. Après bien des efforts, la malade parvient à l'expulser; mais elle passe entre la sonde et le canal; il ne s'en échappe cependant pas une seule goutte par le vagin. Retour des règles.

» Les jours suivants, on prévient l'obstruction de la sonde par de fréquentes injections.

» Le 8 juin, la malade retire la sonde, se promène pendant trois heures. Après quoi, pressée par le vif besoin d'uriner, elle y résiste jusqu'à ce qu'elle ait atteint les lieux communs, qui sont à l'autre extrémité de la salle, et voit avec surprise son urine lancée horizontalement à plus de deux pieds de distance. La joie qu'elle en éprouve est tellement délirante, qu'on peut craindre un instant qu'elle en perde la raison.

» Depuis ce moment, Françoise Fépon se livre aux plus rudes travaux de la maison, sans que, pendant deux mois, il passe une goutte d'urine par le vagin. Avant qu'elle quitte l'hôpital, je prends une nouvelle empreinte des parties, et j'obtiens, au niveau de la cicatrice, une saillie transversale, presque filiforme, de cinq à six lignes de longueur, assez semblable au raphé du scrotum.

» Un an après, dans un voyage que je fis aux eaux d'Aix, j'eus occasion de m'assurer que la guérison ne s'était pas un instant démentie. »

Voilà un fait qui ne peut être révoqué en doute; voilà un succès qui renferme en lui toutes les conditions requises, et qui donne au procédé de M. Lallemand un rang distingué dans le traitement des fistules vésico-vaginales. Mais détruit-il ma proposition d'une manière évidente? Je ne le pense point. M. Lallemand ne dit pas que la fistule avait son siége au bas-fond de la vessie; il se borne à dire que son bord antérieur était situé à un pouce quatre lignes du méat urinaire. Or nous avons vu dans l'observation précédente que la fistule placée à quatorze lignes du méat urinaire occupait *précisément* le col de la vessie. La différence est assez minime pour croire qu'ici aussi la lésion avait son siége au col de la vessie. D'ailleurs, je dois le dire, dans les cas bien constatés de fistules du *bas-fond* de la vessie, la sonde-érigne paraît avoir constamment échoué. Certes, les insuccès dans ces cas ne dépendent pas toujours de l'imperfection de l'instrument, mais plutôt de circonstances qui sont en dehors de tous les procédés, et qui tiennent au siége même de la lésion. N'oublions point toutefois, et ceci ne saurait être trop répété, que je ne m'occupe que des faits qui ont été publiés.

Voici deux observations publiées par M. Frogé (1); elles sont assez significatives pour que je croie pouvoir me borner à en donner un résumé très succinct.

Obs. III (2). — Le sujet est une nommée Marie Carrier, de Gabriac (Aveyron), âgée de vingt-sept ans, atteinte d'une fistule vésico-vaginale à la suite d'un accouchement laborieux. Delpech trouva la perte de substance trop considérable, et refusa de l'opérer. Cette femme se confia ensuite aux soins de M. Lallemand, qui appliqua deux fois la sonde-érigne sans succès. Je ne rendrai pas compte des accidents qui survinrent, et je ne m'arrêterai pas à rechercher s'ils doivent être rapportés au procédé opératoire. Qu'il me suffise de dire que la malade mourut quelques mois après l'opération.

Obs. IV (3). — Marie Cartier, de Podenzac (Gironde), âgée de vingt-six ans, est affectée d'une fistule vésico-vaginale à la suite d'un accouchement long et difficile. Un an après l'accident, le 5 février 1834, elle entre à l'hôpital Saint-Éloi. La fistule est située à quelques lignes en arrière du col de la vessie; elle a une direction transversale, et huit lignes au plus d'étendue. L'urine passe en entier par l'ouverture anormale, mais avec des intermittences de quatre, cinq, et même quelquefois six heures. Du 10 au 16 du même mois, M. Lallemand pratique plusieurs cautérisations avec le nitrate d'argent. La malade peut garder plus long-temps ses urines. Le 17, les bords de la fistule

(1) Frogé, *Thèses*, Paris, 1835, n° 95.
(2) Frogé, *op. cit.*, p. 34.
(3) Frogé, *op. cit.*, p. 39.

étant rouges et gonflés, on applique la sonde-érigne. Les lèvres de la plaie sont exactement affrontées par les crochets de l'instrument. Pendant quelques jours, les urines s'écoulent facilement par la sonde; mais le 26, elles reprennent leur cours par le vagin. M. Frogé termine ainsi cette observation : « Cette pauvre femme sortit de l'hôpital dans les premiers jours du mois de mars 1834, perdant sans cesse les urines par le vagin. »

Telles sont les observations que je sache avoir été publiées avec quelques détails. Maintenant je laisse aux lecteurs le soin d'apprécier s'il résulte positivement de ces faits, qu'à l'aide de la sonde-érigne on soit parvenu à guérir radicalement une fistule vésico-vaginale *du bas-fond de la vessie, avec perte de substance et d'une date ancienne.* Quant à moi, je déclare que je ne suis point convaincu. Certes, je reconnais que la guérison de Françoise Fépon est un succès remarquable; mais l'observation ne dit pas positivement que la fistule occupait le *bas-fond* de la vessie. Je dois ajouter, pour être tout-à-fait juste, qu'en octobre 1837, M. Lallemand a déclaré de la manière la plus formelle, à M. Velpeau, que par sa méthode il avait guéri sept malades sur quinze qu'il avait opérées. Mais, comme les observations n'ont point été publiées, je me vois forcé de passer outre.

Disons en terminant que la guérison de madame Martin et celle de F. Fépon prouvent que la sonde-érigne de M. Lallemand n'est pas seulement un instrument ingénieux, mais que les praticiens peuvent en retirer d'excellents avantages dans certains cas.

E. *Élytroplastie.* — Le mémoire que publia M. Jobert en mars et avril 1836 dans la *Gazette médicale de Paris*, fit une certaine impression. Le procédé opératoire était ingénieux; l'auteur mentionnait des succès; c'étaient là sans contredit deux éléments de vie. Cependant des esprits judicieux et sévères, sur lesquels le brillant et la nouveauté n'ont pas de prise, examinèrent avec soin les observations insérées dans ce travail, et ne balancèrent pas à émettre des doutes qui certainement ne portaient aucune atteinte à la bonne foi scientifique du chirurgien. Moi-même, dans le journal l'*Expérience* (1), j'avais soumis ces observations à un examen consciencieux, et j'avais conclu qu'il n'était pas prouvé par *ces faits ainsi racontés* que M. Jobert eût réellement guéri une seule fistule du bas-fond de la vessie avec perte de substance et d'une date ancienne. Ce chirurgien crut voir dans tous ces doutes une intention extra-scientifique, et, dans une réclamation insérée dans le même journal (2), il déclara que bientôt l'Académie royale de médecine serait mise à même de constater un succès obtenu par son nouveau procédé opératoire. Nous nous occuperons de ce fait, et pour convaincre le lecteur que je ne suis guidé dans cette discussion que par un amour sincère de la vérité, je transcrirai textuellement le compte-rendu de la séance de l'Académie. Mais n'anticipons pas. Examinons successivement les observations; elles méritent d'autant plus notre attention, qu'elles ont été publiées par M. Jobert lui-même.

Parmi les trois observations consignées dans le mémoire de ce chirurgien, deux sont données comme exemples de succès. Je les transcrirai textuellement; c'est le seul moyen de mettre chacun à sa place, et de me soustraire à tout soupçon de malveillance.

Obs. I (3). — « La nommée Eugénie Efe fut opérée une première fois à l'hôpital Saint-Louis par mon procédé élytroplastique. Cette tentative ne fut pas couronnée de succès, parce que, cédant à l'impatience de la malade, je coupai le pédicule trop tôt, le quatorzième jour de l'opération; il en résulta la gangrène de tout le lambeau et le

(1) Tom. I, p. 267.
(2) Tom. I, p. 320.
(3) *Gazette médicale de Paris*, 1836, p. 228

rétablissement de la fistule. Cette femme ne se découragea pas; elle rentra à l'hôpital le 4 février 1835 pour y subir la même opération.

Après avoir préparé cette malade par des bains, des boissons délayantes et de doux laxatifs, je l'opérai ; mais le lambeau ne fut pas seulement, comme la première fois, taillé aux dépens des parties génitales ; je le taillai diagonalement, de dedans en dehors, de la partie inférieure des grandes lèvres jusque sur la fesse, aux dépens de laquelle il fut fait en grande partie.

Le lendemain de l'opération, la malade était bien, et les urines coulaient par la sonde. Elle fut calme jusqu'au troisième jour, époque à laquelle elle fut prise d'une violente toux qui céda à un traitement approprié. Le 2 avril, après de vives émotions, elle eut des envies de vomir, des vomissements, du dévoiement ; enfin elle présenta un appareil de symptômes qui étaient faits pour alarmer sur son état, d'autant plus que la plupart des malades de la salle Saint-Augustin étaient en proie à des accidents semblables.

Le 3 avril au matin, la face était profondément altérée, la diarrhée continuait; il y avait de la fréquence et de la petitesse du pouls. L'eau de Seltz et des lavements laudanisés firent cesser les vomissements et les coliques.

Le 5, la malade était bien ; il sortit de la sonde une certaine quantité de sang mêlé à de l'urine.

Le onzième jour, le fil qui était placé dans le sommet du lambeau tomba.

Depuis ce moment jusqu'au 2 mai, c'est-à-dire trente-six jours après l'opération, la malade a été dans un état satisfaisant, si bien que le pédicule a été coupé le 2 mai. Au moment de la section, il s'est écoulé une assez grande quantité de sang artériel, et le pédicule s'est rétracté dans la vulve jusque derrière le méat urinaire. La plaie de la fesse était tout-à-fait guérie au moment de cette section. L'écoulement des urines donnait lieu à des cuissons, et bientôt on aperçut le lambeau qui s'avançait peu à peu au niveau du méat urinaire, pas tout-à-fait en avant de celui-ci. Ce phénomène était évidemment dû à l'inflammation qui s'en était emparée, à son gonflement et à l'infiltration de la lymphe dans son épaisseur, par suite du contact d'un liquide irritant, de l'urine.

La surface du lambeau suppura, puis pâlit et se rétracta à mesure que la suppuration se tarissait.

Les poils qui s'étaient développés sur ce lambeau, de gris qu'ils étaient, devinrent noirs. Ces changements remarquables cadraient parfaitement avec l'état général, qui était devenu bon, ainsi que l'embonpoint qui avait succédé à une extrême maigreur.

Le 8 mai, la sonde fut supprimée.

La malade sentait le besoin d'uriner comme avant sa fistule, et cependant elle avait la conscience de l'écoulement d'une petite quantité d'urine par le vagin, ce que je reconnus en effet avec une sonde introduite dans la vessie. Une certaine quantité d'urine coulait par un angle de la fistule qui n'avait pas été ravivé, et où le lambeau n'avait pas adhéré.

Je pus, à l'aide d'un mandrin creux chargé d'un morceau de nitrate d'argent maintenu dans son intérieur par un coulant, cautériser la petite ouverture fistuleuse en portant ce mandrin dans la vessie au moyen d'une sonde de femme dont l'extrémité était ouverte de manière à laisser passer le mandrin lorsque le doigt introduit dans le vagin reconnut que la sonde portée par l'urètre était parvenue sur l'ouverture vésicale de la fistule. Je renouvelai cette cautérisation plusieurs fois, à huit jours d'intervalle, sans que la malade éprouvât aucune espèce d'accident. Loin de voir qu'il y eût la moindre amélioration par le nitrate d'argent, je m'aperçus avec regret que les urines s'écoulaient avec un peu plus de facilité qu'avant la cautérisation. Cependant la pierre infernale avait au moins servi à raviver les bords de cette petite fistule, et permettait de mettre ses lèvres en contact; c'est ce que je fis à l'aide d'un fil dont les deux extrémités traversaient, l'un l'angle du lambeau, et l'autre la lèvre opposée, de manière qu'il existait dans la vessie une anse de fil dont les deux extrémités sortaient par la vulve; je les passai dans le serre-nœud de Desault, et les fixai aux deux anneaux, de telle sorte que l'extrémité du serre-nœud fut poussée dans l'intérieur du vagin jusqu'aux lèvres de la plaie, assez pour les mettre en contact. Ce serre-nœud fut maintenu en place; huit jours après, je retirai mes fils et mon serre-nœud. Tout cela se fit facilement; je tirai sur une extrémité du fil, qui entraîna l'autre dans la vessie, et la fit sortir ensuite par le vagin. Il ne s'écoula plus d'urine par le vagin, et aujourd'hui, deux mois après l'opération, cette femme, que je n'ai pas perdue de vue, ne présente plus de traces de son infirmité. »

Je suis étonné que M. Jobert ait présenté un fait si peu concluant pour servir de base à son procédé opératoire. En effet, il n'est pas dit un mot de la cause, du siége, de la date, de la direction, de la forme et de l'étendue de la fistule; or, M. Jobert sait fort bien que ce ne sont pas là des détails superflus. Je ne crains pas d'avancer que, pour moi, leur omission, dans une observation de ce genre, détruit nécessairement toute sa valeur scientifique; et, il faut que je le dise, je suis d'autant plus surpris de ce silence que, dans l'observation qui suit, M. Jobert entre dans tous ces détails. Ces quelques mots seraient certainement suffisants, si M. Jobert n'avait pas affirmé publiquement que Eugénie Efe a été radicalement guérie : allons donc plus avant. Si nous rapprochons les différentes dates de cette observation, nous voyons que plus d'un mois après l'opération, l'urine coule encore par un angle de la fistule. Les cautérisations qui sont pratiquées ensuite, à huit jours d'intervalle, donnent un total de près d'un mois, et il est dit que l'urine coule avec plus de facilité par la fistule qu'avant ces cautérisations; donc deux mois environ après l'opération les urines s'écoulaient encore par la fistule. M. Jobert pratique ensuite un point de suture et termine en disant : *Aujourd'hui, deux mois après l'opération, cette femme, que je n'ai pas perdue de vue, ne présente plus de traces de son infirmité.* Je laisse au lecteur le soin d'apprécier ces dates. Pour ma part, je n'ai rien à ajouter : je me borne à répéter, comme je l'ai déjà dit dans l'*Expérience*, que cette observation est évidemment incomplète, et qu'elle n'aura de valeur scientifique déterminée que quand M. Jobert sera entré dans des détails beaucoup plus précis.

Obs. II. — C'est ici un cas malheureux, et l'on ne peut que féliciter M. Jobert d'en avoir fait part au public, et de l'avoir présenté avec tous ses détails. Les revers, qu'un funeste amour-propre ne tient que trop souvent cachés, sont aussi utiles à la science que les succès. M. Jobert dit, il est vrai, que les accidents graves qui conduisirent la malade au tombeau ne doivent point être attribués à l'opération elle-même, mais à ce qu'elle a été pratiquée alors que la malade était dans des conditions défavorables. C'est là une explication que l'on est toujours disposé à accepter de la part de l'inventeur d'un procédé opératoire; mais le fait existe; libre à chacun de l'expliquer à sa manière.

Obs. III (1). — « Gabrielle Morel, lingère, âgée de vingt-huit ans, avait toujours joui d'une bonne santé, lorsque, au commencement de l'année 1831, elle eut une couche très laborieuse, pendant laquelle des accès réitérés d'éclampsie nécessitèrent l'application du forceps. Cette opération, qui amena un enfant mort, fut immédiatement suivie de violents accidents inflammatoires. Le ventre et la vulve devinrent très douloureux et se tuméfièrent considérablement. Dès le lendemain de l'opération, on fut obligé

(1) *Gazette médicale de Paris*, 1836, p. 229.

de sonder la malade, et la persistance de la rétention d'urine rendit cette manœuvre nécessaire jusqu'au neuvième jour. A cette époque, la malade éprouva un besoin pressant d'uriner, se fit asseoir dans un fauteuil, et à l'instant même elle sentit son urine s'échapper avec bruit et inonder ses vêtements. Depuis ce moment, l'écoulement de l'urine a été permanent et complet. Dès le lendemain, la malade se fit transporter à la Pitié, où M. Velpeau, après avoir attendu que les parties revinssent à un état plus satisfaisant, ce qui exigea une quinzaine de jours, eut recours à la cautérisation. Cette méthode fut mise en usage pendant environ deux semaines, mais sans succès, et la malade découragée revint chez elle. Trois mois plus tard, elle fut opérée suivant la méthode de M. Lallemand par un chirurgien de la capitale. Cette méthode ne réussit pas mieux que la précédente, et Gabrielle Morel, complétement rebutée, ne voulut plus voir aucun médecin; bien mieux, elle eut encore un nouvel enfant, qui vint au monde sans accident. Il y a un an, la dégoûtante infirmité dont cette malheureuse était atteinte lui fit réclamer les soins de M. Jobert, qui l'opéra par sa méthode. Le lambeau fut taillé aux dépens de la grande lèvre du côté gauche, et le douzième jour l'adhérence du lambeau avec le bord de la fistule fut présumé assez solide pour engager M. Jobert à couper sa base. Malheureusement sa vitalité n'était pas encore suffisante; aussi se gangréna-t-il, et l'écoulement reparut comme précédemment. La malade, revenue encore du découragement que lui avait causé ce nouvel échec, se présenta de nouveau chez M. Velpeau, qui fit encore des tentatives inutiles.

Le 14 décembre 1835, la malade revint à l'hôpital Saint-Louis, et c'est depuis cette époque que nous l'avons observée.

Après les nombreuses tentatives de guérison que cette femme a supportées, sa fistule s'est considérablement agrandie. C'est maintenant une large perte de substance, de forme arrondie, capable de recevoir l'extrémité du pouce, et située seulement à une quinzaine de lignes de l'orifice de l'urètre.

La nouvelle opération, celle qui a été couronnée de succès, a été pratiquée le 20 janvier 1836. Cette fois-ci le lambeau obturateur a été taillé dans le pli même qui sépare la cuisse de la fesse, sa base située en haut, et son sommet relevé de bas en haut pour être introduit dans la fistule.

Peu d'heures après l'opération, la malade est prise de vomissements et de douleurs vives dans le flanc droit. Le peu de fréquence du pouls, l'extrême agitation de la malade pendant l'opération, et la rapide apparition de cet accident, nous rassurent contre la crainte d'une péritonite. En effet, dès le soir, le vomissement cesse après l'administration de la potion anti-émétique de Rivière.

Le 21, il n'existe plus que quelques nausées, qui cessent complétement dans la journée. La sonde, placée à demeure immédiatement après l'opération, n'a pas fonctionné convenablement, et le petit bassin placé entre les cuisses de la malade pour recevoir l'urine ne s'est pas rempli. Cependant ce n'est plus par la fistule que ce liquide s'est écoulé, mais bien entre l'urètre et la sonde, ce que la malade affirme pouvoir distinguer. On place une nouvelle sonde un peu plus grosse.

Dans la journée, le petit bassin se remplit. Cependant la malade se sent encore mouillée, et cette circonstance paraît dépendre de ce que le cordon qui fixe la sonde au bandage en T relève trop son extrémité libre. Le 22, on relâche encore le cordon, et on supprime le bandage en T, dont la branche verticale, passée entre les cuisses et fendue pour laisser passer la sonde, a le grave inconvénient de comprimer le reste de l'appareil, et par suite le lambeau. On lui substitue un simple bandage de corps, auquel on fixe également la sonde. Pour tout pansement, on applique sur la vulve un petit linge enduit de cérat et fendu dans son milieu pour laisser passer cet instrument.

Le 25, la sonde, obstruée par du mucus, est remplacée.

Les jours suivants, l'urine coule convenablement.

Le 27, le fil passé dans le sommet du lambeau et fixé au bandage de corps, tombe pendant le pansement, sans qu'on ait exercé sur lui aucune traction inopportune.

Les jours suivants, le tampon ne s'est point déplacé, et l'urine a continué à couler par la sonde. Ces deux circonstances font augurer un heureux résultat.

Le 31, des mouvements inconsidérés de la malade ont complétement dérangé l'appareil, et la sonde est sortie de l'urètre. Depuis ce léger accident, l'urine s'est accumulée dans la vessie, et plusieurs fois dans la journée, la malade, sollicitée par le besoin d'uriner, s'en est débarrassée naturellement. Ce fait contribue encore davantage à augmenter l'espoir d'une réussite complète. Comme le fil qui passait dans le sommet du lambeau est déjà tombé depuis plusieurs jours, il est bien probable que l'occlusion de la fistule ne dépend plus que des nouvelles adhérences, et que les fils qui passent du tampon dans les bords de la perte de substance se sont également détachés. Malgré cet heureux pronostic, et pour plus de sûreté, on place encore une sonde.

Depuis cette époque jusqu'au 23 février, on change les sondes tous les jours ou tous les deux jours. Les urines sont limpides la plupart du temps; quelquefois cependant de légères mucosités obstruent la sonde. Souvent, par indocilité, la malade dérange cet instrument, et chaque fois l'urine s'accumulant dans la vessie, est rendue volontairement. Il faut néanmoins remarquer que les envies d'uriner reviennent alors très fréquemment, ce qui dépend très probablement de la diminution de capacité de la vessie, tant par suite des opérations qu'elle a subies qu'en raison de son défaut d'extension pendant plusieurs années. Le 23,

M. Jobert, en présence de MM. Paul Dubois et Emery, coupe le lambeau à un pouce de sa base. La malade a senti à peine l'incision.

Le 24, le lambeau offre une coloration noire très inquiétante, et qui occupant plusieurs lignes de l'extrémité nouvellement coupée, s'étend sur un de ses côtés aussi haut que l'œil peut atteindre. La portion qui n'est pas encore mortifiée est gonflée et rouge. L'urine a une couleur rouge insolite. On supprime la sonde, dans la crainte que, comprimant le lambeau, elle n'augmente encore la gangrène.

Le 25, la malade a de l'inquiétude, du malaise, de la céphalalgie et des envies de vomir. La portion mortifiée n'a pas augmenté, et le reste du lambeau est moins tuméfié, ce qui donne l'espoir que la gangrène se limitera et n'atteindra pas la portion du lambeau qui obture la fistule. L'urine s'accumule toujours dans la vessie et est rendue volontairement; seulement, quand la malade résiste aux besoins fréquents qu'elle éprouve, ce liquide s'échappe seul et inonde le lit. La coloration par du sang est toujours très marquée. (Petite saignée, cataplasme sur le ventre.)

Le 26, le malaise général est moindre, mais la malade se plaint d'une douleur dans la vessie et dans la vulve. La portion du lambeau mortifiée commence à se séparer de la portion vivante, laquelle a beaucoup diminué de volume. L'urine est toujours sanguinolente. On applique simplement un petit linge cératé sur la vulve.

Le 27, la portion gangrenée est complétement tombée, et le reste du lambeau s'est encore dégorgé. L'urine est encore rouge, mais l'état général est parfait. (Même pansement.)

Le 28, l'urine est parfaitement claire, toujours rendue sans le secours de la sonde et volontairement. Le tampon s'est tellement rétracté, que l'on est obligé d'écarter les petites lèvres pour l'apercevoir. La surface de la section, de couleur vermeille, est le siége d'une suppuration de bonne nature. L'état général continue à être parfait.

Le 3 mars, M. Jobert coupe à ras le bourrelet formé par la base du lambeau. On doit se rappeler que la première section avait été faite à un pouce de la base; il en restait par conséquent un bourrelet saillant et volumineux qui, indépendamment de la difformité qu'il produisait à l'entrée des organes génitaux, aurait plus tard, par sa situation, gêné la marche et se serait excorié. La section de ce bourrelet a été très douloureuse et a été suivie d'une hémorrhagie copieuse fournie par trois artérioles.

Le 4 mars, la malade est un peu faible par suite de l'hémorrhagie qu'elle a éprouvée, et dont on ne s'est aperçu que quelques heures après la section.

Le 5 mars, la malade nous dit que deux fois dans la nuit elle a été réveillée par le besoin d'uriner, et qu'elle a eu le temps de prendre son vase. Jusqu'à cette époque, l'urine, après avoir distendu la vessie jusqu'à un certain degré, s'échappait subitement avant que le besoin d'uriner fût assez pressant pour réveiller la malade. L'état de dilatation de l'urètre par l'introduction prolongée des sondes contribuait sans doute beaucoup aussi à la production de cette incontinence nocturne. Le fait du réveil de la malade par le besoin d'uriner indique encore un grand progrès dans l'amélioration des organes; aussi l'opérée, après les soins assidus et minutieux dont nous l'avons entourée, se trouve-t-elle à une époque de traitement assez avancée pour qu'on puisse regarder la guérison comme positive et durable. »

Il est facile de se convaincre que cette observation *telle qu'elle est publiée*, est loin d'être concluante. Ainsi il est dit que la fistule était située seulement à une quinzaine de lignes de l'orifice de l'urètre. Mais par quel moyen s'est-on assuré de cette position? c'est ce qui est passé sous silence. D'ailleurs ce mot *quinzaine* n'indique-t-il pas qu'on n'a pas cherché à déterminer d'une manière précise le siége de la lésion. De plus, nous avons déjà vu que

M. Lallemand, dans l'observation de la dame Martin, dit que la lésion située à quatorze lignes du méat urinaire occupait *précisément* le col de la vessie; il est donc très probable que la fistule de Gabrielle Morel occupait à peu près a même place.

D'un autre côté, si nous considérons que l'opération a été pratiquée le 20 janvier, et que, dans la dernière note de l'observation prise le 5 mars, il est dit que « l'opérée se trouve maintenant à une époque de traitement assez avancée pour qu'on puisse regarder la guérison comme positive et durable, » nous ne pouvons nous empêcher de reconnaître que M. Jobert s'est trop hâté de publier ce fait. Cela est si vrai qu'on a dit que quelques unes de ses opérées sont allées demander de nouveaux soins dans d'autres hôpitaux de Paris. Mais ce sont là de simples assertions que je n'ai pas pu vérifier; c'est pourquoi je les regarde comme non avenues.

Au total, les deux faits publiés par M. Jobert dans la *Gazette médicale*, examinés avec un esprit impartial, ne prouvent point que ce chirurgien ait guéri des fistules vésico-vaginales du bas-fond de la vessie avec perte de substance et d'une date ancienne. Loin de moi la pensée que M. Jobert a voulu en imposer; mais je crois que ce chirurgien, se faisant illusion à lui-même, a omis, sans doute involontairement, des détails qui enlèvent une grande valeur à ses succès. Qu'on lise d'ailleurs avec attention ces observations, et je suis persuadé que tous les hommes impartiaux seront de mon avis.

Le 14 novembre 1837, M. Jobert écrivit à l'Académie royale de médecine une lettre dans laquelle il priait cette société savante de nommer des commissaires pour examiner une femme qu'il avait guérie d'une fistule vésico-vaginale par son procédé. MM. Lisfranc et Blandin furent chargés de faire cet examen, et d'en rendre compte à l'Académie.

Le 27 mars 1838, M. Blandin lut son rapport, dont j'extrais textuellement (1) tout ce qui a trait à la malade opérée par M. Jobert.

« Vos commissaires ont vu, interrogé, touché cette malade, de sorte qu'ils peuvent vous garantir l'exactitude des détails qu'ils vous donnent.

» Cette malade est âgée de trente à trente-cinq ans environ, et d'une assez faible constitution. Depuis un accouchement pendant lequel la tête de l'enfant demeura plusieurs jours engagée dans l'excavation pelvienne, elle rendait toutes les urines par le vagin. Lorsqu'elle entra à l'hôpital Saint-Louis, il y avait déjà dix-huit mois qu'elle était en ce fâcheux état; la fistule, située derrière le col de la vessie, était arrondie, et offrait un pouce de diamètre, au rapport de notre confrère; elle laissait continuellement tomber l'urine dans le vagin, de sorte que la membrane muqueuse de ce conduit, celle de la vulve, et la peau de la partie supérieure et interne des cuisses, étaient le siége d'une inflammation et d'excoriations qui causaient un prurit et des douleurs intolérables.

» Convaincu de l'insuffisance des moyens proposés en pareil cas par beaucoup de chirurgiens, enhardi surtout par les succès obtenus à l'aide de l'autoplastie dans des circonstances analogues, M. Jobert eut l'idée de soumettre cette malheureuse à une opération de cette espèce, et il s'arrêta au procédé suivant : après avoir préalablement avivé les lèvres de la fistule, il tailla un lambeau aux dépens des parties molles de l'une des lèvres de la vulve et de la partie voisine du périnée; il traversa le milieu de ce lambeau avec une aiguille armée d'un fil, ramena les deux chefs de ce fil du vagin et de la fistule vers l'urètre au moyen d'une sonde de Belloc, et les fit sortir par le méat urinaire; il retourna en haut la face saignante du lambeau, et, après

(1) *Bulletin de l'Académie de Médecine*, séance du 27 mars 1838, t. II, page 582.

l'avoir fait basculer sur le pédicule qui l'unissait encore à la lèvre de la vulve, il le laissa dans l'intérieur de l'ouverture fistuleuse, et le maintint en place avec le fil qui avait servi à l'attirer, et en le soutenant avec de la charpie du côté du vagin.

» Du reste, une sonde fut laissée à demeure dans la vessie pour empêcher l'urine de s'accumuler dans ce réservoir, et la malade fut assujettie au régime ordinaire des grandes opérations chirurgicales.

» Cette première tentative, messieurs, ne devait pas être couronnée de succès; non que la nature se soit refusée aux efforts agglutinatifs nécessaires pour amener à bien l'opération; loin de là, tout faisait, au contraire, présager l'issue la plus heureuse, lorsque, cédant aux vives sollicitations de la malade, M. Jobert se laissa aller à pratiquer la section du pédicule du lambeau quatorze jours après l'opération, à une époque à laquelle les vaisseaux de formation nouvelle de la cicatrice étaient encore trop imparfaits pour suffire à la circulation de la partie transplantée. Cette section fut promptement suivie du sphacèle de cette partie.

» Toutefois, cet essai, quelque malheureux qu'il ait été, ne fut cependant perdu ni pour la malade ni pour notre confrère. Une nouvelle opération, sollicitée par celle-ci, fut pratiquée peu de temps après : cette fois le lambeau fut taillé plus épais et plus grand que le premier; les incisions destinées à le circonscrire furent étendues jusque dans la région de la fesse. Cette fois aussi M. Jobert ne trancha le pédicule de son lambeau que trente-six jours après l'opération.

» A cette époque, messieurs, l'adhésion de ce lambeau aux bords de la fistule était parfaite et bien organisée. Toutefois cette ouverture n'était pas encore complétement obturée; il restait un pertuis qui donnait issue à une petite quantité d'urine; la malade éprouvait, comme autrefois, le besoin d'uriner, et elle y satisfaisait presque seulement par les voies normales.

» Néanmoins il fallait encore, pour achever son œuvre, que M. Jobert fît disparaître ce qui restait de la fistule dont il avait entrepris la cure. Pour cela, il employa à plusieurs reprises la cautérisation avec le nitrate d'argent; mais ce fut inutilement. Il ne réussit qu'à aviver les bords de la fistule, sans observer la moindre tendance vers le rapprochement de ses bords. Alors il se décida à les réunir en cet état au moyen d'un point de suture, et au bout de huit jours l'agglutination était complète; le fil et le serre-nœud, qui avaient servi à cette réunion, purent être enlevés sans le plus petit inconvénient; il ne s'écoulait plus une seule goutte d'urine par le vagin.

» Aujourd'hui, messieurs, quatre mois se sont passés depuis la sortie de cette femme de l'hôpital Saint-Louis; la cicatrice s'est bien conservée, et son état est tout aussi satisfaisant qu'à cette époque : elle rend toutes les urines par l'urètre; elle éprouve le besoin d'uriner, elle y satisfait à volonté et à des intervalles ordinaires; le vagin et la vulve sont délivrés de cette inflammation, de ces ulcérations, et la malade de ces douleurs insupportables qui existaient avant l'opération. En portant le doigt dans le vagin, on sent sur la paroi antérieure de ce conduit un tampon gros comme une pomme d'api, dont la circonférence adhère aux parties voisines, et à la surface duquel sont implantés des poils de la couleur de ceux qui ombragent le pubis de cette femme, poils qui témoignent de l'origine étrangère de cette peau qui fait désormais partie du bas-fond de la vessie.

» En résumé, messieurs, l'avis de vos commissaires est que la malade qui leur a été présentée par M. le docteur Jobert a retiré les plus grands avantages de la *cystoplastie vaginale*, et qu'elle peut et doit être citée comme un exemple de fistule vésico-vaginale heureusement guérie par cette opération... »

M. Gerdy. — Je savais que M. Jobert s'était longuement essayé à fermer les fistules vésico-vaginales, mais je ne savais pas qu'il y eût réussi ; je l'apprends pour la première fois par le rapport que l'Académie vient d'entendre. Je me contenterai de demander aux commissaires quels sont les moyens qu'ils ont employés pour s'assurer que les urines sortent régulièrement par le canal de l'urètre et non par d'autres voies.

M. Blandin. — Les commissaires se sont rendus au domicile de l'opérée sans être attendus ; ils ne se sont pas contentés de l'interroger et de recevoir sa déclaration qu'elle était parfaitement guérie, ils l'ont examinée. Le doigt introduit dans le vagin en est sorti sans contracter la moindre odeur d'urine ; enfin, il n'existe pas la moindre inflammation, ni dans le vagin, ni aux grandes lèvres, ni à la partie supérieure des cuisses, ni ailleurs, et certainement il y en aurait si l'urine se répandait sur ces parties.

M. Gerdy n'est pas satisfait de la réponse de M. Blandin. J'aurais voulu, dit-il, qu'on eût introduit une sonde dans la vessie pour en évacuer l'urine. On dit, à la vérité, que le vagin n'en répandait pas l'odeur, qu'il n'était pas humide, qu'il était sec ; mais cela ne prouve rien ; car si cette femme, par exemple, avait uriné peu d'instants avant la visite des commissaires, il se peut que l'urine fût encore trop peu abondante pour atteindre la fistule. Pourquoi est-ce que je demande un examen plus attentif, plus minutieux ? c'est qu'il m'est difficile de croire qu'un morceau de peau puisse contracter adhérence avec une membrane muqueuse, et supporter impunément le contact de l'urine. On sait en effet que le propre de l'urine est d'enflammer, de frapper de gangrène tout ce qu'elle touche ; le vagin lui-même ne peut pas s'y faire.

M. Blandin. — Introduire une sonde dans la vessie, on le pouvait sans doute ; mais ce moyen n'est peut-être pas aussi décisif qu'on le croit ; car, suivant la supposition de

M. Gerdy, si cette femme eût uriné peu d'instants avant notre visite, la sonde aurait évacué très peu d'urine, et ce qu'elle en eût évacué, on eût dit qu'il s'était amassé derrière la fistule. M. Gerdy ne comprend pas qu'un morceau de peau puisse adhérer avec une membrane muqueuse, et qu'il ne tombe pas en gangrène sous l'impression de l'urine. A cela je répondrai qu'il existe des faits d'autoplastie analogues ou même plus extraordinaires; et, par exemple, qui ignore que la peau sert de bouchon aux plaies des intestins, où elle est perpétuellement en contact avec les matières fécales? Enfin, messieurs, les théories doivent s'humilier devant les faits; or, le fait cité par M. Jobert est réel, il est incontestable; néanmoins vos commissaires ne vous proposent pas son procédé comme ayant atteint le dernier degré de perfection; il est probable qu'il sera heureusement modifié; mais tel qu'il est, il mérite votre attention. Dans le principe, M. Jobert prenait des lambeaux de peau trop minces, il se hâtait trop de couper le pédicule qui leur portait la nourriture; c'est à cela qu'il attribue le mauvais succès de ses premiers essais.

M. Desportes aurait souhaité non seulement qu'on eût sondé cette femme, mais encore qu'on eût injecté un liquide coloré dans la vessie.

M. Blandin convient de l'efficacité du moyen proposé par M. Desportes; mais comment espérer, dit-il, qu'une femme s'y soumette, uniquement pour plaire à un chirurgien? car, pour elle, elle est bien sûre de la guérison.

M. Velpeau. — Après les éclaircissements qui viennent d'être donnés, je ne révoque pas en doute la réalité du fait; mais je comprends les difficultés de M. Gerdy. M. Blandin répond qu'on ne peut raisonnablement espérer qu'une femme qui est bien sûre de sa guérison se prête à l'examen qu'on exige d'elle. Je conviens que cet examen est fort désagréable; mais il s'agit ici des convictions de la science, et certes il ne faut pas se plaindre qu'elle se montre un peu difficile. Je disais tout-à-l'heure que je croyais à la réalité du fait ; j'ajoute que, pour en apprécier la valeur, M. Blandin eût dû nous dire combien de fois l'opération avait été faite ; j'ai entendu parler de quinze ou seize fois : si sur ce nombre on n'a obtenu qu'une guérison, le procédé de M. Jobert offre donc bien peu de chances de succès. Celui de M. Lallemand en offrirait davantage ; je sais de lui que sur dix-sept femmes il en a guéri sept.

(Séance du 3 avril 1838.) — *M. Biett.* — Je ne voudrais pas renouveler la discussion qui a suivi le rapport de M. Blandin ; mais je viens donner quelques éclaircissements qui ont été demandés dans la dernière séance. Avant tout, je dois dire que, selon le vœu de M. Gerdy et de quelques autres membres de la compagnie, l'opérée de M. Jobert a été soumise à un nouvel examen. Cet examen a été fait publiquement par M. Blandin lui-même ; je dis publiquement, car il avait beaucoup de témoins. M. Blandin vous en dira tout-à-l'heure le résultat ; je me borne, moi, aux éclaircissements que j'ai promis. M. Roux a demandé si le fait transmis à l'Académie des sciences était le même que celui qui a été transmis à l'Académie de médecine. Oui, c'est le même fait ; il devait être l'objet d'un rapport dans la première de ces compagnies ; ce rapport n'ayant pas été fait, M. Jobert l'a transmis à la seconde. Il est assez important pour les intéresser toutes deux. M. Nacquart a dit qu'il croyait avoir vu cette femme dans les salles de l'hôpital Saint-Louis ; il a vu en effet une femme opérée de la même maladie par le même chirurgien ; mais c'est une autre femme, et, pour le dire en passant, c'est un autre exemple de guérison. Enfin, M. Velpeau a demandé combien de femmes ont été opérées par M. Jobert, et combien ont été guéries ; il est venu à ses oreilles que, sur seize ou dix sept femmes, on n'en avait guéri qu'une seule. En cela, il a été trompé. M. Jobert a traité sept femmes seulement, et il en a guéri trois.

M. Blandin. — Pour complaire à quelques esprits difficiles, autant que pour obéir aux exigences de la science, j'ai visité de nouveau la femme dont j'ai eu l'honneur de vous entretenir dans la dernière séance. Cette fois elle était prévenue de notre visite, et je l'avais moi-même fait prier de retenir l'urine autant qu'elle pourrait. En arrivant, j'ai introduit une sonde dans la vessie, et j'en ai tiré huit onces et deux gros d'urine. La sonde a éprouvé quelques difficultés à passer, ce que j'ai attribué à la saillie du lambeau. Du reste, l'urine est belle, sans mucosités, le vagin sans inflammation; le besoin de la rendre se renouvelle une ou deux fois par nuit; enfin, j'ai injecté une décoction de bois de Campêche dans la vessie, et tout est revenu par l'urètre, rien par le vagin.

M. Émery. — D'après les éclaircissements que viennent de vous donner MM. Biett et Blandin, j'aurai peu de choses à ajouter; mais je puis confirmer leur témoignage. Je répèterai ensuite que, sur sept femmes opérées par M. Jobert d'une fistule vésico-vaginale, trois sont guéries, trois ont conservé leur infirmité, une est morte. L'une de ces malades a éte vue par M. Paul Dubois; mais elle était encore en traitement.

M. Gerdy. — Je me félicite d'avoir provoqué les nouvelles explications que vous venez d'entendre; elles étaient nécessaires; toutefois elles laissent encore quelque chose à désirer. M. Blandin vient de dire qu'en introduisant la sonde dans la vessie, il avait rencontré un obstacle, et si j'ai bien entendu, cet obstacle n'était autre que la saillie formée par le bouchon qui ferme la fistule; mais s'il en était ainsi, la fistule avait donc son siége au col et non au bas-fond de la vessie; en d'autres termes, c'était une fistule urétrale et non une fistule vésicale.

M. Blandin. — Non, ce n'était pas une fistule urétrale, et je ne vois pas trop comment on serait autorisé à tirer cette conclusion de ce que la sonde a éprouvé quelque résistance en passant sur le lambeau autoplastique.

Ce qu'il y a de certain, répond M. *Gerdy*, c'est que ces deux fistules, la fistule de l'urètre et la fistule de la vessie, sont deux choses fort différentes. Si c'était une fistule de l'urètre ou du col de la vessie, je m'étonne moins de sa guérison ; si c'était une fistule de la vessie et du bas-fond de la vessie, je doute un peu du résultat. Des chirurgiens, dit-on, s'en sont assurés ; je ne conteste ni leurs lumières ni leur bonne foi, mais je voudrais maintenant qu'il fût fait un nouvel examen par des personnes également compétentes et sans engagement. Quant il s'agit de choses extraordinaires, on ne saurait prendre trop de précautions pour se garantir des illusions. Vous savez tous ce que disait Voltaire : pour croire aux faits extraordinaires, aux faits miraculeux, il eût voulu qu'ils fussent constatés par l'Académie des sciences, protégée par deux cents gardes uniquement occupés à écarter la foule toujours si crédule. Je voudrais, moi, quelque chose d'équivalent en médecine. On dira que je suis difficile à convaincre, je ne m'en défends pas ; je ne demande pourtant pas mieux que de croire ; mais, pour croire, il me faut des raisons ; j'ai dit celles qui me font douter. D'une part, quand je considère que l'urine irrite, enflamme, ulcère, tue tout ce qu'elle touche, je doute qu'on puisse prendre impunément un morceau de peau, l'introduire dans le vagin pour fermer une fistule vésicale, et le laisser là sans cesse en contact avec l'urine ; d'autre part, plus j'examine la différence d'organisation de la peau et des membranes muqueuses, et moins je puis me persuader que ces tissus soient susceptibles de contracter une union solide et durable. M. Blandin objecte que ce sont là des vues physiologiques ; ce sont tout à la fois des vues physiologiques et des faits pathologiques, ou plutôt ce sont des résultats de faits, ce sont des faits généraux ; et il me semble que les faits généraux ont un peu plus d'autorité que les faits isolés. J'étends, je généralise la question, moi, et mes adversaires la rétrécissent aux dimensions d'un cas particulier. Et en effet, si le fait de M. Jobert est réel, c'est *une rare exception en physiologie, et plus encore en pathologie.* Mais si M. Jobert a guéri trois femmes, comment ne parle-t-il que d'une? pourquoi n'a-t-il pas donné la même publicité à ces trois guérisons? pourquoi ne les a-t-il pas fait constater, non pas par ses amis, mais par ses adversaires? J'aurais bien voulu, pour ma part, voir une de ces femmes; je ne l'ai pas pu, et je doute.

M. Lisfranc. — On s'étonne que la sonde, en entrant dans la vessie, ait rencontré un obstacle; mais qu'y a-t-il donc d'étonnant qu'en cheminant elle ait heurté contre le tampon autoplastique? On dit ensuite que le fait cité par M. Jobert est fort extraordinaire. Et qui dit le contraire? personne, que je sache. C'est même à cause de cela qu'il vous a été communiqué, et c'est à cause de cela que vos commissaires vous en ont entretenus.

M. Emery. — J'ai demandé la parole, mais j'y renonce; il n'y a rien à répondre à un homme qui dit qu'il doute de tout ce qu'il n'a pas pu constater par lui-même.

M. Blandin. — M. Gerdy doute que la fistule ait son siége dans le bas-fond de la vessie; mais qui ne sait que c'est là que se placent en général les fistules qui succèdent à un accouchement laborieux? Cette seule circonstance aurait dû ramener M. Gerdy à notre opinion. Il répète sans cesse qu'il ne comprend pas comment l'urine, qui frappe de gangrène tout ce qu'elle touche, épargne un morceau de peau; c'est qu'apparemment il y a quelques exceptions à cette règle, comme à tant d'autres. Ces exclamations : *Je ne comprends pas, je ne puis pas croire*, ne signifient rien, et ne peuvent prévaloir sur des faits positifs et bien constatés; ce que M. Gerdy ne comprend pas, je l'ai vu; j'ai vu, j'ai touché de mes doigts le morceau de peau introduit dans le vagin pour fermer l'ouverture fistuleuse de la vessie. Ce bouchon est plein de vie depuis trois ans qu'il est là ; il porte encore des poils qui témoignent de la place qu'il occupait primitivement. Ainsi nul doute à cet égard. Au reste, je soupçonne que M. Gerdy n'est si difficile à persuader que parce qu'il est en général très peu favorable à l'autoplastie.

M. P. Dubois, dont le témoignage a été invoqué, croit de son devoir de déclarer qu'il n'a vu la malade que le jour de la section du lambeau, trop tôt par conséquent pour constater la guérison.

M. Velpeau. — Il m'avait été dit que M. Jobert avait tenté seize ou dix-sept fois la même opération, et qu'il n'avait réussi qu'une seule fois. On vient de m'apprendre que j'avais été induit en erreur. Je passe à un autre point. Il paraît qu'une des grandes raisons de M. Gerdy pour se tenir dans le doute, c'est la difficulté de comprendre que deux tissus aussi différents que la peau et les membranes muqueuses puissent contracter des adhérences; mais ce n'est pas la surface cutanée, c'est la surface celluleuse de la peau qui adhère à la muqueuse vaginale. J'ajoute, pour faciliter l'intelligence du phénomène, que l'une et l'autre sont préalablement avivées avant d'être mises en contact, ce qui doit en faciliter singulièrement la réunion.

Le rapport de M. Blandin et ses conclusions sont adoptés.

Je n'ai rien à ajouter à cette discussion. Je dirai seulement que ces deux séances, auxquelles j'ai assisté, furent beaucoup plus animées, je pourrais dire plus orageuses, que le bulletin de l'Académie ne le laisse entrevoir. Qu'on s'étonne après cela de mes doutes sur la valeur d'observations recueillies le plus souvent à la hâte et manquant des conditions requises pour entraîner une conviction profonde ! Toutefois j'accepte pour ma part le succès communiqué par M. Jobert à l'Académie de médecine; mais je ne l'accepte qu'à titre d'exception très rare.

Procédé de M. Vidal (de Cassis). — Obturation de la vulve. — Cette méthode a valu à son auteur plus d'une épigramme. Proposer l'occlusion du vagin pour remédier à une perforation de la cloison vaginale; condamner une femme à un veuvage perpétuel par cela seul qu'elle perd ses urines par le vagin, c'était, pour ainsi dire, souscrire d'avance à une foule de plaisanteries plus ou moins piquantes; c'était prêter le flanc aux esprits superficiels. Aussi, il faut le dire, cette méthode n'a pas été en général prise au sérieux. Je crois cependant qu'il ne doit point en être ainsi, et que les intentions de M. Vidal n'ont pas été bien comprises. Je n'accuse ici personne; ce reproche revient de droit à M. Vidal, qui n'a pas encore pris la peine d'expliquer toute sa pensée sur ce sujet.

Je n'ai pas l'intention d'examiner ici cette question sous toutes ses faces; je laisse à M. Vidal le soin de combattre les objections plus ou moins fondées qui ont été faites à son procédé; et je suis persuadé qu'il ne fera pas défaut lorsqu'il traitera des maladies des voies urinaires dans le livre de chirurgie qu'il publie actuellement. Je me bornerai à bien préciser les cas dans lesquels cette méthode peut, d'après M. Vidal, être mise en pratique, et l'on verra par ces courtes considérations que la proposition de ce chirurgien n'est ni *absurde* ni *ridicule*. Mais avant tout je crois devoir donner quelques explications sur l'origine de cette méthode.

En 1833, M. Vidal, chargé d'un service à l'hôpital du Midi, y trouva une femme qui portait au bas-fond de la vessie, une large ouverture donnant un libre passage au doigt indicateur. Ce chirurgien se proposait de tenter la suture; mais en ayant été empêché par l'indocilité de la malade, il pratiqua une très forte cautérisation avec le nitrate d'argent. Pendant cette opération, les aides ne purent pas se rendre maîtres des mouvements de la malade, et la cautérisation porta non seulement sur les bords de la fistule, mais encore sur la partie correspondante de la paroi postérieure du vagin. Un gonflement considérable survint; la paroi recto-vaginale vint s'appliquer contre la fistule, et la malade vit pendant vingt jours ses urines couler par l'urètre. Mais en voulant explorer les parties pour constater ce qui s'était passé dans le vagin, le chirurgien détruisit par mégarde les adhérences; *il coula du sang*, et la malade sentit une vive douleur. La fistule se reproduisit. Toutefois ce fait ne fut pas perdu pour M. Vidal, qui crut entrevoir tout un nouveau système de traitement des fistules du bas-fond de la vessie avec large perte de substance, et d'une date ancienne. Ce chirurgien communiqua ce fait à la Société médicale d'émulation, et fit part des espérances qu'il avait conçues.

Dans cette application fortuite de la paroi postérieure du vagin contre la fistule se trouve le germe de la cystoplastie et des autres procédés anaplastiques imaginés par M. Velpeau. Mais tous se rattachant à la méthode directe, M. Vidal n'y songea que pour les rejeter; car, suivant lui, l'oblitération des fistules du bas-fond de la vessie avec une large perte de substance et d'une date ancienne est impossible. Il pensa donc qu'il fallait faire pour ces sortes de lésions à peu près ce qu'on a fait pour les anévrismes, c'est-à-dire diriger les moyens sur les parties plus ou moins éloignées. Ce chirurgien résolut donc d'oblitérer l'ouverture vaginale, et de transformer le canal vulvo-utérin en un diverticulum de la vessie. De cette manière, la paroi postérieure du vagin deviendrait le bas-fond de la vessie. Cette entreprise était hardie; elle a dû étonner.....

Peu de temps après, M. Vidal eut l'occasion de mettre à exécution son idée chez une femme affectée d'une large perte de substance située au bas-fond de la vessie, et qui avait déjà été soumise inutilement à plusieurs opérations. Avant d'opérer, le chirurgien exposa à la malade le genre de moyen dont il allait faire usage pour la délivrer de son infirmité, et ce ne fut qu'après lui avoir laissé quelqu jours de réflexion qu'il se décida à essayer son nouve mode de traitement. Il aviva largement l'orifice exter du conduit vulvo-utérin, et en maintint les bords en co tact à l'aide de trois points de suture. Les fils furent e levés le sixième jour. L'agglutination fut obtenue, et cicatrice dut être très avancée, puisque la malade pouv faire jaillir l'urine par l'urètre, sans que, pendant envir vingt jours, il s'en écoulât une seule goutte par le vagi Les règles survinrent, et, mêlées à l'urine, elles fure chassées au-dehors par l'urètre. MM. Bérard et Guerbo virent la malade et applaudirent à ce succès. Mais l' lève de garde ayant senti la nécessité de sonder la malad dirigea imprudemment la sonde vers la cicatrice, détruis ainsi les adhérences, et les urines reprirent leur cours pa le vagin.

Ce fait, il est vrai, n'est pas tout-à-fait concluant, e M. Vidal ne le donne pas comme tel; mais il faut conve nir aussi qu'il ne laisse pas de donner des espérances. L cicatrice, quoique encore nouvelle, devait avoir cependan une certaine force pour empêcher la sortie des urines pa le vagin, quelle que fût la position de la malade, et surtou pour permettre que ce liquide fût lancé au loin par l'urètre Je dois faire ici une remarque qui ne sera pas perdue : s tous les chirurgiens avaient agi comme M. Vidal, il es probable que la science ne serait pas encombrée d'une foule d'observations de peu de valeur. En effet, M. Vida aurait pu faire sortir sa malade de l'hôpital après l'examen de MM. Bérard et Guerbois, et ce fait aurait été regardé comme un exemple de succès complet !....

On serait dans une erreur bien grande si on pensait que M. Vidal a eu l'intention de conseiller l'obturation de la vulve dans tous les cas de fistules du bas-fond de la vessie. Ce chirurgien ne propose cette ressource que pour les grands délabrements de la cloison vésico-vaginale, que pour les cas dans lesquels tous les autres moyens chirurgicaux ont fait défaut. Il veut en outre que l'opérateur prévienne bien la malade sur toutes les suites de cette opération, et il conseille d'attendre que celle-ci en fasse elle-même la demande à différentes reprises. Il est vrai de dire que chez une jeune personne on doit y regarder à deux fois avant d'abolir les fonctions génitales ; mais qu'on réfléchisse à toutes les conséquences douloureuses et dégoûtantes de cette infirmité, qu'on se représente le tableau hideux de ces malheureuses, et cette opération, qui, au premier abord, paraît cruelle et si opposée à une saine chirurgie, se présentera sous un aspect moins défavorable. Certes, je ne crains pas de le dire, je suis persuadé qu'il n'est pas de femme qui, en proie à toutes les conséquences de cette infirmité, conséquences qui la rendent un objet de dégoût pour toutes les personnes qui l'approchent, et ayant vu échouer tous les efforts de l'art, ne fît sans peine le sacrifice moral qu'exige cette opération. J'ai vu dans le service de M. Velpeau pendant l'été de 1836 une jeune femme dont l'état était si malheureux, qu'elle demandait qu'on la délivrât de son infirmité, ou qu'on lui donnât la mort. Il ne faudrait pas croire que ce fût là le désir d'un instant de désespoir : tous les matins c'était la même demande !

Reste maintenant à savoir si l'obturation de la vulve est facile à obtenir ; sur ce point, l'expérience n'a point encore prononcé. On a fait à ce procédé plusieurs autres objections que je ne chercherai point à combattre, comme je l'ai dit plus haut. Cependant je citerai en terminant une observation qui laisse entrevoir que l'occlusion complète du vagin peut être fort difficile.

Ce fait a été communiqué à M. Bouisson (1) par M. Velpeau. Je le transcris textuellement.

« Couturier (Euphrasie), âgée de trente-huit ans, d'une

(1) *Thèse.* Paris, 1837, n° 143, page 26.

bonne constitution, habituellement bien portante, a toujours été bien réglée avant la maladie qui l'amène à l'hôpital de la Charité, où elle est couchée au n° 28 de la salle Sainte-Catherine.

» Après trois années de mariage, elle eut un accouchement, il y a un an, qui dura trois jours. La sortie d'un enfant mort détermina de nombreuses déchirures, qui furent accompagnées de souffrances très vives. Au bout de deux mois environ, la malade s'aperçut de l'occlusion du vagin par l'impossibilité du rapprochement sexuel. Il se manifesta plus tard différents accidents qui paraissent se rapporter à la menstruation. Le médecin du village fit une incision au vagin; il s'écoula beaucoup de sang, et les règles se rétablirent. Mais bientôt la plaie se referma, et les mêmes accidents reparurent. Le chirurgien fut rappelé, fit une nouvelle incision à l'ouverture vulvaire, et en maintint les bords écartés avec des bougies. Dès le soir même, les urines, qui jusque là avaient suivi leur conduit naturel, s'écoulèrent sans discontinuer par la plaie pendant six semaines, époque à laquelle elles recommencèrent à couler aussi par l'urètre.

» Entrée à la Charité le 9 mai : l'urètre est parfaitement libre; occlusion du vagin complète au premier coup d'œil. Ce n'est qu'après une recherche attentive avec un stylet qu'on parvient à trouver une ouverture étroite qui conduit dans le vagin. Les urines suintent par là quand la malade est debout; elles passènt par l'urètre dans la position horizontale. Un fil métallique de volume ordinaire traverse à peine ce pertuis, et si, après son introduction, on passe une sonde par le méat urinaire, elle tombe sur le stylet, et l'on peut constater une très large ouverture de la cloison vésico-vaginale qui paraît régulière.

» Après quelques jours employés à des soins de préparation, M. Velpeau s'occupa, non pas à détruire l'occlusion du vagin, mais à la compléter. Le 25 mai, deux stylets chauffés à blanc furent introduits.

» Le 26, pouls calme, langue naturelle. Elle a souffert assez vivement dans les parties cautérisées, mais les douleurs ont cessé. Les urines, qui ne coulent pas involontairement quand elle est couchée, suintent par les pertuis dans les mouvements qui changent la position horizontale.

Le 27, les urines coulent sans cesse par la petite fistule vaginale et ne suivent point l'urètre. L'ouverture cautérisée s'est arrondie et semble plus large : les bords en sont rouges, sans apparence de réunion. Cet état de choses dure un mois; la malade prend cependant de l'embonpoint et de la fraîcheur; elle ne se plaint que de son incontinence, dont elle demande à être débarrassée. L'insuffisance du premier essai fait recourir à la suture.

» Le 27 juin, un large fil est porté d'abord d'un côté à l'autre de l'ouverture; ensuite on cautérise la circonférence du pertuis avec le nitrate d'argent, et le point de suture est assez serré pour mettre en contact les parois opposées. Une sonde est maintenue dans l'urètre.

» Le 28, rien de notable, point de souffrances; la malade ne se plaint pas de la suture, mais seulement de l'urètre, dans lequel une sonde est à demeure..... Les douleurs dans le canal deviennent assez vives pour obliger à l'ôter, et à ne la placer que momentanément plusieurs fois par jour.

» Le 1er juillet, la malade dit que les urines coulent par la suture et l'urètre quand elle est sur le dos, et par l'urètre seulement quand elle est sur le ventre. On l'engage à prendre cette position pendant qu'on la sonde à intervalles assez rapprochés. L'appétit d'ailleurs se réveille; l'état général est parfait; les selles continuent seulement à être très rares.

» Le 7, la malade est restée depuis le 1er continuellement sur le ventre; aussi les urines coulent par l'urètre, et la réunion semble solide. On coupe le fil de la suture, et l'on donne une potion : infusion de menthe et huile de ricin ℥ ij, pour amener des selles.

» Le 8, plusieurs selles faciles, mais peu abondantes; quelques coliques; pouls régulier, calme. Les bords de l'ouverture fistuleuse sont toujours en contact; ils sont roses, humectés, mais la position que garde sans cesse la femme et le cathétérisme répété ne permettent pas à l'urine de les séparer.

» Le 19, on a cessé d'introduire la sonde, dont le passage répété déterminait d'ailleurs de pénibles picotements. Elle urine cinq à six fois par jour, quand le besoin s'en fait sentir. Les lèvres de la petite fistule sont légèrement humectées. Les selles n'ont lieu qu'à l'aide de lavements.

» Le 25, elle s'est tenue levée plus d'une heure, et le suintement par le vagin n'a pas été plus abondant.

» Le 28, elle continue à se lever, mais le suintement devient plus fort sitôt qu'elle est debout, mais jamais quand elle est couchée.

» Le 22 août, lorsque la malade, ayant perdu toute espérance de guérison, quitte l'hôpital, le suintement est un peu plus abondant que dans les jours précédents : l'urine tombe presque goutte à goutte par le trajet fistuleux. »

On voit dans cette observation que le chirurgien n'avait pour ainsi dire qu'à achever ce que la nature avait si fort avancé; et cependant la cicatrisation n'a jamais été complète dans le courant du traitement. Il ne faudrait point conclure de ce fait que l'occlusion complète du vagin est impossible, car nous avons vu que chez la malade opérée par M. Vidal la cicatrisation complète s'était opérée sur tous les points.

En résumé, le procédé de M. Vidal ouvre une nouvelle voie au traitement des fistules vésico-vaginales; mais on ne sera en droit de porter un jugement définitif sur sa valeur que quand l'expérience aura prononcé.

Avant de terminer, je dois aller au-devant d'une objection qu'on ne manquera pas de faire à ce travail : de ce qu'il n'existe pas dans la science une seule observation authentique qui prouve d'une manière évidente qu'on soit parvenu à guérir radicalement une fistule vésico-vaginale du bas-fond de la vessie, avec perte de substance et d'une date ancienne, s'ensuit-il que cette infirmité n'a jamais été guérie? Une simple affirmation d'un chirurgien consciencieux n'a-t-elle pas plus de force qu'une foule de détails donnés par un homme d'une moralité scientifique plus ou moins suspecte?... Certes, je suis loin de contester la justesse de ce raisonnement; mais, je le demande, en partant de ce principe, ne faudrait-il pas avant tout déterminer la moralité scientifique de chaque chirurgien? or, qui voudrait se charger d'un pareil travail?... Mieux vaut, sans aucun doute, ne considérer que les faits tels qu'ils sont publiés; c'est le seul moyen de ne blesser personne, et de ne pas s'exposer à accorder à un homme un encens dont il pourrait bien ne pas être digne.

ARTICLE VI.

DE LA CONTUSION (1).

La contusion est un phénomène si fréquent et joue un si grand rôle dans la pathologie chirurgicale, soit qu'on la considère en elle-même, soit qu'on l'envisage comme cause ou comme complication d'autres maladies, qu'il est important de l'étudier avec beaucoup plus de soin qu'on ne l'a fait jusqu'à ces dernières années. Je ne me propose point d'entrer ici dans tous les détails que comporterait une pareille question. Je me bornerai à vous présenter quelques idées générales qu'il vous sera facile d'appliquer vous-mêmes à chaque cas particulier. Vous pourrez d'ailleurs consulter sous ce dernier point de vue ma thèse sur *la contusion dans tous les organes*, dont ces Leçons ne seront en grande partie qu'une reproduction.

On peut définir la contusion : *Toute solution de continuité des tissus vivants accompagnée d'extravasation des liquides organiques, et produite par la pression directe ou indirecte de certains agents extérieurs, mais sans division de la couche tégumentaire.*

Ce caractère de l'écrasement des tissus sans solution de continuité de la peau, différencie la contusion des plaies proprement dites. Lorsque ces deux circonstances se trouvent réunies, la lésion prend alors le nom de plaie contuse.

A. *Mécanisme.* — Le mécanisme de la contusion est fa-

(1) Cet article n'est en grande partie que la reproduction de la thèse de M. Velpeau sur la *contusion dans tous les organes* (concours de pathologie externe. Paris, 1833). Cette thèse renferme des vues tellement pratiques, elle est d'ailleurs si peu répandue, que j'ai cru pouvoir en reproduire une foule de passages.

cile à expliquer : pour que ce phénomène s'effectue, il faut un point d'appui, une puissance et une résistance.

Le *point d'appui* est représenté tantôt par un corps extérieur, tantôt par les tissus de la personne blessée. Le premier cas a lieu toutes les fois qu'un membre ou quelque autre partie du corps se trouve pressée d'une manière quelconque contre le sol, un mur, une roue, un moyeu, un timon de voiture, un bloc de pierre, etc., etc. Le second s'observe dans les coups proprement dits, et alors ce sont les tissus les plus solides ou les plus denses qui servent de point d'appui ; c'est ainsi que les os, les cartilages, les tendons, les aponévroses, les ligaments, les nerfs, les vaisseaux, les muscles, peuvent devenir point d'appui à l'égard du tissu cellulaire ou de la graisse, et même à l'égard les uns des autres.

La *puissance* est aussi très variable dans sa manière d'agir : c'est tantôt un corps qui presse uniquement par son poids, tantôt un lien qui étrangle, tantôt un projectile ou un agent doué d'une certaine quantité de mouvement, et qui la transmet immédiatement ou par contre-coup aux tissus vivants. Il est encore des cas où les tissus se trouvent compris entre deux corps qui se meuvent l'un contre l'autre, et qui remplissent à la fois, l'un par rapport à l'autre, le rôle de point d'appui et le rôle de puissance ; c'est ce qu'on observe, par exemple, lorsque la peau est pincée entre les doigts, ou le scrotum entre les cuisses.

Quant à la *résistance*, elle réside toujours dans les tissus pressés. Si ces tissus étaient homogènes, la contusion agirait d'une manière uniformément décroissante, depuis la surface jusqu'à une certaine profondeur. Mais comme les parties constituantes de l'organisme offrent une grande inégalité de densité et de cohésion, il en résulte que chacune résiste avec une force inégale, et par conséquent les effets de la contusion sur une épaisseur donnée de tissus varient dans chacun, suivant le degré de résistance qui lui est propre. Ainsi, par exemple, dans un coup porté sur le tibia, la couche sous-cutanée pressée entre l'os et la peau ayant une force de cohésion beaucoup moindre que les deux tissus entre lesquels elle se trouve, cède et s'écrase la première, et peut même être contuse seule si la puissance est peu considérable. Il en est de même sur le crâne, sur le sternum, et partout où la peau n'est séparée des os que par du tissu cellulaire. Ailleurs ce sont les aponévroses, ou les muscles, ou les tendons qui remplissent à l'égard du tissu cellulaire le rôle du tibia ou des os, et cela toujours d'après le même mécanisme. Lorsque le choc n'épuise point sa force dans la couche sous-cutanée, il se propage ensuite aux muscles et aux vaisseaux avant de réagir sur les autres tissus, parce que le derme, les aponévroses et tous les organes fibreux sont beaucoup plus résistants.

On comprend en outre que le point d'appui, la puissance et la cohésion des diverses couches de tissus, offrant des variétés infinies, la contusion doit aussi présenter toutes sortes de nuances. Si le corps contondant frappe très obliquement, il pourra n'agir que sur la peau, dont la partie la plus dense, formée par le chorion, devient un point d'appui sur lequel s'écrasent le corps réticulaire et les papilles qui offrent moins de résistance. Si au contraire il tombe perpendiculairement et qu'il ait une large surface, les téguments seront ménagés au détriment des autres couches. Lorsqu'il est inégal ou anguleux, la violence n'étant plus aussi régulièrement transmise, la résistance ne peut plus être aussi facilement déterminée. Il en est de même lorsque le point d'appui est lui-même anguleux ou inégalement placé.

Je n'entrerai pas dans plus de détails sur ce point; qu'il me suffise d'ajouter que, envisagée d'une manière abstraite, la contusion résulte de l'écrasement des couches organiques moins solides, contre celles qui, ayant une solidité plus grande, remplissent, à l'égard des autres, le rôle de point d'appui.

B. *Division.* — Le *froissement*, la *meurtrissure*, ne sont que des variétés de la contusion, et ne doivent pas en être séparés. Le premier de ces états ne se rencontre qu'à la suite d'un mécanisme tout spécial de la cause contondante. Ce n'est ni un coup ni une simple pression qui le produit, mais bien un frottement accompagné de pression, constitué et produit par le glissement des corps entre lesquels sont placés les organes froissés, comme on le voit aux bourses, par exemple, lorsqu'elles ont été froissées entre les cuisses. Le second pourrait s'entendre de la pression pure et simple, tandis que la contusion proprement dite se rattacherait à toutes les violences accompagnées d'impulsion. Mais ce sont là des distinctions que je me borne à mentionner.

Que la contusion ait lieu par pression ou par percussion, on conçoit qu'elle puisse s'effectuer brusquement ou avec lenteur, et que, sous ce rapport, il serait possible d'en établir deux genres, un *aigu* et l'autre *chronique*. Ainsi de petits coups souvent renouvelés sur la peau produisent à la longue une contusion et toutes ses conséquences; la pression des bretelles sur les épaules, d'un sac sur le dos, d'un ruban sous le menton, finissent aussi quelquefois par produire une contusion. Mais, hâtons-nous de le dire, dans la très grande majorité des cas, c'est instantanément que la lésion est produite. Quoi qu'il en soit, comme toutes ces distinctions ne changent rien au mécanisme intime de la contusion, je ne crois pas devoir m'y arrêter plus longuement.

On a établi différents degrés dans la contusion; mais sous ce point de vue les chirurgiens ne se sont pas plus entendus que pour la brûlure. C'est ainsi que quelques uns se bornent à dire que la contusion est légère ou forte, superficielle ou profonde, tandis que d'autres en admettent trois degrés bien tranchés. Pour moi, tout en convenant que de pareilles divisions sont arbitraires, il me semble que ce serait simplifier le sujet que d'admettre quatre degrés dans la contusion.

Le *premier degré* est caractérisé par une rupture de vaisseaux si fins, ou de lamelles organiques si minces, qu'on s'en apercevrait difficilement s'il n'y avait en même temps un peu de sang épanché. Le sang alors n'est qu'infiltré, et forme une simple ecchymose qui trouble à peine la contexture des tissus.

Dans le *second degré*, des ramuscules vasculaires d'un certain calibre et le parenchyme organique ont été rompus. Le sang n'est plus seulement infiltré aux environs et comme combiné avec les couches voisines, il est aussi rassemblé en foyers plus ou moins reconnaissables au milieu des mailles cellulaires, qui sont elles-mêmes évidemment altérées. Jusqu'ici toutefois, rien n'est mortifié. Le sang épanché peut rentrer dans le torrent circulatoire, et la continuité des parties se rétablir sans aucune expulsion au dehors.

Dans le *troisième degré*, l'altération est profonde, et plusieurs points des organes atteints courent rique de se mortifier.

Enfin dans le *quatrième degré*, il y a broiement, attrition complète des parties. Le sang et les tissus écrasés sont tellement mêlés qu'il en résulte une sorte de bouillie ou de pulpe homogène et livide.

Il est vrai de dire que ces quatre degrés sont souvent réunis, mais l'observation démontre aussi qu'ils peuvent exister indépendamment les uns des autres. Vous avez été sans aucun doute bien souvent à même d'apprécier la justesse de ces distinctions. De cette façon, c'est la nature de la lésion, bien plus que son étendue qui est prise en considération. En effet, les énormes ecchymoses qui se manifestent souvent autour d'une articulation contuse, sans qu'il existe de gonflement, d'épanchement et quelquefois même de douleur appréciable, appartiennent au premier degré ; tandis qu'une petite contusion, sans ecchymose, sur une saillie osseuse, peut être accompagnée d'escarre et constituer par là le troisième degré. Ce point de départ offre en outre l'avantage d'indiquer la marche et les dangers probables de chaque espèce de contusion en particulier, ainsi que le genre de traitement qu'il convient de leur appliquer. Il s'applique non seulement à la contusion prise dans son ensemble, mais à la contusion de chaque tissu et de chaque organe pris séparément.

C. *Contusion dans les divers tissus.* — Tous les systèmes organiques peuvent être contus, mais ils n'y sont pas tous également exposés ; et dans chacun de ces cas la contusion présente des phénomènes distincts qu'il importe de connaître.

1° *Contusion de la peau.* — La peau est souvent affectée de contusion. Un mouvement de succion l'y détermine, et, dans ce cas, il m'a semblé que c'était le corps muqueux qui en était le siége. Pincée, tordue légèrement entre les doigts, cette membrane n'est encore atteinte de contusion qu'au premier degré, mais c'est, je crois, aux dépens du derme ou plutôt de la couche celluleuse qui le double, et non plus seulement du réseau sous-épidermique. Pincée plus fort, elle se laisse écraser, et du sang peut s'épancher dans ses mailles au point d'y former de petits foyers distincts. Sur le bord des plaies par armes à feu, la peau se trouve souvent au troisième degré de la contusion, car il s'en détache fréquemment des lambeaux qui se sont mortifiés après coup ou de prime-abord. Enfin la peau est quelquefois transformée en escarre sous l'influence de violences diverses. Ces escarres en comprennent tantôt toute l'épaisseur et tantôt seulement quelques lamelles. Du reste, il ne faudrait point confondre la contusion de la peau avec l'ecchymose que lui transmettent les contusions du tissu cellulaire sous jacent ou de toute autre partie.

2° *Contusion du tissu cellulaire.* — Après l'enveloppe extérieure, c'est l'élément muqueux ou celluleux qui est le plus souvent affecté de contusions. C'est même là qu'elles doivent surtout être étudiées. La souplesse de ses lamelles, l'abondance des fluides qui le remplissent, les masses qu'il forme au milieu de tous les autres appareils, la cohérence moindre de ses parties constituantes suffiraient déjà pour faire pressentir que toute violence mécanique appliquée directement à la surface du corps doit réagir, au moins en partie, sur le tissu cellulaire placé entre la peau et les aponévroses, ou les os.

Au premier degré, la contusion laisse souvent dans ce tissu des ecchymoses très étendues. Le sang alors n'étant qu'infiltré, ne cause aucune réaction inflammatoire, et reste soumis aux lois de l'imbibition ; aussi le voit-on s'étaler en nappe, et gagner plus ou moins en largeur dans le sens où la résistance des tissus est le moins prononcée. De là même l'explication d'un phénomène fréquemment observé dans la pratique, mais dont on n'a pas toujours cherché à se rendre compte ; c'est que l'ecchymose ne s'étend pas constamment dans la direction que semblerait indiquer le siége de la contusion. Si, dans l'aine, par exemple, elle se porte plutôt en bas, tandis qu'au contraire dans les régions iliaque et hypogastrique, c'est de bas en haut qu'elle se propage ; cela tient à ce que la couche sous-cutanée est plus adhérente sur les bords du bassin qu'au-dessus et au-dessous. La même remarque s'applique à toutes les autres parties du corps ; c'est à tel point qu'avec des connaissances exactes en anatomie il est facile d'indiquer d'avance la route que suivra l'ecchymose dans telle ou telle région. Quoique moins prompte et moins évidente du côté de l'intérieur là où des aponévroses existent, l'imbibition sanguine du tissu cellulaire, dans les contusions, ne s'en opère pas moins d'une manière assez tranchée dans la plupart des cas. Si l'ecchymose est profonde ou la peau très épaisse, c'est à peine si la couleur du sang infiltré se laisse apercevoir au travers des téguments. Au contraire, lorsque les téguments sont minces ou d'une très grande laxité, comme aux paupières et au scrotum, l'ecchymose en envahit aussitôt toute l'épaisseur; de là les mille variétés de l'ecchymose externe.

Les contusions au second degré, c'est-à-dire avec rupture de lamelles et de vaisseaux sans mortification, se montrent sous deux formes dans le tissu cellulaire : 1° Le sang s'épanche sans se réunir en foyer, se mêle, se combine en quelque sorte avec les vacuoles de l'éponge laminaire; L'ecchymose alors est accompagnée de gonflement, d'engorgement et d'une sorte d'empâtement tout-à-fait différent de la rénitence de certaines contusions au premier degré : c'est qu'en effet il n'y a pas seulement ici *teinture* des tissus par l'imbibition du liquide épanché, mais bien altération déjà assez profonde des solides et concrétion d'une partie du sang au milieu des mailles organiques. 2° Outre l'infiltration dont je viens de parler, il peut y avoir, et il y a souvent, accumulation, dépôt du sang, qui se creuse des foyers en décollant, en écartant les parties.

Mais jusque là il n'y a point de mortification ; rien n'est détruit, si ce n'est la continuité de quelques vaisseaux ou de quelques feuillets celluleux. Pour que la contusion du tissu cellulaire existe au troisième et au quatrième degrés, il faut qu'elle désorganise en même temps plusieurs autres systèmes, ou qu'elle porte sur certaines régions spéciales, comme par exemple, sur le crâne, sur le devant des jambes.

3° Les *muscles* sont moins sujets aux contusions que le tissu cellulaire. Cette différence dépend peut-être moins de leur organisation et de leur texture que de leur position plus profonde et de leur moindre proportion dans l'organisme. Cependant ils en sont encore assez fréquemment atteints. A la tempe, à la face, partout enfin où ils se trouvent assez immédiatement appliqués sur des os, ils se laissent écraser à la manière du tissu cellulaire, et peuvent éprouver tous les degrés de la contusion.

Les divers degrés de la contusion dans le système musculaire dépendent autant de son état de tension ou de relâchement au moment du choc que de sa disposition anatomique. Ainsi l'expérience démontre que, tout-à-fait relâchés, les muscles cèdent, se laissent déprimer comme la peau, et ne se déchirent ou ne s'écrasent que sous l'influence d'une force assez considérable. Lorsqu'ils sont accidentellement tendus, ils se laissent rompre avec une facilité bien plus grande. Mais c'est surtout pendant leur contraction qu'ils se trouvent le plus favorablement placés sous ce rapport. Ainsi un coup un peu violent porté sur le biceps, sur les bords de l'aisselle, au moment où le bras est écarté du tronc pour soulever un fardeau, sur le devant ou sur le côté de l'abdomen, sur les différents points de la cuisse, sur la face postérieure de la jambe, etc., pendant la station ou la marche, manque rarement de causer quelques ruptures musculaires dans ces régions, tandis que, dans l'état de relâchement, la contusion aurait pu se perdre dans les divers tissus sans en déchirer aucun. Vous comprenez facilement qu'il importe de tenir compte de toutes ces circonstances.

4° La contusion n'a que très peu de prise sur les *aponévroses*, les *tendons*, les tissus fibreux en général. D'une extrême ténacité, très flexibles, dépourvus de circulation sanguine évidente, ils peuvent être pressés avec une certaine force sans qu'il se fasse d'épanchement dans leur épaisseur, sans qu'on puisse dire qu'ils soient réellement écrasés. Leur contusion est cependant possible. Les plaies par armes à feu, les maladies des articulations et la plupart des grandes attritions des membres le prouvent d'une manière évidente. Je dois même ajouter que les contusions sont plus dangereuses ici, du moins par leurs suites, que dans les autres systèmes; attendu qu'il en résulte le plus souvent des exfoliations capables de troubler à jamais les fonctions de la partie. Il faut convenir, du reste, qu'elles n'ont encore été que fort peu étudiées.

5° *Contusion des vaisseaux*. — Les contusions du système vasculaire sont très fréquentes, non seulement dans la portion capillaire qui se trouve comprise dans toutes les variétés de la contusion, mais encore dans ses branches, et même dans ses troncs.

a. *Lymphatiques*. — Sans dire avec Walter que la contusion des lymphatiques est cause de ces abcès qu'on observe souvent dans les bourses muqueuses, on peut au moins soutenir que l'écrasement des canaux absorbants là où ils sont rassemblés en grand nombre, là où ils forment de gros troncs, comme à la partie interne des membres, dans la poitrine et l'abdomen, à la région inférieure et profonde du cou en particulier, n'a rien qui ne se conçoive et qui n'ait été observé. Leurs ganglions, soit superficiels, soit profonds, y sont particulièrement exposés. La texture homogène et le peu de consistance de ces petits corps en rendent en effet l'écrasement très facile, soit par l'action d'un coup venant de l'extérieur, soit par le déplacement de certains organes. C'est ainsi que des violences exercées sur le jarret, sur l'aine, sur l'aisselle, etc.; que des luxations de l'épaule, de la cuisse, du genou, peuvent en déterminer la contusion à tous les degrés.

b. *Artères*. — La contusion des artères mérite une attention toute spéciale. Elle se rencontre sous une foule de nuances; elle est même employée comme moyen thérapeutique. L'écrasement, le froissement, la torsion d'une artère au fond d'une plaie, ne sont que des variétés de la contusion. Si dans les plaies par armes à feu les hémorrhagies sont plus rares qu'à la suite des divisions simples des tissus, c'est que les artères ont été violemment contuses par le même projectile qui a produit la blessure. La ligature des artères, la torsion de ces vaisseaux reposent sur la même base.

Cet ordre de vaisseaux est d'autant plus facile à contondre que deux de ses tuniques sont très fragiles et peu cohérentes. Formé de canaux toujours remplis, distendu par le sang, le système artériel se trouve, eu égard à l'action des corps contondants, dans des conditions qui le rapprochent jusqu'à un certain point de celles des muscles en contraction, surtout lorsque les parties que traversent ces vaisseaux sont en même temps dans l'extension. Ainsi tous les projectiles lancés par la poudre, tous les coups appliqués directement sur le trajet des artères peuvent en déterminer la contusion. La pression d'une tête osseuse déplacée, d'une esquille, d'un fragment d'os brisé, en fait autant. Si les luxations de l'humérus sont parfois suivies d'anévrisme axillaire, la cause s'en trouve évidemment dans la contusion des parties. D'ailleurs presque tous les observateurs ont noté la contusion comme une des causes des anévrismes. Ajoutons que des artères plus ou moins volumineuses se trouvent presque toujours comprises dans les contusions du quatrième et même du troisième degré des autres tissus.

c. *Veines.* — La souplesse plus grande des veines, leur texture dense et serrée, leur moindre distension par le sang leur permet souvent d'éviter des contusions auxquelles les artères ne peuvent point se soustraire. Ce n'est pas à dire pour cela qu'elles en soient exemptes. Il est évident que c'est à leur rupture, à leur broiement, que sont dus la plupart des épanchements sanguins qui accompagnent certaines luxations et certaines fractures. Vous avez sans doute observé plusieurs exemples de ce genre. Au premier et au deuxième degrés, la contusion des veines ne produit point le plus souvent la dilatation ni l'oblitération de ces vaisseaux; mais elle peut amener la phlébite, et vous connaissez tous les dangers de cette maladie. On conçoit cependant qu'elle puisse, dans quelques cas, donner lieu à des varices. Le fait suivant semble en être la preuve. En 1832, un porte-faix qui avait reçu un violent coup de bâton sur la partie inférieure du tibia, se présenta quatre jours après cet accident dans mon service à l'hôpital de la Pitié, avec une ecchymose considérable et un épanchement de sang que les résolutifs, aidés de la compression, firent bientôt disparaître ; mais la veine saphène, d'abord cachée dans le foyer, resta molle et du volume du pouce dans l'étendue de deux travers de doigt, quoique, d'après le malade, elle n'offrît rien de particulier avant l'accident. En conséquence, tout porte à croire que les parois de ce vaisseau, contuses par le coup, avaient ensuite perdu leur élasticité au point de se laisser distendre outre mesure par le sang.

6° *Contusion des nerfs.* — Si la contusion des nerfs paraît si peu fréquente, cela tient en grande partie à ce que les muscles des membres reçoivent presque tous leurs filets nerveux par leur face profonde, c'est-à-dire le plus loin possible de l'action des corps extérieurs. Ne pourrait-on pas dire aussi que c'est parce qu'ils sont moins nombreux, et peut-être aussi parce qu'il est moins facile de la distinguer par ses effets? Quoi qu'il en soit, on conçoit que les nerfs peuvent être contus partout où ils rampent près des parties dures. On en a observé un assez grand nombre d'exemples.

Les faits de contusion du crâne relatés par Pouteau ne semblent-ils pas aussi se rapporter à la contusion des nerfs? Une jeune fille reçoit un coup de chaise au-dessus de l'apophyse mastoïde. Accidents graves ; mieux pendant quatre ans. Plus tard, nouveaux accidents, qui se dissipent encore et reviennent ensuite. Pouteau fait une longue incision sur le point douloureux, et la guérison définitive a lieu. — Chez un autre malade, il fallut inciser sur l'un et l'autre pariétaux où la chaise avait porté : le succès fut le même. — Chez un jeune homme qui était tombé sur le crâne, et qui souffrait depuis longues années au point frappé, une incision cruciale amena également la guérison. — Enfin, dans un autre cas, on voit que le chirurgien fut obligé de circonscrire presque toute la plaque douloureuse, pour calmer les souffrances et guérir le malade. — Peut-on expliquer de pareils accidents et le succès de pareils moyens autrement que par la contusion des nerfs ?

Il résulte de plusieurs observations et d'un grand nombre d'expériences faites sous ce point de vue sur les animaux, que la contusion des nerfs au premier degré se dissipe en général très rapidement, et qu'au deuxième degré elle n'abolit pas non plus pour toujours, du moins dans tous les cas, les fonctions de la partie. Comme, dans le troisième et le quatrième degrés, la contusion équivaut à une perte de substance du cordon frappé, il en résulte presque nécessairement, au contraire, une paralysie partielle incurable. Mais il faut ajouter que les nerfs étant solides, très souples et pleins, il est rare que la lésion soit portée si loin.

Dans le sacrum et la portion lombaire du rachis, les nerfs échappent difficilement à la contusion toutes les fois qu'il y a fracture accompagnée de quelque déplacement. Plus haut, leurs racines seules y sont exposées ; mais alors c'est la contusion de la moelle qui absorbe toute l'attention. Je n'ai pas à m'occuper ici de la contusion du cerveau, ni de celle de la moelle épinière.

7. *Contusion des os.* — Le système osseux se trouve fréquemment affecté de contusion. Il la reçoit, lui surtout, de deux manières différentes : par percussion directe et par contre-coup. Je ne m'arrêterai point à vous décrire ce double mécanisme ; vous en avez sans contredit observé une foule d'exemples dans ce service, et je vous en ai entretenu dans plusieurs autres circonstances.

Quand un os long est frappé, il peut ne se trouver atteint que dans les lames les plus superficielles, et alors l'ecchymose se borne quelquefois à son périoste. Lorsque la violence porte avec plus de force, le tissu osseux, vivement comprimé, réagit sur le suc médullaire et force le fluide à s'épancher entre ses filaments. Ce n'est que dans les grandes attritions qu'il s'écrase.

Dans les os plats, c'est la couche diploïque qui devient le siége ordinaire de la contusion; d'abord, parce qu'elle est aréolaire et gorgée de fluide, ensuite parce qu'elle s'écrase beaucoup plus facilement que les deux lames qui la soutiennent. Ces nécroses du diploé dont parlent les anciens, et que Chopart mentionne en traitant des blessures du crâne, devaient souvent reconnaître la contusion pour cause.

Les os spongieux, comme ceux du rachis, du tarse, etc., comme les extrémités des os longs, cèdent avec tant de facilité à l'action des causes contondantes, que la contusion peut être comptée comme une des causes les plus fréquentes de leurs maladies. C'est à tel point, qu'elle offre là à peu près les mêmes phénomènes que dans le tissu cellulaire. Ainsi, on y a observé de simples ecchymoses sans destruction de tissu, de petits foyers sanguins, etc. On comprend en outre que ce tissu puisse être écrasé d'une manière complète ou incomplète.

Quoique plus particulièrement relatifs à ce qu'on observe dans la continuité des os, les détails qui précèdent se rapportent aussi aux articulations. Cependant nous devons ajouter que c'est surtout par contre-coup que la contusion se transmet aux jointures. Les faits de ce genre sont trop fréquents dans la pratique pour que j'insiste davantage sur ce point.

Causes. — Les causes de la contusion sont très nombreuses. Considérées sous le point de vue de leur mode d'action, elles peuvent être rangées en deux classes. Les unes agissent par pression médiate ou immédiate, les autres par percussion; il n'est pas rare de trouver ces deux genres de mécanisme réunis ensemble. Je ne m'arrêterai point à vous énumérer ici toutes ces causes; elles vous sont sans doute connues. Je vous rappellerai seulement à ce sujet que l'expansion subite de certains corps, de certains gaz, des vapeurs en général, a été aussi classée avec raison dans l'étiologie de la contusion. C'est ainsi qu'on a vu l'explosion d'un magasin de poudre produire les mêmes contusions qu'un boulet. L'air dans une mine peut déterminer les mêmes effets. M. Kerrouman m'a communiqué le fait d'un homme qui eut tout un côté de la poitrine broyé de cette manière, sans que la peau en offrît la moindre trace. Qui ne sait en outre combien l'eau en vapeurs produit d'effets pareils dans les usines, dans la marine et dans toutes les fabriques où elle est employée sous cette forme ?

Il est facile de voir d'après cela que la contusion est une des maladies les plus fréquentes. Vous en comprendrez d'ailleurs encore bien mieux toute la fréquence, si vous vous rappelez qu'elle existe en outre comme complication, 1° dans la très grande majorité des plaies; 2° dans beaucoup de fractures et de luxations où les extrémités des os agissent à la manière des corps contondants; 3° dans un grand nombre de ces lésions qu'on nomme par contre-coup, etc.

Diagnostic. — La contusion est en général facile à reconnaître. Une douleur plus ou moins profonde et fixe, survenue à la suite d'un coup porté sur la partie douloureuse, suffit pour la caractériser. Les signes qu'elle présente varient du reste suivant le tissu qui se trouve affecté, et suivant les phénomènes qui ont pu s'y joindre, soit sur-le-champ, soit secondairement.

A. *Phénomènes primitifs.* — L'ecchymose est sans contredit le symptôme le plus fréquent de la contusion : mais vous devez être bien prévenus que ce caractère ne se montre pas toujours à l'extérieur; des aponévroses, une couche épaisse de tissu cellulaire, la densité de la peau, peuvent le masquer aux yeux de l'observateur. Je dois vous dire aussi que son existence est possible sans qu'il y ait eu contusion. L'ecchymose ne se manifeste pas toujours immédiatement après l'accident; et ce n'est pas toujours non plus dans le point blessé qu'on l'observe. La couleur presque noire qu'offrent quelquefois les parties contuses pourrait en imposer à un médecin peu attentif, et lui faire croire à l'existence de la gangrène; il est cependant facile d'éviter cette erreur. La gangrène, en effet, offre une teinte grise, rousse ou noire, fort différente de la couleur noirâtre, violacée, jaunâtre, vineuse, de l'ecchymose. La gangrène a des limites tranchées; tandis que l'ecchymose est nécessairement diffuse. La gangrène offre une escarre coriace ou diffluente; tandis que l'ecchymose n'est accompagnée d'aucune mortification des tissus, qui sont simplement imbibés de fluides.

On a cherché quelquefois à tromper les médecins en simulant des contusions au moyen de teintes communiquées à la peau avec des matières colorantes, noires et jaunes, et en appliquant des ligatures circulaires au-dessus des parties ainsi colorées afin d'en occasionner l'enflure; mais il suffit d'être prévenu de cette ruse, pour échapper à la méprise. Le lavage d'une part, l'empâtement tégumentaire ou celluleux de l'autre, mettent promptement à même de reconnaître la vérité.

Le gonflement qui accompagne la contusion ou l'ecchymose, existe avec douleur ou sans douleur. Avec douleur, il est habituellement inégal, pâteux, dépressible; sans douleur, il est plus régulier, plus souple, quelquefois rénitent, et n'a rien qui le rapproche de l'œdème, ni de l'empâtement phlegmoneux. On peut comparer, sous ce rapport, celui des paupières, du scrotum, ou de certaines entorses, avec celui de la face et de la continuité des membres. Dans le premier cas, le doigt ne distingue aucun changement à travers la partie gonflée; dans le second, il reconnaît très bien que les tissus ne sont plus à l'état normal, qu'ils n'ont ni leur souplesse ni leur régularité naturelles. Ici, d'ailleurs, le sang étant inégalement épanché dans les vacuoles celluleuses, ne donne pas à la peau une teinte partout semblable, et souvent l'ecchymose se compose de diverses plaques noires, livides, rosées, jaunes, mêlées à des points qui ont conservé leur couleur naturelle ; tandis que là elle est généralement uniforme et d'un noir tirant plus ou moins sur le jaune.

La contusion au second degré est souvent annoncée par une *bosse*, un *épanchement de sang*, qui fait tumeur sous la peau, et qui offre deux variétés qu'il ne faut pas confondre. Dans l'une, la bosse est solide sur tous les points, à la base et au sommet ; dans l'autre, elle ne l'est qu'au pourtour ; sa pointe est plus ou moins fluctuante : dans les deux cas, elle pourrait être confondue avec d'autres lésions. C'est ainsi que sur les os la *bosse* proprement dite est quelquefois assez dure, assez adhérente pour simuler une périostose ; d'un autre côté, au milieu de parties molles très épaisses, de masses graisseuses, à la fesse par exemple, elle pourrait en imposer quelquefois pour un anthrax, pour un noyau phlegmoneux, etc., si on s'en tenait au témoignage du toucher. Il est vrai de dire toutefois que le plus souvent dans ces cas les antécédents de la lésion peuvent suffire pour faire connaître la nature du mal. Un porteur d'eau qui avait reçu un coup de pied sur le sommet de la fesse droite, et qui nous cacha d'abord soigneusement cette particularité, avait, dans la profondeur des tissus de cette région, une tumeur ronde, mobile, à peine douloureuse, du volume d'un petit œuf, que j'aurais prise pour une masse fibro-celluleuse, si je n'avais remarqué autour une ecchymose.

Chez une femme qui était tombée sur la fesse gauche, la tumeur, une fois plus volumineuse et plus profonde encore que dans le cas précédent, causait assez de douleur pour donner l'idée d'un large noyau phlegmoneux. La peau du voisinage ne présentait aucune ecchymose ; mais la cause qui l'avait amenée, l'empâtement indolent dont elle était entourée, sa mobilité parfaite, et la teinte un peu livide que la tension des téguments laissait apercevoir, ne me permirent pas de méconnaître la véritable nature du mal.

La *bosse*, avec foyer liquide, mérite encore plus de fixer l'attention. Sa constitution est telle qu'on la prendrait aisément pour le résultat d'une altération des os sous-jacents. Ce dernier caractère est surtout frappant dans certaines régions du corps, là où les os ne sont séparés de la peau que par du tissu cellulaire; on l'observe pourtant aussi dans toutes les autres parties. C'est d'abord au crâne qu'elle a donné cette idée; en effet, dans cette région la dépression qui occupe le centre de la tumeur est parfois si profonde et si molle, qu'en y appliquant le doigt, la pensée d'une perforation de l'os, ou du moins d'un enfoncement, se présente aussitôt. La dureté apparènte de ses bords et du reste de la tumeur complète tellement l'illusion dans une foule de cas, qu'il faut être bien prévenu pour éviter toute méprise.

Paré, Ruysch, etc., indiquent déjà cette particularité des bosses sanguines; il est vrai de dire cependant qu'elle n'a été mise dans tout son jour que depuis J.-L. Petit et Pott. Ces deux chirurgiens en rapportent plusieurs exemples remarquables. Moi-même j'en ai observé une foule de cas, non seulement au crâne et partout où le tissu cellulaire appuie sur des os ou sur quelque aponévrose solide, mais encore au milieu des parties molles et dans les régions les plus souples. Il est d'ailleurs facile d'expliquer ce phénomène : dans ces sortes de contusions, le sang, mêlé à la lymphe coagulable et infiltré dans le tissu cellulaire, se combine avec les mailles organiques, se concrète entre leurs lamelles et y détermine un travail morbide, qui donne au tout une consistance d'autant plus grande que le périoste, ou la couche sous-cutanée, offre naturellement plus de densité et une épaisseur dont l'étendue ou la circonscription se trouve en rapport avec celle de la couche ou des couches infiltrées. Le centre n'en est fluctuant et dépressible que parce que là le sang existe seul à l'état liquide ou demi-liquide, et qu'au lieu d'y être épaissis, les tissus y sont amincis ou rompus. C'est d'ailleurs une disposition que la plupart des phlegmons circonscrits eux-mêmes finissent par présenter dans une foule de régions, et qui ne frappe d'une manière spéciale dans les bosses sanguines qu'à cause de la rapidité de son apparition et du peu de réaction qui l'accompagne.

Un caractère de ces tumeurs est de rester long-temps sans changer d'état, sans causer la moindre douleur; que leur fluctuation s'étende ou se resserre, la peau n'en reste pas moins souple et sans rougeur. Quelle que soit en outre sa durée, le foyer conserve sa mollesse primitive. Il n'est presque jamais tendu à la manière d'un abcès; mais il est quelquefois le siége de pulsations, de battements, qui pourraient faire croire, suivant la région occupée par la tumeur, à l'existence d'un anévrisme ou à une destruction circonscrite des parois de la cavité sur laquelle ces tumeurs sont situées.

Dépôts sanguins. — Toutes les fois que la tumeur offre les caractères indiqués jusqu'ici, on peut être sûr que ses battements ne se rapportent à la rupture d'aucun vaisseau important. Mais lorsqu'il s'agit d'un dépôt sanguin pur et simple, les battements qu'on y observe assez souvent peuvent en imposer de prime-abord, et inspirer des craintes aux praticiens. Ravaton, qui en parle, dit que ces collections sanguines dépendent de la rupture de vaisseaux d'un certain calibre; c'est par suite de l'idée où il est que la résistance de la peau s'opposera bientôt à l'écoulement du sang, que cet auteur conseille de ne point ouvrir de pareils dépôts à leur début. Il faut reconnaître cependant que des battements s'observent dans une foule de tumeurs sanguines où nulle artère de quelque importance ne vient s'ouvrir, et qu'après l'ouverture de ces dépôts ce n'est pas l'hémorrhagie qui est dangereuse. Il est assez facile toutefois de voir que ces tumeurs sont étrangères à la rupture des gros vaisseaux, en ayant égard à leur siége, en examinant les artères au-dessus et au-dessous du dépôt, en comparant enfin les phénomènes dont elles sont accompagnées avec les symptômes des anévrismes faux primitifs.

Ces foyers sanguins peuvent d'ailleurs atteindre des dimensions considérables. Un élève en chirurgie, soigné par Fichet de Fléchy, en avait un qui s'étendait de l'omoplate à la crête de l'os coxal. J'en ai observé un qui comprenait toute la face externe de la cuisse droite. On en a vu qui contenaient plusieurs livres de liquide et de coagulum fibrineux.

Le diagnostic de ces tumeurs est très facile. Aux membres, au dos, à l'épaule, partout où la peau résiste, où la couche celluleuse est lâche, à mailles larges, elles s'étendent surtout en largeur beaucoup plus qu'elles ne proéminent à la surface de la région qu'elles occupent. Le contraire a lieu à la vulve, à la fesse, à l'hypogastre, et dans tous les points où le tissu cellulaire est serré, résistant. Ici la fluctuation est moins franche, parce que de nombreuses brides traversent ordinairement le foyer, et parce que le sang est plutôt infiltré que rassemblé en foyer. Dans le premier cas, la fluctuation, quoique plus constante et plus manifeste, est loin cependant de ressembler à celle d'un abcès. Elle est inégale. On sent que, très épais dans un point, les téguments sont beaucoup plus minces çà et là dans plusieurs autres. Joignez à cela l'ecchymose, l'absence de douleur et les signes anamnestiques, et il vous sera facile de reconnaître un dépôt sanguin.

Lorsque la *contusion* a mortifié les tissus sans pénétrer au-delà des aponévroses, les signes que l'on observe diffèrent sous plusieurs rapports de ceux de la gangrène. L'escarre de la peau n'est d'abord entourée d'aucune trace d'inflammation, et prend presque immédiatement une teinte roussâtre. Elle occupe souvent le centre d'une large ecchymose, et repose quelquefois sur un foyer sanguin. Dans certains cas aussi, elle reste collée sur l'os. Si le tissu cellulaire sous-jacent y participe, il est également roussâtre ou d'un brun grisâtre, et se trouve en général dénaturé dans une étendue beaucoup plus considérable que l'enveloppe tégumentaire. Enfin le tout arrive sans aucun des symptômes habituels de la gangrène.

La *contusion des muscles* se distingue à la douleur que cause leur contraction, à l'impossibilité ou du moins à la difficulté de certains mouvements, à la dépression, au vide qui se manifeste ou s'agrandit dans le point blessé pendant la tension de ces organes.

La *contusion des nerfs* est caractérisée par l'acuité des douleurs ou par la paralysie, ainsi qu'on l'observe dans certaines fractures et dans les plaies par armes à feu. On a été obligé quelquefois d'en pratiquer l'excision pour calmer les souffrances des malades.

La *contusion des vaisseaux* soustraits à la vue ne peut être que soupçonnée quand ils ne sont pas déchirés au point de causer un épanchement de sang assez considérable. Dans ces cas, on a recours aux signes de l'anévrisme faux primitif, et on les compare avec ceux des dépôts sanguins dont j'ai parlé plus haut.

Une variété de contusion dont le diagnostic est parfois très difficile, est celle qui ne produit pas d'ecchymose externe, et qui est accompagnée d'un dépôt sanguin profond dans le voisinage d'une grosse artère. Un réfugié politique m'en a offert un exemple remarquable. A la suite d'un coup sur la partie interne et inférieure de la cuisse droite, il survint dans ce lieu une tumeur indolente qui acquit peu à peu en quelques mois le volume d'un petit melon, et qui paraissait se dégager d'entre les muscles. Plusieurs praticiens célèbres de la capitale furent consultés : pour les uns c'était un anévrisme; pour les autres c'était un abcès froid; pour ceux-ci c'était une altération de l'os, pour ceux-là un dépôt de sang; néanmoins il restait des doutes dans l'esprit de chacun; c'est à tel point qu'on hésita d'abord à faire une ponction avec le bistouri. Cependant on se décida à ouvrir cette tumeur par une petite incision; il sortit une grande quantité de liquide couleur chocolat, quelques caillots de sang dénaturé et de la sérosité rougeâtre. Les parois du dépôt revinrent sur elles-mêmes; le stylet porté dans son intérieur pénétrait sans peine derrière le fémur dans l'espace poplité, et par en haut du côté de l'anneau du troisième adducteur. La guérison se fit long-temps attendre. La plaie, restée fistuleuse, fournit de la sérosité sanguinolente pendant plus d'une année; enfin elle se ferma complétement, et la santé générale redevint parfaite.

La *contusion des os* ne produit d'abord que de la douleur; mais c'est une douleur sourde, profonde, qui se dissipe souvent au bout de quelques heures pour reparaître, à titre de phénomène consécutif, après plusieurs semaines de calme. Aux articulations, il faut ajouter à cette douleur la roideur, le gonflement, et parfois l'épanchement de sang ou l'hydarthrose, avec la difficulté des mouvements. Quand les os sont broyés en même temps que les autres tissus, on trouve à la fois, et les symptômes d'une fracture comminutive et tous les signes d'un vaste épanchement sanguin, puis l'insensibilité de la portion du membre située au-dessous de la lésion. La peau, en pareil cas, n'est quelquefois plus qu'une sorte de sac rempli d'une espèce de bouillie ou d'une pulpe où tous les éléments sont confondus et méconnaissables. Au lieu de produire une crépitation franche, comme dans les fractures ordinaires, il semble que ce soient de petits cailloux qu'on agite ou qui frottent les uns contre les autres. Les bouts de l'os n'étant plus soutenus, les membres jouissent d'une mobilité extrême.

Il est possible toutefois que les parties extérieures soient assez tendues pour masquer en partie de tels dégâts. Un militaire observé par Delpech et M. Ribes au siége de Roses, reçut à la cuisse un coup de boulet mort. On n'en voyait pas de trace au-dehors, et les chirurgiens étaient autorisés à penser qu'il n'existait qu'une fracture simple du fémur. L'autopsie démontra que tout dans le membre était réduit en bouillie.

Vent du boulet. — Ces grands désordres, qui n'appartiennent plus seulement à un ordre de tissus, mais bien à la masse entière de l'organe frappé, ont long-temps étonné les chirurgiens. Autrefois, et dans le dernier siècle encore, on les attribuait au *vent du boulet.* Bilguer, Tissot, Boucher, Ravaton, Hévin lui-même, admettent cette explication, dont Le Vacher a si bien démontré la futilité. Bien qu'il dût suffire, pour la réduire à sa juste valeur, de rappeler qu'un boulet peut emporter le nez sans blesser le reste du visage, enlever une partie du chapeau sans laisser de trace sur la tête, broyer la jambe d'un cavalier sans que le cheval en reçoive aucune atteinte, etc., etc., elle n'en est pas moins restée dans l'esprit du vulgaire. On dit même que quelques hommes de l'art ne l'ont pas encore abandonnée. La décharge électrique, le vide, invoqués par d'autres, n'ont pas besoin non plus d'être sérieusement réfutés.

Il est bien reconnu de nos jours qu'au lieu de n'avoir aucune lésion appréciable, les malheureux dont on attribuait la mort *au vent du boulet* succombent au contraire à d'énormes délabrements, quoique la peau n'en offre pas d'abord de traces. Tout le monde connaît l'histoire de ce soldat qui, se plaignant d'avoir été frappé par un boulet dans le flanc gauche au siége de Paris en 1814, devint un sujet de moquerie pour ses camarades, qui ne le croyaient pas malade; tandis que Dupuytren put constater, quelques jours après, sur son cadavre, que les muscles, les reins, le côté des vertèbres même, avaient été réduits en pulpe, et que la peau seule avait résisté (1). Les faits de ce genre sont bien connus aujourd'hui ; c'est pourquoi je ne m'arrêterai pas à vous en rapporter d'autres exemples. Le boulet est d'ailleurs loin d'être la seule cause qui puisse produire de pareils dégâts. Une voiture pesamment chargée, une poutre, une lourde pierre, etc., peuvent en faire autant. On en a observé plusieurs exemples. La cause de semblables résultats se trouve dans la différence de densité des tissus, et surtout dans la manière dont les parties sont frappées par le corps contondant.

Une particularité à ne pas oublier dans le diagnostic des contusions consiste dans le peu de souffrance qui les accompagne d'abord, bien qu'il y ait une attrition considérable des tissus.

B. *Phénomènes consécutifs.* — Tout ce que j'ai dit jusqu'ici des signes de la contusion appartient à ses phénomènes primitifs ; par la suite, il s'y en ajoute d'autres qui sont aussi variables et même plus variables encore. Comme ils appartiennent à la marche des différents degrés de la maladie, je crois devoir en examiner quelques uns.

Le premier et souvent le principal de ces phénomènes est l'inflammation. Comme après toutes les autres lésions traumatiques, elle se manifeste tantôt d'assez bonne heure, tantôt très tard, et avec plus ou moins d'intensité, mais en général avec une certaine lenteur. C'est l'inflammation qui détache, qui élimine les escarres, soit de la peau, soit du tissu cellulaire, soit des vaisseaux. Sous ce rapport l'énergie du travail phlegmasique offre des nuances très diverses. Chacun sait que, dans les plaies d'arquebuses, les hémorrhagies secondaires, par chute de plaques mortifiées des artères, peuvent se montrer dès le cinquième ou le sixième jour, de même qu'elles n'arrivent parfois qu'au vingtième ou plus tard encore. C'est parce que l'inflammation est longue à se manifester *dans les os*, que leur

(1) Dupuytren, *Leçons orales de clinique chirurgicale*, 2e édition 1839, tome V, page 273.

contusion passe si souvent inaperçue dans les premières semaines. Son effet étant là, plus encore que dans les autres tissus, d'isoler les matières extravasées ou dénaturées, elle s'y développe rarement sans ajouter quelques produits nouveaux à ceux qu'elle tend à expulser. La rupture, l'écrasement, le froissement des tissus lui permettent rarement de rester adhésive; elle conduit presque toujours à la suppuration : aussi toute contusion des os, suivie d'inflammation un peu vive, est-elle le point de départ d'une nécrose ou d'une carie plus ou moins étendue. Si, *dans les veines* et *dans les artères*, elle ne dépasse point les tuniques celluleuses, elle se borne à en produire l'épaississement et l'induration ; mais quand elle gagne l'intérieur de ces cânaux, on devine à quels résultats elle peut conduire. A moins d'une désorganisation complète, elle ne cause guère, *dans les nerfs*, qu'une infiltration de lymphe coagulable qui se termine par une sorte de noyau ou de transformation homogène de l'organe contus. Les signes qui l'annoncent à la suite des contusions *dans les divers tissus* sont les mêmes, du reste, que dans toute autre circonstance. Nous la retrouverons d'ailleurs comme complication dans les foyers sanguins et dans les grandes ecchymoses.

La *fonte putride* des lambeaux, dont la gangrène s'empare au bout de quelques jours dans les contusions au troisième degré, coincide aussi avec le développement de l'inflammation. Cependant, plus tard, cette fonte peut réagir à son tour sur les tissus conservés, les pénétrer, gagner le système circulatoire et infecter toute l'économie. De là, des érysipèles simples ou phlegmoneux, des phlébites, des inflammations du système lymphatique, des fusées purulentes, etc. ; mais comme tous ces phénomènes consécutifs de la contusion ont leurs symptômes connus et forment par eux-mêmes des maladies distinctes (1), je ne m'en occuperai pas en ce moment ; je dois, au contraire,

(1) Voyez tome III, article IX, page 235.

entrer dans quelques détails relativement aux transformations que peuvent subir l'ecchymose et les foyers sanguins.

Transformation du sang. — Le sang sorti de ses voies naturelles subit des modifications très variées, qui constituent autant d'états pathologiques assez souvent difficiles à reconnaître et à guérir. L'élément de toute organisation devient ainsi une cause désorganisatrice. J. Hunter avait déjà compris ces transformations; mais il appartenait à notre époque de saisir et de féconder les idées de ce puissant génie. M. Andral a dit que, « dans le sang liquide, tel qu'il circule à travers les vaisseaux de l'être vivant, peuvent se former les matériaux des sécrétions morbides, et que, dans le sang coagulé, peuvent avoir lieu les sécrétions morbides elles-mêmes. » Pénétrant plus avant dans la question, M. Cruveilhier s'est efforcé de prouver que plusieurs productions pathologiques sont dues au dépôt de quelques uns des matériaux du sang dans les mailles du tissu cellulaire. Pour moi, je pense que le sang lui-même, une fois épanché dans les tissus, y subit un assez grand nombre de transformations morbides. Entrons dans quelques développements sur ce sujet.

Le sang dévié par une cause quelconque de ses voies naturelles peut s'infiltrer à travers les aréoles des tissus, et s'étendre plus ou moins loin; ou bien il peut s'accumuler sur un seul point, et former là une collection plus ou moins abondante. Dans le premier cas, si l'épanchement a lieu dans les couches superficielles, son existence se traduira au-dehors par une ecchymose; et si le sang épanché est en petite quantité, l'absorption s'en emparera, et l'ecchymose, après avoir passé insensiblement du noir au violet, puis au rouge, ensuite au jaune, finira par disparaître complétement dans un temps qui ne peut être déterminé que d'une manière approximative, ordinairement de quinze à vingt jours. L'inflammation alors ne s'y ajoute pas, et la douleur est en général si légère, que le plus souvent le malade ne s'aperçoit de la lésion que par le changement de couleur de la peau.

Si au contraire l'épanchement a lieu dans les couches profondes, sous les aponévroses, il ne sera pas accusé d'abord par une ecchymose, mais par un empâtement plus ou moins prononcé, par une douleur sourde. D'ailleurs ici encore la résolution s'opérera de la même manière; le sang repris par l'absorption rentrera dans ses voies naturelles, et l'équilibre sera de nouveau rétabli. L'empâtement et la douleur annoncent, il est vrai, un certain degré d'inflammation; mais cet état inflammatoire est le plus souvent sans résultat saillant, surtout quand le sang épanché est en petite quantité. Il arrive quelquefois, dans ces épanchements, que j'appelle *par infiltration*, qu'après la disparition de l'ecchymose, et la cessation des symptômes morbides, il reste de petites plaques dures, des noyaux; ces plaques, ces noyaux ne sont autre chose que de la fibrine qui, s'étant soustraite à l'absorption, s'est concrétée. Je vous en parlerai bientôt.

Arrivons aux épanchements réels, aux collections sanguines. C'est ici que l'intérêt est grand, et sous le rapport de la marche de ces tumeurs, et sous celui de leur terminaison. Comment donc se comporte le sang une fois réuni en foyer? 1° Ces collections, à l'aide de divers moyens thérapeutiques ou même par les seules forces de l'organisme, peuvent être résorbées dans un temps plus ou moins long; 2° elles peuvent se transformer en kyste renfermant un liquide analogue à de la synovie, d'une teinte rosée, ou jaunâtre, ou limpide; dans ce liquide, on trouve des grumeaux de consistance diverse; 3° elles peuvent se transformer en foyers purulents, ou en foyers moitié sanguins moitié purulents; 4° enfin si l'épanchement se fait dans une cavité naturelle, les parois de cette cavité se revêtent d'une couche plus ou moins épaisse qui donne lieu à des concrétions diverses.

Ces faits sont sans doute connus des chirurgiens; il n'est aucun praticien qui n'en ait observé de nombreux exemples; mais je ne crois pas qu'on ait encore cherché à s'en rendre compte. Tâchons donc de nous expliquer ces divers phénomènes pathologiques.

Dans le premier cas, si le sang épanché est en petite quantité et que le sujet soit dans de bonnes dispositions, on conçoit facilement que l'absorption s'opérera aussi promptement que dans une ecchymose ordinaire. Si le liquide épanché est en plus grande quantité, la même terminaison pourra encore avoir lieu, mais d'une manière plus lente. Alors la nature emploie deux procédés pour atteindre ce but : tantôt, l'absorption s'emparant des parties les plus fluides du sang, le foyer se ressorre peu à peu, et il ne reste plus qu'un noyau qui met un temps plus ou moins long à se dissoudre à son tour, et qui peut, dans quelques cas, comme nous le dirons plus tard, devenir le point de départ de maladies diverses; tantôt c'est le contraire qui a lieu : le foyer s'étend en surface; le sang, au lieu de se concréter, se fluidifie de plus en plus, s'infiltre dans les mailles des tissus environnants, et, donnant ainsi plus de prise à l'absorption, il est résorbé, en dernière analyse, à la manière d'une ecchymose ordinaire. Ce second mode de terminaison est sans contredit plus fréquent que le premier. Un foyer sanguin survient à la suite d'une contusion; quelque temps après, l'ecchymose gagne en surface; la tumeur s'affaisse peu à peu; elle disparaît enfin; l'ecchymose persiste, mais bientôt elle disparaît à son tour, et il ne reste plus de traces de la maladie. Du reste, les exemples de ce genre sont si fréquents dans ce service, que je crois inutile d'entrer dans plus de détails.

Dans le second cas, c'est la fibrine du sang qui est absorbée et la sérosité qui persiste; mais comme la fibrine ne disparaît pas toujours en totalité, les grumeaux qui nagent au milieu du liquide sont dus à une petite quantité de cette partie du sang qui, soustraite à l'action des absorbants, s'est concrétée et endurcie. Cette transformation n'est pas rare. Chez un malade entré à l'hôpital Saint-Antoine en 1829, pour s'y faire traiter de nombreuses contusions, une ecchymose plus large que les deux mains occupait la face externe de la cuisse gauche. Cette ecchymose disparut, ainsi que les autres, dans l'espace de quinze jours, et fit place à un foyer indolent, sans empâtement aucun. Une incision donna issue à environ six onces de sérosité onctueuse et à trois grumeaux de fibrine dénaturée. Quatre jours après, le malade était guéri. Un jeune maçon traité dans cet hôpital en 1837 nous a présenté une foule de foyers semblables sur les membres thoraciques et pelviens du côté gauche.

Ces collections peuvent exister dans toutes les régions du corps; mais leur siége de prédilection est sans contredit dans les bourses muqueuses, dans celles surtout qui sont le plus exposées au contact des corps extérieurs. Ainsi les dévots en présentent de fréquents exemples au-devant de la rotule; les tailleurs sur les malléoles externes, les penseurs sur les coudes, etc. Un fait digne de remarque, c'est que la compression ramollit très facilement les parois de ces collections.

Jusqu'ici nous n'avons pas constaté de phénomènes inflammatoires importants; les collections dont je viens de parler ne nous ont pas présenté cette rougeur, cette douleur pulsative, cette réaction plus ou moins grande, enfin, qui décèlent un état phlegmasique. Mais les choses ne se passent pas toujours ainsi; et il ne faudrait pas dans tous les cas en accuser seulement le degré de la contusion; on doit faire la part des dispositions de l'organisme. Cela est si vrai, que bien souvent des contusions au même degré sur divers sujets présentent des terminaisons différentes.

Au lieu donc de cette insensibilité que nous venons de noter, le kyste, le foyer sanguin, sous l'influence de causes diverses le plus souvent inappréciables, peut s'échauffer, s'enflammer, donner même lieu à la suppuration. C'est alors un phlegmon qui vient compliquer le dépôt sanguin. On pourrait appeler, avec M. Larrey, ces dépôts des *abcès traumatiques*. Cette transformation du foyer sanguin en collection purulente n'est pas rare; j'en ai observé une foule d'exemples. Je dois ajouter cependant qu'elle n'est pas toujours complète. Quelquefois le foyer ne se ramollit que sur un point, et on a alors une collection moitié sanguine, moitié purulente. En ouvrant ces tumeurs, on trouve du pus mêlé de caillots de sang noirâtre et à demi corrompu. Je pense pourtant que cet état n'est pas permanent; tout me porte à croire que si on avait livré le foyer à lui-même, l'inflammation n'aurait pas manqué de l'envahir en totalité. Notons que les collections sanguines restent souvent des mois entiers sans produire de réaction évidente et sans se résoudre. Dans ces cas, le sang, en partie coagulé, en partie liquéfié, conserve sa couleur noire et la plupart de ses autres attributs pendant un temps plus ou moins long. Les parois du foyer, tapissées d'une couche de caillots, ne sont le siége d'aucun travail; on n'y trouve ni fausse membrane ni surface veloutée comme dans les abcès; la pression n'y détermine presque pas de douleur; en un mot ces collections ne gênent pour ainsi dire que par leur volume et leur poids. Cependant cet état ne peut point être permanent; car à la longue tout dépôt sanguin qui n'est pas résorbé se transforme ou en kyste, ou en tumeur solide, ou en collection séro-synoviale, ou en abcès. Mais tous ces genres de terminaison sont eux-mêmes des maladies. La résolution du sang est si souvent incomplète, que les contusions deviennent indirectement la cause d'une infinité de productions morbides qu'on est loin de leur rattacher toutes les fois qu'il le faudrait.

Enfin si l'épanchement de sang se fait dans une cavité naturelle, telle qu'une séreuse ou une synoviale, les couches concrètes, inorganiques, de densité et de couleurs diverses, qui en tapissent les parois, sont dues à une concrétion, à une solidification pour ainsi dire de la fibrine. Dans les cas où l'on trouve ces membranes épaissies, dégénérées, n'est-il pas très probable que ces dégénérescences sont dues aux concrétions fibrineuses dont il vient d'être question? Nous entrerons dans quelques détails à ce sujet en traitant de l'hématocèle (1).

Disons maintenant quelques mots sur certaines tumeurs et sur quelques faits pathologiques qui, si je ne m'abuse, doivent être rapportés à l'extravasion du sang hors de ses voies naturelles.

Les *loupes* du devant de la rotule ne sont, dans la presque totalité des cas, que le résultat d'une contusion avec épanchement de sang dans la bourse muqueuse de cette région. Dès le principe, comme à leur plus haut degré de développement, ces tumeurs offrent quelques traces de sang. J'en ai observé maintenant un assez grand nombre d'exemples, pour qu'il ne puisse plus me rester de doute sur la justesse de cette remarque. Dans le mois d'avril 1839, un homme, couché au n° 29 de la salle Sainte-Vierge, vous en a présenté un cas remarquable.

Ce n'est pas seulement sur la rotule que le sang épanché donne lieu à de pareilles tumeurs; le même phénomène peut avoir lieu dans toutes les autres bourses muqueuses : pour ma part, j'en ai rencontré plusieurs sur les malléoles externes, au coude, et sur le grand trochanter. J.-L. Petit, qui donne l'observation d'un malade chez lequel une contusion sur le grand trochanter fit naître un dépôt sanguin qu'on ouvrit très tard, dit positivement y avoir trouvé de la sérosité et des masses polypeuses. Ce chirurgien va même plus loin; il a reconnu que dans les foyers, suite de coups, qu'on ouvre trop tard, les concrétions, les pelotons qui

(1) Voyez l'article suivant.

s'y remarquent ne sont que des restes de caillots. Une de ses observations prouve, du reste, qu'il n'est pas absolument nécessaire que le sang épanché occupe une bourse muqueuse pour se transformer en tumeur athéromateuse. Une dame, qui était tombée sur la pommette contre le bras d'un fauteuil, eut un dépôt sanguin avec fluctuation au milieu. Elle ne voulut pas qu'on en fît l'ouverture; à la fin cependant, dit Petit, elle s'y décida; il en sortit de la sérosité roussâtre, et l'on remarqua, dans le foyer, une *masse rougeâtre comme charnue*, qu'il fallut exciser et extraire par portions dans l'espace de plusieurs jours. Toute la classe des kystes à couches stratifiées, que Delpech qualifie de kystes albumineux, doivent être aussi rapportés à ce genre de tumeurs.

Quelques unes des variétés de loupes qui se développent *sur le crâne* se rattachent aussi à la même cause. Pendant l'hiver de 1838 j'ai enlevé chez un jeune homme une tumeur située à la partie postérieure gauche de la tête; l'examen minutieux de cette tumeur ne m'a pas permis de conserver le moindre doute à cet égard.

Je n'ai pas à revenir ici sur ce que je vous ai dit en traitant des corps étrangers dans les articulations (1).

Je ne vous parlerai point non plus des phénomènes pathologiques que présente dans certains cas la tunique vaginale lorsqu'elle est le siége d'un épanchement de sang. Nous aurons à nous en occuper en traitant de l'hématocèle.

Ne peut-on pas dire que ces masses libres ou faiblement pédiculées, mais sans texture et d'apparence inorganique, que divers observateurs ont rencontrées à l'intérieur des cavités splanchniques, reconnaissent la même origine? M. Andral ne distingue pas ces masses des cartilages mobiles des cavités synoviales; ce médecin en a trouvé une dans le péritoine qui était tout-à-fait libre, et qui renfermait de la matière comme sébacée dans son centre. Laënnec dit

(1) Voyez l'article: *Corps étrangers dans les articulations*, pag. 90, 91.

en avoir trouvé dans le crâne. Littre et M. Lebidois en ont aussi rencontré dans le péritoine. Si Pelletan ne s'est pas trompé, il en aurait observé un assez grand nombre sur deux sujets qui avaient eu un vaste épanchement de sang survenu à la suite de contusions sur le ventre, l'un sept mois, l'autre vingt-un ans auparavant. J'ai observé moi-même une tumeur de ce genre dans la cavité péritonéale; elle était en tout analogue au corps que j'ai vu extraire du genou d'une jeune fille par Richerand. Sans oser affirmer d'une manière positive que de pareils corps sont toujours des restes de sang épanché, il me paraît probable qu'il doit en être quelquefois ainsi.

Ne pourrait-on pas dire aussi que ces masses fibreuses si fréquentes et si souvent observées, que Bayle, M. Roux et Dupuytren ont décrites avec tant de soin, que les polypes enkistés de l'utérus enfin, ne sont souvent que le développement d'une masse de fibrine épanchée qui a fini par s'organiser, par vivre et par croître entre les fibres mêmes du tissu de la matrice? Quelquefois il ne m'a pas été possible de conserver le moindre doute sur une pareille origine. Parmi plusieurs *pierres* de la matrice que j'examinai en 1824, j'en trouvai une du volume d'un petit œuf qui offrait çà et là, soit à sa surface, soit à son intérieur, des plaques pétrifiées, et dans laquelle on distinguait aussi d'anciens grumeaux de sang ou de fibrine très reconnaissables: le tissus de l'utérus l'entourait de toutes parts et lui adhérait avec force.

Quant aux pelotons jaunâtres, élastiques, qu'on a décrits sous le nom de squirrhes du placenta, j'ai suivi toutes les nuances de leur formation dans des produits abortifs, et j'ai la conviction qu'ils sont constitués en entier par du sang épanché. Un placenta à terme que M. Ponceau me montra en 1826, et que j'ai long-temps conservé, en renfermait quatre, dont le plus petit égalait le volume d'un marron; ils passaient tous, par gradation insensible, de l'aspect de sang coagulé, de fibrine encore reconnaissable, à celui de tumeur dure, comme squirrheuse et cartilagineuse.

Les pelotons fibreux analogues à ceux de la matrice, et que l'on observe sur la prostate, pourraient bien aussi avoir la même origine. Toutefois, comme ces productions diverses, en admettant même l'étiologie que je viens d'indiquer, se rapportent plus souvent à un épanchement spontané qu'à une contusion, je ne m'y arrêterai pas davantage.

La question des transformations du sang exigerait sans doute de plus grands développements ; mais ce serait sortir de notre sujet : je crois cependant vous en avoir dit assez pour vous en faciliter l'étude.

Pronostic de la contusion. — Par elle-même la contusion au premier et même au deuxième degré n'est pas dangereuse, à moins qu'elle n'ait porté sur des os très disposés à la nécrose ou sur des articulations ; mais au troisième et au quatrième degré, c'est en général une affection grave. Cette gravité résulte d'ailleurs des détails dans lesquels je suis entré précédemment. On comprend que si la contusion est allée jusqu'à broyer les parties dans une grande profondeur, il en résulte presque nécessairement ou la perte du membre, ou la mort du malade, ou une difformité permanente en rapport avec l'étendue de la lésion et l'importance de l'organe blessé.

Dans les glandes, comme aux testicules et au sein, la plus légère contusion peut être l'origine des dégénérescences diverses qu'on n'y observe que trop souvent. Son premier degré suffit, dans les os, pour amener plus tard un ostéo-sarcome. Les douleurs que produit celle des nerfs résistent parfois à toutes les ressources de la thérapeutique. Sur les artères, elle expose aux plus dangereuses hémorrhagies et à tous les genres d'anévrismes. En résumé je ne soutiendrai point, avec E.-Ch. Lœber, que *la plus grande partie*, mais bien *qu'une grande partie des maladies chro-*

niques dépendent de contusions mal traitées ou incomplétement guéries.

Un accident que détermine assez souvent la contusion des os sous-cutanés, des tissus fibreux, et que je ne puis passer sous silence, est le *delirium tremens*. En voici un exemple que j'ai observé en 1824. A cette époque, un étudiant en médecine, M. R..., entra à l'hôpital de la Faculté pour un coup de pied qu'il avait reçu six jours auparavant sur le tibia gauche. Un dépôt du volume d'une noix seulement et aplati existait à trois pouces au-dessus de la malléole; quelques plaques érysipélateuses existaient déjà dans les environs. Dans la nuit il y eut du délire, de la loquacité. On le saigna le lendemain matin, et on ouvrit la tumeur qui contenait quelques caillots mêlés à de la sérosité rougeâtre. Le soir, le délire devint plus fort. Le pouls, médiocrement fréquent, avait pris de la force et de la dureté. Les yeux étaient hagards, et le regard avait quelque chose d'effrayé. Le malade se leva et parla toute la nuit. On fut obligé de le lier. On ne se décida que le troisième jour à donner le laudanum en lavement. Le délire cessa presque tout-à-coup, et les suites n'offrirent plus rien de remarquable.

En 1833, M. Chassaignac me communiqua les deux faits suivants recueillis par lui-même à l'hôpital de Nantes.

Un manœuvre, sur les jambes duquel une voiture était passée, et qui avait ces parties fortement gonflées, fut pris le quatrième jour d'un violent délire, qui continua, avec cris et loquacité, le cinquième et le sixième. Le septième au matin, la langue est assouplie; le délire a cessé. Sueurs abondantes. Des soubresauts se manifestent. Une demi-heure plus tard ce malheureux expira.

Un homme qui venait de tomber d'un deuxième étage, et dont le coude avait principalement porté, fut transféré à l'Hôtel-Dieu de Nantes le 21 juin 1827, dans un état de trouble difficile à décrire. Il se leva plusieurs fois pendant la nuit, et courut dans toute la salle; on le saigna. Un peu de calme le lendemain matin. Le pouls, dur et plein, est d'une fréquence médiocre. La tête reste lourde. Le délire revient le soir et augmente quand le malade est debout. De nouveaux accès, entremêlés de périodes de calme, se renouvelèrent ainsi jusqu'au 24 juin, jour où la détente s'opéra. La guérison était parfaite le 7 juillet. On avait donné à ce malade une potion avec le laudanum, à la suite de laquelle il y eut un sommeil de six heures.

Traitement de la contusion. — Dans la contusion légère, tout traitement est souvent inutile. Le temps et le repos de la partie triomphent sans peine d'un tel accident. Lorsqu'elle occupe une grande surface sans être accompagnée d'épanchement, il s'y ajoute quelquefois une douleur assez vive qui réclame l'usage des topiques, des liniments ou des cataplasmes narcotiques, etc. Mais lorsqu'elles sont plus fortes, les contusions exigent des moyens locaux et un traitement général, double ressource pour prévenir, éteindre ou modérer l'inflammation, et pour favoriser la résorption des liquides épanchés.

Comme les contusions qui ne consistent que dans une ecchymose plus ou moins étendue guérissent très bien d'elles-mêmes dans la majorité des cas, il n'est point étonnant que les substances sans nombre qui leur ont été appliquées en topiques, ou dont on a conseillé les infusions à l'intérieur, aient acquis la réputation de résolutifs plus ou moins puissants. Je ne m'arrêterai point à vous en présenter la nomenclature. Tous ces topiques désignés sous le titre de vulnéraires ont été heureusement remplacés par des substances plus efficaces, et qu'il est très facile de se procurer partout. Ainsi des compresses imbibées *d'eau salée* constituent un des meilleurs topiques contre les contusions, sans mortification de la peau ni du tissu cellulaire. Dans ces cas, *l'eau-de-vie* simple ou camphrée jouit à peu près des mêmes propriétés. Lorsque l'ecchymose se compliqué de douleurs ou d'inflammation, *l'eau végéto-minérale* mérite la préférence. Le *muriate d'ammoniaque* dans du vin rouge, ou mieux dans de l'eau avec du vinaigre scillitique, semble convenir plus particulièrement quand l'ecchymose tend à se compliquer d'épanchement. Lorsque la contusion est profonde, avec attrition et gonflement considérable, des linges imbibés d'eau froide s'opposent avec beaucoup plus de force qu'aucun autre topique au développement de l'inflammation.

Le résolutif par excellence dans les contusions avec infiltration et gonflement, c'est la *compression*. Cette ressource pourrait encore être employée avec beaucoup de chance de succès dans les cas d'épanchement, pourvu toutefois que le sang épanché ne fût pas en très grande quantité. Vous savez du reste que ce moyen thérapeutique exige beaucoup de précautions de la part de celui qui l'emploie. Il faut que cette compression ne soit ni trop forte, ni trop faible, qu'elle porte également sur tous les points. C'est une ressource d'autant plus importante qu'elle se combine parfaitement avec les liquides résolutifs dont je viens de parler; elle est d'un usage si général qu'on peut presque dire qu'il n'y a guère que les contusions à gangrène imminente, alors que tout espoir de conserver le membre doit être mis de côté, et l'inflammation suppurative, qui en repoussent l'emploi.

Les ventouses scarifiées, que conseillent Celse, Paré, et dont M. Larrey dit s'être très bien trouvé, ne me paraissent utiles que dans les cas de contusion assez profonde sans collection sanguine, et en particulier dans les contusions musculaires avec ou sans ecchymoses.

Quant au traitement général, il est de nos jours tout antiphlogistique.

Nous devons maintenant entrer dans quelques détails sur le mode de traitement qu'il convient d'employer 1° contre l'inflammation, 2° contre les bosses sanguines, 3° contre les collections sanguines proprement dites ; car, comme vous allez le voir, chacune de ces variétés ne réclame pas les mêmes moyens thérapeutiques.

1° *Traitement de l'inflammation.* — Lorsque la partie s'échauffe et menace de se transformer en un centre de fluxions, de devenir le siége d'un phlegmon ou d'un érysipèle phlegmoneux, les résolutifs purs et simples doivent être abandonnés pour faire place aux évacuations sanguines et aux émollients. La phlébotomie, si le sujet est fort et s'il y a de la fièvre, doit être renouvelée. C'est alors, mais seulement alors, que les sangsues autour du point malade, sur le point malade lui-même si la peau n'est pas trop altérée, méritent quelque confiance : on en multiplie le nombre et les applications en raison de l'intensité ou de l'étendue de l'accident qu'on veut combattre. Des cataplasmes de mie de pain ou de farine de lin, faits avec une décoction de guimauve ou avec du lait, sont nécessaires et valent mieux que de simples compresses imbibées d'un liquide émollient. Vous le voyez, c'est le traitement complet du phlegmon dont on doit faire usage.

Si les tissus sont désorganisés au point de tomber en putrilage, et que la peau soit encore intacte, les incisions ne doivent pas être ménagées, afin de donner issue aux liquides décomposés qui tendent à s'infiltrer au milieu des tissus sains. Il est bien entendu que je parle ici des cas dans lesquels la suppuration s'est emparée du clapier ; car, tant que ces foyers ne sont pas enflammés, je pense que, *à égalité de désordre*, les dangers sont beaucoup plus grands lorsque la peau est incisée que quand elle ne l'est pas.

Lorsque les os, les gros troncs nerveux et vasculaires participent à l'attrition du membre, la seule ressource qui reste au malade c'est l'amputation ; mais si les vaisseaux seuls étaient rompus, sans que l'os fût brisé, on devrait tenter la ligature de l'artère principale à une certaine distance au-dessus.

2° *Traitement des bosses sanguines.* — Quoi qu'en dise A. Paré, les sangsues, les ventouses, les scarifications ne conviennent point à ce genre de lésion. Les piqûres des unes, les plaies des autres ont trop de tendance à se gangrener en pareil cas, surtout lorsque la peau est amincie.

Si les résolutifs et la compression ordinaire n'en triomphent pas, on pourrait essayer un moyen qui est lui-même une espèce de contusion ; je veux parler du *massage* ou de *l'écrasement de la tumeur*. On trouve déjà dans Borel qu'un certain Lagneau guérissait comme par miracle les bosses sanguines en les frottant rudement avec un bâton de coudrier. Leveillé dit qu'on doit écraser ces dépôts et les comprimer pour en favoriser la résolution. Plusieurs chirurgiens modernes partagent cette opinion. Pour moi, je pense que tant qu'il n'y a point de douleur, d'inflammation ni de déchirure de la peau, il n'y a aucun inconvénient à tenter cette ressource. Il me paraît évident qu'en agissant ainsi, on force le liquide à rompre les digues qui le retiennent dans le foyer, et à s'infiltrer au loin, au lieu de rester rassemblé sous forme de collection ; on peut employer en même temps les résolutifs.

3° *Traitement des collections sanguines.* — Faut-il ou non ouvrir les collections sanguines ? Quand et comment faut-il les ouvrir ? La pratique des chirurgiens varie à ce sujet. Je ne m'arrêterai point à vous énumérer l'opinion des divers auteurs ; je me bornerai à vous présenter le résultat de ma propre expérience.

On ne peut nier qu'avec du temps les collections sanguines les plus étendues ne finissent quelquefois par se résoudre, et qu'en les ouvrant toujours et sans distinction, on exposerait quelques malades à de graves accidents ; mais nul doute aussi que leur incision ne soit souvent l'unique moyen d'en abréger la durée et d'en prévenir les suites fâcheuses. Les foyers sanguins qui restent diffus ne doivent point être ouverts. On ne doit jamais ouvrir les autres avant d'en avoir tenté la résolution. En temporisant, on court du moins la chance de les voir se resserrer et se circonscrire d'une manière plus tranchée. Il est bien entendu que je parle ici des cas dans lesquels il n'y a pas d'inflammation. Dès que ces foyers restent stationnaires, et que leur pourtour s'est endurci, on pourrait peut-être en essayer l'écrasement aidé des résolutifs; cependant je les incise, à moins qu'ils ne soient très grands; car dans ce dernier cas leur cicatrisation est ordinairement fort longue.

La nécessité d'ouvrir ces collections étant admise, on a alors à choisir entre diverses méthodes. La ponction avec un trois-quarts n'est applicable qu'aux foyers devenus purement séreux; encore faut-il, pour qu'elle suffise, qu'ils ne renferment aucun reste de caillot, aucune concrétion fibrineuse. D'ailleurs, qu'on vide ces foyers par une ponction, une incision petite ou grande, ou même plusieurs incisions, peu importe; car, pourvu que le liquide soit extrait d'une manière quelconque, leurs parois se recollent en général avec une grande facilité. Quant à moi, j'ai pris l'habitude de les inciser assez largement dans le point déclive, de les vider complétement, et d'exercer ensuite une compression méthodique et modérée.

Lorsque le dépôt est peu étendu et encore rempli de sang pur, fluide ou coagulé, sans amincissement de la peau, je me borne à pratiquer une incision sur son sommet. La détersion s'en opère ensuite assez bien. S'il est tout-à-fait fluctuant, mais toujours peu étendu, et que les téguments aient sensiblement perdu de leur épaisseur, il faut en mettre à nu toute la surface interne à l'aide d'une incision en T, ou d'une incision cruciale; c'est là un précepte que vous ne devez point oublier.

Si la mondification s'opère avec difficulté, il faut l'activer à l'aide des lotions de quinquina, de teinture de myrrho, etc. L'intérieur de la plaie doit être mollement remplie de boulettes de charpie imbibées de ces liquides.

Dans les bourses muqueuses, si le dépôt est récent ou rempli de sérosité sanguinolente, une seule incision suffit ordinairement. Lorsqu'il est ancien, il faut l'ouvrir largement et crucialement, le vider avec soin, et le panser avec les boulettes de charpie. Telle est la méthode que vous me voyez employer lorsque le dépôt n'a pas plus de deux ou trois pouces de diamètre. Pour ceux qui sont plus étendus, si la peau conserve de l'épaisseur, reste doublée de tissu cellulaire non altéré, je les incise encore en T ou en croix, mais sans m'attacher à en traverser toute la largeur. Au lieu de les remplir de charpie, j'exerce sur eux une compression expulsive. Lorsque les téguments ont perdu leur ressort, qu'ils sont mous et flasques, je les fends largement sur plusieurs points distincts, et je fais ensuite usage de la compression dans le but d'en amener le recollement. Quand on ne s'est déterminé à ouvrir ces dépôts qu'après le développement de l'inflammation, il faut alors employer les cataplasmes ou les fomentations émollientes.

Il me resterait maintenant à examiner la contusion dans chaque région du corps et dans chaque organe spécial; mais les détails dans lesquels je serais obligé d'entrer nous conduiraient évidemment trop loin; nous nous en occuperons d'ailleurs à mesure que des malades nous en offriront des exemples. Mon but a été de vous présenter ici quelques généralités, et je suis sûr que si vous les avez bien comprises, elles vous seront d'une grande utilité au lit des malades.

ARTICLE VII.

DE L'HÉMATOCÈLE.

Lorsqu'à la suite d'une cause quelconque du sang s'épanche dans les bourses, l'affection qui en résulte a été désignée par les pathologistes sous le nom d'*hématocèle*. Cette dénomination, comme son étymologie grecque l'indique (αἷμα, *sang*; κήλη, *tumeur*), n'offre rien de précis, puisqu'elle pourrait tout aussi bien s'appliquer aux tumeurs sanguines de toutes les autres régions du corps qu'à celles des bourses. Cependant nous ne chercherons pas à lui en substituer une autre; il suffit de s'entendre à ce sujet.

L'hématocèle est une maladie dont l'histoire est encore à faire presque tout entière. Il suffit pour s'en convaincre de jeter un coup d'œil sur ce que les auteurs anciens et modernes disent de cette affection. La plupart même n'en parlent que d'une manière fort abrégée. Boyer la décrit en moins de deux pages (1). Je suis pourtant convaincu que cette maladie est digne de fixer toute l'attention des praticiens, et qu'une foule d'observations qu'on a rangées parmi les cas d'hydrocèle lui appartiennent. Je vous le montrerai bientôt.

Déjà, à différentes reprises, je vous ai entretenus des diverses parties de l'histoire de l'hématocèle; maintenant que vous avez eu occasion d'observer dans ce service un assez grand nombre de faits de ce genre, je crois devoir vous présenter quelques idées générales sur cette affection. Je fixerai votre attention d'une manière toute particulière

(1) *Traité des maladies chirurgicales*, tome X, pages 189, 190.

sur l'hématocèle de la tunique vaginale; car c'est celle, à mon avis, qui a été le moins étudiée.

On a distingué plusieurs sortes d'hématocèle; Richter, et avec lui plusieurs auteurs, en admettent trois espèces, suivant que le sang est épanché dans la tunique vaginale, dans la tunique albuginée, ou infiltré dans le tissu cellulaire du scrotum.

Nous étudierons dans ces entretiens les cas qui se présentent le plus fréquemment dans la pratique; ce sont sans contredit les deux suivants : 1° le sang est simplement infiltré, ou bien il est réuni en foyers dans le tissu cellulaire du scrotum; 2° l'épanchement sanguin a lieu dans la tunique vaginale.

Lorsque le sang est simplement infiltré dans le tissu cellulaire du scrotum, la maladie prend le nom d'*hématocèle par infiltration*. Elle est sans contredit la plus fréquente; elle dépend de la lésion des vaisseaux qui rampent dans le tissu cellulaire des bourses. Les contusions, le froissement même du scrotum contre les cuisses, en sont les causes les plus ordinaires. Cependant cette espèce d'hématocèle peut aussi survenir à la suite des opérations que l'on pratique dans la région inguinale; elle dépend alors presque toujours de ce qu'on n'a pas fendu le scrotum assez bas, et de ce qu'il reste dans l'angle inférieur de l'incision un cul-de-sac où le sang s'amasse pour s'infiltrer ensuite plus ou moins loin dans les bourses.

L'hématocèle par infiltration est facile à reconnaître. La peau offre une couleur rouge violacée, marbrée de taches noires plus ou moins foncées; les rides qui la couvrent dans l'état normal ont disparu; la tumeur formée par la distension du scrotum est lisse, égale, polie et peu douloureuse au toucher. Lorsque l'infiltration est très prononcée, la tuméfaction et la coloration en noir comprend souvent la verge, et s'étend même jusqu'au prépuce. Les téguments du périnée et de la partie interne et supérieure des cuisses peuvent aussi être envahis par l'ecchymose.

Quelle que soit l'étendue de l'ecchymose, tant que la lésion ne consiste qu'en une infiltration de sang dans les mailles du tissu cellulaire, sans collection réelle, on ne doit point s'en tourmenter; c'est une maladie légère que l'on dissipe ordinairement dans l'espace de quinze ou vingt jours à l'aide des résolutifs. S'il existait quelques symptômes généraux, on devrait les combattre par les moyens appropriés; mais il importe de savoir qu'on ne doit faire usage du bistouri que lorsqu'il existe réellement des collections sanguines, ou lorsqu'une inflammation locale plus ou moins intense s'est emparée des parties.

Je vous citerai à ce sujet le fait suivant, dont plusieurs d'entre vous ont été témoins :

Obs. I. — Le 9 décembre 1838 fut admis dans notre service le nommé Chandellier (Alexis), âgé de trente-sept ans, d'une forte constitution, tambour de la garde nationale : cet homme avait reçu, le jour précédent, un coup de pied sur les bourses. La peau du scrotum était lisse, assez tendue, noirâtre; la racine de la verge, la partie interne de la cuisse du côté gauche, étaient le siége d'une ecchymose assez prononcée. Le malade éprouvait d'assez vives douleurs dans le scrotum. Un examen minutieux me permit de constater que le testicule et l'épididyme étaient sains, que la tunique vaginale n'était le siége d'aucun épanchement, qu'en un mot il n'y avait aucune collection sanguine, et que toute la lésion se bornait à une infiltration assez considérable de sang dans le tissu cellulaire. Je prévis dès lors que la guérison serait prompte et facile. Comme le malade était un peu agité et que le pouls était assez développé, je prescrivis une saignée du bras; je fis ensuite couvrir le scrotum de compresses imbibées d'eau blanche, avec recommandation de renouveler ce pansement plusieurs fois le jour. Je fis appliquer aussi un large suspensoir pour maintenir les bourses convenablement soulevées.

Cette dernière précaution est de rigueur dans tous les cas. (Diète; limonade.)

Le lendemain, le malade était calme; la tuméfaction des bourses avait un peu diminué; mais l'ecchymose avait gagné en surface. (Même pansement.)

Les jours suivants, le gonflement disparut, mais l'ecchymose persista.

Le 17 du même mois, le malade n'éprouvait plus aucune espèce de douleur; le scrotum était flasque comme dans l'état normal. Il ne restait plus qu'une couleur jaune de la peau, qui exigeait un temps plus ou moins long pour disparaître complétement. La guérison était évidemment assurée; aussi le malade quitta l'hôpital.

Si chez ce malade nous avions fait usage des incisions, il est évident que la suppuration se serait emparée du scrotum, et que la guérison n'aurait été ni aussi prompte ni aussi satisfaisante. Je vous le répète donc, toutes les fois qu'il n'y a pas de collection, abstenez-vous des incisions. A l'aide des résolutifs, le sang, qui n'est qu'infiltré dans les mailles des tissus, est bientôt repris par l'absorption, et on évite ainsi la suppuration. Je dois ajouter toutefois que chez les sujets affaiblis ou d'une mauvaise constitution, la résolution ne s'opère pas toujours d'une manière complète. Il reste alors des plaques empâtées qui mettent un temps plus ou moins long à se résoudre. Le fait suivant est de ce genre.

Obs. II. — Le 9 juillet 1838, fut admis dans nos salles le nommé François Legendre, âgé de vingt-deux ans, d'une faible constitution, d'un tempérament lymphatique; il avait reçu la veille de son entrée un coup de poing sur le scrotum du côté gauche. Il en était résulté une infiltration de sang assez considérable; cependant il était facile de constater qu'il n'existait pas de foyer. La peau était noirâtre, comme charbonnée; le malade n'éprouvait que peu de douleur. Je fis appliquer des compresses imbibées d'eau blanche. Trois jours après la résolution était opérée en grande partie; il ne restait plus qu'une plaque noirâtre empâtée. Le malade voulut dès lors sortir de l'hôpital; il nous promit cependant de revenir à la consultation. Il revint en effet environ six semaines après; il ne restait plus aucune trace de la maladie. Il nous dit que la plaque noirâtre n'avait complétement disparu que depuis quelques jours.

Lorsque le sang est réuni en foyers dans le tissu cellulaire du scrotum, ou entre les membranes extérieures à la tunique vaginale, les choses ne se passent pas toujours comme il est dit précédemment. Le sang agit ici comme un corps étranger, étouffe quelquefois la vie des tissus et peut les faire tomber en gangrène. Cette variété d'hématocèle mérite de fixer toute votre attention. Entrons dans quelques détails.

Si l'épanchement est peu considérable, et si la peau est saine, la résorption pourra s'opérer comme dans le cas précédent; il importe alors d'insister sur l'usage des topiques résolutifs, et de n'avoir recours au bistouri que lorsque cet ordre de moyens reste impuissant et que l'inflammation tend à s'emparer du foyer. Voici un fait qui vient à l'appui de ce précepte.

Obs. III. — Durant la première quinzaine du mois de mars 1838, un porteur d'eau, âgé d'une vingtaine d'années, d'une constitution athlétique, entra dans notre service et fut couché au n° 21 de la salle Sainte-Vierge. Cet homme avait reçu deux jours auparavant un violent coup de pied sur les bourses; le scrotum offrait le volume de la tête d'un enfant; la verge était pour ainsi dire perdue dans ce gonflement énorme; la peau était d'un bleu foncé. Le malade éprouvait d'assez vives douleurs; le pouls était plein et dur. Un examen attentif me permit de constater que cette énorme tuméfaction dépendait en grande partie d'une infiltration sanguine, et qu'il n'existait qu'un foyer peu considérable à la partie inférieure des bourses du côté droit. Il paraissait nécessaire de pratiquer quelques incisions pour opérer le dégorgement des parties. Cependant, je pensai qu'il ne serait pas impossible que les résolutifs parvinssent à prévenir l'orage. La guérison obtenue par ce moyen serait sans contredit préférable à une suppuration toujours longue. Je couvris donc tout le gonflement de compresses imbibées d'eau blanche, et je fis pratiquer deux larges saignées à un jour de distance. Je dois avouer que je n'espérais guère que la guérison pût être complète sans incisions. Je me trompai ; quatre jours après, la tuméfaction était diminuée des deux tiers ; on sentait alors très bien le petit foyer sanguin dont j'ai déjà parlé. Dix jours après tout était rentré dans l'ordre ; il ne restait plus qu'une large ecchymose pour laquelle nos soins étaient inutiles. Le malade sortit donc de l'hôpital dix-huit jours après son entrée.

Je ne vous donne point ce fait comme une règle de conduite ; car il s'en faut qu'on dût opérer un aussi heureux et aussi prompt résultat dans tous les cas de ce genre. Je ne le mentionne que pour bien vous convaincre qu'il ne suffit pas qu'un épanchement de sang existe en foyer dans le scrotum pour qu'il soit toujours nécessaire d'y porter immédiatement le bistouri. Il faut d'ailleurs tenir compte ici de la constitution des sujets, et de l'état morbide des parties.

Lorsque l'épanchement de sang est considérable, les topiques résolutifs seuls sont impuissants dans la majorité des cas, il faut alors faire usage de l'instrument tranchant. On comprend en effet que si l'absorption seule ne pouvait pas faire disparaître le liquide épanché, on ferait courir aux malades des dangers que les incisions préviennent le plus souvent. Voici un exemple de ce genre.

Obs. IV. — Pendant le mois d'avril 1837, un charretier des environs de Paris, âgé de quarante-deux ans, fut admis dans notre service et couché au n° 16 de la salle Sainte-Vierge. Quelques jours auparavant il était tombé à califourchon sur un des brancards de sa charrette, et ses bourses qui, d'après son dire, étaient ordinairement flasques et pendaient de plusieurs pouces entre les cuisses, furent violemment contuses. Il dit qu'il n'éprouva pas une très vive douleur. Quoi qu'il en soit, à son entrée, nous observâmes les phénomènes suivants. Les bourses sont énormément tuméfiées, la peau est luisante, tendue, noirâtre; la région périnéale est le siége d'une large et profonde ecchymose. Je crus d'abord à une lésion plus grave que celle qui existait réellement; cependant un examen attentif et minutieux me fit reconnaître que ce n'était qu'une vaste collection sanguine, et que les testicules n'avaient pas été atteints. Le malade était d'ailleurs agité; il y avait de la fièvre; le pouls était développé. Je ne crus pas devoir différer de recourir à l'instrument tranchant; je pratiquai en conséquence quatre longues incisions, deux sur chaque côté; il s'écoula une grande quantité de sang noirâtre; les plaies furent pansées convenablement. Pour calmer la réaction générale, je fis pratiquer une large saignée; limonade; diète.

Le lendemain le malade était soulagé de beaucoup; le pouls était revenu à l'état normal.

Les jours suivants la suppuration s'établit; elle était de bonne nature. Tout le reste se passa sans accidents; mais les plaies ne furent complétement cicatrisées qu'après un mois de soins.

Si dans ce cas nous avions temporisé, si nous avions attendu que la peau se fût amincie, pour donner issue aux liquides, tout porte à penser que les choses ne se seraient pas passées si heureusement. En effet, on a observé qu'assez souvent alors des phlyctènes se forment sur divers points du scrotum; celui-ci ne tarde pas lui-même à se détacher par lambeaux gangrenés, et les testicules sont quelquefois mis à découvert. D'autres fois, dans ces cas, l'hématocèle n'est pas suivie de gangrène, mais elle donne lieu à de vastes abcès qui peuvent s'étendre au périnée et jusque dans les régions inguinales.

En mars et avril 1836, nous avons observé dans ce service un fait de ce genre.

Obs. V. — Un homme âgé d'environ trente-cinq ans avait reçu, dix jours avant son entrée à l'hôpital, de violents coups de pied sur les bourses. Le lendemain de l'accident, le scrotum avait acquis un volume énorme, à tel point que le malade le comparait à une tête d'adulte. La peau, dit-il, était bleuâtre; la verge avait disparu presque en totalité au milieu du gonflement. Il éprouvait d'assez vives douleurs. Le médecin appelé pour lui donner des soins avait reconnu la nécessité de pratiquer quelques incisions; mais le malade ne voulut pas s'y soumettre; on le saigna, et on appliqua des compresses résolutives. La maladie fit des progrès; des abcès se formèrent, et il se décida d'entrer dans notre service. Voici à cette époque quel était l'état des parties : le scrotum est tendu, luisant; il y a une fluctuation évidente, et tout indique qu'il existe dans cette partie un large foyer purulent. La peau est amincie. Une tumeur du volume d'un gros œuf de poule existe à la région périnéale; elle est fluctuante.

J'ouvris immédiatement ces deux tumeurs : il en sortit près d'un verre de matière noirâtre évidemment composée de sang et de pus. Le malade fut dès lors soulagé; mais ces deux plaies suppurèrent pendant sept semaines, et nous eûmes pendant quelque temps des craintes sérieuses pour la vie de ce malheureux. Cependant la suppuration finit par se tarir; la cicatrisation s'opéra, et la guérison fut complète.

En conséquence lorsque la collection sanguine est considérable, que tout porte à penser que l'absorption ne pourra pas s'emparer du liquide, et surtout lorsque le scrotum est lisse, tendu, il n'y a pas à temporiser, il faut avoir promptement recours aux incisions plus ou moins profondes, plus ou moins étendues.

Je dois ajouter toutefois que les désordres que je viens de signaler ne sont pas la conséquence inévitable d'un épanchement de sang même considérable. Vous avez observé dans ce service plusieurs cas dans lesquels ces collections ont persisté plus ou moins long-temps sans déterminer aucun phénomène grave. Ici du reste l'état de réaction générale doit être pris en grande considération. Mais toujours est-il que tôt ou tard il faut en venir à l'opération.

Obs. VI. — Pendant le mois de juillet 1838, un homme d'environ trente-cinq ans fut admis dans ce service pour des contusions diverses datant de près d'un mois. Entre autres lésions, nous observâmes une tumeur fluctuante sur la partie droite du scrotum. La peau de cette région offrait une couleur violacée; le malade n'y ressentait que peu de douleurs; il souffrait cependant à la moindre pression. Déjà on avait essayé les résolutifs de toute espèce. J'ouvris cette tumeur; il en sortit une matière noirâtre, épaisse. La plaie fut pansée convenablement : un mois après le malade quitta l'hôpital parfaitement guéri (1).

(1) J'ai observé, dans le service de M. A. Bérard, à l'hôpital Necker, un cas de ce genre; l'observation a été publiée dans la *Gazette des médecins praticiens*, n° 18, 1840. Je la transcris textuellement :

Coup violent sur les bourses. — Épanchement de sang en dehors de la tunique vaginale. — Incision de la tumeur trois semaines après l'accident. — Guérison. — Le 13 décembre 1839 fut couché dans la salle Saint-Pierre, n° 21, le nommé Moreau (Hippolyte), âgé de vingt-cinq ans, menuisier, doué d'une bonne constitution. Cet homme a été exempté du service militaire pour une varicocèle dont il était affecté depuis très long temps. S'étant pris de querelle il y a environ vingt jours avec un de ses camarades, il reçut de ce dernier un violent coup de pied sur les bourses. La douleur qu'il éprouva fut si violente, qu'il perdit connaissance. Transporté chez lui, il reprit ses sens et vit que ses bourses avaient considérablement augmenté de volume. Le médecin qui fut appelé prescrivit le repos, vingt-cinq sangsues, et des compresses imbibées d'acétate de plomb sur la tumeur. Les jours suivants, deux nouvelles applications de sangsues furent ordonnées. Sous l'influence de ce traitement, la tumeur qui, au dire du malade, avait acquis au début le volume

Vous avez sans doute observé plusieurs faits du même genre. Quant aux diverses transformations que peut subir

de la tête d'un enfant, diminua sensiblement ; mais elle resta ensuite stationnaire, et Moreau se décida alors à entrer à l'hôpital.

A la première visite (14 décembre), voici quel était l'état des parties : les bourses offrent le volume de deux poings réunis ; la tumeur est oblongue de haut en bas. On sent distinctement en la palpant qu'elle est due à l'accumulation d'un liquide comme grumeleux, épanché dans le tissu cellulaire du scrotum. La peau est d'un rouge violet sur tout le côté droit. Il n'existe d'ailleurs aucun symptôme de réaction ; le malade n'a point de fièvre et demande à manger. (Compresses imbibées d'eau blanche et d'eau de sureau renouvelées plusieurs fois dans la journée ; demi-portion.)

Cette prescription fut continuée pendant trois jours. La tumeur diminua de volume d'une manière notable ; elle semblait alors divisée en deux collections distinctes séparées par un corps dur. Les douleurs que ressentait le malade lorsqu'on pressait ce corps indiquaient assez que c'était le testicule. Il n'existait aucune espèce de transparence. C'était là évidemment un épanchement de sang ; mais ce liquide était-il rassemblé dans l'intérieur de la tunique vaginale ou en dehors de cette cavité ? M. Bérard émit cette dernière opinion, ajoutant que le sang devait avoir subi un certain degré de transformation, et qu'une incision donnerait issue à une matière noirâtre plus ou moins épaisse. Nous allons voir que son diagnostic se réalisa de tous points.

Le 20, l'état des parties était tel qu'on ne pouvait plus espérer de voir la tumeur se résoudre. Une incision pouvait seule en débarrasser le malade ; elle fut pratiquée de la manière suivante : le malade est placé sur le bord de son lit ; les jambes et les cuisses sont maintenues fléchies et écartées par deux aides. Les bourses sont relevées en haut ; l'élève interne tient le testicule entre ses doigts. Une incision longitudinale est alors pratiquée ; elle est faite avec précaution, couche par couche, à l'aide d'un bistouri convexe. Parvenu ainsi jusqu'à la poche qui contient le liquide, M. Bérard prend alors un bistouri boutonné, et fend le kyste de haut en bas. Il s'écoule aussitôt une assez grande quantité d'un sang noirâtre en partie coagulé, et assez semblable à de la gelée de groseille ou à du raisiné. On enlève avec les doigts tous les caillots de sang qui sont fixés aux parois du kyste, et on absterge convenablement la plaie. On peut constater dès lors que l'épanchement avait son siége en dehors de la tunique vaginale. On introduit ensuite au fond de la plaie un linge troué enduit de cérat, et on remplit la caverne de boulettes de charpie sèche. Des compresses et un bandage en T maintiennent le pansement. Le malade a beaucoup souffert pendant l'opération. (Diète absolue, potion gommeuse avec trente grammes de sirop diacode.)

Le 21, les douleurs, suites de l'opération, se sont promptement calmées.

le sang, je n'ai pas à revenir ici sur ce que je vous en ai dit en traitant de la contusion (1). Du reste les détails dans lesquels nous entrerons en nous occupant de l'hématocèle de la tunique vaginale se rapportent sous plusieurs rapports aux cas dont je viens de parler.

Hématocèle de la tunique vaginale. — En vous disant

Le malade a été tranquille pendant toute la journée ; il a dormi une grande partie de la nuit. Cependant il se plaint actuellement de douleurs dans la tête. Il y a un peu de fréquence dans le pouls. (Infusion de tilleul ; potion calmante ; deux bouillons.)

Le 22, hier il y a eu de la fièvre ; le pouls est encore fréquent et la langue est sèche. La plaie n'est point douloureuse ; mais le malade se plaint d'assez vives douleurs dans la fosse iliaque du côté droit. Il n'y a pas eu de selles depuis l'opération. (Une bouteille d'eau de Sedlitz ; un lavement ; diète.)

Le 23, le malade a vomi hier à trois reprises différentes. Il n'y a pas eu d'évacuation par le bas ; le lavement n'a pas même été rendu. Les douleurs de tête ont beaucoup diminué. La plaie est pansée pour la première fois ; elle offre un bon aspect ; la suppuration est peu abondante. Ce premier pansement est très peu douloureux. (Quinze grammes d'huile de ricin avec quinze grammes de sirop de nerprun ; lavement avec trente grammes de sulfate de soude ; diète.)

Le 24, tous les accidents énumérés plus haut ont disparu ; selles abondantes ; point de douleurs dans la plaie. La suppuration est assez abondante et de bonne nature. (Pansement ordinaire ; lavement émollient ; deux pots de tisane ; deux bouillons, un potage.)

Le 26, l'état du malade est très satisfaisant ; la plaie offre un bon aspect. Il y a eu une selle copieuse. (Deux bouillons ; deux potages.)

Le 28, même état ; les bords de la plaie commencent à s'affaisser ; la suppuration est toujours abondante. Le malade demande des aliments. (Pansement ordinaire ; infusion de mauve ; le quart.)

Le 31, les bourses tendent à revenir sur elles-mêmes et à reprendre leur volume normal. M. Bérard constate un léger épanchement dans la tunique vaginale. La suppuration a beaucoup diminué. Le fond de la plaie est cautérisé avec le crayon de nitrate d'argent. (Les trois quarts d'aliments.)

Le 2 janvier, la plaie est en grande partie cicatrisée ; la suppuration est presque entièrement tarie. (Nouvelle cautérisation.)

Le 4, les bourses ont repris leur volume normal ; il ne reste plus qu'une petite plaie qui n'exigera pendant quelques jours encore qu'un pansement très simple. Le malade est dans un état tout-à-fait satisfaisant. Il demande à sortir de l'hôpital.

(1) Voyez l'article précédent, pag. 365.

que l'histoire de l'hématocèle reste à faire presque tout entière, j'avais particulièrement en vue l'hématocèle de la tunique vaginale. Cette variété présente, en effet, plusieurs phénomènes pathologiques qui n'ont pas assez fixé l'attention des chirurgiens, et dont on n'a pas toujours cherché à se rendre compte. Aussi je vous répète depuis plusieurs années, toutes les fois que l'occasion s'en présente, qu'une foule d'observations rangées parmi les cas d'hydrocèle doivent être rapportées à l'hématocèle; ainsi partout où il est dit que la matière contenue dans le kyste était colorée en rouge, en brun, en roux, d'une consistance de miel, de bouillie, de chocolat, de lie de vin, on peut être sûr qu'il s'agit d'une hématocèle. Il en est de même des exemples où le liquide, quoique réellement fluide et simplement jaunâtre, se rencontre en faible quantité dans une coque vaginale épaisse, comme fibro-cartilagineuse, formée de plaques friables superposées. Mais n'anticipons pas; je reviendrai bientôt sur ces faits, et je m'attacherai à vous en donner une explication satisfaisante. Je dois auparavant vous dire quelques mots sur les causes et les symptômes de cette affection.

Les causes de l'hématocèle de la tunique vaginale sont nombreuses. On doit placer en première ligne toutes les espèces de contusions des bourses; c'est pourquoi les personnes qui montent souvent à cheval en sont fréquemment atteintes. Je dois ajouter qu'il est rare qu'une violence extérieure exercée sur les bourses donne lieu à un épanchement de sang dans la tunique vaginale sans produire en même temps une infiltration sanguine dans le tissu cellulaire des bourses. Toutefois les choses peuvent avoir lieu de cette manière, lorsqu'il existe préalablement une hydrocèle; car, comme Pott l'observe avec beaucoup de raison, lorsque la tunique vaginale a été long-temps distendue par de la sérosité, les vaisseaux sanguins deviennent variqueux et font saillie spécialement à la surface interne de cette membrane. On conçoit qu'alors une violence extérieure, même légère, puisse donner lieu à une déchirure de ces vaisseaux, et par suite à un épanchement de sang dans la tunique vaginale, sans léser les canaux sanguins qui circulent dans le tissu cellulaire du scrotum. C'est encore dans les cas de ce genre, c'est-à-dire lorsqu'il existe une hydrocèle, que, dans la ponction qu'on pratique pour évacuer le liquide séreux, ces vaisseaux peuvent être blessés par l'instrument, et que le sang s'épanche dans la cavité vaginale. Il est vrai de dire qu'ordinairement cette hémorrhagie cesse dès que les enveloppes de l'hydrocèle s'affaissent et reviennent sur elles-mêmes, et qu'il n'en résulte aucun accident. La petite quantité de sang épanché est bientôt résorbée, et les malades guérissent tout aussi bien que s'il n'y avait pas eu d'hémorrhagie. Cependant il arrive quelquefois que le sang s'amasse en assez grande quantité pour reproduire la tumeur et nécessiter une nouvelle opération. Quelques auteurs rapportent des faits de ce genre. M. A. Cooper en cite deux exemples (1). Je reviendrai d'ailleurs sur cette coexistence de l'hydrocèle avec l'hématocèle.

(1) Voici ces deux faits :

« Obs. I. — L'hématocèle succède quelquefois à la ponction pratiquée pour l'hydrocèle, dit A. Cooper, surtout si l'on se sert d'une lancette. M. Sherwood, de Reading, m'a raconté que dans un cas d'hydrocèle qu'il venait d'opérer par la ponction, il s'échappa un peu de sang après que la canule eut été retirée. Les lèvres de la plaie furent réunies, et quelque temps après, l'hydrocèle sembla s'être formée de nouveau. On se prépara à la traiter par l'injection. Mais lorsque le trocart fut introduit, on reconnut que la tunique vaginale était remplie de sang. On y pratiqua une incision; le sang fut évacué, et le malade a guéri. »

« Obs. II. — M. Lewis, chirurgien à Mark-Lane, donnait des soins à un malade, auquel il avait deux fois pratiqué la ponction pour une hydrocèle. Deux mois environ après la dernière opération, le malade revint avec l'apparence d'une nouvelle récidive, à cela près seulement que la tumeur était un peu plus arrondie. M. Lewis renouvela l'opération et donna issue à une pinte d'un sang liquide et épais. Quinze jours après, la tumeur reparut, mais depuis cette époque on n'a pratiqué aucune opération, et la tumeur a disparu peu

On s'est demandé si la tunique vaginale peut devenir le siége d'une exhalation sanguine. Ce serait là une *hématocèle par exhalation*. Sans nier la possibilité de ce phénomène, que l'analogie semble confirmer, je crois que quelques faits qu'on a donnés comme exemples ne sont pas tout-à-fait concluants. M. Moulinié (1) dit que certains cas qui se sont offerts à sa clinique lui ont donné la conviction que les choses peuvent se passer ainsi. Chez un malade qui portait une hématocèle volumineuse de la tunique vaginale gauche, et auquel A. Cooper donna des soins conjointement avec M. Hichs, ce dernier chirurgien attribua l'épanchement de sang aux exercices actifs auxquels le malade avait l'habitude de se livrer (2).

L'épanchement de sang ou l'infiltration de ce liquide dans le tissu cellulaire des bourses est très facile à reconnaître; l'ecchymose, qui a toujours lieu dans ces cas, ne permet pas de se méprendre sur la nature du mal; mais il n'en est pas toujours de même pour l'hématocèle de la tunique vaginale surtout lorsqu'elle est ancienne. Ici, en effet, les téguments peuvent ne fournir aucune indication, et les malades oublient

à peu par l'effet de la résorption. » A. Cooper, *Œuvres chirurg.*, traduction de MM. Chassaignac et Richelot, pag 491.

(1) *Maladies des organes génitaux et urinaires*, 1840, t. II, p. 139.

(2) Voici ce que dit A. Cooper à ce sujet : « Quand l'hématocèle paraît spontanée, et quand elle ne peut être attribuée à aucune autre cause qu'aux efforts musculaires du malade, elle tient, selon toute apparence, à ce qu'il existe dans la constitution du malade quelque altération contre laquelle le chirurgien doit diriger un traitement aussi bien que contre la maladie locale. Dans les cas de cette nature, il existe ordinairement une lésion des viscères, et plus spécialement du foie; dans d'autres circonstances, la maladie est le résultat de la présence d'un obstacle à la circulation, obstacle ayant son siége dans la poitrine; ce n'est que quand l'altération générale a été détruite sous l'influence des remèdes internes, que la guérison de la maladie locale peut avoir lieu sans l'incision de la tunique vaginale. Le décubitus dorsal est alors tout-à-fait nécessaire pour prévenir le retour de l'exhalation sanguine, lorsque le liquide contenu dans la tunique vaginale a été résorbé. (A. Cooper, *oper. citat.*, p. 492.)

souvent la cause qui a donné lieu à leur tumeur scrotale. Vous avez observé plusieurs exemples de ce genre dans notre service. Cependant lorsqu'une tumeur du scrotum, ayant la même forme, le même volume, la même régularité, la même insensibilité que l'hydrocèle, offre une pesanteur plus considérable, un défaut absolu de transparence, une consistance comme fibreuse, qu'elle crépite pour ainsi dire à la pression entre les doigts, tout porte à penser, si cette tumeur est étrangère au testicule, qu'il s'agit d'une hématocèle, soit simple, soit dénaturée. Tous les doutes seront levés dès que, par une exploration attentive, on aura trouvé le testicule plus ou moins aplati et fixé sur un point de la périphérie du kyste. Il ne faut point oublier toutefois qu'ici, comme dans l'hydrocèle, cet organe, ordinairement retenu en arrière et en dedans, est quelquefois placé en avant, en dehors ou en bas. Disons en outre qu'il ne pourrait guère y avoir de doute que lorsque la maladie est ancienne; car lorsqu'elle est récente, l'étiologie éclaire ordinairement le diagnostic. Si à toutes ces considérations nous ajoutons que l'hydrocèle peut se transformer en hématocèle, et l'hématocèle en hydrocèle, on aura, je crois, les éléments nécessaires pour éviter toute méprise.

L'anatomie pathologique de l'hématocèle de la tunique vaginale constitue la partie la plus intéressante de l'histoire de cette affection. Elle facilite beaucoup son étude, et permet de la suivre dans sa marche et dans ses différentes complications. C'est pourquoi je crois devoir entrer dans quelques détails sur ce sujet. Ces considérations seront du reste basées sur ce que je vous ai dit dans une autre circonstance sur les transformations du sang (1).

Examinée à ses différentes périodes, l'hématocèle de la tunique vaginale présente les phénomènes pathologiques suivants :

(1) Voyez l'article CONTUSION, p. 366.

1° La tunique vaginale renferme une quantité plus ou moins considérable de sang à l'état de pureté, tel qu'on l'observe à sa sortie d'une artère ou d'une veine.

2° Des grumeaux flottent dans un liquide plus ou moins coloré, quelquefois limpide.

3° La tunique vaginale contient un liquide séro-sanguinolent, sans concrétions fibrineuses.

4° La tunique vaginale, épaissie par des couches quelquefois rougeâtres, quelquefois noirâtres, appliquées sur sa face interne, est remplie d'une matière noirâtre, couleur chocolat, plus ou moins liquide.

5° Quelquefois l'épanchement de sang est transformé en foyer purulent.

Tels sont les faits fournis par l'observation ; tâchons de nous en rendre compte.

1° *Le sang est à l'état de pureté dans la tunique vaginale.* —C'est là le fait général, celui qui précède tous les autres; on peut même dire que lorsqu'on trouve le sang altéré ou mélangé, c'est qu'on n'a pas agi assez promptement, ou bien parce qu'une hydrocèle avait précédé l'hématocèle. J'en ai observé plusieurs exemples ; je me bornerai à vous citer le suivant.

Obs. VII. — En 1833, un porteur d'eau, d'une forte constitution fut affecté, à la suite d'un coup, d'un épanchement considérable de sang dans la tunique vaginale. Il entra dans mon service à l'hôpital de la Pitié. La tumeur était si volumineuse, qu'il ne me parut pas rationnel d'espérer en obtenir la résolution. Je pratiquai en conséquence une petite incision avec une lancette; elle donna issue à une quantité assez considérable de sang à l'état de pureté. Des compresses émollientes furent appliquées sur les bourses, et la guérison fut complète au bout de vingt jours.

Il serait inutile, je crois, d'entrer dans plus de détails sur ce premier phénomène; qu'il me suffise d'ajouter que, lorsque l'épanchement est récent et peu considérable, la résolution s'opère assez souvent à l'aide des résolutifs.

2° *Des grumeaux flottent dans un liquide plus ou moins coloré, quelquefois limpide.* — Ces grumeaux ne sont autre chose qu'une certaine quantité de fibrine concrétée. Le liquide au milieu duquel ils nagent est le sérum, qui a conservé plus ou moins les propriétés colorantes du sang. On conçoit en outre qu'après l'absorption de la partie liquide du sang une hydrocèle puisse survenir, soit à la suite d'une des causes ordinaires de cette maladie, soit aussi par l'irritation que les grumeaux dont je viens de parler doivent produire sur la tunique vaginale. C'est alors le cas d'une hydro-hématocèle. Toutes les fois que dans une hydrocèle on observera ces grumeaux, on peut être sûr qu'il s'est opéré, à une époque plus ou moins éloignée, un épanchement de sang dans la tunique vaginale. Or serait-ce aller trop loin que de penser que l'hématocèle est une cause fréquente d'hydrocèle ? Combien de malades atteints de cette dernière affection ont reçu antérieurement un coup, ou fait une chute sur les bourses ! Ainsi, à la suite d'une violence extérieure, les bourses se tuméfient, un épanchement de sang se fait dans la tunique vaginale ; mais comme la douleur est quelquefois légère, les malades ne s'en occupent pas sérieusement. Quelque temps après survient une hydrocèle, et les sujets ne la rapportant pas à la violence extérieure, n'en parlent pas au chirurgien.

Plusieurs fois déjà vous avez observé ces grumeaux nageant au milieu du liquide. En voici un exemple tout récent :

OBS. VIII — Le 26 février 1840 entra dans notre service le nommé Chauvet (Alexandre), charcutier, âgé de vingt ans. Quatre ans auparavant, cet homme, qui montait fréquemment à cheval, se blessa les bourses contre le pommeau de la selle : Il éprouva, dit-il, une douleur assez vive. Un léger gonflement survint, mais le malade ne s'en occupa point, et la tumeur finit par devenir indolente.

Douze jours avant son entrée à l'hôpital, il reçut un coup de pied sur le scrotum, et les bourses acquirent le volume du poing. Il appliqua chez lui des compresses d'eau blanche.

Voici quel était l'état des parties lorsque Chauvet fut soumis pour la première fois à notre observation. Sur le côté droit du scrotum existe une tumeur pyriforme, assez régulière, du volume d'un gros œuf. La peau qui la recouvre offre un aspect un peu jaunâtre. Le malade se plaint d'assez vives douleurs; cependant il est calme et tranquille; le pouls est à l'état normal. La tumeur offre une apparence de fluctuation vague et sourde. Le testicule, l'épididyme et le cordon testiculaire paraissent sains. Il n'existe aucune espèce de transparence. De tels symptômes joints aux antécédents de la maladie me portèrent à diagnostiquer une hématocèle de la tunique vaginale, et comme cette tumeur offrait à la pression la sensation de petits corps mélangés au liquide, j'ajoutai que nous trouverions très probablement un liquide rougeâtre mêlé de quelques grumeaux fibrineux. Je ne me trompai point.

Le 28 février, le malade fut opéré comme s'il portait une hydrocèle. Je fis une ponction avec le trois-quarts, et nous vîmes sortir de la canule un liquide séro-sanguinolent mêlé de plusieurs grumeaux. Dès que la tunique vaginale eut été complétement vidée, j'injectai dans son intérieur une once environ de teinture d'iode d'après la formule que j'ai adoptée pour l'hydrocèle (1). (Infusion de tilleul, bouillon, potage.)

Pendant trois jours, tout se passa très bien; le malade n'éprouva aucune espèce de réaction.

Le 5 mars, le scrotum est enflammé; la tumeur a repris son volume primitif. (Cataplasme émollient.)

Le 9, les symptômes inflammatoires ont disparu, mais

(1) V. le t. I des *Leçons orales de clinique chirurgicale*, art. HYDROCÈLE.

la tumeur persiste ; elle est dure. Je fais cesser l'usage des cataplasmes. Je prescris des onctions mercurielles.

Les deux jours suivants, le malade se plaint de quelques douleurs testiculaires. (Même prescription ; un bain.)

Le 12, la piqûre du trois-quarts s'est ouverte dans le bain, et donne issue à une matière séro-purulente.

Les jours suivants, la tumeur diminua de volume. Le 21, l'ouverture dont je viens de parler, et qui a donné pendant plusieurs jours issue à de la sérosité purulente, s'est refermée. La tumeur a diminué des deux tiers.

Le 25, la petite plaie se rouvre de nouveau et laisse suinter une petite quantité de matières. Le malade ressent des douleurs dans le testicule.

Les jours suivants, la plaie se referme, et le scrotum reprend sa forme normale. Chauvet est évidemment guéri de son hématocèle ; mais le testicule reste bosselé et douloureux à la moindre pression.

Le 5 avril, le malade demande à sortir de l'hôpital.

3° *La cavité vaginale contient un liquide séro-sanguinolent sans concrétions fibrineuses.* — Cet état peut avoir deux origines : tantôt c'est une hydrocèle qui vient compliquer l'hématocèle ; tantôt une hydrocèle existe, et, à la suite d'une des causes que j'ai énumérées plus haut, une hématocèle vient s'y ajouter. Dans le premier cas, la fibrine du sang a été résorbée, et le sérum, conservant encore quelques parties colorantes, se mêle avec la sérosité sécrétée par la tunique vaginale. Dans le second cas, une hydrocèle existe, et, à la suite d'une violence extérieure, ou d'une ponction qui a intéressé quelques vaisseaux, une certaine quantité de sang vient se mêler à la sérosité. Les faits de ce genre sont assez fréquents dans la pratique.

Obs. IX. — Pendant le mois de février 1837, un boucher couché au n° 29 de la salle Sainte-Vierge nous en a présenté un exemple remarquable. Cet homme portait sur la partie gauche des bourses une tumeur oblongue, assez régulière, indolente, fluctuante. Le peau du scrotum était à l'état normal. Le malade nous dit qu'il avait été opéré un mois auparavant d'une hydrocèle, et que la maladie s'était reproduite sans cause appréciable. Il n'existait qu'une transparence très faible à travers la tumeur. Je crus pouvoir diagnostiquer une hydro-hématocèle. Le trois-quarts, dans l'opération de l'hydrocèle, devait avoir lésé quelques vaisseaux variqueux de la tunique vaginale. Je pratiquai une ponction, et nous pûmes nous convaincre que je ne m'étais point trompé dans mon diagnostic. Le liquide qui s'écoula par la canule était un mélange de sang et de sérosité. Je fis immédiatement après une injection iodée, et la guérison fut complète au bout de huit jours.

Ce malade est revenu nous voir à la consultation plusieurs mois après. Il n'y avait pas eu de récidive.

Dans le mois de décembre 1839, un fait du même genre s'est présenté dans ce service; et vous avez pu vous convaincre que le même traitement a produit une guérison aussi prompte et aussi sûre.

4° *La tunique vaginale, épaissie par des couches quelquefois rougeâtres, quelquefois noirâtres, appliquées sur sa face interne, est remplie d'une matière noirâtre, couleur chocolat, plus ou moins liquide.* — C'est là ce qu'on a généralement décrit sous le titre d'hydrocèle avec épaississement de la tunique vaginale, avec concrétions cartilagineuses, avec liquide noir, brun, roussâtre, de consistance de chocolat, de lie de vin, etc. Je dois dire pourtant qu'on revient aujourd'hui de cette erreur.

Ces cas sont certainement ceux qui offrent le plus d'intérêt. Ces concrétions ne sont autre chose que de la fibrine qui, séparée du sérum, est venue se fixer à la paroi interne de la tunique vaginale, et la matière noirâtre est la partie du sang qui a été plus ou moins altérée. Il n'est pas rare, dans ces cas, de trouver la tunique vaginale elle-même dégénérée, épaissie, dure, lardacée, criant sous le scalpel.

Cet état pourrait facilement donner le change pour un sarcocèle; car il n'existe ni fluctuation ni transparence, et la tumeur offre une pesanteur assez considérable. Mais que l'on interroge avec soin les sujets sur les antécédents et la marche de la maladie, et dans la plupart des cas l'erreur de diagnostic sera facile à éviter (1).

Obs. VIII. — Le 10 juillet 1837 fut admis dans notre service, salle Sainte-Vierge, n° 15, le nommé Pascal (Dominique), âgé de vingt-six ans; il porte aux bourses deux tumeurs de volume inégal; il est domestique et monte souvent à cheval. Les deux tumeurs correspondent aux deux testicules. Celle du côté gauche est de la grosseur d'un gros œuf de dinde; la pression ne détermine presque aucune douleur; il n'y a pas de changement de couleur à la peau. La tumeur droite est plus volumineuse; elle est ré-

(1) Le fait suivant, que j'ai observé à l'Hôtel-Dieu, en est une preuve. Le 25 avril 1836, le nommé Trinchart (Pierre), âgé de vingt-deux ans, d'une bonne constitution, fut admis dans la salle Sainte-Jeanne pour être traité d'une tumeur au scrotum droit. Elle datait de deux ans environ. Elle avait presque quatre fois le volume du testicule à l'état normal, et en avait conservé tout-à-fait la forme. Le chirurgien qui était chargé du service diagnostiqua une hypertrophie du testicule. M. Vidal (de Cassis) prit sur ces entrefaites la direction de la salle. Ce chirurgien partagea d'abord l'opinion de son prédécesseur; mais se livrant ensuite à un examen plus attentif, il soupçonna fortement l'existence d'un liquide épanché dans la tunique vaginale. A force de questions, il apprend que plusieurs fois déjà le malade a eu un gonflement au côté droit des bourses, et que des ponctions ont donné issue à du liquide rougeâtre. Il pratique donc une ponction exploratrice; le liquide qui s'écoule est très coloré, d'un rouge brun. Dès lors il ne lui reste plus de doute. Le 2 juin, une incision est pratiquée sur la partie antérieure de la tumeur, comme s'il s'agissait de l'extirpation du testicule. Le liquide qui s'échappe est moins coloré que celui qui a été extrait par la ponction; des caillots de sang noirâtre existent sur la paroi interne de la tunique, qui a elle-même plusieurs lignes d'épaisseur. Cette membrane est d'un blanc mat, dure, rénitente, criant sous le scalpel; par une forte pression, elle laisse suinter une très petite quantité d'une humeur lactescente. M. Vidal enlève une grande portion de cette tunique ainsi dégénérée, et le malade est sorti guéri de l'hôpital vers le milieu du mois de juillet.

nitente, élastique; il y a de la fluctuation et de la transparence; le testicule est placé à sa partie postérieure, inférieure et un peu interne. La pression exercée sur ce point excite de la douleur. Le malade, interrogé sur les antécédents de sa maladie, nous dit qu'elle a débuté du côté gauche, il y a sept ans, à la suite d'une pression du testicule contre le pommeau de la selle du cheval; il ressentit une vive douleur dans ce côté des bourses. Il survint bientôt de la tuméfaction, à tel point que, dans deux ou trois jours, la moitié gauche du scrotum acquit le volume du poing. Des saignées locales et générales dissipèrent bientôt l'inflammation, et, s'il faut en croire le malade, le testicule de ce côté devint plus petit que celui du côté opposé.

Cinq ans s'écoulèrent ensuite sans que Pascal éprouvât la moindre douleur dans les bourses. Dans cet intervalle, il eut une gonorrhée qu'il guérit à l'aide du cubèbe et du copahu. Mais il y a environ deux ans, la moitié gauche des bourses se tuméfia de nouveau sans cause connue. Notons cependant qu'il n'avait pas cessé de monter à cheval. A la tuméfaction se joignit de la douleur; la tumeur acquit enfin le volume d'un œuf de dinde, et ce volume n'a plus changé.

La tumeur droite a commencé à se manifester il y a dix-huit mois; Pascal ne peut pas en assigner la cause. Cette tumeur a débuté, dit-il, par la partie inférieure, et a atteint petit à petit le volume que nous lui observons, c'est-à-dire cinq à six pouces de long sur trois ou quatre de large. De ce côté, le diagnostic n'était pas difficile : c'était une hydrocèle; mais du côté gauche le cas était assez embarrassant; cependant je me crus fondé à admettre l'existence d'une hématocèle : je ne me trompai point.

Le 14 janvier, je pratiquai une double opération. A droite, une ponction avec le trois-quarts donna issue à un verre environ de sérosité limpide, citronée. La tunique vaginale est à l'état normal; seulement quelques brides se trouvent dans sa cavité; je fais ensuite une injection iodée.

A gauche, une ponction exploratrice avec le trois-quarts donne issue à du sang noirâtre. Je pratique alors avec le bistouri une incision longue d'un pouce environ à la partie antérieure de la tumeur. La cavité vaginale, ainsi mise à nu, offre des concrétions évidemment fibrineuses, qui adhèrent à sa paroi interne, et des caillots de sang dénaturé. La tunique elle-même a plus de trois lignes d'épaisseur; son tissu est résistant. Refoulant alors le testicule vers la partie externe, je pratique dans la région postérieure une nouvelle incision correspondante à la première. Ces deux incisions sont traversées par un séton.

Le 15, le malade a très peu dormi; fièvre légère; douleurs parfois très vives dans le rein gauche. Les bourses sont tuméfiées, rouges et chaudes. (Cataplasmes émollients; diète.)

Le 16, la tuméfaction, ainsi que tous les phénomènes inflammatoires, ont fait des progrès; la suppuration n'est pas encore établie. (Même traitement.)

Le 17, il y a de la suppuration; elle est de bonne nature.

Les jours suivants, l'inflammation s'apaise peu à peu; je fais enlever le séton; la maladie marche évidemment vers la guérison.

Le 28, l'hydrocèle est complétement guérie; mais il se forme un petit abcès du côté gauche. Je l'ouvre : dès lors la cure radicale n'est plus entravée, et le 13 février, Pascal sort de l'hôpital parfaitement guéri.

Il est à remarquer que le plus souvent, dans les cas de ce genre, le testicule ne présente aucune lésion sérieuse dépendante de la cause qui a donné lieu à l'hématocèle. Les altérations de cet organe sont sous ce point de vue plus apparentes que réelles. Il a régné à ce sujet des idées plus ou moins erronées; on a été même jusqu'à proposer la castration. Nous y reviendrons en parlant du traitement.

5° J'ai dit enfin que *l'épanchement sanguin peut se transformer en foyer purulent.* — Cette transformation du sang est facile à comprendre. En effet, l'inflammation peut s'emparer de cette collection sanguine tout aussi bien que de celles qui se forment dans les autres régions du corps, et dont je vous ai parlé en traitant de la contusion. Cela étant, le sang épanché doit être nécessairement altéré par la phlegmasie locale. Cette terminaison n'est pas fréquente; cependant nous en avons observé plusieurs exemples dans ce service. Pendant les mois d'octobre et de novembre 1839, deux cas de ce genre se trouvaient dans la salle Sainte-Vierge.

L'étude de ces divers phénomènes pathologiques est loin d'être stérile; ce n'est pas seulement un objet de curiosité scientifique, la thérapeutique tout entière de l'hématocèle en éprouve une heureuse influence. Nous allons voir, en effet, que le traitement varie et doit varier dans chacun de ces cas.

Traitement de l'hématocèle de la tunique vaginale. — Lorsque le sang épanché dans la tunique vaginale est en petite quantité, et que l'affection est récente, on doit toujours tenter d'en opérer la résolution. Les antiphlogistiques et les topiques résolutifs en triomphent ordinairement. Mais cette médication est généralement impuissante, lorsque l'épanchement est considérable, surtout lorsque la maladie a passé à l'état chronique et que la tunique vaginale est réduite en une coque plus ou moins épaisse. Il faut alors avoir recours à des moyens plus directs; une opération est nécessaire. Mais ici les chirurgiens ne sont pas encore parfaitement d'accord; les uns conseillent l'excision de la totalité de la coque épaissie, d'autres veulent qu'on n'en enlève qu'une portion; il en est même qui proposent la castration. Disons quelques mots sur chacune de ces opérations; nous insisterons ensuite sur d'autres ressources que je crois préférables. Il est inutile d'ajouter qu'on ne doit avoir recours à une opération quelconque que lorsque la tumeur ne montre aucune tendance vers la résolution.

A. *Excision.* — L'excision de toute la tunique vaginale épaissie, employée par Boyer et son école, constitue une opération assez difficile et très douloureuse. Je l'ai mise quelquefois en pratique, mais j'y ai renoncé depuis plusieurs années. Dans cette excision, il est plus diflicile qu'on ne le pense peut-être de ménager tous les éléments du cordon testiculaire, et tout porte à penser que le canal déférent a été plus d'une fois sacrifié. Par ce procédé opératoire, on a d'ailleurs une large plaie et une abondante suppuration, accidents qui doivent être pris en grande considération dans la pratique.

C'est à la vue de ces dangers que Dupuytren proposa de n'exciser qu'une portion de la tunique vaginale. Ce chirurgien obtint ainsi plusieurs succès, et il est bien reconnu aujourd'hui par tous les praticiens que ce procédé opératoire est de beaucoup préférable au précédent.

B. *Castration.* — Quelques chirurgiens ont pensé qu'il vaudrait mieux recourir immédiatement à l'extirpation du testicule, que de soumettre les malades à une dissection dont l'unique avantage serait de conserver un organe qui d'après eux est trop profondément altéré pour n'avoir pas perdu ses principales fonctions. Des exemples de castration pratiquée dans des cas pareils sont encore relatés de nos jours. Moi-même, en 1832 et 1833, j'ai eu recours à cette opération, bien que j'eusse acquis la certitude que le testicule était étranger à toute production cancéreuse. Maintenant il faut que la pratique soit réformée sur ce point; l'ablation du testicule n'est presque jamais nécessaire. On s'est fait généralement illusion sur les altérations de cet organe dans les cas d'hématocèle; ces altérations sont plus apparentes que réelles. Il ne faut point s'en laisser imposer par son aplatissement, par l'épaisseur de la tunique vaginale, par l'hypertrophie de l'épididyme. Souvent j'ai conservé le testicule, quoique les lésions que je viens de mentionner existassent: et cependant cet organe a continué de remplir ses fonctions. Je n'insisterai pas davantage sur cette opération, car elle est actuellement mise de côté par la grande majorité des chirurgiens. On ne devrait se décider à y avoir recours que si le testicule était sensiblement altéré, et, je le répète, ces cas sont très rares lorsqu'il s'agit d'une hématocèle.

En résumé l'hématocèle ne réclame ni l'excision, soit totale, soit partielle, de la tunique vaginale, ni l'extirpation du testicule. Depuis 1834, j'ai substitué à ces trois opérations deux autres procédés beaucoup plus simples et beaucoup moins dangereux; ce sont les injections et les incisions diversement combinées suivant les cas. J'ai maintenant traité et guéri une infinité de malades par l'une ou l'autre de ces deux opérations, les seules que j'emploie, quel que soit le degré d'épaississement et d'induration de la tunique vaginale. Entrons dans quelques détails.

C. *Injection.* — Lorsque la matière épanchée dans la tunique vaginale est assez liquide pour s'écouler librement par la canule du trois-quarts, j'opère comme dans les cas d'hydrocèle : une ponction est pratiquée à l'aide du trois-quarts; le sac est vidé le plus complétement possible, et une injection de teinture d'iode est faite dans son intérieur. On ne devrait point changer de procédé, lors même qu'il existerait quelques flocons, quelques grumeaux fibrineux. L'essentiel ici, c'est qu'on ouvre le sac à l'aide d'un trois-quarts, et non point avec un bistouri; car, en agissant avec l'instrument tranchant, il est probable que le kyste entrerait en suppuration, et qu'avec moins d'efficacité l'opération aurait des suites beaucoup plus sérieuses. J'ai maintenant opéré un assez grand nombre de malades par cette méthode pour être en droit de vous en conseiller l'usage. Dans un grand nombre de cas, la guérison s'opère avec autant de promptitude et de facilité que dans l'hydrocèle. Un malade que j'ai traité de la sorte avec M. Rivaillé, et dont la tunique vaginale contenait environ un verre de sang diffluent, ayant la consistance de la lie de vin, n'a éprouvé ni douleurs ni fièvre manifeste; la résolution a commencé le sixième jour, et la guérison était complète avant la fin du mois; si bien qu'au total l'opération et ses suites ont été exactement semblables à ce qui se passe dans l'hydrocèle la plus simple. Un fait analogue a été observé par M. Gérard, qui l'a communiqué à l'Académie royale de médecine en 1837. Vous avez observé plusieurs cas de ce genre dans ce service.

D. *Incisions*. — Lorsque la tunique vaginale est épaissie, lorsqu'elle est remplie de grumeaux fibrineux, de matière concrète, de telle sorte qu'il serait impossible de la vider par la canule du trois-quarts, la ponction et les injections deviennent insuffisantes; il faut avoir recours aux incisions multiples.

Je vous répèterai à ce sujet ce que j'ai déjà dit dans la nouvelle édition de mon *Traité de médecine opératoire:* Le malade est situé comme pour l'opération de la hernie. Le chirurgien, placé à droite, embrasse, soulève le côté malade du scrotum, tend les téguments en embrassant toute la masse en dessous avec la main gauche. Un bistouri droit enfoncé à la place de la canule du trois-quarts, le long de cette canule si elle offre une rainure, sert à fendre les bourses dans l'étendue d'un pouce, comme s'il s'agissait d'ouvrir un abcès de dedans en dehors. Porté dans le sac par cette ouverture, l'indicateur en détache les concrétions et permet de le vider complétement. Il sert ensuite de guide pour l'établissement, vers le point déclive ou le plus aminci de la caverne hématique, d'une incision pareille à la première, et que l'on pratique, soit de l'intérieur à l'extérieur, soit de l'extérieur à l'intérieur. Ayant lavé, par une injection à grande eau, toute la cavité vaginale, on n'a plus, pour terminer l'opération, qu'à passer au travers des deux incisions un stylet flexible, armé d'une longue mèche de linge enduite de cérat, et dont on noue les deux extrémités pour la conserver là à titre de séton pendant quatre ou cinq jours. Le tout est ensuite pansé avec des compresses émollientes et enveloppé d'un bon suspensoir.

Après avoir remué le séton par les procédés ordinaires, jusqu'à ce que l'inflammation soit bien établie dans le sac, c'est-à-dire matin et soir pendant environ une semaine, on en débarrasse la tumeur. Il devient utile alors de panser avec des cataplasmes émollients tant que dure la période inflammatoire, jusqu'à ce que la suppuration ait pris un bon aspect et qu'elle ait perdu beaucoup de son abondance.

Si quelques points du kyste venaient à s'amincir pendant la durée du traitement, si les matières stagnaient dans quelque cul-de-sac, il faudrait y pratiquer de nouvelles incisions. En résumé, l'hématocèle, dans ces cas, réclame les mêmes soins que les abcès un peu vastes avec amincissement de la peau ou les kystes purulents chroniques. J'ai traité par ce procédé près de vingt malades : tous sont guéris ; la plupart l'ont été dans l'espace de trois à six semaines. L'un d'eux seulement n'a vu sa dernière plaie se fermer qu'au bout de deux mois. Il en est un qui a succombé ; mais chez lui l'hématocèle qui occupait le parenchyme même du testicule s'était établi dans une masse encéphaloïde, et non dans la tunique vaginale proprement dite.

Au demeurant, je résume la thérapeutique de l'hématocèle de la tunique vaginale de la manière suivante : 1° lorsque le sang épanché est liquide, les injections iodées, comme dans l'hydrocèle, sont indiquées, et dans la majorité des cas, la guérison survient comme si l'on avait affaire à un simple épanchement de sérosité ; 2° lorsque de petits grumeaux, de petites concrétions fibrineuses existent dans le liquide, les injections suffisent encore; 3° enfin lorsque le sang épanché est transformé en une matière noirâtre plus ou moins concrète, lorsque la tunique vaginale est épaissie, ou bien lorsque le foyer est devenu purulent, il faut alors avoir recours aux incisions multiples, au séton, aux opérations enfin que réclament en général les abcès froids idiopathiques.

ARTICLE VIII.

DE L'INVERSION INCOMPLÈTE DE LA MATRICE.

La matrice est sujette à plusieurs espèces de déplacements qui constituent tout autant de maladies diverses qu'il importe de bien connaître et de bien distinguer dans la pratique. Je n'ai pas l'intention de passer ici en revue chacune de ces affections, de vous en faire connaître les symptômes, la marche et le traitement. Je m'occuperai spécialement dans ces entretiens d'un genre de déplacement qui n'a pas assez fixé l'attention des chirurgiens; je veux parler de *l'inversion incomplète*. La semaine dernière vous avez eu occasion d'observer dans ce service une malade atteinte de cette affection et que j'ai opérée devant vous; en conséquence, la circonstance est favorable pour vous tracer l'histoire de cette terrible maladie.

On appelle *inversion* de la matrice l'état dans lequel le fond de cet organe, déprimé dans sa propre cavité, retourné sur lui-même, à la manière d'une bourse, d'un doigt de gant, se présente à son orifice, s'y engage, le franchit, pénètre plus ou moins avant dans le vagin, et souvent même parcourt toute la longueur de ce canal pour venir pendre entre les cuisses. La face interne de l'organe devient alors externe ; la tumeur qu'on observe est couverte de la membrane muqueuse, et sa cavité est tapissée par le péritoine. Cette cavité, qui, avant l'accident, s'ouvrait dans le vagin, correspond alors à la cavité abdominale. C'en est assez, je crois, pour bien vous faire comprendre en quoi consiste ce genre de déplacement de l'utérus.

On a distingué plusieurs degrés dans l'inversion de la matrice. Sauvages et quelques autres auteurs en ont admis quatre; Levret n'en admet que deux; Leroux en a établi trois. C'est cette dernière classification qui a prévalu; elle est généralement adoptée par les auteurs modernes. L'inversion de la matrice présente donc trois degrés.

Dans le *premier degré*, le fond de cet organe est simplement déprimé, et présente supérieurement une cavité tapissée par le péritoine, et inférieurement une convexité recouverte par la membrane muqueuse. Si le doigt, introduit dans le vagin, peut franchir le col de l'utérus et pénétrer dans la cavité naturelle de cet organe, on rencontre cette convexité, que je viens d'indiquer, à une distance plus ou moins grande du museau de tanche. On peut aussi, chez les femmes maigres, en appliquant une main sur la région hypogastrique, et en introduisant le doigt indicateur dans le rectum, distinguer avec assez de facilité cette forme anormale de l'utérus, forme que Mauriceau a comparée, avec assez de justesse à un *cul de fiole de verre*, et que Boyer assimile à un chapeau qu'on presse avec le poing.

Dans le *second degré*, le fond de l'utérus s'engage à travers son col, franchit cet orifice, et vient constituer à la partie profonde du vagin une tumeur particulière dont je vous ferai connaître les caractères. C'est là l'*inversion incomplète* de l'utérus.

Enfin, dans le *troisième degré*, tout le corps de la matrice est complétement retourné sur lui-même, remplit le vagin, et même le plus souvent vient se montrer entre les cuisses sous la forme d'une tumeur de la grosseur de la tête d'un enfant nouveau-né, pyriforme, molle, d'aspect variable suivant l'époque depuis laquelle la maladie s'est développée. Dans ces cas, une main appliquée sur l'hypogastre et le doigt indicateur de l'autre main introduit dans le rectum ne trouve plus qu'un vide à la place qu'occupait la matrice.

Ceux qui, avec Sauvages, admettent quatre espèces d'inversion divisent ce degré en deux. Pour eux, le *troisième degré* est constitué par le renversement complet de l'utérus, sans issue de cet organe hors de la vulve; et la matrice se trouve renversée au *quatrième degré*, lorsqu'elle vient faire saillie entre les cuisses.

J'ai déjà dit que je ne vous entretiendrai que de l'inversion incomplète de l'utérus. Je n'ai mentionné ici les deux autres degrés que pour bien préciser la question que nous avons à traiter. Cependant quelques unes des considérations dans lesquelles nous allons entrer s'appliquent, sous plus d'un rapport, au renversement de la matrice, considéré d'une manière générale dans ses trois degrés.

Causes de l'inversion incomplète de l'utérus. — On admet généralement que l'inversion de la matrice ne peut avoir lieu sans qu'il existe préalablement une dilatation, un amincissement, une espèce d'atonie des parois de cet organe; de plus, il faut qu'une puissance quelconque agisse sur ces mêmes parois pour en déterminer le renversement; c'est assez dire que les causes de cette affection doivent être distinguées en *prédisposantes* et en *efficientes*.

A. *Causes prédisposantes.* — Les parois de l'utérus, le col et l'orifice de cet organe à l'état de vacuité présentent une telle structure et une telle solidité, surtout chez les femmes qui n'ont point fait d'enfants, qu'on ne conçoit pas la possibilité d'une inversion dans ces cas. Cependant quelques chirurgiens assurent avoir observé cette maladie chez des filles ou des femmes dont la matrice n'avait été soumise à aucune cause de distension et d'affaiblissement. En 1744, Puzos lut dans la séance publique de l'Académie de chirurgie un mémoire sur cette espèce de renversement, et rapporta, à l'appui de son opinion, plusieurs faits dont il disait avoir été témoin. Ce travail devint le sujet de vives discussions; et peu de chirurgiens furent ébranlés par les raisons données par Puzos et par les exemples mentionnés dans son mémoire. Baudelocque ayant rencontré un renversement de matrice chez une fille de quinze ans, le regarda même comme un vice de conformation de cet organe.

Cependant Boyer, qui, comme il le dit lui-même, avait partagé l'opinion générale sur les causes prédisposantes du renversement de la matrice, et qui pensait que ce renversement ne pouvait avoir lieu sans une distension préalable de cet organe, a observé un fait (1) qui semble avoir modifié ses idées sur ce point. Voici cette observation.

Obs. I (2). — « Le sujet est une femme qui n'avait point eu d'enfant depuis quinze ans, et dont la matrice ne contenait aucun corps étranger. Cette femme était âgée de quarante-quatre à quarante-cinq ans, d'une grande stature et d'un embonpoint considérable sans être excessif; elle avait toujours été bien réglée et était mère de trois enfants. Elle n'avait jamais eu de perte de sang ni de flueurs blanches. Après avoir éprouvé pendant long-temps un sentiment de gêne et de pesanteur dans le bassin, et de tiraillement dans la région des lombes, surtout lorsqu'elle avait marché ou qu'elle s'était tenue debout pendant un certain temps, il se présenta à l'entrée du vagin une tumeur qu'elle sentait avec le doigt, mais pour laquelle elle ne consulta personne. Cependant la tumeur devint de plus en plus apparente, finit par s'échapper du vagin, et se présenta entre

(1) *Traité des malad. chirurg.*, t. X, p. 405.

(2) Quoique M. Velpeau n'ait fait que mentionner ce fait, et que ce soit un cas de renversement complet, je crois devoir le rapporter ici textuellement.

les grandes lèvres qu'elle ne tarda pas à dépasser. Alors les symptômes que la malade éprouvait étant devenus plus intenses, elle consulta deux personnes de l'art qui regardèrent la tumeur comme un polype et en proposèrent la ligature. Avant de se décider à l'opération, cette femme voulut prendre d'autres avis; je fus consulté. Dans l'examen que je fis, j'aperçus entre les grandes lèvres une tumeur qui les dépassait d'environ huit à dix lignes. Cette tumeur était un peu plus grosse que la matrice dans son état naturel; elle avait une figure pyriforme; son pédicule gros et court était entouré d'un bourrelet peu saillant sous lequel le doigt pouvait pénétrer à la profondeur de quelques lignes; un gros stylet boutonné, porté entre le bourrelet et le pédicule de la tumeur, ne pénétrait pas plus avant que le doigt. Cette tumeur était un peu douloureuse au toucher; sa couleur était grisâtre, sa surface un peu inégale et comme villeuse; elle présentait, dans quelques points, des ulcérations superficielles qui se guérissaient et se reproduisaient alternativement. On voyait à chaque époque des règles le sang sortir par exsudation de la surface de la tumeur; les gouttelettes d'abord séparées étaient bientôt réunies par d'autres qui se produisaient de même, et qui formaient une nappe dont toute cette surface était couverte. Hors le temps des règles, cette même surface fournissait une espèce de mucus jaunâtre assez abondant. Lorsqu'on pressait cette tumeur de bas en haut, on la faisait remonter au-dessus des grandes lèvres, et même jusque dans le vagin; mais aussitôt qu'on cessait de la presser elle ressortait.

La réunion de tous ces phénomènes ne laissait aucun doute sur la nature de cette tumeur. Je fis différentes tentatives pour la réduire; elles furent inutiles. Désespérant d'en obtenir la réduction, je dis à la malade qu'il n'y avait d'autre parti à prendre que d'en faire la ligature ou de l'abandonner à elle-même. Cette femme se serait soumise volontiers à la ligature ; mais je n'osai l'entreprendre, par la crainte des accidents funestes auxquels elle a presque toujours donné lieu, et je l'engageai à vivre avec son incommodité, d'autant mieux qu'elle jouissait d'ailleurs d'une bonne santé, et qu'elle n'éprouvait d'autres malaises que ceux dont nous avons parlé. »

Boyer conclut (1) qu'il n'est pas absolument impossible que l'utérus se renverse sans avoir été préalablement dilaté ; mais qu'alors sans doute il existe dans la structure de cet organe une disposition particulière qui favorise le renversement, soit que cette disposition vienne de sa première conformation, soit qu'elle dépende d'un état morbide qui ne s'est manifesté par aucun symptôme appréciable.

Je n'entrerai pas dans plus de détails sur ce sujet ; j'ajouterai seulement que l'inversion utérine est possible avant la grossesse, ainsi que Diemerbroeck (2) l'a prouvé, et que j'en ai observé moi-même un exemple.

Hâtons-nous de dire cependant que ces cas sont extrêmement rares, et que l'inversion de l'utérus n'a presque jamais lieu que chez les femmes dont cet organe a été distendu par le produit de la conception ou par quelque corps étranger, tels qu'un polype, de l'eau, des hydatides, du sang, une môle, etc., qui a séjourné dans sa cavité pendant un temps plus ou moins long. La position verticale, au moment de l'accouchement, doit être aussi classée parmi les causes prédisposantes ; une observation de M. Canole (3) le prouve. Il est presque inutile d'ajouter que la production d'une inversion utérine dans une couche précédente doit être aussi prise en grande considération. Quoi qu'en dise Baudelocque, un cordon naturellement trop court ou accidentellement raccourci est capable de produire cet ac-

(1) *Oper. cit.*, p. 407.

(2) *Anat. du corps hum.*, t. I, p. 306.

(3) *Recueil périodique de la Société de méd. de Paris*, année 1798, t. IV, p. 40.

cident bien mieux que le poids du placenta invoqué par Sabatier. Madame Boivin (1) donne comme la plus fréquente de toutes les causes, la délivrance prématurée.

Telles sont les principales causes prédisposantes mentionnées par les auteurs ; mais n'oubliez point que la première de toutes, celle qui doit être placée en première ligne, c'est le développement, la dilatation des parois de l'utérus.

B. *Causes efficientes.* — Au nombre de ces causes doivent être placées toutes les puissances qui agissent sur l'utérus, de telle sorte qu'elles repoussent le fond de cet organe vers son orifice.

Leroux (2) insiste beaucoup sur l'action des muscles du bas-ventre et du diaphragme, surtout lorsque cette action se poursuit après que la matrice a été délivrée du produit de la conception, et que les contractions de cet organe ont cessé. Il dit même que cet effort peut renverser totalement l'utérus, et le pousser dans le vagin avec le placenta. Cet auteur cite à ce sujet le fait suivant.

Obs. II. — « Levret fut appelé pour aller secourir une jeune dame qui était en travail. Tout se disposait parfaitement pour l'accouchement ; les douleurs étaient expulsives et fortes. Peu de temps après son arrivée, la femme accoucha dans une très forte douleur. Après avoir fait la ligature du cordon, il porta la main pour délivrer la femme, mais il fut surpris de trouver hors de la vulve une masse énorme, qui lui parut d'abord être un placenta d'une grosseur extraordinaire ; il l'examina avec plus d'attention, et reconnut que c'était la matrice renversée. Le placenta s'en détacha facilement, après quoi Levret repoussa la matrice dans sa situation naturelle. Cet accident n'a eu aucune suite. »

C'est encore là, il est vrai, un exemple d'inversion complète ; mais, comme l'observe d'ailleurs Leroux, on com-

(1) *Mémorial de l'art des accouchements*, 3e édition, p. 370.

(2) *Observ. sur les pertes de sang des femmes en couche*, p. 57.

prend très bien que si la compression des muscles est moindre, et qu'elle finisse peu après la sortie de l'enfant, il pourra ne survenir qu'une simple dépression du fond de la matrice ou une inversion incomplète. Voici du reste un cas de renversement incomplet de l'utérus, observé par le médecin que je viens de citer.

Obs. III (1).— « En 1769, dit Leroux, je fus appelé pour secourir madame R...., qui, accouchée depuis plus d'une heure, n'était point encore délivrée. Elle éprouvait un état d'angoisse inexprimable avec une grande faiblesse. La perte de sang n'était pas excessive, mais elle était continuelle et subsistait depuis plus d'une demi-heure. La matrice formait au-dessus du pubis une tumeur peu saillante et comme tranchante d'un côté à l'autre. La partie du placenta où était attaché le cordon était près du bord du vagin, et je crus, dans le premier moment, que son volume seul s'opposait à sa sortie. Cependant, en l'examinant avec attention, je lui trouvai plus de circonférence et plus de solidité qu'il ne devait en avoir naturellement; on ne pouvait le plier ni l'affaisser d'aucun côté. Ne voulant pas faire de tentatives nouvelles sur le cordon, dont les vaisseaux étaient disséqués contre le placenta, et entre lesquels on avait introduit les doigts, je portai ma main, retournée à plat, sur la paroi postérieure du vagin; ce fut alors que je reconnus le renversement. Le bord du placenta était décollé en arrière dans une grande étendue, et c'était cet endroit qui fournissait la perte. J'achevai le décollement avec la plus grande facilité, et repoussai sur-le-champ, dans sa place naturelle, le fond de la matrice qui avait été entraîné avec le placenta dans le vagin. Mon autre main que j'avais appuyée légèrement au-dessus du pubis me donna la facilité de sentir le développement de la tumeur tranchante que j'avais d'abord trouvée; elle s'éleva jusqu'à

(1) Leroux, *oper. cit.*, p. 60.

l'ombilic, en formant une espèce de gaîne; dès qu'elle fut dans cet état, elle se contracta, et chassa pour ainsi dire hors de sa cavité la main qui m'avait servi à la réduction. »

Ce fait vient confirmer un précepte, sur lequel j'insisterai plus tard, savoir que lorsque le renversement de la matrice est récent, la réduction peut être opérée souvent avec assez de facilité.

Sans entrer dans plus de détails sur l'action des muscles du bas-ventre et du diaphragme dans la production du renversement de l'utérus, je dirai que, tout en admettant la puissance de cette cause, je ne pense pas qu'on doive la généraliser autant que l'a fait Leroux.

Les causes les plus fréquentes mentionnées par tous les auteurs modernes consistent dans des accouchements trop prompts; lorsqu'on arrache le placenta avant le temps opportun, c'est-à-dire lorsqu'il n'est pas encore détaché; lorsqu'on exerce sur le cordon ombilical des tractions immodérées pour hâter la délivrance; Peu, Amand, Mauriceau, Saviard et plusieurs autres auteurs rapportent des observations de ce genre. N'oubliez point dans votre pratique que la délivrance de la femme doit être opérée avec la plus grande circonspection.

J'ajouterai que des tractions immodérées pour extraire un polype de la matrice peuvent produire le même accident. Je vous citerai à ce sujet le fait suivant, mentionné par Levret (1), qui l'a puisé dans les éphémérides d'Allemagne.

Obs. IV. — « Théod. Zwinger, dit Levret, rapporte qu'une paysanne, âgée de cinquante ans, qui avait été tourmentée pendant deux ans de pertes de sang fréquentes et abondantes, accompagnées de douleurs aux lombes et dans les aines, avec des envies continuelles d'uriner, commença à sentir dans le vagin un corps qui faisait effort pour sortir,

(1) *Mémoires de l'Académie royale de chirurgie*, t. III, p. 560.

et qui l'empêchait de s'asseoir. Elle fit venir deux sages-femmes qui, peu au courant de ces cas extraordinaires, et prenant ce corps étranger pour une masse de sang coagulé, se proposèrent d'en faire l'extraction. L'une d'elles le saisit avec la main, et voulut l'arracher ; mais au lieu d'un caillot, elle s'aperçut qu'elle tirait une masse charnue presque de la longueur de deux palmes, qui descendait de l'intérieur de la matrice. Les cris de la femme, occasionnés par les violentes douleurs qu'elle éprouva de la part du tiraillement, obligèrent la sage-femme de renoncer à son projet ; mais il survint bientôt les symptômes les plus graves. La personne qu'on appela au secours de la malade reconnut que la matrice, qui avait suivi le polype, avait été renversée ; elle enleva ce polype, qui était sphacélé, et fit la réduction de ce viscère. Mais la gangrène s'en empara, et la mort suivit peu de jours après. »

On peut dire que dans la plupart des cas dont je viens de parler, le renversement incomplet ou complet de la matrice n'a lieu que par la précipitation ou la maladresse de l'accoucheur ou de la sage-femme. Mais il n'en est pas toujours ainsi : la matrice peut se renverser au moment de l'accouchement, sans que la personne qui assiste la femme puisse être accusée d'y avoir pris aucune part. C'est ainsi qu'on a vu survenir cet accident pendant les efforts violents et trop prolongés que fait la femme au moment de la sortie de l'enfant. J'ai déjà dit que Leroux place cette cause en première ligne. La sortie brusque de l'enfant doit être aussi classée au nombre des causes déterminantes. Plusieurs observations rapportées par les auteurs le prouvent. J'en dirai autant d'un cordon très court ou contourné sur le cou ou sur d'autres parties de l'enfant. Baudelocque en cite un exemple.

Obs. V. — Une femme sentant la tête de son enfant au passage, au lieu de modérer ses efforts, et de n'en faire que pendant les contractions de la matrice, en fait de plus grands et de plus prolongés qui jettent rapidement l'enfant sur le lit, et, avec le placenta, le fond de la matrice dans le vagin. Le cordon ombilical formait deux circulaires sur le cou, trois sur l'une des jambes et une autre sur l'un des bras.

Un polype volumineux inséré au fond de l'utérus après avoir franchi le col, peut aussi déterminer le renversement de cet organe.

On a encore vu cet accident se manifester à la suite d'efforts faits pour aller à la garderobe. Hâtons-nous d'ajouter cependant que dans ces cas les femmes venaient d'accoucher depuis quelques jours seulement, et qu'on pourrait supposer qu'il existait déjà un commencement d'inversion, ou du moins que la matrice était encore relâchée, et dans cet état d'atonie dont je vous ai déjà parlé. J'ai cru devoir vous faire cette remarque pour que vous n'accordiez pas aux efforts de la défécation une puissance particulière pour opérer le phénomène morbide qui nous occupe. Quoi qu'il en soit, M. Voisin a publié dans la *Gazette médicale* (1832, pag. 422) un fait qui se rapporte à cet ordre de causes et dont voici le résumé.

Obs. VI. — Une femme, âgée de vingt ans, accouche promptement. La période d'expulsion dure tout au plus une demi-heure. Cette femme se fait délivrer aussitôt après la sortie du fœtus, ce qui exige de la part de la sage-femme qui l'assiste des efforts un peu considérables. Cependant tout s'était bien passé, lorsque, huit jours après l'accouchement, en faisant des efforts pour aller à la garderobe, la femme voit sortir entre ses cuisses une tumeur rouge et volumineuse. On opère la réduction. Inquiète sur son état, cette femme se décide à entrer dans un hôpital de Paris. Soit que l'inversion se fût reproduite, soit qu'elle n'eût pas été réduite complétement, le chirurgien voit au fond du vagin une tumeur rouge, saillante, ovoïde ; il croit à l'existence d'un polype, et se décide à l'opérer. La tumeur est saisie avec des pinces de Museux (l'action de ces pinces fait souffrir la malade), et ramenée hors de la vulve. Dès lors la méprise devient évidente ; on reconnait qu'on a affaire à une inversion de l'utérus.

La tumeur est immédiatement replacée au fond du vagin, et les parois utérines sont rétablies dans leur position normale, non sans efforts. De l'agaric est introduit dans l'utérus et maintenu pendant quelques jours pour s'opposer à une rechute ; mais une métro-péritonite survint, et la malade succomba.

Ce fait vous prouve qu'il est de la plus haute importance de ne point confondre les polypes de la matrice avec l'inversion de cet organe. Nous aurons d'ailleurs occasion de revenir sur ce sujet. Il montre en outre que le renversement de l'utérus ne s'effectue pas toujours au moment de l'accouchement ou de la délivrance. On voit, du reste, dans une observation de M. Tealier (1), que l'inversion ne s'opéra que le dixième jour après l'accouchement. Lorsque la femme dont parle Ané (2) en fut prise, l'accouchement était terminé depuis douze jours. Mais, je le répète, dans tous ces cas, il n'est point prouvé que l'accident n'a pas commencé au moment même de la délivrance. On sait, du reste, que le renversement de la matrice peut s'opérer d'une manière lente, graduelle, au point qu'on pourrait, pour ainsi dire, le suivre jour par jour dans ses progrès.

Symptômes de l'inversion incomplète de l'utérus. — Les signes qui caractérisent cette maladie sont locaux et généraux.

A. *Symptômes locaux.* — On observe dans le vagin une tumeur pyriforme, élastique, ferme, ordinairement sensible à la pression, se terminant en haut par un pédicule d'un pouce ou deux de diamètre, et donnant l'idée d'un polype de l'utérus. Cette tumeur saigne avec facilité ; elle

(1) *Journal universel des scienc. méd.*, t. XXXII, p. 223.
(2) *Journal général*, t. II, p. 27.

est le siége d'hémorrhagies intermittentes se répétant à des intervalles plus ou moins rapprochés. Il est le plus souvent difficile au doigt de pénétrer entre le pédicule de cette tumeur et le col de l'utérus qui la comprime comme une espèce d'anneau. Si l'on applique une main sur l'hypogastre et le doigt indicateur de l'autre main dans le rectum, on sent assez facilement que l'utérus est déprimé et forme une cavité large dans laquelle le doigt pénètre avec assez de facilité. Je dois ajouter toutefois qu'on ne peut guère observer ce phénomène dans toute son évidence que chez les femmes très maigres, et qui ont eu plusieurs enfants. Alors ce mode d'exploration est très précieux : je vous engage à ne pas manquer d'en faire usage dans votre pratique.

Lorsque la tumeur est assez fortement comprimée par le col de l'utérus, ce qui arrive fréquemment dans le genre d'inversion qui nous occupe, la malade éprouve de violentes douleurs qui s'irradient dans toute la cavité pelvienne, et se prolongent aux aines et jusqu'à la région lombaire ; elle sent une pesanteur incommode dans le bassin ; elle éprouve de fréquentes envies d'aller à la garderobe ; mais ce n'est là qu'une sensation illusoire, et les efforts auxquels elle se livre pour la satisfaire ont plus d'une fois déterminé une inversion complète. La malade éprouve aussi de la difficulté pour uriner.

Lorsque l'inversion s'opère brusquement, les malades ressentent dans la matrice des douleurs déchirantes qui les font s'écrier instantanément qu'on leur arrache les entrailles.

Je dois ajouter, avant de passer outre, que plusieurs de ces caractères peuvent se rapporter aussi à l'existence d'un polype de la matrice qui se trouve engagé dans le col de cet organe. Aussi établirons-nous bientôt un parallèle entre ces deux affections, et indiquerons-nous les moyens à l'aide desquels il est assez facile de les différencier, du moins dans la grande majorité des cas.

B. — *Symptômes généraux.* — Lorsque l'inversion incomplète de la matrice est très récente, et que la portion renversée de cet organe n'est point étranglée par le col, l'état général des malades s'en ressent à peine. Mais il n'en est plus de même lorsque la maladie date de quelque temps, et que des hémorrhagies abondantes ou fréquemment répétées ont eu lieu; alors les malades tombent dans un état d'épuisement progressif; leurs chairs se décolorent; des défaillances, des syncopes se succèdent à des époques plus ou moins rapprochées; le marasme survient, et la mort arrive avec plus ou moins de lenteur. La femme que nous avons opérée ces jours derniers, et dont je vous parlerai plus tard, était dans ce cas. Lorsque la portion de la matrice renversée est étranglée par le col de cet organe, on observe un autre ordre de phénomènes. Les malades sont en proie à des douleurs atroces; leur visage, et toute la surface du corps se couvre d'une sueur froide et visqueuse; des mouvements nerveux, de véritables convulsions se manifestent, et quelquefois le terme fatal arrive pendant cette scène de douleurs.

Diagnostic. — Si vous avez bien compris ce que j'ai dit jusqu'ici sur l'inversion de l'utérus, vous concevrez facilement qu'il n'est guère possible de confondre ce genre de renversement soit avec une descente de matrice, soit avec la tête d'un enfant. Je sais que des méprises de ce genre ont été commises par des personnes ignorantes ou inattentives; mais il s'agissait dans ces cas d'un renversement complet de l'organe gestateur. Les annales de la science renferment à ce sujet des erreurs on ne peut plus grossières, dans lesquelles sont tombés des hommes d'ailleurs d'un certain mérite.

Pour nous restreindre autant que possible dans notre sujet, je pense que la maladie qui se rapproche le plus de celle qui nous occupe est l'existence d'un polype inséré dans l'intérieur de l'utérus. Il faut même convenir qu'il est un assez grand nombre de cas dans lesquels il est nécessaire de se livrer à un examen minutieux pour ne pas tomber dans une méprise. Le fait rapporté par M. Voisin, dans la *Gazette médicale* de Paris, et dont je vous ai déjà parlé, en est une preuve.

En voici un autre exemple puisé dans la pratique de M. A. Petit :

OBS. VII (1). — « Une femme âgée de trente-six ans, au quinzième jour de sa couche, fait un effort pour se lever et sent un corps étranger qui se déplace et tombe dans le vagin. Cette tumeur fut prise pour une descente de l'utérus. La femme eut des pertes sanguines et muqueuses très abondantes ; on appliqua un pessaire et l'on fit usage des astringents. Trois mois après son accident, elle entra, pâle, faible, épuisée, à l'Hôtel-Dieu de Lyon ; elle avait de vives coliques, un sentiment de pesanteur dans le rectum. M. A. Petit toucha cette femme et trouva dans le vagin un corps mollasse, uni, pyriforme, tenant par son pédicule au milieu du col de l'utérus ; il crut reconnaître un polype. M. Rey et quatre autres consultants partagèrent son opinion. On chargea M. Rey de l'opération. Les instruments pénétraient peu avant ; néanmoins, la ligature fut placée, et au moment même où elle fut serrée, la femme poussa un cri violent qui fit soupçonner à l'un des consultants qu'il existait un renversement de la matrice. Une nouvelle exploration ayant laissé des doutes, on remit l'opération au lendemain ; la ligature fut enlevée. Il se manifesta les coliques les plus vives ; la femme s'affaiblit de plus en plus et mourut le cinquième jour. L'autopsie fit voir qu'il existait réellement un renversement de la matrice.

Je pourrais vous rapporter plusieurs autres faits du même genre. Qui ne sait aujourd'hui que plus d'un succès d'extirpation de matrice renversée doit être rapporté à l'extirpation d'un polype utérin ?

(1) *Annales cliniques de Montpellier*. Septembre 1815.

Je vous mentionnerai bientôt un cas puisé dans ma pratique, et vous verrez que les chirurgiens les plus instruits, les plus expérimentés peuvent encore tomber dans des méprises à cet égard.

Cependant si l'on fait attention à l'aspect velouté de la tumeur, à sa teinte rougeâtre ou violacée, à sa sensibilité, au vide que la main appuyée sur la région hypogastrique et le doigt indicateur introduit dans le rectum, constatent dans le lieu que devrait occuper la matrice, on aura dans la très grande majorité des cas les éléments nécessaires pour dissiper tous les doutes. On comprend, du reste, que les antécédents et le mode de développement de la maladie devront être pris ici en grande considération. Souvent même ces seules circonstances pourront mettre sur la voie.

Je dois dire cependant que l'embarras pourra persister lorsqu'il existe en même temps un polype et un renversement de la matrice, ce qui arrive quelquefois lorsqu'un polype développé dans l'utérus en dilate les parois, amincit graduellement le col de cet organe, en entraîne le fond et une partie du corps en même temps. On observe alors une double tumeur qui représente deux cônes réunis et confondus par leur sommet. Au point de réunion existe un étranglement circulaire qui simule jusqu'à un certain point une espèce de collet. Toutefois, si on examine avec soin les deux tumeurs, et si on se rappelle les caractères que présentent ces deux affections, on pourra encore éviter la méprise.

Au total, je crois pouvoir avancer d'une manière générale que le diagnostic de l'inversion incomplète de l'utérus est le plus souvent facile, et que, dans l'état actuel de nos connaissances, des personnes instruites et tant soit peu exercées, après un examen minutieux, commettront rarement des erreurs à cet égard. Ce n'est pas à dire pour cela que j'aie l'intention de déverser le blâme sur les méprises qui peuvent encore avoir lieu; je sais trop bien qu'il est des cas dans lesquels le doute est la seule opinion rationnelle.

Pronostic. — L'inversion incomplète de l'utérus est un accident très grave; cependant il ne faudrait pas croire qu'elle soit nécessairement mortelle. On cite plusieurs exemples de femmes qui ont survécu. Je rapporterai bientôt l'observation d'une dame que j'ai opérée en 1836 et qui vit encore. Je vous ferai connaître quelques autres cas du même genre. Il est quelques malades chez lesquelles l'inversion incomplète de l'utérus n'a contribué qu'à affaiblir leur santé, mais ne les a pas empêchées de vivre. On a vu même, sous l'influence d'une circonstance fortuite, la nature se suffire à elle-même, opérer en quelque sorte spontanément une réduction regardée jusque là comme impossible. M. le professeur Moreau, dans le premier volume de son *Traité des accouchements*, en mentionne deux exemples qu'il a puisés dans les auteurs. Quoique ces deux faits se rapportent à des cas d'inversion complète de l'utérus, ils sont assez curieux pour que je vous les fasse connaître (1).

Obs. VIII. — « De La Barre, chirurgien au bourg de Beuzeville, s'étant retiré dans une chambre voisine de celle où sa femme accouchait, eut à peine entendu les premiers cris de son enfant, que ceux de la mère, qu'il croyait délivrée, le rappelèrent auprès d'elle. La sage-femme avait renversé complétement l'utérus en voulant extraire le placenta, et, croyant que c'était un faux germe, elle s'efforçait de l'arracher, en se faisant aider d'une autre matrone également ignorante. De La Barre reconnut l'accident et n'osa tenter d'y remédier. Cependant des essais incomplets de réduction eurent lieu; la sonde fut plusieurs fois introduite pour évacuer l'urine. L'état de la femme devint de

(1) *Traité des accouchements*, par F.-J. Moreau. 2 vol. in-8 et atlas in-fol. de 60 planches.

plus en plus fâcheux, à cause de la continuité de l'hémorrhagie. Six mois après, cette dame voulant descendre de son lit fit un effort et tomba sur le carreau. A l'instant même elle ressentit dans le ventre un mouvement extraordinaire, accompagné d'une douleur très vive qui fut suivie de syncope. Revenue de son évanouissement, elle s'aperçut que la tumeur avait disparu : le renversement était réduit. Ce fait, ajoute M. Moreau, communiqué à l'Académie royale de chirurgie, fut accueilli avec incrédulité; il est même probable qu'il serait tombé dans l'oubli, si, quelques années plus tard, Bandelocque n'avait observé un fait encore plus extraordinaire. »

Obs. IX. — « Madame Boucharlatte accoucha de son premier enfant en 1782, au cap Français. Au moment de la délivrance, qui fut effectuée à l'aide d'une main introduite dans la matrice, elle éprouva une grande douleur et sentit ensuite entre les cuisses une masse d'un grand volume qu'on repoussa aussitôt dans le vagin. La malade perdit beaucoup de sang, tomba plusieurs fois en syncope, et se trouva tellement affaiblie, que l'accoucheur n'osa plus toucher à la matrice, dans la crainte que cette femme ne mourût entre ses mains. Après avoir éprouvé une longue série d'accidents, M. B..., au bout de sept à huit ans, vint à Paris consulter Baudelocque. Ce celèbre praticien examina la tumeur, reconnut sa nature, essaya de la réduire, mais ne put y parvenir. Il prescrivit des bains et du repos. La veille du jour fixé pour tenter de nouveau la réduction, quelques amis de madame B... voulurent l'obliger à se promener dans sa chambre; elle se débattit, et tomba brusquement assise sur le parquet. Un mouvement extraordinaire et une douleur aiguë se firent sentir dans le ventre; elle perdit un instant connaissance. Baudelocque appelé aussitôt ne retrouva plus la tumeur qu'il avait si bien examinée trois jours auparavant. A dater de cette époque, la malade reprit de la fraîcheur, de l'embonpoint; veuve depuis plusieurs années, elle se remaria, devint enceinte, et accoucha heureusement au terme ordinaire. Un an après elle mourut d'une maladie aiguë.

Je dois ajouter toutefois que des faits de ce genre ne doivent être considérés que comme d'heureuses exceptions ; il n'est aucun praticien sensé qui oserait compter sur de pareils résultats.

Au total, le renversement incomplet de la matrice entraîne dans le plus grand nombre de cas des accidents très graves, plus graves sans doute que les chutes et les descentes proprement dites de cet organe. Les hémorrhagies répétées qu'il cause épuisent graduellement les femmes et finissent par amener la mort. Les malades ne peuvent se lever, faire le moindre exercice sans être menacées de syncope, ressentir un poids, des tiraillements qui les effraient bientôt.

Obs. X. — Une dame que j'ai vue souvent avec M. Marjolin en 1836 en était là après quatre ans de souffrance : pâle, anémique, déjà prise d'enflure aux pieds, digérant bien d'ailleurs, cette dame ne pouvait point sortir du lit, perdait sans cesse, soit en rouge, soit en blanc. Retournée dans sa province sans avoir été soulagée par nos soins, elle y est restée dans le même état, et je n'en ai plus reçu de nouvelles depuis 1837.

Assez souvent même la maladie ne suit pas une marche aussi lente : lorsque la constriction exercée par le col est très forte, lorsqu'il existe un étranglement réel, la portion de l'utérus herniée s'enflamme, tombe en gangrène, et les malades succombent à une époque plus ou moins rapprochée. On trouve dans les auteurs des exemples dans lesquels le terme fatal est arrivé en quelques heures : tel est le cas qui s'est offert à M. Delmas, de Montpellier. Mauriceau en rapporte aussi deux exemples.

Le pronostic de cette affection est d'ailleurs d'autant plus fâcheux que l'étranglemennt est plus considérable, et qu'on a exercé de longues tentatives de réduction ou des efforts mal dirigés. Combien de femmes n'ont pas été victimes des manœuvres imprudentes de sages-femmes et d'accoucheurs ignorants! Les observations de ce genre sont nombreuses. En voici un exemple qui a été inséré dans les *Mémoires de l'Académie royale de chirurgie* (tom. III). La femme qui fait le sujet de cette observation a fini par guérir, il est vrai, mais vous allez voir à quels dangers elle fut exposée.

Obs. XI. — Une femme qui était accouchée naturellement de son premier enfant le 26 mai 1746, mais qui n'avait pu être délivrée qu'avec un peu de peine, ressentit la nuit suivante de vives douleurs, qu'elle attribua au trop peu de sang qu'elle perdait, et s'aperçut en outre qu'un corps semblait vouloir s'échapper du ventre. Un chirurgien appelé le lendemain, se persuadant que ce corps était une môle, fait pendant une demi-heure d'inutiles efforts pour l'extraire; il le dépèce, le déchire avec les ongles, et n'en détache que quelques lambeaux. Les assistants, effrayés par les cris de la malade, demandent un autre chirurgien, qui se contente d'assurer qu'il n'y a pas de môle, et ne prescrit qu'un elixir qui ne convenait nullement à l'état de la femme. Le 28 au matin, M. Hoin s'assure par le toucher que cette tumeur qu'on avait prise pour une môle était la matrice renversée incomplétement, et s'effraie du danger qui menace cette jeune femme à l'aspect des lambeaux qu'on lui présente de cette prétendue môle. Il n'ose tenter la réduction de suite, parce que la fièvre était trop ardente, le ventre fort élevé, la région hypogastrique tuméfiée et très douloureuse, la respiration excessivement gênée, le visage enflammé, la peau brûlante : la tumeur elle-même, dit-il, ne pouvant supporter l'approche du doigt, il a recours aux saignées du bras et du pied, aux fomentations émollientes, aux injections, lavements, potions huileuses, boissons délayantes; et tel fut le succès de cette conduite vraiment médicale, que dès le lendemain, dans le cours de la soirée, il put réduire aisément et sans danger cette matrice qu'il n'avait osé toucher la veille. Un mois après, la femme était parfaitement guérie.

J'en ai assez dit, je crois, pour vous montrer que l'inversion incomplète de l'utérus est une maladie très sérieuse qui mérite de fixer toute l'attention des praticiens.

Traitement. — Si les accidents que produit l'inversion incomplète de l'utérus sont légers, s'ils permettent à la femme quelque exercice, si elle peut se livrer à une partie de ses occupations, et que d'ailleurs des tentatives de réduction aient été inutiles, il convient alors de s'en tenir au traitement palliatif, c'est-à-dire à un régime doux, à quelques injections astringentes, ou même à l'usage d'un pessaire en soucoupe ou en gimblettes; mais, dans les cas contraires, il y a lieu d'en essayer la cure radicale; car, comme je vous l'ai déjà dit, c'est là une affection grave qui exige des soins actifs de la part du chirurgien.

La première indication qui se présente semble consister à réduire la tumeur, et à donner à la matrice sa forme et sa position normales. Cependant l'expérience a malheureusement trop prouvé ce que le raisonnement indique d'ailleurs; savoir : que dans certains cas cette réduction est à peu près impossible, et que même il ne serait pas toujours prudent de la tenter. Je dois m'expliquer sur ce point.

Dans les premières heures ou les premiers jours qui suivent une inversion incomplète de l'utérus, on doit tenter la réduction, et on peut espérer de réussir; souvent alors la portion retournée est encore assez souple, et le collet qu'elle a traversé n'est pas assez resserré, endurci pour en empêcher absolument la réascension. Le fait rapporté par Leroux, et que j'ai mentionné plus haut (1), en est une

(1) Voyez l'observation III.

preuve. On en trouve d'autres exemples dans les auteurs.

Tenter la réduction dès qu'on est appelé peu d'heures après l'accident ou dans les premiers jours qui l'ont suivi, pourvu toutefois qu'il n'existe aucune contre-indication, constitue donc un précepte d'autant plus important que plus tard, comme je le dirai bientôt, cette réduction est à peu près impossible, et que la femme court les plus grands dangers.

Si la délivrance n'était point encore terminée, et que le placenta fût encore adhérent à la portion de matrice herniée, il faudrait, contrairement à l'opinion de Denman, et de quelques autres praticiens, procéder à l'enlèvement de ce corps, avant d'opérer la réduction. Il est inutile de dire que dans l'extraction du placenta il serait nécessaire d'agir avec les plus grandes précautions; car on comprend facilement que des manœuvres imprudentes pourraient ici donner lieu à un renversement complet.

Pour opérer la réduction, on fait coucher la femme sur le dos, de telle sorte que le bassin soit plus élevé que la poitrine; puis introduisant une main dans le haut du vagin, on comprime et on refoule de bas en haut, sans secousse, graduellement et d'une manière inégale, la tumeur sur tous les points; on se comporte, en un mot, en ayant égard toutefois au siége du mal, comme dans l'opération du taxis pour les hernies. Pendant cette manœuvre, à l'aide de l'autre main appliquée sur l'hypogastre, on soutient la matrice et on favorise son retour à sa position normale par de légers mouvements appropriés.

Je ne saurais trop vous répéter d'agir avec beaucoup de prudence et de précautions dans cette opération; car sans parler des faits malheureux que l'on a sans doute tenus cachés, la science en possède encore assez qui prouvent que plusieurs femmes ont été victimes de manœuvres imprudentes dirigées dans ce but.

Lorsque l'inversion incomplète est ancienne, qu'elle

date de plusieurs mois, de plusieurs années, on ne peut plus espérer d'en obtenir la réduction. Alors en effet le tissu de la matrice s'est modelé sur sa nouvelle forme, dans sa nouvelle position; il s'est, pour ainsi dire, resserré, endurci; sa portion herniée s'est tuméfiée à tel point que le col de l'organe gestateur, revenu sur lui-même, présente une ouverture trop étroite pour donner passage au fond de l'utérus qui est au-dessous. De plus, sa surface muqueuse a pris les dimensions de son ancienne surface externe, tandis que cette dernière s'est contractée en dedans de manière à ne plus représenter qu'une très petite cavité.

Lorsque la maladie est arrivée à cette période, il ne reste plus que deux partis à prendre : ne rien faire, ou enlever soit par l'extirpation, soit par l'étranglement, la portion de la matrice renversée.

J'ai déjà dit que, lorsque l'inversion incomplète de l'utérus ne produit aucun accident sérieux, que les femmes peuvent se livrer à quelque exercice, en un mot, lorsque la vie n'est pas compromise, le parti le plus sage à prendre consiste à surveiller les malades, et à s'abstenir d'une opération qui est toujours dangereuse. Denman a vu des femmes qui ont vécu plusieurs années en bonne santé avec cette affection; il en est d'autres dont la santé n'en a été que peu influencée. Je dois ajouter toutefois que dans la plupart de ces cas on a plutôt affaire à un renversement complet qu'à une inversion partielle de l'utérus. Je vous citerai cependant un exemple de ce genre dont j'ai été moi-même témoin; et vous verrez que la femme a gardé cette affection pendant près de trois ans.

Il est des cas cependant dans lesquels le chirurgien ne peut pas rester dans l'inaction; les femmes épuisées par des pertes fréquentes plus ou moins abondantes, marchent évidemment vers la tombe. Il se présente dès lors une question de moralité chirurgicale. L'homme de l'art doit-il rester, pour ainsi dire, *l'arme au bras* en face de la mort? je ne le pense point. Ce n'est pas que je me fasse illusion sur les dangers de l'opération : j'en connais toute la gravité. Cependant, pour ne parler que de la femme que nous avons opérée la semaine dernière, devions-nous nous dispenser de tenter la seule ressource qui pût la soustraire à une mort prochaine ? Il est vrai qu'elle a succombé; mais en aurait-il été autrement si nous n'avions rien fait ? tout indique le contraire. D'ailleurs, la science compte aujourd'hui plusieurs succès authentiques ; et chacun sait que de pareilles questions ne peuvent être résolues que par des faits.

Avant de vous entretenir de ma méthode opératoire, je dois entrer dans quelques détails sur la ligature et l'excision considérées séparément.

1° *Ligature.* — En étranglant la matrice, à la manière d'un polype, il faut exercer une constriction si forte, si long-temps prolongée, qu'il en résulte bientôt, dans un grand nombre de cas, des douleurs atroces, des accidents nerveux, des convulsions même, et quelquefois une péritonite mortelle. Plusieurs faits consignés dans les annales de la science le prouvent sans réplique. Toutefois les accidents développés par la ligature ne sont pas toujours aussi graves ; on cite des cas dans lesquels les femmes ont pu supporter cette opération, et ont guéri. En voici un exemple rapporté par Bloxam (1), et que la *Gazette médicale* de Paris (2) a publié avec ses principaux détails. Ce fait me paraît offrir un si haut intérêt, que je crois devoir vous le faire connaître avec tous les développements présentés par le journal que je viens de citer.

Obs. XII. — « En juillet 1835, mon père et moi, dit M. Bloxam, nous examinâmes l'utérus d'une femme dont les forces étaient épuisées par une abondante hémorrhagie vaginale. Le sang coulait à des intervalles irréguliers, depuis

(1) *The medico-chirurgical rewiew*, dernier cahier trimestriel de l'année 1836.

(2) *Gazette médicale de Paris*, 1837, p. 122.

plusieurs mois, tantôt avec profusion, tantôt modérément ; les intervalles étaient remplacés par un flux muqueux.

» Nous trouvâmes une tumeur globuliforme, mais oblongue, sortant du col utérin pour un pouce et demi; elle était plus large inférieurement qu'à l'endroit du museau de tanche ; son col allait en diminuant d'épaisseur de bas en haut ; le doigt pouvait suivre cette partie décroissante à travers le col de l'utérus ; elle supportait sans douleur le palpement et même le pincement; l'enfoncement de l'ongle cependant causait de la douleur, mais elle n'était pas comparable à la sensibilité du col. La tumeur était couverte d'une membrane lisse, glissante et tendue ; elle était mobile latéralement, et offrait une élasticité suffisante pour soutenir son propre poids sans peser sur les parties adjacentes. Le col de la matrice était souple et permettait le passage du doigt entre la paroi et la tumeur, mais pas au point de laisser distinguer la nature de l'attache de la tumeur dans l'utérus.

» Nous pensâmes d'abord que c'était un polype, et j'ai cru moi-même que tous les symptômes s'accordaient parfaitement avec cette idée. Nous nous décidâmes par conséquent à y poser une ligature, ce que nous exécutâmes à l'ordinaire, au moyen d'une canule, et nous la serrâmes assez fortement. L'opération ne parut pas incommoder beaucoup la malade, et nous nous retirâmes quelques minutes après. Une heure après cependant on vint nous avertir que la femme souffrait considérablement. Nous nous y rendîmes à l'instant : la malade nous exprima et par gestes et par paroles l'intensité très grande de ses souffrances, se plaignant de très vives douleurs au dos et à l'hypogastre, au point qu'elle semblait comme une maniaque. Nous ôtâmes la ligature, et ses souffrances disparurent. Elle se crut passer de l'enfer au paradis ; les douleurs n'ont pas reparu, et aucun accident ne survint depuis qui put être attribué à cette opération.

» Nous fîmes alors un nouvel examen de l'état des choses, et surtout du commémoratif de la maladie. Nous apprîmes les circonstances suivantes :

» 1° Que l'hémorrhagie existait depuis le mois de janvier, à la suite de son accouchement ;

» 2° Que dans cet accouchement elle n'avait été assistée que par une sage-femme ;

» 3° Qu'après l'issue du délivre, l'hémorrhagie avait été si abondante que des syncopes alarmantes s'en étaient suivies.

» Quoique ces circonstances eussent bien pu, à la rigueur, s'accorder avec l'existence d'un polype, néanmoins nous soupçonnâmes alors que la tumeur pourrait aussi dépendre d'un renversement de l'utérus, ce qui expliquerait d'ailleurs les accidents occasionnés par la ligature. Afin de nous éclairer convenablement sur la nature du mal, nous passâmes une ligature peu serrée autour de la tumeur, et nous tirâmes lentement la masse au dehors. Le col de l'utérus s'est trouvé rempli par la tumeur; le renversement est devenu complet; le vagin se trouvait aussi renversé sur lui-même supérieurement en forme de cul-de-sac. En passant le bout des doigts dans cette impasse, on ne sentait plus de matrice dans le bassin; ce caractère fut pour nous tout-à-fait décisif, et nous comprîmes de suite avoir affaire à un renversement de la matrice.

» La malade était jeune, mère de plusieurs enfants, extrêmement affaiblie par la maladie; elle désirait ardemment supporter toute espèce d'opération pour être guérie. Après avoir fait part à son mari des dangers que la vie de la malade courrait en la soumettant à une opération, nous nous décidâmes à pratiquer l'ablation de la tumeur moyennant une ligature.

» Le 5 août, à huit heures du matin, quinze jours après la première opération, nous appliquâmes un cordon de corde à boyau (corde basse d'une harpe) autour de la partie la plus étroite de la tumeur, à l'aide d'un appareil à polype. La ligature fut moins serrée que la première fois; elle le fut assez cependant pour étrangler un peu, et produire une légère douleur.

» En moins d'une heure, la douleur devint intense, mais pas autant que la première fois. On prescrit une potion calmante (un tiers de grain de muriate de morphine) qui la soulage beaucoup. Dans la soirée, la douleur reparaît; la peau est chaude; pouls fébrile; on répète la potion : calme jusqu'à minuit.

» Le 6, insomnie; retour de la douleur; vomissement; opiacés; calme.

» Le 7, état satisfaisant; amélioration progressive.

» Le 8, on resserre la ligature à l'aide d'un garrot de bois, afin qu'elle ne glisse pas. Cinq heures après, nouvelles douleurs s'étendant aux cuisses; opiacés; mieux. On resserre le fil les jours suivants, à chaque fois qu'il est ralenti; on combat la douleur à l'aide du même moyen.

» Le 21 du même mois, la tumeur tombe; on la dissèque, et on reconnaît qu'elle est formée par la matrice, dont on peut distinguer la cavité et les trompes de Fallope. En touchant la femme, on ne sent plus d'orifice utérin. A l'endroit autrefois occupé par la matrice, on ne sent qu'un corps dur d'apparence anormale.

» Le 26, cependant, l'orifice utérin peut être distingué, mais il n'admet pas l'introduction du doigt.

» Le 27 septembre, la santé était déjà bonne sous tous les rapports; elle continua à s'améliorer, et la malade finit par guérir complétement. Les règles n'ont plus reparu; mais elles sont à présent remplacées par un écoulement sanguinolent qui revient exactement tous les mois; elle éprouve de temps en temps des vertiges, des nausées, des symptômes hystériques qu'elle attribue à des flatulences; elle accuse aussi des douleurs dans les jambes, des picotements dans les seins et aux organes génitaux, qui descendent jusqu'aux jambes. Elle est plus souvent triste qu'agitée ; mais elle préfère cent fois cet état à celui où elle se trouvait avant l'opération ; elle s'unit avec volupté à son mari, mais moins qu'auparavant.

» Ayant dernièrement examiné de nouveau cette femme, j'ai trouvai que le bout supérieur du vagin avec le col restant de l'utérus sont descendus près de la vulve ; le museau de tanche peut être très bien distingué ; ses lèvres sont amincies ; le doigt peut le franchir et passer dans une sorte de cul-de-sac. »

Nous voyons que dans ce fait la ligature a été employée d'une manière graduée. C'est là une conduite sage à laquelle vous devriez avoir recours en pareille circonstance. Nous voyons, en outre, que la tumeur est tombée seize jours après la ligature, et que, pendant tout ce temps, qui d'ailleurs pourrait être plus long, la malade a été en proie aux plus vives douleurs.

Quoi qu'il en soit, la ligature ne constitue pas une opération difficile quant au manuel opératoire. On porte le fil autour de la partie la plus profonde de la tumeur, soit à l'aide du doigt indicateur, soit, si on l'aime mieux, au moyen d'un porte-ligature. On suit, en un mot, les mêmes préceptes que s'il s'agissait d'étrangler un polype. On opère la constriction à l'aide d'un serre-nœud.

Considérée sous le point de vue de ses avantages, la ligature seule ne me paraît pas constituer ici la meilleure méthode curative. Les femmes supportent toujours difficilement la constriction qu'on est obligé d'exercer ; cette constriction doit rester un temps plus ou moins long. Chez la malade de M. Bloxam, la tumeur n'est tombée qu'au bout de seize jours, et on comprend qu'elle pourrait persister plus long-temps encore. Or, qui ne voit que, pendant tout cet intervalle, les malades sont exposées à des dangers plus ou moins grands ? Plusieurs faits ne laissent aucun doute sur ce point. Je vous citerai bientôt un cas dans lequel un chirurgien, à la vue des accidents déterminés par la ligature, fut obligé de recourir à l'excision. Je pense donc que la ligature ne doit pas être employée seule. Je dois ajouter toutefois que dans le cas où on se déciderait à en faire usage, il serait sans doute plus avantageux d'employer la ligature multiple que la ligature simple. En effet, cette première opération cause moins de douleurs, parce qu'elle produit moins de tractions et moins de plissements sur la racine de l'organe ; de plus, elle coupe plus promptement les tissus et est moins exposée à glisser, à lâcher prise quand on pratique en même temps l'excision de la portion de l'organe située au-dessous d'elle. Je reviendrai bientôt sur ce point.

Avant de passer outre, je crois devoir vous rapporter un fait observé par Boyer, et qui vous montre qu'une ligature appliquée sur la matrice renversée peut causer la mort des malades.

Obs. XIII (1). — « Une femme âgée de vingt-quatre ans, enceinte pour la première fois, arrive au terme de sa grossesse, et accouche heureusement le 4 juillet 1824. La sage-femme qui l'assiste, dans la vue de hâter la délivrance, exerce imprudemment des tractions violentes sur le cordon ombilical, et renverse complétement la matrice, qui pend entre les cuisses sous la forme d'une grosse tumeur à laquelle le placenta est attaché.

» Un jeune médecin est appelé ; il méconnaît la nature de cette tumeur, et la regarde comme un polype sur lequel le placenta est implanté ; il détache ce corps et place une ligature sur la tumeur, qui versait une grande quantité de sang. La constriction de la ligature, au moyen d'un serre-nœud, fait cesser l'hémorrhagie, et la tumeur est ensuite repoussée dans le vagin le plus haut possible.

» Cette ligature ne causa ni douleurs vives, ni convul-

(1) Boyer. *Traité des maladies chirurgicales*, tom. X, 422 à 425.

sions, ni aucun autre accident bien remarquable, quoique de temps à autre on augmentât la constriction. Le 24 juillet, c'est-à-dire dix-huit jours après l'accouchement, la malade est portée à l'hôpital de la Charité, et présente l'état suivant : le serre-nœud dépasse les grandes lèvres d'environ un pouce et demi, et la ligature est très lâche; le doigt indicateur, introduit dans le vagin, y touche une tumeur ronde, assez molle, dont il peut parcourir librement toute la circonférence, mais sans pouvoir atteindre ses limites supérieurement, ni même l'endroit où la ligature est placée. Le ventre est souple, presque indolent à la pression; la région hypogastrique se laisse déprimer aisément, sans douleur, et l'on n'y sent aucune tumeur; le pouls est petit, fréquent; le visage est altéré et d'un jaune remarquable.

» La ligature tomba le 1er août, vingt-six jours après l'opération, sept jours après l'entrée de la malade à l'hôpital. Le lendemain, la tumeur sortit spontanément du vagin.

» L'examen attentif de cette tumeur, dont la forme était globuleuse, fit reconnaître à sa surface les orifices des sinus utérins et les traces de l'insertion du placenta. On voyait à sa partie supérieure une cicatrice récente, froncée, évidemment due à l'inflammation adhésive du péritoine, déterminée par la présence de la ligature. En détruisant cette cicatrice, on pénétra dans une petite cavité tapissée par une membrane séreuse. Toutes ces circonstances, jointes à la structure fibreuse de la tumeur, à la disposition par couches de ses fibres, à la dilatation considérable des nombreux vaisseaux qui entraient dans sa composition, ne me permirent pas de douter qu'elle ne fût une portion de matrice renversée.

» Après la sortie de cette tumeur, le toucher en fit découvrir une autre dans le vagin. Celle-ci, beaucoup moins considérable que la première, était en quelque sorte pyramidale. On distinguait sur la partie moyenne de sa base un léger enfoncement rond et légèrement froncé. Son sommet était environné par un bourrelet, au-dessous duquel le doigt pouvait pénétrer à quelques lignes de profondeur. Je ne doutai point que cette seconde tumeur ne fût formée par la portion de la matrice renversée comprise au-dessus de la ligature.

» La malade éprouva un bien-être marqué après la chute de la première tumeur; elle eut de l'appétit et demanda des aliments; cependant, le visage conservait de l'altération et la teinte jaune dont il a été parlé plus haut.

» Le 4 août, à midi, frisson de deux heures, suivi de chaleur et d'une sueur abondante; rémission vers le soir; mais à 10 heures, nouvel accès de fièvre qui se prolonge fort avant dans la nuit.

» Le 5, deux nouveaux accès de fièvre; région hypogastrique douloureuse, surtout à droite; vomissements de matières jaunâtres amères; changement dans le timbre de la voix; respiration suspirieuse.

» Le 6, les vomissements continuent. Deux accès de fièvre, comme la veille; douleur dans l'arrière-bouche; déglutition difficile.

» Le 7, même état; légère rémission. Cependant, la malade exige qu'on la transporte chez elle, où j'envoie un élève instruit chaque jour pour la visiter.

» Les jours suivants, la fièvre, de rémittente qu'elle était, devient continue; les traits s'altèrent de plus en plus; les forces diminuent rapidement, et la malade meurt le 12 août.

» J'aurais bien voulu, ajoute Boyer, pouvoir faire moi-même l'ouverture du corps de cette femme; mais mes occupations ne me le permettant pas, j'en chargeai deux de nos élèves internes les plus instruits. Quelques difficultés qu'ils éprouvèrent dans cette opération ne leur permettant pas d'examiner en détail l'état des viscères abdominaux, ils enlevèrent les parties de la génération. Je fis l'examen de ces parties en présence de MM. les professeurs Desormeaux et Deneux, et d'un grand nombre d'élèves ; voici ce qui fut observé, après avoir fendu le vagin dans toute la longueur de sa partie antérieure : La tumeur que l'on sentait dans ce canal, immédiatement après la chute de la partie de la matrice renversée qui se trouvait au-dessous de la ligature, avait presque entièrement disparu ; le peu qui en restait était entouré par un bourrelet circulaire qui lui était contigu, et formait avec lui, à la partie supérieure du vagin, une espèce de voûte, au milieu de laquelle était une cicatrice enfoncée, très mince, qui séparait la cavité de l'abdomen de celle du vagin. Du côté du bas-ventre, la portion restante de la matrice formait une espèce d'entonnoir profond dans lequel s'enfonçaient les ligaments larges et les trompes de Fallope ; les ovaires, quoique entraînés vers cette espèce d'entonnoir, n'y étaient point engagés ; ils étaient flottants sur les parties latérales. Le fond de cet entonnoir était séparé de la cavité du vagin par une cloison très mince, comme nous l'avons dit. Il est évident, d'après cela, qu'une grande partie du fond de la matrice renversée a été séparée par la ligature, qui a fait périr la malade consécutivement. »

2° *Excision.* — Par l'excision, on débarrasse plus rapidement les malades. Cependant, cette opération peut donner lieu à une hémorrhagie foudroyante, comme on l'a observé quelquefois. Comme on ouvre le péritoine, l'inflammation de cette membrane est plus à craindre que dans le cas précédent. De plus, le sang retenu dans le vagin peut rentrer dans le ventre, de même que les intestins peuvent faire irruption du côté du vagin. Des cas malheureux, puisés dans la pratique de plusieurs chirurgiens célèbres, viennent à l'appui de ces assertions.

M. Langenbeck ayant à opérer une malade affectée d'un renversement incomplet de la matrice avec dégénérescence squirrheuse, crut devoir disséquer minutieusement, de l'extérieur à l'intérieur, la totalité du péritoine utérin ; de telle sorte qu'après l'enlèvement de l'organe, cette membrane s'est trouvée intacte. Sa malade guérit parfaitement. Il est vrai que le passage de l'air dans l'abdomen par le vagin, regardé comme possible même après la guérison par Rousset, qui en cite un exemple, et comme dangereuse par Siébold, qui lui attribue la mort d'une de ses malades, est alors sûrement empêché. Mais il est facile de voir que ce qu'on a dit sur ce dernier point de vue se borne à de simples assertions faciles à réfuter, et que, d'ailleurs, s'il fallait suivre le procédé de Langenbeck, l'excision deviendrait une opération des plus longues, des plus difficiles. Je ne balance pas à dire, pour ma part, que je ne vois pas les avantages qu'il y aurait à imiter la conduite de ce chirurgien. En combinant la ligature et l'excision, comme je le dirai plus tard, on atteindrait tout aussi bien, et avec beaucoup plus de facilité, le but indiqué.

Quoi qu'il en soit, l'excision pure et simple de la portion de matrice renversée constitue une opération très dangereuse. Ce serait aller trop loin cependant que de la regarder comme constamment mortelle, et de la proscrire d'une manière absolue. Une malade que j'ai opérée ainsi en 1836 a parfaitement guéri. Voici en peu de mots son histoire.

Obs. XIV. — Une dame, de Châteauroux, âgée de vingt-quatre ans, accouchée depuis près de trois ans, n'avait jamais cessé d'être tourmentée par des pertes tantôt légères, tantôt abondantes. Quelques chirurgiens du pays avaient d'abord eu l'idée d'une inversion utérine; mais les autres s'étaient arrêtés à l'idée d'un polype. Arrivée à Paris au mois de juillet 1836, cette dame consulta plusieurs praticiens, qui adoptèrent tous cette dernière opinion. L'extirpation en était décidée, lorsque je fus prié de la voir à mon tour. Ayant conçu quelques doutes, je renouvelai l'examen de la tumeur, qui offrait le volume d'un œuf, la densité, l'élasticité, la forme d'un corps fibreux, abaissé dans le vagin. Ayant porté une main sur l'hypogastre, puis l'indicateur aussi haut que possible dans le rectum, je pus m'assurer qu'il n'existait rien à la place ordinaire de la matrice, et je crus pouvoir dire qu'il s'agissait d'une inversion utérine au lieu d'un polype. Je fus chargé de l'opération. Je saisis la tumeur avec une pince-érigne que je confiai à M. Rivaillé, médecin ordinaire de la malade, et qui me servait d'aide. Deux doigts de la main gauche portés en avant servirent de guide à un long couteau courbe, avec lequel je divisai, couche par couche, tout le collet de l'organe, de manière à n'en laisser que ce qui était embrassé par le col utérin. Porté par la plaie, le doigt entra librement dans la cavité péritonéale, et sentit distinctement les intestins. Il fut aisé de voir, aussitôt après, que la totalité du corps de l'utérus avait été enlevée, et la pièce que j'ai long-temps conservée n'a laissé sur ce point aucun doute dans l'esprit de ceux qui l'ont examinée.

L'hémorrhagie fut légère, mais des douleurs accablantes, des crampes, une agitation extrême, des syncopes qui survinrent bientôt, persistèrent avec tant d'intensité pendant trois jours, que nous avions tout-à-fait désespéré de la malade. Des préparations opiacées à l'intérieur et à l'extérieur, des onctions mercurielles sur le bas-ventre, de l'eau de Seltz, la potion de Rivière, à cause des nausées, finirent par calmer tous ces accidents, si bien qu'en moins d'un mois la guérison a été complète, et qu'elle ne s'est plus démentie depuis. La seule chose dont cette dame, qui n'a jamais su ce qu'on lui avait enlevé, s'inquiète encore quelquefois, c'est de ne point revoir ses règles !

Quelque confiance que doive inspirer un pareil succès, je ne pense pas cependant que, dans l'état actuel de la science, et d'après un mûr examen des observations qui ont été publiées, on doive se borner à exciser la portion de matrice renversée sans placer préalablement une ligature au-dessus du point où on pratique l'excision. C'est assez dire que je conseille l'usage simultané de ces deux opérations, lorsque la maladie exige qu'on prenne un parti décisif. C'est ce que vous m'avez vu faire chez la femme que j'ai opérée la semaine dernière, et dont je vous rapporterai bientôt l'observation avec ses principaux détails. On voit, du reste, dans une observation transmise à l'Académie royale de médecine par M. Lasserre, professeur à l'école secondaire d'Agen, que ce chirurgien, après avoir placé une ligature sur la matrice, se crut obligé, pour faire cesser les accidents graves auxquels la malade était en proie, de pratiquer l'excision. Ce fait est assez intéressant pour que je vous en fasse connaître les principaux détails que M. Capuron a communiqués à l'Académie dans son rapport, lu le 21 juillet 1835.

OBS. XV (1). — « Une femme, âgée de vingt-trois ans, accouche à terme et très laborieusement d'un enfant mâle; la sage-femme exerce de violentes tractions sur le cordon ombilical, avant que l'utérus ne soit revenu sur lui-même. Cette pratique est suivie d'une hémorrhagie effrayante. L'accouchée est déshabillée, couchée nue sur le sol, et la sage-femme lui verse sur le corps une grande quantité d'eau à moitié glacée. L'hémorrhagie, qui semblait devoir emporter la malade, est arrêtée; mais elle se renouvelle à plusieurs reprises, et notamment au retour de l'époque menstruelle, où elle met de nouveau la vie de la malade en danger. Un médecin instruit arrête cette perte sanguine, qui se reproduit tous les mois avec des caractères inquiétants. Enfin, au bout de dix-huit mois, la malade semblait reprendre quelques forces, quand l'hémorrhagie se manifeste encore et s'accompagne des mêmes dangers. La sage-femme croit reconnaître une chute de matrice, et place un pessaire; cependant, les accidents ne se calmant point, M. Lasserre est consulté. Ce chirurgien reconnaît dans le vagin une tumeur pyriforme, à surface bosselée, dont le pédicule est entouré

(1) *Archiv. génér. de médecine*, 2e série, tome VIII, p. 395.

d'un bourrelet dans le point correspondant à l'orifice utérin. Il diagnostique un renversement de l'utérus, et y reconnaît la source des hémorrhagies.

» Dans l'impossibilité de réduire, et prévoyant que de nouvelles hémorrhagies feraient indubitablement périr la malade, il se décide à pratiquer sur-le-champ l'extirpation de l'utérus, comme seul moyen de la sauver. En conséquence, ayant fait placer cette femme sur le bord d'un lit, comme pour la terminaison de l'accouchement avec la main, il passe une ligature autour du pédicule de la tumeur, le plus près possible de l'orifice utérin, et la serre avec le serre-nœud de Desault. Il en résulte une douleur très vive, qui est calmée par le laudanum. Cette douleur se reproduit plusieurs fois, et est suspendue par le même moyen. Lorsque, après quelque temps, il croit devoir serrer de nouveau la ligature, cette opération produit dans l'hypogastre une douleur extrême qui ne cède point au laudanum, et qui l'oblige de desserrer la ligature. Cette circonstance se renouvelle chaque fois qu'on veut resserrer la ligature. Au bout d'un certain nombre de jours, craignant des accidents vers l'abdomen, M. Lasserre voulut en finir promptement. Il attire la tumeur au-dehors, reconnaît qu'une partie seulement du pédicule a été détruite par la ligature. Il place une nouvelle ligature autour de la portion non détruite, dans la crainte d'une hémorrhagie, et emporte la tumeur d'un seul coup.

» Peu de temps après l'opération, il se développe des accidents qui font craindre une péritonite, mais qui sont combattus avec avantage par les moyens antiphlogistiques et adoucissants. Au bout de cinq jours, l'état de la malade était satisfaisant. Quelques jours plus tard, gonflement de la cuisse et de la jambe du côté gauche. Enfin, trente jours après la ligature, la guérison était complète. Il y avait un an que cette opération avait eu lieu, quand M. Lasserre l'a communiquée à l'Académie, et les menstrues ne s'étaient point renouvelées; les prodromes de l'écoulement des règles ne se font plus sentir...

» Depuis son rétablissement, cette femme a pu se livrer au coït comme avant la grossesse, et elle y éprouve la même jouissance et les mêmes sensations.

» M. Capuron reproche à M. Lasserre de n'avoir pas suffisamment décrit la tumeur, et de ne s'être pas assez étendu sur les signes distinctifs du polype utérin et du renversement de la matrice; toutefois, l'ensemble de l'observation ne permet guère de douter que M. Lasserre n'ait réellement extirpé l'utérus, d'autant plus qu'après l'opération il a pu vérifier son diagnostic. »

Il me reste maintenant à vous présenter l'histoire détaillée de notre malade, qui a succombé avant-hier. Je vous ferai connaître dans cette narration le procédé opératoire que j'ai mis en usage, et les modifications que je me propose de lui faire subir, si un nouveau cas de ce genre se présentait. Ces modifications m'ont été suggérées par l'examen de la pièce anatomique que je vais mettre sous vos yeux.

Obs. XV. — *Inversion incomplète de l'utérus, datant de huit mois. — Extirpation. — Mort. — Autopsie.* — Le 1er juin 1840, fut couchée au n° 14 de la salle Sainte-Catherine la nommée Albertine Holbe, âgée de vingt-six ans.

Cette femme, qui s'était toujours bien portée, et était douée d'une forte constitution, accoucha de son premier enfant il y a huit mois. Le travail de cet accouchement ne présenta, au dire de la malade, rien de particulier; aucune manœuvre ne fut faite pour le terminer. Mais quand elle fut délivrée, la sage-femme qui l'assistait aperçut dans le vagin une tumeur assez volumineuse, qui lui donna d'abord l'idée d'un nouvel enfant; mais après un examen attentif, elle dit reconnaître la nature de l'affection, et assura qu'elle ne présentait aucun danger. La malade nous dit que cette sage-femme fit rentrer la tumeur avec assez de facilité ; mais que, quelques jours après, la maladie apparut de nouveau. Dès lors un médecin fut consulté. Après un mûr examen, il reconnut que c'était un renversement de la matrice. Des tentatives de réduction furent faites ; mais il fut impossible de remettre l'organe dans la position normale. On crut devoir se borner à un traitement palliatif. La malade fut soumise à un régime approprié. Cependant des hémorragies abondantes et fréquentes l'épuisèrent tellement, que son état inspira les plus vives craintes. A deux reprises différentes on crut que c'en était fait. Vivement inquiète sur sa position, et bien convaincue, d'après le rapport de son médecin, qu'une opération seule pouvait la débarrasser de son affection, Holbe vint à Paris, bien décidée de tenter toutes les ressources de l'art, et fut admise dans notre service.

Voici ce que nous observâmes à notre première visite (2 juin). Je dois dire avant tout que, dans la nuit, elle avait éprouvé une nouvelle perte très abondante. L'aspect seul de cette femme indique assez son état. Sa figure est très pâle ; cependant elle n'est pas considérablement amaigrie ; ses lèvres sont complétement décolorées ; ses chairs sont molles, flasques ; elle se plaint d'une faiblesse extrême, ce qu'il est d'ailleurs facile de voir à la peine qu'elle éprouve pour soulever seulement ses bras ; elle est presque immobile dans son lit. Son pouls est très faible, à peine sensible. Elle n'éprouve d'ailleurs aucune douleur manifeste et continue ; seulement par intervalles elle se plaint de tiraillements à la partie supérieure du vagin. Pour donner une idée de son état, elle dit qu'elle est *mourante*.

En examinant le vagin, j'observai à la partie supérieure de ce canal une tumeur pyriforme du volume d'un œuf de poule ; elle était ferme, rougeâtre, élastique ; tout indiquait que son pédicule se prolongeait au-delà du col de l'utérus. Ce col formait autour du pédicule un collet ferme, et opérait une constriction évidente, à tel point qu'il était impossible de pénétrer au-delà. De la surface de cette tumeur suintaient quelques gouttelettes de sang.

Les antécédents de la maladie et les signes locaux que je viens de mentionner me mirent sur la voie du diagnostic. Cependant, pour lever tous les doutes, j'appliquai ma main gauche sur la région hypogastrique, et j'introduisis le doigt indicateur de la main droite dans le rectum le plus haut possible; manœuvrant alors comme je vous l'ai déjà dit dans le cours de ces entretiens, il me fut facile de me convaincre que la tumeur que forme la matrice dans l'état normal avait disparu, et que nous avions évidemment affaire à une inversion incomplète.

Ce diagnostic une fois établi, il restait à savoir ce que nous pourrions faire d'utile pour cette femme. Je vous déclarai tout d'abord que c'était là une affection excessivement dangereuse. En effet, en abandonnant la maladie à elle-même, tout indiquait que nous livrions cette malheureuse femme à une mort certaine et même prochaine, car il était évident qu'elle ne pourrait plus supporter une perte tant soit peu abondante. D'un autre côté, une opération se présentait ici avec un cortége de dangers si effrayants et si redoutables qu'il fallait y réfléchir à deux fois avant de s'y décider; toutefois, je dois ajouter, comme je vous l'ai déjà dit d'ailleurs, qu'elle n'était pas nécessairement mortelle. Ce sont là, il faut que vous le sachiez bien, de ces circonstances on ne peut plus délicates qui placent le chirurgien dans des perplexités vraiment cruelles. D'un côté, un état tout-à-fait désespérant, qui ne permet de compter que sur une très courte existence; de l'autre, une opération qui sans être certainement mortelle, n'en est pas moins horriblement dangereuse. Cependant il faut choisir; et tout indique que chez notre malade il n'y a pas de temps à perdre : une perte venait d'avoir lieu, et cette femme était à huit jours seulement de son époque menstruelle; cette dernière circonstance, en laissant craindre une nouvelle cause d'hémorrhagie prochaine qui, d'ailleurs, sans cela pouvait bien arriver à chaque instant, indiquait encore qu'il fallait prendre un parti le plus promptement possible.

Voyant que la malade était parfaitement résolue, qu'elle ne se faisait point illusion sur son état, et qu'elle était d'ailleurs bien convaincue qu'il ne lui restait plus qu'à tenter une opération, je ne crus pas devoir laisser ignorer une partie de mes craintes. Elle me répondit qu'on lui avait dit tout cela; mais que, puisqu'elle devait mourir, elle ne risquait rien de tenter la seule ressource qui lui restait. La trouvant dans de si bonnes dispositions, je m'efforçai alors de ranimer son moral en lui disant que, puisque je me décidais à prendre un parti, c'est que j'avais confiance. L'opération fut donc décidée, et je la pratiquai le 6 juin, à dix heures du matin.

Fallait-il se borner à placer une ligature sur la tumeur? devions-nous pratiquer l'extirpation pure et simple, comme chez la jeune dame de Châteauroux dont je vous ai parlé plus haut? ou bien, fallait-il avoir recours en même temps à ces deux opérations? Telles étaient les questions qu'il s'agissait de résoudre. Je mis immédiatement de côté l'étranglement pur et simple; je vous en ai déjà exposé les motifs: je n'y reviendrai pas. — Quant à l'extirpation sans ligature préalable, j'en avais déjà obtenu, il est vrai, un succès remarquable; cependant je ne crus pas devoir en faire usage chez notre malade. — Le troisième parti me parut le plus sûr et le plus rationnel: c'est aussi celui que je mis en pratique, et dont je vous conseille de faire usage en pareille circonstance.

La malade fut placée sur un lit, dans la position indiquée pour les opérations qu'on pratique dans le vagin. Deux aides, placés latéralement, écartèrent les grandes lèvres; j'introduisis alors le doigt indicateur de la main gauche jusqu'à la partie supérieure du canal vulvo-utérin ; ce doigt me servit de guide pour saisir la tumeur avec des pinces de Museux. Cet instrument, convenablement fixé sur la matrice, me mit à même d'attirer un peu en avant de la vulve, par de légères tractions, la portion herniée de l'organe gestateur. Confiant alors la pince à un aide, il me fut facile de traverser la tumeur avec une anse de fil en ruban, La malade ne parut pas s'apercevoir de ce premier temps de l'opération ; dès lors je retirai la pince de Museux. J'aurais pu, à la rigueur, poser le fil constricteur sans retirer cet instrument, et par conséquent sans placer le ruban dont je viens de parler ; mais il est évident que j'aurais été beaucoup plus embarrassé dans les manœuvres. Vous comprenez, en outre, que la pince peut glisser, entamer ou lacérer les tissus, tandis qu'on n'a pas à craindre ces inconvénients avec un ruban qui traverse le centre de la tumeur. Je vous engage à suivre cette conduite dans votre pratique : vous vous en trouverez bien.

Cela fait, une anse de fil en ruban (quatre fils simples) convenablement disposée sur le serre-nœud de Dupuytren fut portée autour du pédicule de la tumeur, jusqu'au niveau de la partie la plus voisine du col de la matrice. J'opérai la ligature comme si nous avions eu affaire à un polype. Je n'opérai qu'une constriction modérée. La malade, qui jusque là n'avait fait entendre aucune plainte, poussa quelques gémissements ; cependant sa face n'exprimait pas une grande angoisse ; elle se remit bientôt, et la ligature fut fixée.

Saisissant alors un bistouri droit, j'excisai rapidement la tumeur à un centimètre environ au-dessous de l'étranglement. Il s'écoula une petite quantité de sang. Cette section ne parut pas très douloureuse ; la malade ne poussa que quelques sourds gémissements. Dès lors l'opération fut terminée. Je laissai le serre-nœud en place, et je refoulai le tout dans le vagin. La malade fut transportée dans son lit.

Avant d'aller plus loin, nous devons faire une remarque qui n'est pas sans importance. Tous les auteurs donnent comme un des caractères distinctifs du polype et de l'inversion de la matrice, la différence de sensibilité des deux tumeurs. Nous voyons cependant que chez notre malade ce caractère n'aurait pu nous fournir aucun indice; car vous avez pu vous convaincre qu'elle n'a pas paru souffrir considérablement, soit lorsque j'ai opéré la constriction, soit lorsque j'ai excisé la tumeur. On pourrait peut-être attribuer cela à la faiblesse, à l'état d'exténument de la malade. Quoi qu'il en soit, c'est une circonstance à ne pas oublier.

Immédiatement après l'opération, Albertine accusa quelques légères douleurs; cependant elle paraissait avoir repris quelques forces, ce qui provenait sans aucun doute de la satisfaction qu'elle éprouvait de se voir débarrassée de sa maladie; elle avoua qu'elle craignait de ne pas survivre à l'opération. Je lui fis prendre un demi-verre d'eau sucrée rougie avec du vin.

Deux heures après l'opération, les douleurs du ventre deviennent plus vives; cependant la pression ne les augmente point; la figure de la malade, qui s'était un peu animée à la suite de l'opération, reprend sa pâleur habituelle, et est couverte d'une sueur froide et abondante; elle demande de l'air; son pouls est très petit, à peine sensible. (Frictions sur les tempes avec de l'eau vinaigrée; — potion gommeuse laudanisée, à prendre par cuillerées.)

A onze heures, cet état a disparu; les douleurs sont moins vives; des pressions sur l'abdomen semblent soulager la malade. Le pouls s'est relevé; il a pris de la force, mais il est sans fréquence.

A midi moins un quart, le pouls est petit et irrégulier; les douleurs ne sont pas plus vives, mais la malade est légèrement abattue; elle dit éprouver un grand malaise; elle est inquiète; sa face est pâle; ses traits expriment de l'anxiété; tout-à-coup elle éprouve des envies de vomir, mais elle redoute les vomissements, dans la crainte que les efforts n'augmentent ses douleurs. Cependant peu après elle vomit environ un verre de liquide rougeâtre mêlé de quelques mucosités. A l'odeur et à la couleur de cette matière il est facile de reconnaître le vin administré après l'opération. Ces vomissements cessent bientôt, et immédiatement la malade se laisse tomber sur son lit, disant qu'elle se trouve complétement soulagée, et attribuant tout le malaise qu'elle avait éprouvé aux matières qu'elle vient de vomir. Quoi qu'il en soit, cinq minutes après, la figure redevient calme; le pouls est plein et sans fréquence.

A une heure moins un quart, la malade est calme; le pouls est petit, mais régulier et sans fréquence; la peau est fraîche. Albertine éprouve encore quelques nausées; elle prend une nouvelle cuillerée de la potion laudanisée.

A une heure, je vins visiter la malade, et je la trouvai calme; elle me demanda à se placer sur le côté. Je fixai alors le serre-nœud de telle sorte qu'il ne pût être dérangé par le changement de position. J'examinai avec beaucoup de précaution le vagin, et je ne trouvai rien de nouveau: pas une seule goutte de sang ne s'écoulait par la vulve. Je fis ensuite placer la malade dans le décubitus latéral gauche. Elle me dit qu'elle se trouvait très bien dans cette position.

A deux heures et demie, la malade se trouve très bien; sa figure est calme, le pouls est plein, sans beaucoup de fréquence (soixante-douze pulsations). Les douleurs ont presque entièrement disparu; le ventre est souple; la malade a pris, à deux heures, une pilule opiacée.

A quatre heures, le bien-être s'est maintenu: la malade est calme et tranquille; elle est toujours couchée sur le côté gauche; son pouls est régulier, un peu plus fréquent, mais plein et souple. Elle accuse une légère douleur qu'elle désigne sous le nom de *point de côté*, et qui a son siége vers le bord inférieur de la paroi gauche de la poitrine; cette douleur, dit-elle, s'irradie jusque dans la région claviculaire.

A cinq heures, la douleur de poitrine a un peu augmenté; le pouls est le même que précédemment; il y a un peu d'anxiété. (Nouvelle pilule opiacée.)

A six heures, la malade est tranquille; elle ne se plaint pas. Rien de nouveau.

A sept heures, la malade désire changer de position; cependant elle hésite, tant elle craint que le moindre mouvement renouvelle ses douleurs. Le pouls est un peu plus fréquent.

A huit heures, je retournai à l'hôpital, et je trouvai la malade inquiète, se plaignant d'assez vives douleurs dans le bas-ventre; le pouls était fréquent et semblait prendre un peu de dureté. Je prescrivis des fomentations avec de l'eau de guimauve laudanisée, et je prévins l'interne (1) de faire une application de sangsues dans le cas où les accidents augmenteraient.

A huit heures et demie, la malade demande à changer de position; elle désire être placée dans le décubitus dorsal: on accède à son désir; mais aussitôt les douleurs deviennent plus vives, et se répandent dans tout le ventre; la moindre secousse augmente ces douleurs; la moindre pression exercée sur le ventre les exaspère. Albertine paraît découragée: elle se plaint, elle gémit. Son pouls est fréquent, mais souple; la soif est ardente. M. Demeaux applique les fomentations, et la malade prend une nouvelle pilule.

A neuf heures, les douleurs persistent: elles semblent même s'accroître; le ventre est douloureux dans toute son étendue; la moindre pression sur l'abdomen excite les plaintes de la malade. Le pouls est fréquent; la peau est

(1) C'est M. Demeaux, interne du service, qui a suivi avec le plus grand soin cette malade, et qui nous a fourni la plupart des notes qui rendent cette observation complète.

assez fraîche, la soif est ardente. La malade est vivement tourmentée. On cesse les fomentations, et on applique quarante sangsues sur le ventre.

Une demi-heure après, la malade dit être un peu soulagée : les douleurs sont moins vives. Les sangsues ne sont tombées qu'à une heure après minuit. Alors elle a demandé à changer de position. On a couvert l'abdomen d'un large cataplasme laudanisé, et on l'a replacée sur le décubitus latéral gauche. Les douleurs étaient alors vagues et assez légères dans le ventre ; la malade était abattue ; le pouls petit, fréquent (cent vingt pulsations) ; la peau était fraîche, la soif toujours vive; de temps à autre quelques hoquets.

Le reste de la nuit se passa assez bien, mais sans sommeil; la malade garda la même position.

A cinq heures et demie du matin, le pouls était petit et fréquent; quelques gouttes de sueur coulaient le long de ses joues. Elle vomit, en présence de l'interne, la tisane qu'elle venait de prendre. Son ventre était souple et peu douloureux.

A six heures, on la place dans un bain de siége ; quelques vomissements surviennent, mais ils sont légers et ne la fatiguent point, elle se trouve très bien dans le bain : elle y reste une demi-heure. Au bout de ce temps, survient une faiblesse qui engage à la replacer aussitôt dans le lit. Elle est de nouveau agitée; son pouls est toujours petit et fréquent ; de nouveaux vomissements surviennent et la fatiguent beaucoup.

A la visite du matin, je la trouvai dans le même état. Je fis la prescription suivante : un pot d'eau de gomme pour boisson ; — une bouteille d'eau de Seltz ; — une potion laudanisée à prendre par cuillerées de deux heures en deux heures, et dans les intervalles deux pilules d'extrait thébaïque ; — frictions sur le ventre, cinq fois dans la journée, avec huit grammes d'onguent mercuriel et deux grammes d'extrait d'opium.

Vers neuf heures, l'état de la malade parut plus satisfaisant. Les vomissements avaient cessé, la figure était calme, le pouls fréquent, mais plus fort que pendant la nuit, et assez souple.

Le reste de la journée se passa assez bien. La malade fut calme et tranquille : elle dormit une bonne partie de la nuit.

Le lundi matin (8 juin), à la visite, la malade était dans l'état suivant : la figure est abattue ; les douleurs abdominales ne sont pas très vives ; cependant elle éprouve par intervalle des douleurs pongitives aiguës, qui se traduisent à l'extérieur par des crispations de la face, et même par des grincements de dents. Le pouls n'offre rien de particulier. J'enlève le serre-nœud, mais je laisse la ligature en place. J'ordonne la même prescription que la veille, en y ajoutant un bain.

Pendant toute la matinée la malade parut très abattue. Son pouls est devenu petit ; néanmoins elle dit qu'elle souffre peu : elle se trouve bien.

A midi et demi, M. Demeaux arrive pour faire mettre la malade dans le bain ; mais il la trouve très abattue, dans un état voisin de la syncope ; ses lèvres sont froides ; à chaque instant surviennent des hoquets qui la tourmentent beaucoup. Elle demande à changer de position : on la fait placer sur le côté droit. Le bain est retardé. Mais au bout d'un quart d'heure, les hoquets se succèdent avec rapidité ; des vomissements ont lieu. La malade se plaint de vives douleurs dans le ventre, principalement dans les deux fosses iliaques et dans le flanc droit. Dès lors on renonce au bain, et on fait immédiatement une application de trente sangsues sur les points douloureux.

Quelques heures après, la malade se trouve un peu soulagée ; elle dit que ses douleurs sont moins vives. Cependant son pouls est resté petit, dur et fréquent ; l'altération de ses traits est considérable.

Le mardi (9 juin), à la visite du matin, l'état de la malade n'était rien moins que satisfaisant, et je vous communiquai, à la leçon du même jour, toutes mes craintes. Cette journée se passa à peu près comme la précédente. Cependant vers le soir les symptômes devinrent de plus en plus alarmants, et la malade succomba à une heure après minuit, sans rien présenter de particulier.

L'autopsie (1), faite trente-six heures après la mort, a fourni les résultats suivants : le péritoine n'était affecté que partiellement, et c'est seulement du côté du petit bassin qu'on trouvait quelques traces manifestes d'inflammation. La cavité péritonéale contenait inférieurement un épanchement assez considérable de sang pur; il y en avait de seize à vingt onces. La portion de la matrice qui restait était imprégnée de ce liquide; cependant on voyait très bien la section des parties; et il était évident qu'une portion de cette espèce de moignon avait glissé sous la ligature, et s'était échappée dans le ventre. Notons cette dernière circonstance : elle va nous servir pour donner une explication de la mort de cette femme. Je dois ajouter que, par des circonstances indépendantes de notre volonté, il ne nous fut pas permis de pousser plus loin nos investigations.

Je ne terminerai point sans vous présenter quelques considérations pratiques sur ce fait.

Je n'ai pas à revenir sur les motifs qui m'ont déterminé à pratiquer l'opération chez cette femme; je me suis déjà assez expliqué sur ce point ; et quoique le résultat ait été malheureux, je suis parfaitement convaincu que ce parti était le seul rationnel, car la malade marchait évidemment vers une mort très prochaine. Je ne crains même pas d'avancer que, si une circonstance semblable se présentait de nouveau, je ne balancerais pas à prendre le même parti ; mais,

(1) Le cadavre de cette femme a été embaumé par les soins et le procédé de M. Gannal, et ce n'est qu'après cette opération que l'autopsie a été faite.

comme je vais vous le dire, j'apporterais quelques légères modifications au procédé opératoire.

Si nous cherchons maintenant à nous rendre compte de la cause immédiate de la mort de cette femme, nous trouverons, je crois, les principaux éléments de cette question dans le résultat de l'autopsie. L'idée d'une péritonite se présente tout d'abord, et l'ouverture du cadavre a montré que des traces évidentes d'inflammation existaient dans la partie inférieure du péritoine. Aussi quelques personnes ne balanceraient point à dire que l'épanchement de sang a donné lieu à la péritonite, et que c'est à cette maladie que notre malade a succombé. Pour ma part, je dois l'avouer, je ne partage pas cette opinion. Je ne nie pas que le péritoine se soit enflammé, l'autopsie l'atteste d'une manière évidente; mais tout me porte à croire que ce n'est pas là la cause directe de la mort. Cette cause, je la trouve dans l'hémorrhagie. Rappelez-vous l'état d'exténument dans lequel se trouvait cette femme avant l'opération; ajoutez à cela l'application de près de quatre-vingts sangsues faite en deux fois, et vous comprendrez si cette malheureuse était après cela en mesure de supporter encore une perte de sang d'environ vingt onces.

Je ne sais si je m'abuse, mais le désir de me rattacher à l'idée d'un accident qui pourrait être évité, et de conjurer une terminaison si fatale, me fait penser que dès le premier jour de l'opération l'hémorrhagie s'est produite de la manière suivante : soit par la rétraction des parties voisines, soit par l'affaissement du moignon, soit enfin par une trop faible constriction de la ligature, et peut-être aussi par toutes ces causes réunies, la lèvre supérieure du moignon a glissé au-dessous du lien, l'a abandonné pour entrer dans le ventre, et de là l'hémorrhagie. Il résulte de cette idée, qui se trouve d'ailleurs appuyée par le résultat de l'autopsie, un enseignement pratique fort important, dont je ferai mon profit dans une circonstance semblable. Je m'explique, et c'est par là que je terminerai : Dans un nouveau cas de ce genre, je combinerais toujours la ligature avec l'excision ; mais je serrerais plus fortement le lien, et pour me prémunir plus sûrement contre l'écartement ou la séparation des deux lèvres de la plaie, je placerais encore en avant de la ligature principale une nouvelle anse de fil qui traverserait le moignon de part en part, et dont je fixerais les bouts en dehors de la vulve, de telle sorte que l'accident qui est survenu chez notre malade ne pourrait plus se reproduire.

ARTICLE IX.

CONSIDÉRATIONS PRATIQUES SUR LE TRAITEMENT DES FRACTURES (1).

Depuis quelques années le traitement des fractures est la question à l'ordre du jour dans le monde chirurgical. Déjà, dans différentes circonstances, je vous ai prouvé que la science a fait des progrès immenses sous ce rapport ; c'est à tel point qu'on serait presque porté à penser

(1) Depuis 1836, M. Velpeau a fait à différentes reprises des leçons spéciales sur les fractures ; cette importante question a été envisagée par lui sous toutes les faces. Au commencement de cette année scolaire, il lui a encore consacré une série d'entretiens. J'avais l'intention de traiter ici ce sujet avec tous les développements que lui a donnés le savant professeur de la Charité ; mais il me serait évidemment impossible de tout dire dans le peu d'espace qui me reste. Considérée sous un point de vue clinique, une pareille question exigerait à elle seule un volume entier. J'ai dû en conséquence me restreindre, et choisir la partie qui offre le plus d'intérêt pour les praticiens. Le choix que j'ai fait est assez justifié, je crois, par les travaux récents qui ont été publiés sur cette matière et par la nouvelle direction imprimée au traitement des fractures. Je me bornerai d'ailleurs à présenter ici des généralités, et surtout à faire ressortir les avantages des appareils inamovibles.

qu'elle est enfin arrivée à ce point de simplicité et de perfection qui n'autorise plus de nouvelles recherches. L'époque me semble donc favorable pour mettre sous vos yeux un court exposé de l'état actuel de la science sur ce point important de thérapeutique chirurgicale.

Deux modes de traitement des fractures sont actuellement en présence; vous me voyez en employer un à l'exclusion de l'autre; il est juste que je vous fasse connaître les motifs de ma préférence, d'autant plus que plusieurs praticiens suivent encore une autre pratique.

Réduire les fragments osseux dans leur position naturelle; les maintenir dans cette position pendant le temps nécessaire à la consolidation; prévenir les accidents qui peuvent se développer et combattre ceux qui se sont déjà manifestés : telles sont les indications principales qui se présentent dans le traitement des fractures.

La première de ces indications est trop bien connue pour que je m'arrête à discuter les principes sur lesquels elle repose.

De tout temps on a pensé que, lorsqu'un os est fracturé, les fragments osseux doivent être maintenus en rapport pour que la consolidation ait lieu. Or la consolidation d'une fracture est le résultat d'un travail par suite duquel une substance organique s'épanche à l'extrémité des fragments osseux, et éprouve plusieurs transformations jusqu'à son entière ossification (1). On comprend donc que l'accomplissement de ce travail sera d'autant plus facile, d'autant plus rapide, que la partie fracturée sera maintenue dans un repos plus parfait. Qui ne voit déjà que, toutes choses égales d'ailleurs, un appareil qui n'est pas ou qui n'est que rarement renouvelé depuis son applica-

(1) Je passe ici sous silence les détails dans lesquels M. Velpeau est entré sur la formation du cal. On trouve dans le tome II, page 47, des *Leçons orales de clinique chirurgicale*, faites à l'Hôtel-Dieu de Paris par M. Dupuytren, 2ᵉ édition, des considérations d'un haut intérêt sur cette matière.

tion première jusqu'à la guérison complète de la maladie, est celui qui présente le plus de chances pour assurer cette immobilité si favorable à la consolidation du cal? Certes, ces idées ne sont pas nouvelles; elles n'ont point échappé aux chirurgiens de la plus haute antiquité. Aussi trouvons-nous parmi eux des traces des appareils inamovibles; et tout porte à penser que si ce mode de traitement n'était pas généralement suivi, c'est qu'on craignait le développement d'accidents graves. Nous verrons plus tard jusqu'à quel point ces craintes, qu'un assez grand nombre de praticiens partagent encore, sont fondées.

J'ai déjà dit que le traitement des fractures comprend deux méthodes principales; dans l'une, l'appareil est renouvelé à des époques plus ou moins rapprochées; dans l'autre, le même appareil suffit ordinairement jusqu'à la consolidation complète du cal.

La première de ces deux méthodes a été généralement suivie jusqu'à ces dernières années; elle est même encore employée par un assez grand nombre de praticiens; mais nous devons ajouter que ce nombre diminue chaque jour.

La seconde méthode a été préconisée de nos jours d'une manière toute particulière, et elle est maintenant sanctionnée par un assez grand nombre de faits pour qu'il ne soit plus permis de révoquer en doute les éminents services qu'elle a rendus.

Avant d'entrer en matière, j'éprouve le besoin de donner quelques détails sur l'historique des appareils inamovibles. Depuis quelques années les prétentions de plusieurs chirurgiens distingués sont en présence et s'entrechoquent toutes les fois que l'occasion s'en présente; l'histoire, mais une histoire impartiale, peut mettre chacun d'accord; toutefois, ce n'est pas tout: il faut en outre savoir interpréter l'histoire. Je m'explique:

Il y a dans les méthodes thérapeutiques, comme dans toutes les idées scientifiques nouvelles, deux choses fort différentes : le point de départ, le fait primitif de ces découvertes, et leurs conséquences ou leurs applications. Ces deux parties fort distinctes peuvent être produites simultanément ou successivement par le même individu, comme elles peuvent l'être, ce qui arrive le plus souvent, par des auteurs différents et venus à de longs intervalles. En un mot, presque jamais l'auteur d'une idée nouvelle ne la développe jusqu'au bout, et ne tire toutes les conséquences dont elle est susceptible. Qu'arrive-t-il? c'est que ceux qui viennent après lui cherchent trop souvent à s'approprier sa pensée en la confondant avec les développements qu'ils lui ont donnés. Si le premier inventeur vit encore, il use de représailles; il revendique non pas seulement son idée, mais toutes les conséquences qu'on en a tirées; et s'il est mort, la critique et la rivalité qui le suppléent réclament à son profit tout ce qu'on a tiré de son héritage. Cependant la vérité et l'équité ne sont pas plus du côté de l'inventeur que de ses continuateurs; chacun d'eux a sa part de mérite pour la somme de résultats nouveaux qu'il a produits; et, je dois le dire, les conséquences valent quelquefois mieux que le principe, comme celui-ci est souvent d'un ordre plus élevé que les conséquences.

Quoi qu'il en soit, l'invention d'une idée, d'une méthode, son extension, sa généralisation, ses applications diverses, ses modifications, dérivent toutes d'un même point de départ, dépendent plus ou moins l'une de l'autre; mais toutes constituent des produits différents de l'intelligence et doivent être considérées comme des inventions successives, d'un mérite relatif et appartenant à chacun de ceux qui les ont conçues. L'esprit avide et absolu soit des inventeurs, soit de leurs continuateurs, ne s'accommode malheureusement pas toujours de cette justice distributive; et cependant c'est cette justice qui doit reconnaître et consacrer ce que chacun a imaginé dans une méthode accidentelle, particulière, imparfaite à son point de départ, et qui arrive, par la succession des temps et de l'expérience, à être une méthode complète, générale et parfaite de tous points. Si je ne me trompe, voilà l'histoire de toutes les méthodes thérapeutiques importantes et celle du traitement des fractures par les appareils inamovibles. Ces idées ont du reste été développées à différentes reprises dans la *Gazette médicale* de Paris.

Quels sont en effet aujourd'hui les éléments de la méthode en question considérée dans ses derniers perfectionnements? Quelles en sont les applications principales et à quelles conséquences utiles et nouvelles a-t-elle conduit? Un examen consciencieux, tout-à-fait impartial de ces différentes questions répandra le plus grand jour dans cette discussion, et rendra à chacun la part qui lui revient de droit.

Les *éléments* du traitement par les appareils inamovibles consistent 1° dans le principe même de l'inamovibilité; 2° dans la matière solidifiante employée pour réaliser ce principe; 3° dans la composition, la combinaison, l'agencement des différentes parties de l'appareil. Passons en revue chacun de ces points.

1° Le principe de *l'inamovibilité* remonte à la plus haute antiquité; les annales de l'art l'attestent d'une manière irrévocable. Fodéré rapporte qu'il existait déjà du temps d'Hippocrate une classe de rebouteurs qui guérissaient les fractures à l'aide d'un appareil permanent. Sans remonter aux anciens Grecs, sans parler de ce qui se fait au Brésil, en Italie, en Perse (1), en Espagne, et parmi les naturels

(1) Les Grecs, au dire de Pouqueville, se servent d'une espèce de mastic pour maintenir la fracture immobile. Cette immobilité est obtenue au Brésil avec des roseaux élastiques qu'on laisse en place jusqu'à la consolidation de la fracture. Assalini, en Italie, use de carton mouillé, M. Amédée Jaubert a appris à M. Larrey fils que les chirurgiens persans ne changent presque jamais les appareils des fractures. (A. Bérard, *Archiv. génér. de médecine*, novembre 1833, pag. 389.)

des diverses contrées de l'Arabie (1), l'idée de rendre inamovibles les appareils à fracture se trouve clairement indiquée dans le traité de Belloste ayant pour titre : *Le chirurgien d'hôpital*, Paris 1696. En effet, à la page 330, on trouve une observation de fracture qui fut traitée par un

(1) M. Sédillot, professeur au Val-de-Grâce, apporta de la dernière expédition de nos armées à Constantine, un appareil à fracture employé par les Arabes, et qu'il présenta à l'Académie royale de médecine. Ce chirurgien publia ensuite une note sur ce sujet dans la *Gazette médicale de Paris* (année 1838, page 135). J'en extrais les passages suivants :

« La femme d'un des habitants de Constantine, dit M. Sédillot, ayant eu le bras gauche brisé par l'éclat d'une de nos bombes, fut abandonnée par les médecins arabes, qui la soignaient lors de la prise de la ville, et je fus prié de la part du gouverneur, par le capitaine d'état-major D..., de suivre le traitement de cette malade.

» Une large perte de substance existait au côté externe du milieu du bras, et laissait apercevoir l'extrémité de fragments osseux, nécrosés dans une petite étendue. Le membre reposait sur des coussins, et la fracture était maintenue réduite par l'appareil suivant :

» Treize planchettes de palmier de neuf pouces environ de longueur sur huit lignes de largeur, convexes sur une de leurs faces, planes sur l'autre, et épaisses de deux à trois lignes, avaient été assujetties par leur face plane, et à des intervalles égaux de trois à quatre lignes, sur un morceau de peau de mouton, dont les bords, reployés sur les extrémités des attelles, servaient à les fixer par quelques points de suture. Dans l'espace qui séparait la première attelle de la seconde, on avait pratiqué trois ouvertures destinées à recevoir trois lanières de deux pouces de long, qui avaient été taillées aux dépens de la peau qui dépassait la treizième attelle. Ces lanières, introduites dans les ouvertures correspondantes, servaient à serrer l'appareil autour du membre à la maniere de bandages unissants, et on les fixait, en les traversant d'une petite cheville de bois, plus longue que l'intervalle des attelles sur lesquelles elle reposait. Ce moyen eût difficilement donné à l'appareil un degré de constriction suffisant, et on y avait suppléé en y ajoutant trois cordons de laine lâchement noués, pour pouvoir les tordre avec trois petits bâtonnets de roseau creux qui remplissaient l'office de tourniquets, et pouvaient serrer l'appareil avec toute la force convenable: pour les maintenir, on passait dans leur intérieur une aiguille de bois, et rien de plus aisé que de diminuer ou d'augmenter à volonté d'un ou de trois cordons sans imprimer la moindre secousse au membre.

» Ainsi composé, ajoute M. Sédillot, cet appareil eût été parfaitement

appareil ayant beaucoup de ressemblance avec l'appareil inamovible. « Un soldat du régiment de Condé, nommé la Tulipe, fut conduit dans ce lieu avec une fracture accompagnée de fracas au fémur droit, à peu près en sa partie moyenne.... Aussitôt qu'il eut été entre mes mains, je fis

applicable à une fracture simple; mais ici la plaie présentait une grave complication, et pour la panser, juger de la situation des fragments et favoriser l'écoulement du pus, on avait enlevé une portion de deux attelles et de la peau qui les recouvrait, et on avait ainsi pratiqué à l'appareil une perte de substance un peu moins grande que celle subie par le bras; il y avait là par conséquent un véritable bandage inamovible d'un usage facile, et offrant le même résultat que celui en plâtre de M. Dieffenbach, qui assurait l'immobilité du membre tout en laissant la plaie à découvert par la soustraction du plâtre correspondant, ou de celui de M. Seutin, qui enlève à coups de ciseaux un morceau de son bandage amidonné..... »

M. Sédillot donne ensuite la description d'un autre mode d'appareil à fracture également en usage parmi les Arabes, et qui lui a été communiqué par le docteur Rodichon. En voici les principales dispositions :

» Un morceau de cuir épais, résistant et proportionné aux dimensions du membre fracturé, est percé à des distances égales d'une suite de boutonnières représentant une série d'ouvertures placées en colonne les unes au-dessous des autres. Huit ou douze rangées de trous sont ainsi pratiquées, selon que le cuir est plus ou moins large, de manière à lui donner l'apparence d'une compresse régulièrement fenêtrée.

» Dans chaque rangée de boutonnières, on passe, en guise d'attelles, des lames de roseau, de saule, de peuplier, ou de tout autre bois facile à polir, et l'on forme ainsi un bandage résistant, composé d'une seule pièce et généralement plus long de quelques pouces que le membre lésé, et assez large pour l'emboîter complétement. On le maintient sur la fracture au moyen de tours de bande.

» Lorsqu'on veut donner issue au pus, laver la plaie, enlever les esquilles d'os, examiner les progrès du cal, on n'a pas besoin de défaire l'appareil; il suffit de retirer une ou deux attelles, et par les boutonnières qui se trouvent libres, on peut faire sortir le pus, les esquilles, et observer la blessure; on remet ensuite les attelles en place, et rien ne se trouve dérangé.

» Quand les médecins arabes, ajoute M. Sédillot, appliquent ce bandage, dont ils se servent pour les membres supérieurs et inférieurs, ils rendent la pression plus douce et plus uniforme, en garnissant les membres de mousse; *ils en font en outre un appareil inamovible en le recouvrant d'une couche de terre glaise qui acquiert en se desséchant la solidité du plâtre.* »

une extension vigoureuse, je réduisis la fracture et j'appliquai *un linge trempé dans l'œuf entier, battu avec un peu d'huile rosat et une petite quantité de bon vinaigre*; je mis par-dessus quelques compresses, trois ou quatre bandes assez longues, quelques attelles de carton, le tout posé dans une gouttière pareillement de carton, et par-dessus tout cela les fanons et tout ce qui les accompagne..... Il resta ainsi sans toucher à son appareil l'espace de vingt jours entiers, etc. »

Cependant le premier travail dans lequel on trouve une description raisonnée de cet appareil est un mémoire de Moscati, inséré dans le tome IV des *Mémoires de l'Académie de chirurgie.* Il ne paraît pas d'ailleurs que l'auteur eût connaissance de quelque chose de semblable. Il s'agissait d'une jeune fille qui, au mois de février 1739, tomba de sa hauteur sur la partie supérieure du bras droit. Dans cette chute, la tête de l'humérus se décolla du corps de cet os. Les fragments osseux furent remis en contact avec assez de facilité; mais on ne savait quel moyen employer pour les maintenir dans cette position. Voici comment s'exprime Moscati : « Je proposai un moyen que j'avais médité depuis long-temps, et qui devait consister à *mettre la partie dans une espèce de moule fabriqué sur elle-même*, en construisant, si j'ose m'exprimer ainsi, une boîte qui embrassât l'humérus et qui s'étendît sur la clavicule et sur l'omoplate, afin d'assujettir tellement la partie, qu'elle ne pût faire aucun mouvement jusqu'à la parfaite consolidation des pièces désunies. Une bande longue de cinq à six aunes, quatre compresses longuettes, assez épaisses, un assez grand nombre de plumasseaux d'étoupes et deux pièces de linge carrées, assez longues pour faire le tour du bras, et de largeur convenable pour s'étendre depuis la racine du col sur l'épaule jusqu'au-dessus des condyles de l'humérus. Je fendis obliquement chacune de ces pièces de linge devant et derrière, à l'endroit qui devait répondre au pli de l'aisselle. Je fis en outre battre beaucoup de blancs d'œufs pour y tremper quelques unes des pièces de cet appareil..... »

On trouve dans la 7ᵉ édition de l'Anatomie de Cheselden (page 452, Londres 1750) le passage suivant : « La planche 8 représente un membre difforme dès la naissance ; la planche B, le bandage pour guérir cette difformité. Il se compose de plusieurs pièces de linge imbibé d'une mixture d'œufs et de farine ; la première chose qu'on doit se proposer dans ce cas, est de tenir le pied de manière à ce qu'il forme une ligne droite avec la jambe ; et il faut le maintenir dans cette position jusqu'à ce que le bandage devienne roide. Ce point obtenu, le pied peut être ramené à sa situation naturelle par des bandages successifs. *Il n'y a aucun bandage qui vaille celui-là pour les jambes fracturées.* »

Il résulte de ce que je viens de dire que l'époque à laquelle on a commencé à se servir de l'appareil inamovible dans le traitement des fractures, et le nom de l'inventeur d'une pareille méthode sont également ignorés.

Cependant, il faut le reconnaître, s'il est vrai qu'on trouve çà et là dans les annales de la science quelques faits qui prouvent que les appareils inamovibles dans le traitement des fractures ne constituent point une méthode moderne, il ne l'est pas moins aussi que cette pratique fut loin d'être généralisée, et que, comme on l'a déjà dit avec beaucoup de raison, soit que ses partisans pour l'époque dont nous parlons aient fait trop peu pour la promulguer, soit qu'ils y aient eux-mêmes attaché trop peu d'importance, soit qu'on ait rencontré trop d'inconvénients pour en faire usage, soit enfin qu'on l'ait jugée mauvaise et dangereuse, elle passa, pour ainsi dire, inaperçue dans le monde chirurgical, et l'on continua à se conduire dans le traitement des fractures comme on l'avait toujours fait auparavant.

Les choses en étaient là, lorsque M. Larrey, s'emparant de l'idée que quelques uns de ses devanciers s'étaient, pour ainsi dire, bornés à énoncer, et qui était loin encore d'avoir produit ses fruits dans l'esprit des chirurgiens, vint dissiper toutes les craintes et montrer, par une foule de faits bien observés, que l'inamovibilité dans les appareils à fracture offre des avantages immenses sur l'ancienne méthode. Dès cette époque la pratique chirurgicale fut vivement ébranlée sur ce point; les propositions émises par M. Larrey, et basées sur sa grande expérience, éveillèrent l'attention des chirurgiens; beaucoup de médecins, ses élèves, témoins des brillants résultats obtenus par cette méthode, l'adoptèrent avec enthousiasme, et l'auteur de la *Clinique chirurgicale des hôpitaux militaires*, en décrivant dans cet ouvrage (1830) l'appareil inamovible, lui fit définitivement prendre rang dans la science.

Il est évident d'après cela que M. Larrey doit être considéré, sinon comme le créateur de cette méthode, du moins comme son premier et principal propagateur parmi les chirurgiens modernes; c'est assez dire la part qui revient de droit à ce chirurgien dans la question qui nous occupe. C'est lui qui a tiré cette méthode de l'oubli dans lequel elle était; c'est lui qui est venu dissiper les craintes qu'elle faisait naître dans l'esprit des chirurgiens; c'est lui enfin qui l'a érigée en corps de doctrine, qui l'a généralisée et qui en a recommandé l'emploi à tous les praticiens. On peut donc dire en toute vérité que la science est en quelque sorte redevable à M. Larrey de cette belle acquisition thérapeutique.

Mais pour être tout-à-fait juste, il faut reconnaître aussi que des expériences postérieures à celles de M. Larrey, et dont je parlerai bientôt, n'ont fait que mieux démontrer l'excellence du principe scientifiquement établi par ce chirurgien. Cela est si vrai, que ce n'est guère que depuis quelques années que les appareils inamovibles ont pris une extension vraiment remarquable dans la pratique, et que sous peu, sans aucun doute, cette méthode de traitement sera universellement adoptée par les chirurgiens. La raison de ce mouvement progressif est facile à trouver ; elle est tout entière dans les modifications importantes qu'on a fait subir à ces appareils et dans les conséquences éminemment pratiques qui ont résulté de ces modifications. Je m'expliquerai bientôt sur ce point.

2° *Matière solidifiante.* — Les chirurgiens qui se sont servis de l'appereil inamovible ont employé des matières diverses pour durcir les pièces du bandage. Les Grecs faisaient usage d'une espèce de mastic composé avec des coquillages ou de la chaux, des blancs d'œufs, de l'huile et du beurre : nous avons vu que Belloste battait des blancs d'œufs avec de l'huile rosat et du vinaigre. Moscati crut pouvoir s'en tenir aux blancs d'œufs seuls. En 1823, je fis moi-même usage d'un moyen solidifiant analogue à ceux de Moscati et de Cheselden. M. Dieffenbach se sert du plâtre. La matière solidifiante de M. Larrey est un mélange de blancs d'œufs, d'alcool camphré et d'extrait de saturne. Moi-même, en 1830, j'employai le liquide suivant : dix blancs d'œufs, six onces d'eau de Goulard et trois onces d'eau-de-vie camphrée.

On le voit, à l'exception du plâtre dont se sert M. Dieffenbach, toutes les matières solidifiantes dont on a fait usage jusqu'à ces dernières années, étaient des composés plus ou moins compliqués, dans lesquels les blancs d'œufs dominaient toujours. Je dois ajouter toutefois que dès 1823 j'avais écrit qu'une colle faite avec du vinaigre et de la farine de seigle rend les bandages inamovibles.

Il importait cependant de trouver une substance qui remplît les mêmes indications et qui fût à la portée de tout le monde : M. Seutin a obtenu ce résultat. L'amidon, introduit dans la pratique par ce chirurgien, est une acquisition vraiment précieuse. Cette seule découverte assurerait au chirurgien belge une large part dans la question qui nous occupe; mais ce n'est pas la seule, comme je le dirai plus tard.

Dès que les expériences de M. Seutin me furent connues, je me hâtai d'en faire l'essai dans cet hôpital; et alors, comme toujours d'ailleurs, quoi qu'on en ait dit, je rendis pleine et entière justice à ce chirurgien. La substitution de l'amidon aux matières solidifiantes préalablement employées était à mes yeux un véritable progrès, mais je ne pensai pas que ce fût le *nec plus ultrà*. A mon avis, on pouvait trouver mieux, et je me mis à la recherche d'un nouveau moyen. Après plusieurs expériences, qu'il serait inutile de faire connaître, je m'arrêtai à la dextrine; et depuis trois ans environ, c'est la seule substance que vous me voyez employer. Est-ce à dire pour cela que je proscrive l'amidon comme un mauvais moyen? non, mille fois non. Si je manquais de dextrine, j'y aurais recours sans aucune crainte. Mais, je dois le dire, parce que telle est ma conviction, la dextrine me paraît offrir sur l'amidon des avantages qui ne sont pas sans avoir leur importance. En effet, l'amidon doit être préalablement réduit en empois et cuit à un degré convenable, ensuite il est presque indispensable de l'employer chaud; pour l'appliquer, il faut l'étaler soit avec la main, soit avec un pinceau à la manière de la peinture; il n'est pas facile en outre d'en imbiber convenablement les bandes avant de les appliquer. Ce ne sont pas là, il faut le dire, des inconvénients graves, et je serais fâché qu'on pût penser que j'y attache une très grande importance; cependant une substance qui n'exigerait aucune de ces précautions devrait être sans contredit préférée. Or, la dextrine est dans ce cas; c'est une substance à presque aussi bas prix que l'amidon, et elle devient de plus en plus commune, à mesure que les chirurgiens en font un plus fréquent usage. Elle se dissout facilement, même à froid, dans l'eau pure; une fois dissoute, elle se délaie très bien dans l'eau-de-vie; on peut alors en imbiber les bandes et les linges comme d'un liquide quelconque; elle se dessèche au moins aussi vite que l'amidon, et contracte une consistance pour le moins aussi considérable. Pour opérer le mélange, voici comment on se comporte: on prend une quantité en volume de dextrine, un plein verre par exemple, on met la poudre dans un vase, puis on verse dessus, pour la délayer petit à petit avec les doigts, un verre d'eau; quand la dextrine est bien délayée, on y ajoute une verre d'eau-de-vie simple ou camphrée.

Cette simple préparation peut suffire; cependant, d'après une foule d'expériences que nous avons faites dans cet hôpital, nous sommes arrivés à pouvoir déterminer le mode de préparation le plus avantageux.

La première qualité d'une solution de dextrine, c'est de pouvoir sécher promptement, afin que le membre blessé puisse jouir le plus vite possible de l'inamovibilité que lui assure l'inflexibilité de l'appareil. Pour obtenir ce résultat d'une manière tout-à-fait favorable, il n'est pas indifférent d'employer sans proportions la dextrine et l'eau. La prompte dessiccation d'un appareil dextriné dépend, en outre, non seulement d'une juste proportion dans les éléments de la dissolution, mais encore de quelques circonstances d'application. Disons en peu de mots quelles sont les circonstances les plus favorables pour obtenir le résultat qu'on se propose.

Le meilleur mélange dextriné, celui qui réunit tous les avantages de solidité et de prompte dessiccation, doit être composé de *cent* parties de dextrine pour *soixante* parties d'eau-de-vie camphrée, et *cinquante* parties d'eau. Mais toutes ces matières ne doivent pas être immédiatement mêlées ensemble. Voici comment on doit procéder.

La dextrine étant déposée dans un vase, on y ajoute immédiatement l'eau-de-vie camphrée, qu'on pourrait à la rigueur remplacer par l'eau-de-vie ordinaire; on malaxe ensuite ce premier mélange, et on le pétrit avec les doigts jusqu'à ce qu'il ait acquis la couleur, la consistance et la transparence du miel; cela fait, on ajoute l'eau chaude, et après une ou deux minutes d'agitation, le mélange est complet et peut être employé.

Pour imbiber la bande qui doit entourer le membre fracturé, nous nous servons actuellement d'un petit appareil imaginé par M. d'Arcet, interne dans notre service. Cet appareil est semblable à celui qu'emploient les teinturiers pour plonger leurs étoffes au fond du bain coloré; il consiste en un vase en fer-blanc, muni d'une traverse au fond et d'un tourniquet au sommet. La bande, engagée sous la traverse du fond, est obligée de passer dans le mélange dextriné que contient le vase, puis elle vient s'enrouler sur un axe que la main fait mouvoir. De cette manière, la bande est roulée avec justesse et régularité, et la pression modérée qu'elle subit sur l'axe mobile en exprime très bien l'excédant de la dextrine.

Hâtons-nous d'ajouter que cet instrument n'est point nécessaire, et que les mains suffisent dans tous les cas. Cependant je pense que dans les hôpitaux on devrait généralement y avoir recours.

Voici maintenant les quantités de dextrine que nous employons pour confectionner les divers appareils :

Pour une fracture de cuisse. . . . . . . 500 grammes.
Pour une fracture de jambe. 300
Pour une fracture du bras. 200
Pour une fracture de l'avant-bras. . . . 200
Pour envelopper une articulation, de 75 à 100 grammes.

Ces appareils sèchent en quatre ou cinq heures sans autre soin que celui de suspendre le membre à l'aide de deux ou trois bandes (1).

(1) M. A. Bérard suspend le membre sur un filet. M. Blandin le place tout simplement sur un oreiller, et le fait tourner quand il est sec d'un côté.

En résumé, pour obtenir une solidité convenable et une dessiccation aussi prompte que possible par les appareils dextrinés, il faut réunir les circonstances suivantes :

1° Faire un mélange de 100 parties de dextrine, 60 parties d'eau-de-vie camphrée, ou simplement d'eau-de-vie ordinaire, et 50 parties d'eau.

2° Exprimer avec soin l'excédant du mélange qui mouille inutilement la bande.

3° Appliquer avec soin le bandage, en faisant le moins possible de renversés.

4° Bien glacer ou vernir l'appareil avec le restant du mélange en y passant la main de haut en bas, suivant le sens dans lequel les circulaires sont imbriquées.

5° Suspendre le membre sur trois ou quatre bandes attachées à un cerceau et enduites de cérat, afin qu'elles n'adhèrent pas à l'appareil quand il sera sec.

Le 15 janvier 1838, M. Lafargue de Saint-Emilion proposa (1) une modification dans la méthode employée par M. Seutin et moi, modification qui avait pour objet d'obtenir une plus prompte solidification de l'appareil, en faisant usage d'un mastic composé d'amidon et de plâtre pulvérisé. Dans sa thèse soutenue à la Faculté de Montpellier, le 29 avril 1839, il a exposé son procédé avec détails. D'après lui, son appareil présente toutes les conditions voulues pour un bon moyen contentif, comme le bandage de M. Seutin ; mais il posséderait en outre une qualité dont ne jouit ni ce dernier ni le mien, c'est d'être *instantanément solidifiable*. Pour le prouver, M. Lafargue cite les deux expériences suivantes : 1° si l'on mélange une poignée de plâtre finement pulvérisé avec une égale proportion de colle d'amidon, et que l'on enduise de ce mastic les faces de quatre ou cinq morceaux de linge superposés, on aura au bout de deux heures un corps solide

(1) Séance de l'Académie des sciences.

qui cèdera avec peine sous la pression des doigts. Si l'on répète la même expérience avec l'amidon, la dessiccation n'aura lieu qu'au bout de vingt-quatre heures, et le corps qui en résultera se courbera beaucoup plus facilement. 2° Deux bouts de bande d'une demi-aune étant enduits, l'un de mastic gypso-amylacé, l'autre d'amidon, si on les roule sur eux-mêmes, à part, chacun sur un cylindre de bois, et qu'on les enlève ensuite de dessus le cylindre, on aura deux anneaux dont l'un s'aplatira lorsqu'on le laissera tomber de quelques pieds d'élévation, et dont l'autre ne subira aucune déformation dans cette circonstance. Le premier est le bout amidonné, le second le bout gypso-amylacé.

Pour bien préparer ce mastic, on emploie d'une part de l'empois encore *chaud* ayant la consistance du pus louable; plus épais, son gâchage avec le plâtre deviendrait impossible; d'autre part, du plâtre calciné et pulvérisé *récemment*, car quand il est vieux il a attiré l'humidité de l'air, il s'évente et durcit avec une extrême lenteur. On met sur une assiette deux ou trois cuillerées de plâtre, et une égale proportion de colle d'amidon, on les gâche ensemble, sans aucune addition d'eau, avec une spatule; au bout de quelques secondes, le but est atteint.

Je n'insisterai pas davantage sur cette préparation proposée par M. Lafargue; évidemment elle est inférieure à l'amidon et à la dextrine. Aussi je ne suis point étonné que ce médecin ait eu peu d'imitateurs. Je ne parlerai pas d'un inconvénient assez sérieux qu'on pourrait faire à ce composé solidifiant, s'il avait pris quelque extension dans la pratique; je me bornerai à citer le passage suivant du travail de M. Lafargue : « Si le plâtre est gâché trop clair, dit ce médecin, c'est-à-dire s'il contient trop de colle d'amidon, il se coagule avec lenteur, et acquiert une solidité moins prononcée. S'il est au contraire gâché trop serré, c'est-à-dire si la colle d'amidon est froide ou trop épaisse, il se durcit trop vite, et devient très difficile à employer. Si le plâtre est vieux et éventé, il faut gâcher serré, c'est-à-dire se servir d'une colle d'amidon plus épaisse qu'à l'ordinaire, mais toujours tiède, car une douce chaleur de ce produit favorise singulièrement le durcissement. Il est indispensable de ne préparer ce mastic qu'en petite quantité à la fois, et seulement au fur et à mesure qu'on l'utilise; il se solidifie en effet si rapidement, qu'il ne serait bientôt plus possible de s'en servir; un aide en prépare de nouveau à mesure que le chirurgien en dispose. Il est superflu de se servir d'un pinceau pour enduire les bandelettes de ce mastic, les doigts sont les meilleurs instruments (1). »

Il résulte de ce que je viens de dire sur les matières solidifiantes qui ont été employées pour confectionner les appareils inamovibles, que l'amidon et la dextrine doivent rester seuls dans la pratique. Pour ma part, je trouve à la dextrine des avantages qui, j'en suis persuadé, généraliseront de plus en plus son emploi; mais à défaut de cette substance, je me servirais sans aucune crainte de l'amidon.

3° *Composition et agencement des pièces de l'appareil.*— Jusqu'à M. Larrey inclusivement, les pièces de l'appareil avaient été plus ou moins nombreuses, et leur agencement plus ou moins compliqué. Leur assemblage constituait en outre un appareil pesant, difficile, sinon impossible, à modifier ou à déplacer. Je ne m'arrêterai point à présenter ici la description des appareils inamovibles antérieurs à celui de M. Larrey. Voici celui que ce chirurgien emploie pour les fractures de la jambe. « *Le drap-fanon :* drap ordinaire plié en plusieurs doubles. — *Les fanons :* deux cylindres

(1) N'ayant pas pu me procurer la thèse de M. Lafargue, j'ai extrait ce passage d'un travail de M. le docteur Pigeolet, ayant pour titre : *Esquisse historique sur le bandage amidonné et les moyens thérapeutiques qui lui ressemblent.*

de paille serrés fortement avec des ficelles ; le diamètre de chacun d'eux est d'un pouce et demi environ ; ils doivent être un peu moins longs que le *drap-fanon*. — *Les remplissages :* deux coussins de balle d'avoine assez épais, et de la longueur des fanons. — *La talonnière :* coussin conique en étoupe, de six pouces de long sur trois de large, et de deux d'épaisseur à sa base. — *Le bandage :* trois compresses à six chefs séparés les uns des autres. — *L'étrier :* compresse longuette. — *La tibiale :* grande pièce de toile découpée sur la forme de l'appareil. — *Les liens :* cinq ou six rubans de fil (1). »

Comparez maintenant cet appareil avec celui dont vous me voyez faire usage depuis quelques années, et il vous sera facile de voir la distance énorme qui les sépare. Quelques personnes ont craint que la simplicité des appareils inamovibles actuels ne fût obtenue qu'aux dépens d'un manque de solidité convenable. Les faits nombreux qui ont été publiés dans ces dernières années ont déjà dissipé cette crainte. Nous aurons d'ailleurs occasion de revenir sur ce point.

La composition des appareils, les modifications qu'on a fait subir à ceux qui étaient encore en usage avant que M. Seutin eût fait connaître le résultat de ses recherches sur le traitement des factures, constituent une question beaucoup plus importante qu'on ne semble le croire généralement.

Sous le rapport du nombre des pièces du bandage, M. Seutin a le premier simplifié les appareils qui nous occupent; qu'il me soit permis de dire toutefois que dès 1830, j'avais indiqué qu'une simple bande roulée pouvait suffire dans plusieurs cas. Voici ce que M. Hipp. Fournier, interne dans mon service à l'hôpital Saint-Antoine, écrivait à cette époque dans le *Journal hebdomadaire* :

(1) *Du traitement des fractures des membres par l'appareil inamovible*, par M. Larrey fils. Thèse de Paris, 16 août 1832.

« Dans un assez grand nombre de fractures simples ou compliquées de l'avant-bras et de l'extrémité inférieure de l'humérus, M. Velpeau s'est servi avec avantage d'un appareil analogue à celui de M. Larrey, et qui, modifié, n'est autre chose que l'étoupade de Moscati. Voici le procédé de M. Velpeau : on fait avec le résidu de la filasse un gâteau épais et plus ou moins large ; on couvre une de ses faces avec une couche du mélange suivant, qui est de consistance sirupeuse : dix blancs d'œufs, six onces d'eau de Goulard, et trois onces d'eau-de-vie camphrée. On place le membre blessé dans cette sorte de plumasseau qui l'enveloppe parfaitement, et dont la surface externe est encore arrosée avec le même mélange ; l'appareil est ensuite recouvert de compresses par-dessus lesquelles on applique soit le bandage de Scultet sans les bandelettes séparées, soit *une simple bande roulée*, suivant les cas.....

» Dans plusieurs cas d'entorse, M. Velpeau a aussi fait usage avec succès de l'étoupade, dont l'action résolutive se combine surtout ici avec la facilité qu'elle donne d'appliquer une compression très égale et très exacte autour des parties (1). »

On le voit, dès 1830, et par conséquent avant M. Seutin, j'avais senti le besoin de simplifier les appareils inamovibles, et reconnu les avantages qu'on pourrait en retirer en étendant leur usage contre d'autres affections que les ruptures osseuses. Cependant, je me hâte de le dire, c'est le chirurgien de Bruxelles qui le premier a généralisé l'idée que je n'avais fait qu'indiquer, et qui, par les nombreuses applications qu'il en a faites, se l'est à bon droit appropriée et a su en retirer une foule de conséquences pratiques. Entrons dans quelques détails.

Au début de ses expériences, M. Seutin substitua aux attelles en bois ou en fer, les attelles en carton, légères,

(1) *Journal hebdomadaire de médecine*, 1830, tom. VIII, pag. 419.

flexibles, se moulant parfaitement sur toute la surface du membre fracturé; de plus il remplaça les pièces nombreuses des anciens appareils par de simples bandelettes en linge suivant toutes les inégalités du membre, et présentant sous un petit volume toute la solidité des appareils complétement inamovibles.

Dès que j'eus connaissance des expériences faites à l'hôpital Saint-Pierre de Bruxelles, et des succès nombreux qui en étaient le résultat, je me mis aussitôt à l'œuvre dans cet hôpital; et pour mieux voir quels étaient les véritables avantages de la nouvelle méthode, je me conformai d'abord de tous points aux règles posées par M. Seutin. Un des anciens élèves de ce chirurgien, M. le docteur Deroubaix, qui se trouvait alors à Paris, voulut bien se charger d'appliquer lui-même le bandage de son maître, sous mes yeux, sur un certain nombre de malades. Voici comment il procéda pour une fracture de jambe : la réduction et la coaptation étant opérées, il appliqua un premier plan de bandelettes de Scultet, et plaça sur les côtés du tendon d'Achille au-dessus du talon un petit coussin allongé. Ce premier bandage fut enduit d'une couche d'amidon. Un second plan de bandelettes de Scultet fut ensuite appliqué et enduit d'amidon comme le précédent. Deux longues plaques de carton épais et mouillé furent alors placées en arrière et de chaque côté de la jambe suivant toute sa longueur; elles étaient taillées de façon que leur extrémité inférieure représentait pour chacune une demi-semelle, si bien qu'étant recourbées au-dessous du pied elles en tapissaient toute la plante. Un troisième plan de Scultet était ensuite appliqué par-dessus et largement enduit d'amidon comme les plans précédents.

Je sais que plus tard M. Seutin modifia son appareil et le rendit beaucoup plus simple; mais je dois déclarer que c'est seulement d'après les données précédentes que je travaillai de mon côté à donner aux nouveaux appareils inamovibles le plus de simplicité possible sans rien leur faire perdre de leur solidité. Après quelques essais, je m'aperçus bientôt que mon ancien appareil compressif serait avantageusement substitué à celui de M. Seutin ; de sorte que l'appareil des fractures se réduisit bientôt pour moi à un simple bandage roulé dont on agglutine les différents tours avec une colle soluble et siccative. J'appris plus tard que M. Seutin avait aussi indiqué la bande roulée comme pouvant remplacer, dans *des cas exceptionnels*, le bandage de Scultet.

Quoi qu'il en soit, depuis plus de trois ans, ceux d'entre vous qui suivent ce service me voient confectionner les appareils inamovibles avec une simple bande longue et quelques compresses pour combler les vides qui peuvent exister. Le mode d'application consiste à entourer le membre fracturé d'un premier plan de bande sèche ; le reste de cette bande est imbibé de la solution de dextrine, et on l'applique comme si on voulait établir un bandage compressif.

Si la fracture est compliquée de plaie aux téguments, je confectionne le bandage de manière à laisser cette plaie à nu. Par ce moyen on peut la panser, la surveiller à son aise, sans qu'il soit nécessaire d'imprimer au membre blessé des mouvements qui sont toujours plus ou moins nuisibles à la consolidation du cal. Je dois dire cependant que ce point pratique avait déjà été indiqué et adopté par M. Seutin.

Les *applications* principales qu'on a faites du bandage inamovible se sont singulièrement étendues entre les mains de M. Seutin. Jusqu'à M. Larrey inclusivement, on n'avait employé cette espèce d'appareil que dans le traitement des fractures. J'ai dit plus haut qu'en 1829, je m'en étais servi contre les entorses ; mais il faut reconnaître que c'est M. Seutin qui en a étendu et généralisé l'emploi contre plusieurs affections autres que des ruptures osseuses, telles que diverses luxations, les varices, certaines variétés de tumeurs blanches, certaines caries, etc. Comme on le voit, c'est une généralisation complète du moyen, et cette généralisation appartient à M. Seutin; et elle est une déduction naturelle des perfectionnements qu'il avait apportés au principe solidifiant et à la confection des appareils.

Les *conséquences utiles et naturelles* auxquelles ont conduit les simplifications dont nous venons de parler, consistent principalement dans la *compression* généralisée du membre fracturé et dans la *déambulation* des malades pendant presque toute la durée du traitement. De ces deux résultats importants, le premier me revient en grande partie d'après l'application générale que j'ai faite de la bande roulée. Ce n'est point ici l'occasion de développer les avantages d'une compression générale, modérée, exacte, uniformément répartie sur les membres fracturés. M. Seutin a si bien compris ces avantages, qu'il les a mentionnés postérieurement, et qu'il a même tiré un grand parti de la compression dans des applications nouvelles. Mais, par cela même que j'ai généralisé l'emploi de la bande roulée, j'ai généralisé en même temps le principe de la compression qui en dépend, et dont j'avais d'ailleurs long-temps auparavant exposé les avantages (1).

Le principe de la *déambulation* pendant le traitement des fractures est une conséquence capitale de l'appareil inamovible. C'est un avantage plus précieux peut-être à lui seul que tous les autres ensemble. Plus cette idée est importante, plus les auteurs attachent d'honneur à l'avoir trouvée et appliquée. C'est ainsi que M. Seutin, qui revendique presque exclusivement pour lui cette innovation, se trouve en présence de M. Bérard jeune, qui la réclame aussi exclusivement et sans partage. L'histoire doit encore ici mettre ces deux chirurgiens d'accord.

(1) *Archives générales de Médecine*, tom. II, pag. 210, première série.

Le besoin de ne pas tenir la totalité du corps dans l'immobilité pour une fracture de jambe a été senti dès longtemps par quelques chirurgiens. La planchette à suspension de Sauter, l'hyponarthécie de M. Mayor, tendent déjà vers ce but. Un chirurgien de Londres, M. Amesbury, donne (pag. 48 de son ouvrage publié en 1827) la figure et la description de plusieurs appareils qui lui servent depuis quinze à vingt ans à remplir la même indication. « Avec mes appareils, dit-il, les malades peuvent mouvoir le membre comme bon leur semble, sortir du lit, se placer sur un sopha ou mettre la jambe sur une chaise, *marcher même avec des béquilles.* » De plus, M. Th. Léger me fit voir en 1830 une machine dont j'ai dit un mot dans les *Archives générales de médecine* pour 1832, et qui aurait permis aux malades affectés de fracture de jambe de marcher même sans le secours des béquilles. On le voit, l'idée première de la déambulation n'appartient ni à M. Bérard ni à M. Seutin. Mais, hâtons-nous de le dire, chacun d'eux a concouru à l'établir par ses expériences, et surtout par les perfectionnements de l'appareil qui l'ont rendue plus praticable.

S'il est vrai de dire que le principe de la déambulation avait été reconnu avant MM. Bérard et Seutin, il ne faudrait pas en conclure que ces deux chirurgiens se disputent une proie qui ne leur appartient pas. En effet, ce n'est que depuis leurs expériences que l'attention des chirurgiens s'est fixée sur ce point, et que les malades affectés de fracture de jambe ne sont plus obligés de rester des mois entiers dans leur lit.

En 1833, M. Bérard publia dans les *Archives générales de médecine* (1) un mémoire sur l'appareil inamovible. A la page 235 de ce travail, il cite le fait suivant : « Le nommé Boulney, dit Vilmain, François, âgé de vingt-qua-

(1) Deuxième série, tom. II.

tre ans, entra à l'hôpital Saint-Antoine le 22 février 1833; il avait une fracture de l'extrémité inférieure du péroné, à deux pouces et demi de l'articulation tibio-tarsienne; fracture qui reconnaissait pour cause une chute dans laquelle la jambe avait été prise sous le siége. Cette fracture était aussi simple que possible; il n'y avait ni gonflement ni douleur. L'appareil inamovible fut appliqué le 26 février. Trois jours après, je fis lever le malade, qui put marcher à l'aide de béquilles en évitant de s'appuyer sur la jambe emprisonnée dans le bandage. Chaque jour, jusqu'au 16 mars, Vilmain se livra à l'exercice de la marche, en se servant toujours de béquilles et ne s'appuyant que sur la jambe saine. Pendant ce temps, la consolidation se forma, et le 16 mars, en levant l'appareil, je trouvai la fracture parfaitement guérie. » Chez quelques autres malades, M. Bérard permit la marche à une époque plus ou moins avancée du traitement. Dans la partie théorique de son travail (pag. 389), il dit : « Lorsque la fracture occupe la jambe, et c'est peut-être ce qui a lieu le plus fréquemment, le malade n'est pas condamné à rester au lit pendant la durée du traitement; il peut, dès le troisième jour, se lever, se promener à l'aide de béquilles et vaquer ainsi à ses occupations. Cette liberté dont jouit le malade est d'un avantage immense, et ne se rencontre qu'avec l'appareil que je décris. »

Voilà donc l'idée de la déambulation clairement formulée pour les fractures de jambe, et M. Bérard peut à juste titre en revendiquer la priorité par rapport à M. Seutin; mais là, en bonne justice, doivent se borner les droits de notre compatriote. Quant aux applications et surtout à la généralisation du principe, le chirurgien de Bruxelles peut à bon droit réclamer la première et la plus large part. M. Bérard avait publié *une* expérience dans un cas de *fracture du péroné*, et avait dit *qu'on peut*, lorsque la fracture occupe *la jambe*, permettre aux malades de se promener avec des béquilles pendant la durée du traitement. Mais M. Seutin ne s'est pas borné à une expérience et à un conseil; il en a produit un nombre considérable; il en a produit pour toutes sortes de fractures, et il a subordonné avec raison la facilité et l'innocuité de cette pratique à la simplification de son appareil, à sa grande légèreté. En un mot, il a prouvé que le conseil de M. Bérard pouvait être appliqué, et il l'a rendu facilement applicable par son nouvel appareil. Je dois même dire que, par la manière dont M. Seutin a envisagé le principe de la déambulation, par l'extension qu'il lui a donnée, il se l'est pour ainsi dire approprié; car, il faut le reconnaître, sans les expériences faites à l'hôpital Saint-Pierre à Bruxelles, les malades affectés de fracture de jambe seraient probablement encore retenus dans leur lit pendant toute la durée du traitement!

De la discussion qui précède et des faits que je viens d'exposer avec impartialité, je crois pouvoir conclure :

1° Que l'idée première de l'inamovibilité des appareils contre les fractures existait dans la science depuis l'antiquité;

2° Que cette idée a été convertie en méthode et réalisée par M. Larrey pour le traitement des fractures;

3° Que M. Seutin a généralisé cette méthode, et montré la plupart de ses applications possibles;

4° Que M. Seutin l'a considérablement perfectionnée, en substituant l'amidon, matière soluble, au blanc d'œuf, et les bandes de toile et les attelles de carton aux étoupades et aux attelles en bois;

5° Que c'est à moi qu'appartient la dernière simplification de l'appareil : la généralisation de la bande roulée, sans attelles, et la généralisation de la compression;

6° Que l'idée de la déambulation avait été vaguement indiquée avant M. Bérard, que ce chirurgien l'a formulée le premier très explicitement; mais qu'à M. Seutin appartient l'honneur de l'avoir généralisée, et d'avoir rendu sa généralisation possible et facile.

Maintenant si, mettant de côté tous ces détails chronologiques, nous nous élevons à des considérations plus philosophiques, nous trouvons deux époques principales dans la question qui nous occupe et les deux chirurgiens qui les représentent, MM. Larrey et Seutin. La part du chirurgien militaire a déjà été faite.

S'il est vrai de dire qu'avant que M. Seutin eût publié le résultat de ses expériences à l'hôpital Saint-Pierre, les appareils inamovibles étaient employés par quelques praticiens; si même la plupart des points de cette pratique étaient connus et consignés dans les annales de la science, il faut avouer aussi que c'est ce chirurgien qui a su coordonner ces idées et en faire un corps de doctrine. C'est en effet depuis cette époque, et depuis cette époque seulement que la pratique des appareils inamovibles est généralement répandue, et que ce mode de traitement a enfin prévalu sur la méthode ancienne. Cette direction heureuse des esprits revient de droit à M. Seutin, et elle suffit pour lui assurer une très large part dans la question qui nous occupe.

Me voilà quitte avec l'histoire; mais puis-je espérer d'avoir réellement satisfait toutes les exigences de l'amour-propre? je n'ose l'affirmer. Quoi qu'il en soit, je crois avoir montré assez d'impartialité dans l'appréciation des titres de chacun pour que mes intentions au moins soient jugées d'une manière favorable.

Je reviens à mon point de départ, à ce qu'il y a de pratique dans la nouvelle méthode de traitement des ruptures osseuses.

Il importe avant tout d'examiner une première question qui se présente au début du traitement des fractures, question ardue et délicate, qui a beaucoup occupé les pathologistes, et sur la solution de laquelle plusieurs d'entre eux ne sont point encore d'accord.

A quelle époque convient-il d'appliquer l'appareil ? — Deux méthodes générales divisent à ce sujet les praticiens. Dans l'une on applique l'appareil aussitôt que possible ; l'autre veut au contraire qu'on n'en fasse usage qu'après le dégorgement des parties.

La première de ces pratiques est tellement enracinée dans l'esprit du public et tellement ancienne, que la plupart des malades se croiraient en danger s'ils étaient dans l'impossibilité d'avoir promptement un chirurgien près d'eux. Aussi envoient-ils sur-le-champ en demander de tous côtés, dans la crainte de ne pas en avoir un assez tôt; sous ce rapport leurs angoisses et leur frayeur ne sont que rarement fondées. A moins de complications sérieuses, il est à peu près indifférent que l'appareil soit appliqué au bout de quelques minutes ou au bout de vingt-quatre heures. Jusqu'à ce dernier terme, en effet, il n'y a rien à redouter. Ceci doit être dit bien haut, afin d'empêcher s'il se peut l'inquiétude dans laquelle la fracture d'un membre jette ordinairement la famille du blessé. Mais ce n'est point ainsi que la thérapeutique des fractures divise les praticiens d'aujourd'hui. Je m'explique :

Les chirurgiens qui vantent la temporisation veulent que le membre fracturé reste sans appareil pendant six, huit et même dix jours. Cette période, disent-ils, est nécessaire pour combattre le gonflement et le travail inflammatoire des parties molles. En se comportant de la sorte, ils prétendent n'avoir rien à redouter. La consolidation ne commençant qu'à partir du huitième ou du quinzième jour, il doit être inutile jusque là, selon eux, de maintenir les bouts de l'os exactement affrontés. Ils ajoutent que pour réduire la fracture dans les premiers jours, on est obligé d'exercer des tractions qui aggravent l'inflammation ou en favorisent le développement ; que l'appareil augmente considérablement les douleurs, et que les bandages, gênant l'afflux des liquides, peuvent déterminer la gangrène du membre. Tout ce qu'ils permettent, c'est de tenir la partie immobile dans la demi-flexion, fixée sur un coussin, à l'aide de quelques serviettes ou de quelques alèzes pliées en cravate et qu'on attache aux bords du lit.

Or, c'est contre cette pratique que je viens invoquer de nombreux faits, des expériences multipliées.

Le raisonnement seul indique tout d'abord que les fragments d'un os brisé ne peuvent pas rester sans inconvénient au milieu des parties molles, qu'ils irritent nécessairement par leurs pointes, par leurs inégalités. Il doit donc être évident pour tout le monde que le meilleur moyen de les empêcher d'enflammer les parties est de les remettre aussi exactement que possible dans leur position naturelle, et de les rendre tout-à-fait immobiles. S'il est vrai que, tout en faisant office d'épine au milieu des tissus, les os fracturés ne puissent pas amener d'inflammation suppurative en moins de vingt-quatre heures, il l'est aussi que cet accident surviendrait assez fréquemment si on attendait de six à dix jours avant de les remettre en place. D'un autre côté, aucun des reproches adressés à la méthode opposée n'est réellement fondé. Ainsi la réduction des fractures, opérée avec prudence, ne cause pas de plus vives douleurs au bout de quelques heures qu'au bout de quelques jours; loin d'augmenter les souffrances, l'appareil, appliqué convenablement, les calme, au contraire, d'une manière presque instantanée; vous avez eu plus d'une fois occasion de vous en convaincre dans ce service; je vous citerai bientôt quelques faits qui en sont une preuve. Au lieu d'exposer à la gangrène, la compression, mais une compression douce, modérée, bien faite, la prévient toutes les fois que cet accident n'est pas imminent, et qu'il est possible de maintenir les os dans des rapports convenables.

Au reste, la question de savoir à quelle époque il convient d'appliquer l'appareil dans le traitement des fractures doit être étudiée dans ses détails.

Cette question, à mon avis, ne doit être discutée que pour les cas dans lesquels le membre fracturé est le siége d'un gonflement plus ou moins considérable ; car, dans les circonstances opposées, c'est-à-dire lorsque la lésion n'a porté d'une manière notable que sur le tissu osseux, et que les parties molles sont saines, je ne crois pas qu'il puisse exister le moindre doute : l'appareil doit alors être appliqué immédiatement après l'accident, ou du moins le plus tôt possible; telle est aussi la pratique de la très grande majorité des praticiens. Il importe donc avant tout de bien s'entendre sur la nature du gonflement qui survient immédiatement après l'accident. C'est peut être pour ne pas avoir assez réfléchi sur ce point que les chirurgiens ne sont point encore d'accord.

Disons tout de suite que le gonflement qui se développe presque instantanément autour d'un membre qui vient d'être fracturé, ne peut point être considéré comme le résultat de l'inflammation ; car il est évident que les phénomènes inflammatoires n'ont pas eu le temps de se manifester. Ce gonflement, ce boursouflement des parties molles est, dans ces cas, constitué par une quantité plus ou moins considérable de sang extravasé et épanché dans les tissus : c'est en définitive un épanchement sanguin. Je ne pense pas du moins qu'on puisse donner une autre interprétation de ce phénomène, lorsque, je le répète, il survient immédiatement ou peu d'heures après la production de la fracture. Ceci étant bien établi, qui ne voit que, pourvu que le gonflement ne soit pas porté à un degré extrême, une compression méthodiquement faite, bien loin d'être nuisible, sera d'une utilité évidente pour conjurer les accidents inflammatoires? Les avantages de la compression, dans ces circonstances, ont été trop bien étudiés dans ces derniers temps, ils sont trop bien connus des praticiens pour qu'il soit nécessaire d'entrer dans des détails à ce sujet. D'ailleurs je citerai bientôt quelques faits qui confirmeront de tous points les principes que je viens d'émettre.

Reprenons maintenant la question principale, et examinons-la sous ses différents points de vue.

Lorsqu'un membre est fracturé par une cause quelconque, tantôt la lésion ne porte que sur les os, tantôt elle affecte et le tissu osseux et les parties molles tout à la fois. Étudions chacun de ces cas et les variétés diverses qui peuvent s'y rapporter.

Lorsque la lésion osseuse est simple et qu'elle existe sans que les parties molles soient sensiblement affectées, je l'ai déjà dit, il n'y a pas à balancer, l'appareil doit être appliqué immédiatement. La compression a ici un double avantage : d'abord elle maintient les fragments immobiles, et s'oppose par là à ce qu'ils irritent les tissus voisins par des frottements répétés; en second lieu, elle est un excellent moyen pour prévenir l'inflammation qui pourrait se développer. Telle est la pratique que vous me voyez suivre constamment, et je puis affirmer que je ne me rappelle pas un seul fait qui puisse légitimer la moindre crainte. Ce premier cas est d'ailleurs si simple, que je crois inutile d'entrer dans plus de détails.

Si la fracture est comminutive sans que les parties molles soient affectées, ou du moins sans que leur affection se traduise au dehors par des signes sensibles, je pense encore que les chirurgiens doivent se comporter de la même manière que dans le cas précédent, et cela par les mêmes raisons que je viens d'énoncer. C'est, du reste, la pratique que vous me voyez suivre. Entre autres faits qui viennent confirmer mes idées sur ce point, je vous mentionnerai le suivant.

Obs. I. — Au mois de mars 1837, un homme d'environ trente ans, d'une forte constitution, entre dans notre service. L'humérus droit venait d'être fracturé comminutivement à l'union de son tiers moyen avec son tiers inférieur. Nous pûmes constater facilement cette sensation qu'on a comparée avec raison à celle que fait éprouver un sac de noix mis en mouvement. Les parties molles paraissaient d'ailleurs saines; seulement une plaque d'épiderme avait été emportée par le corps qui avait produit la lésion. Il n'existait aucune espèce de gonflement sur le bras. La rupture osseuse avait été produite quelques heures avant la visite. Je fis aussitôt appliquer l'appareil inamovible. Tout se passa dans le calme le plus parfait; la consolidation s'opéra d'une manière très régulière; et cinquante jours après l'accident le malade sortit de l'hôpital parfaitement guéri.

Si la rupture osseuse est accompagnée de gonflement des parties molles, si ce gonflement n'est pas très considérable, et s'il est survenu immédiatement après l'accident ou peu d'heures après, l'appareil doit encore être appliqué le plus tôt possible. C'est ici surtout que les bons effets de la compression se montrent jusqu'à la dernière évidence; mais pour cela je ne saurais trop vous le répéter, il faut que le bandage soit appliqué d'une manière très méthodique; car si la compression bien faite constitue un moyen vraiment héroïque dans ces cas et dans ceux qu'il nous reste à examiner, je dois vous prévenir aussi qu'employée par des mains peu exercées, elle peut devenir la cause d'accidents plus ou moins redoutables. Ne l'oubliez jamais, c'est là une ressource puissante en chirurgie; mais, passez-moi cette expression, elle ne souffre pas de médiocrité.

Obs. II. — *Fracture du péroné et de la malléole interne. — Application de l'appareil inamovible seize heures après la chute. — Guérison sans aucun accident.* — Le 2 février 1840 est entré dans notre service le nommé Marié (Jean-Baptiste), âgé de quarante-six ans, peintre en bâtiments, d'un tempérament sanguin et d'un embonpoint très prononcé. Cet homme fit, le jour même de son entrée à l'hôpital, une chute; et en voulant se relever, il s'aperçut, dit-il, que sa jambe droite était cassée. On le transporta immédiatement dans nos salles. Le lendemain matin, je constatai les phénomènes suivants :

Le pied et le bas de la jambe du côté droit sont le siége d'un gonflement assez prononcé et d'une ecchymose légère ; mais il n'existe point de solution de continuité à la peau. Le blessé dit éprouver d'assez vives souffrances, surtout lorsqu'on fait éprouver des mouvements à la partie inférieure du membre. Après un examen attentif, je constatai une fracture de la malléole interne et une solution de continuité à la partie inférieure du péroné, un peu au-dessus de la malléole externe. L'état général du malade n'offrait d'ailleurs rien d'extraordinaire. Cet homme était tranquille et ne se plaignait, comme je l'ai déjà dit, que d'assez vives douleurs dans la région blessée. Il n'existait d'ailleurs sur ce point aucun symptôme inflammatoire. Je vous prévins dès lors que tout me portait à penser qu'un bandage bien appliqué exercerait dans ce cas la plus heureuse influence sur la marche de la maladie, et conjurerait l'orage qui était probablement prêt à éclater.

Dans la journée, un appareil inamovible fut appliqué. Le pied et le bas de la jambe furent d'abord entourés d'une certaine quantité d'ouate maintenue en place par quelques tours de bande, sèche et convenablement serrée. On appliqua par-dessus deux attelles de carton mouillé qui furent recouvertes par le reste de la bande imbibée de dextrine. Pour que la dessiccation s'opérât sans que le membre pût subir aucune déviation anormale, on appliqua ensuite les attelles et le coussin de Dupuytren, en ayant soin de les séparer du bandage par un linge cératé.

Peu d'heures après l'application de l'appareil, et ceci est à la lettre, Marié se trouva parfaitement soulagé ; les douleurs dont il se plaignait auparavant avaient complétement disparu.

Le 4 février, je trouvai le malade dans un état tout-à-fait satisfaisant. Le bandage dextriné était complétement sec. J'enlevai aussitôt les attelles.

Le 5, Marié demande à manger ; il se promène tranquillement dans la salle à l'aide de béquilles.

Le 7, il est si enchanté de son état qu'il demande à sortir de l'hôpital, disant qu'il pourra tout aussi bien se soigner chez lui. J'accédai à sa demande, en lui prescrivant toutefois de ne faire aucune imprudence, et de revenir à la consultation dans un mois. Il revint en effet ; nous enlevâmes l'appareil, et nous constatâmes que la consolidation s'était opérée d'une manière tout-à-fait régulière.

Je le demande, traité par l'ancienne méthode, cet homme en aurait-il été quitte à si bon marché ?

Obs. III. — *Fracture du cubitus. — Gonflement assez considérable de l'avant-bras. — Application de l'appareil inamovible deux jours après. — Prompte consolidation. — Guérison sans accidents.* — Le 27 décembre 1839 entra dans notre service le nommé Ledoux (Eugène), âgé de vingt-trois ans, d'une bonne constitution. Le 26 du même mois, il tomba du haut d'une échelle, et dans sa chute, le côté cubital de l'avant-bras droit porta, dit-il, sur un des montants de l'échelle. Un gonflement assez considérable survint sur la partie blessée. Un médecin fut appelé, et ordonna un bain et des cataplasmes émollients. Le lendemain, le gonflement avait encore augmenté, et le malade éprouvait de vives douleurs dans le membre. Il fut prescrit une application de vingt-cinq sangsues ; mais le malade ne voulut pas s'y soumettre, et vint à notre consultation.

Le bras droit était fortement tuméfié ; cependant je pus constater l'existence d'une fracture du cubitus vers le tiers inférieur de cet os. Le malade fut admis dans nos salles, et je prescrivis un bandage compressif.

Le lendemain, le gonflement avait considérablement diminué. J'appliquai alors le bandage dextriné.

Le 30, le malade n'éprouvait plus aucune douleur.

Le 17 janvier, nous enlevâmes l'appareil. La fracture était entièrement consolidée, et la réunion était tellement exacte, qu'il nous fut impossible de retrouver l'endroit où le cubitus avait été fracturé.

Le 19, Ledoux sortit de l'hôpital parfaitement guéri.

Chez ce malade, la guérison fut prompte et parfaite; mais je suis persuadé qu'on lui aurait épargné deux jours de souffrance si l'appareil avait été appliqué le jour même de l'accident.

Obs. IV. — *Fracture des deux os de l'avant-bras. — Gonflement de cette partie du membre supérieur. — Guérison sans accidents.* — Le 12 mars 1840 entra dans notre service le nommé Viard (Jean), commissionnaire, âgé de cinquante-deux ans. Renversé par un cabriolet, il tomba sur le bras gauche, qui acquit en quelques heures un développement considérable. Dans cette chute, la tête porta contre l'essieu de la voiture, et ce choc donna lieu à une plaie assez étendue, mais superficielle, des parties molles du crâne.

Le blessé fut transporté le jour même dans nos salles. Le lendemain, à la visite, je constatai une fracture des deux os de l'avant-bras; cette partie du membre supérieur était le siége d'un gonflement assez prononcé. Je fis appliquer immédiatement le bandage dextriné; aucun accident ne survint.

Le 15 avril j'enlevai l'appareil; la consolidation était en bonne voie, mais elle n'était pas encore complète. Je réappliquai le bandage dextriné, et douze jours après (le 27 du même mois), le malade sortit de l'hôpital parfaitement guéri, sans aucune espèce de difformité.

Obs. V. — *Fracture des deux os de la jambe. — Gonflement des parties molles. — Application de l'appareil dextriné seize heures après l'accident.* — Le 29 octobre 1839, entra dans notre service la nommée Acault (Marie-Louise), âgée de soixante-dix ans, porteuse de pain. Cette femme, glissant sur un trottoir, tomba la jambe droite repliée sous elle, et ne put pas se relever. Elle fut aussitôt transportée à l'hôpital.

Le lendemain, à la visite, nous constatâmes une fracture du tibia à sa partie inférieure, à un pouce environ au-dessus de la malléole, et une solution de continuité du péroné du même côté, vers la partie moyenne. La jambe était le siége d'un gonflement assez prononcé. La malade se plaignait de vives douleurs dans la région blessée. — Je fis aussitôt appliquer un appareil dextriné.

Dès le lendemain, la malade était parfaitement tranquille; quelques jours après elle demanda à sortir de l'hôpital, promettant de revenir dans un mois. Nous ne l'avons plus revue. Il est permis de penser qu'elle a été radicalement guérie.

Obs. VI. — *Fracture du radius. — Gonflement considérable du poignet. — Application d'un bandage compressif et résolutif. — Quatre jours après l'accident application du bandage inamovible.* — Le 13 janvier 1840 est entrée dans notre service la nommée Belin (Marie), âgée de quarante-huit ans, domestique. Le 11, vers cinq heures du soir, cette femme fit une chute sur le poignet droit, et sentit aussitôt un craquement dans cette région qui acquit promptement, dit-elle, un gonflement considérable. On se borna à appliquer des compresses résolutives; le jour de son entrée, l'interne de garde appliqua un bandage compressif.

Le lendemain, à la visite, je constatai l'existence d'une fracture du radius, et l'interne me dit que le gonflement avait bien diminué depuis l'entrée de la malade; je réappliquai en conséquence le même bandage.

Le 15, j'appliquai l'appareil inamovible, et le 20 du même mois, la malade quitta l'hôpital emportant avec elle le bandage dextriné.

Nous l'avons revue depuis; la guérison est complète; il n'existe aucune espèce de difformité.

Je pourrais vous mentionner une foule d'autres faits du même genre ; mais je crois vous en avoir assez dit pour vous montrer que mes idées sur ce point sont confirmées de tous points par l'expérience.

Lorsque la fracture est compliquée de plaies aux téguments, je suis encore la même pratique que dans les cas précédents. La manière dont on confectionne de nos jours les appareils inamovibles permettant de laisser à nu la solution de continuité des parties molles, rien n'est plus facile que de donner à la plaie tous les soins désirables. Je sais bien que c'est surtout dans ces cas que plusieurs chirurgiens recommandent de différer de quelques jours l'application de l'appareil ; mais je ne crains pas de dire pour ma part qu'ici encore une compression bien faite offre des avantages vraiment remarquables. C'est surtout dans des questions de ce genre qu'on doit laisser parler les faits.

Obs. VII. — *Fracture des deux os de la jambe. — Plaie des téguments avec issue d'un des fragments osseux. — Autres complications. — Application de l'appareil inamovible douze heures après l'accident. — Guérison.* — Le 21 janvier 1840 entra dans notre service le nommé Leroy (Antoine), âgé de cinquante-six ans, chapelier, demeurant rue Mouffetard, n° 191.

Cet homme, d'un tempérament sanguin, dit avoir eu anciennement plusieurs maladies dont il ignore le nom, mais dont il a été très bien guéri.

Il y a cinq ans environ, à la suite d'un travail pénible et forcé, il vit survenir rapidement sur son genou gauche un gonflement considérable qui l'empêcha bientôt de marcher. Il entra alors à l'Hôtel-Dieu dans le service de M. Sanson. Divers abcès se formèrent sur la jambe, et nécessitèrent l'emploi du bistouri. Après un mois de traitement, il sortit de l'hôpital sans être complétement guéri, et reprit ses occupations.

Quelque temps après il heurta assez fortement avec la jambe le barreau d'une chaise, et s'écorcha ce membre vers le tiers inférieur et antérieur du tibia. Cette écorchure se changea en un ulcère qui persista pendant près d'un mois. En même temps il se développa sur diverses parties de la jambe de gros boutons qui se changeaient bientôt en ulcères fistuleux. Cependant toutes ces petites plaies se fermèrent, se cicatrisèrent au bout d'un certain temps, en laissant sur le membre une teinte brune.

Il y a trois mois environ, Leroy reçut un léger coup sur la jambe, d'où résulta une écorchure vers le milieu de la crête de tibia ; cette plaie se transforma en un ulcère qui donna issue à une assez grande quantité d'un liquide noirâtre et à plusieurs petits fragments osseux. Le malade dit s'être soigné lui-même et n'avoir pas discontinué de travailler. Notons que toutes ces lésions dont nous venons de parler avaient eu lieu sur la même jambe. Tout allait bien cependant, et Leroy pensait être bientôt guéri, lorsque le 20 janvier, en descendant un escalier, il glissa et fit une chute. Au même instant il entendit un craquement dans la jambe, et éprouva une vive douleur. Quand il voulut se relever, il s'aperçut que sa jambe était cassée, et qu'un bout de l'os sortait par une solution de continuité des téguments. Il fut transporté aussitôt dans notre service.

Le 22, à la visite du matin, nous constatâmes l'état suivant :

Sur la jambe gauche existent plusieurs cicatrices nombreuses, et un petit ulcère situé vers le tiers inférieur et antérieur du membre. A côté et un peu au-dessus de cet ulcère nous trouvons une plaie longue de sept à huit centimètres, obliquement dirigée de haut en bas et de dehors en dedans; elle a été évidemment produite par l'issue du fragment osseux. Les bouts des os ne sont point en rapport, mais ils ne paraissent pas au dehors. Le malade nous dit qu'ils sont *rentrés*. Quoi qu'il en soit, il est facile de reconnaître une fracture complète des deux os de la jambe vers leur tiers inférieur.

Le pouls est lent, régulier, fort. Le malade dit éprouver de vives douleurs dans la jambe.

C'était là un cas grave, et je suis persuadé que plus d'un praticien aurait peut-être songé à l'amputation. Voici quelle fut ma conduite :

J'opérai immédiatement la réduction des fragments osseux et j'appliquai de suite le bandage dextriné, en ayant soin de laisser la plaie à nu ; je la pansai ensuite avec un linge cératé et de la charpie. Avant la fin de la journée, plusieurs d'entre vous ont pu s'en convaincre, notre malade se sentit beaucoup soulagé, et la nuit fut très bonne.

Le 23, le malade ne souffre plus ; il est tranquille ; la plaie ne suppure pas encore ; le bandage est complétement sec.

Le 24, la plaie suppure, elle offre un bon aspect ; je la fais couvrir d'un cataplasme disposé de telle sorte qu'il ne puisse point ramollir le bandage. Le malade se trouve très bien.

Le 10 février, aucun accident ne s'est manifesté ; la plaie s'est bien modifiée ; elle est aujourd'hui dans un très bon état. Le malade ne se plaint pas.

Le 21, j'enlève le bandage ; les fragments osseux sont complétement soudés. La plaie principale est cicatrisée ; mais nous observons un peu au-dessus un petit abcès superficiel que je fais couvrir d'un cataplasme. Le membre est placé sur un coussin.

Les jours suivants deux autres abcès superficiels comme le précédent se développent ; je les ouvre largement, et tout se passe bien.

Le 20 mars, toutes ces plaies sont cicatrisées ; le malade n'éprouve aucune douleur ; il commence à se lever.

Le 2 avril, le malade était complétement guéri ; il sortit de l'hôpital.

Des faits de ce genre dispensent de toute espèce de commentaires.

Je répèterai donc ici ce que je disais devant l'Académie des sciences le 2 septembre 1837 : « Lorsque les fluides sont accumulés outre mesure dans quelque partie du corps que ce soit, le médecin n'y remédie guère que par la phlébotomie, par des saignées locales ou par des topiques résolutifs. Pour moi, il m'a semblé que ces ressources, d'ailleurs indispensables et d'une efficacité incontestable, devaient cependant être insuffisantes, lorsque, comme dans les fractures, le corps irritant, l'épine enfin, ne peut pas être extrait du sein des organes. En y réfléchissant davantage, j'ai cru qu'on remplirait mieux l'indication en refoulant les fluides vers les centres circulatoires et en les empêchant d'affluer en trop grande proportion vers les parties malades.

» Partant de là, j'ai adopté pour principe au début de ma pratique, dans le traitement des fractures en général, qu'elles soient ou non accompagnées de gonflement, de plaies aux téguments, etc., de procéder immédiatement à la réduction ; cela fait, j'entoure la partie de compresses résolutives et d'un bandage modérément compressif, depuis la racine des doigts, si c'est à la main, depuis celle des orteils, si c'est aux pieds, jusqu'à l'extrémité supérieure du membre brisé ; il ne reste plus qu'à maintenir celui-ci dans l'immobilité et dans une position aussi peu fatigante que possible, au moyen de coussins et d'attelles. Ainsi, au lieu d'émissions sanguines locales et de topiques émollients, je me sers dès l'abord, pour combattre ou prévenir le gonflement et l'inflammation, de liquides résolutifs et de la compression. Jusque là mon appareil ne diffère de l'appareil ordinaire que par le bandage roulé que je substitue parfois au bandage de Scultet.

» A l'aide d'une pratique pareille, j'ai obtenu des résultats quelquefois surprenants. J'ai vu des membres énormément gonflés, livides, comme broyés et réduits en bouillie, au point de ne plus sembler permettre d'autre ressource que l'amputation, revenir à leur volume naturel, et guérir comme dans les cas de fractures les plus simples (1). Si la fracture est bien réduite, et que l'appareil soit appliqué avant l'arrivée du gonflement, on peut être sûr que celui-ci ne surviendra pas; si le gonflement existe déjà, s'il n'est constitué que par de l'infiltration séro-sanguine, il se dissipera aussi immanquablement; lorsqu'il est véritablement inflammatoire, on en obtiendra encore la résolution, à moins que la suppuration ne soit déjà établie, ou qu'il ne se présente sous la forme de quelque noyau phlegmoneux. En supposant qu'il y ait une plaie, la compression doit être également établie, comme dans les cas précédents; mais si cette plaie était large et profonde, si elle s'était faite de l'intérieur à l'extérieur, il faudrait qu'elle pût rester, elle seule, libre au milieu du bandage, afin qu'on pût la panser chaque jour séparément. En se comportant ainsi,

(1) En septembre 1837, j'ai observé à l'hôpital de la Pitié, dans le service de M. le professeur Sanson, un cas remarquable de fracture comminutive. En voici le résumé : M. Vidal (de Cassis) était alors chargé par intérim de ce service. Un homme fort, vigoureux, âgé d'environ vingt-cinq ans, s'était fracturé comminutivement les deux os de l'avant-bras dans leur partie supérieure, à deux pouces environ au-dessous de l'articulation huméro-cubitale; sur la partie externe de cette région existait une petite plaie superficielle; un gonflement énorme avec rougeur à la peau comprenait la moitié supérieure de l'avant-bras et le quart inférieur du bras; la moindre pression occasionnait les plus vives douleurs. En faisant mouvoir le membre, on éprouvait très facilement la sensation qu'on a comparée à celle que produit un sac de noix mis en mouvement. Cependant aucun vaisseau, aucun nerf important n'avaient été lésés. L'accident avait eu lieu environ trente heures avant l'entrée du malade à l'hôpital.

Certes, ce cas était grave; on aurait peut-être été en droit de procéder immédiatement à l'amputation. M. Vidal ordonne quarante sangsues; le soir même un bandage compressif est appliqué; deux jours après le gonflement avait beaucoup diminué. On applique alors l'appareil inamovible, et cinq semaines après, le malade sort de l'hôpital parfaitement guéri.

on calme autant que possible les souffrances du malade, outre qu'on a l'avantage de mettre les parties en état de subir heureusement le travail de consolidation, et, autant que possible, à l'abri de toute difformité pour la suite. »

Il ne faudrait pas croire pourtant que la pratique que je vous indique met constamment à l'abri de tous les accidents; comme toutes les autres, elle éprouve des revers, mais ces revers ne sauraient en aucune manière lui être imputés. En voici un exemple :

Obs. VIII. — *Fracture des deux os de la jambe. — Issue des fragments osseux à travers la peau. — Gonflement assez marqué. — Application de l'appareil dextriné vingt heures après l'accident. — Renouvellement du bandage. — Infection purulente un mois après. — Mort. — Autopsie.* — Le 23 novembre 1839, entra dans notre service le nommé Serrière (Guillaume), âgé de trente-huit ans, commissionnaire, d'un tempérament bilieux, jouissant habituellement d'une bonne santé.

Le jour même de son entrée à l'hôpital, il était occupé à descendre une feuillette pleine de vin dans une cave, lorsque, glissant sur l'escalier, il tomba, et la barrique roula sur sa jambe gauche; il essaya, dit-il, de se relever aussitôt et de s'appuyer sur la jambe qui avait essuyé le choc; mais, d'après son dire, le pied lui tourna aussitôt, et les fragments des os firent saillie à travers la peau. Il ne perdit point connaissance, et il dit qu'il ne s'écoula qu'une petite quantité de sang. Quoi qu'il en soit, il fut aussitôt transporté à l'hôpital.

Le 24, à la visite du matin, nous constatons les phénomènes suivants : la jambe présente un gonflement assez marqué, se prolongeant depuis le pied jusqu'à deux pouces environ au-dessous du genou; le pied est déjeté en dehors. Vers le tiers inférieur de la jambe, à quatre pouces environ au-dessus de la maléole interne, existe une plaie béante, en forme de demi-lune, longue de près de deux pouces, obliquement dirigée de haut en bas, et d'arrière en avant. Le tibia est évidemment fracturé comminutivement au niveau de cette plaie; le péroné est aussi divisé un peu au-dessous. Comme ces fractures ont été réduites par un médecin aussitôt après l'accident, les os sont à peu près en rapport, et ne font pas saillie au-dehors. Le malade se plaint de vives douleurs; le pouls est plein.

Je fais appliquer immédiatement le bandage dextriné, en ordonnant de comprimer légèrement vers la partie supérieure de la jambe, là où le gonflement était le plus prononcé. L'appareil est appliqué de telle sorte que la plaie est laissée à nu; je la fais panser avec un linge troué enduit de cérat et couvert de charpie.—Saignée de trois palettes. — Un bouillon.

Le 25, le malade est très content; il ne souffre en aucune façon; il nous dit avoir passé une très bonne nuit; son pouls est tranquille. (Notons, avant d'aller plus loin, car c'est là un phénomène presque constant, que c'est sans aucun doute l'application du bandage qui a fait disparaître les douleurs, et qui a rendu le calme au malade; c'est là une circonstance sur laquelle je ne saurais trop insister; elle répond d'une manière tout-à-fait péremptoire aux principales objections qu'on a faites à la pratique que je préconise en ce moment.) La plaie a un bon aspect; on aperçoit distinctement sur sa surface des abaissements et des soulèvements successifs qui correspondent évidemment aux battements artériels.

Le 26, le malade continue à être bien; il demande à manger; on lui donne deux potages.

Le 27, même état satisfaisant; le quart d'aliments; la plaie offre toujours un bon aspect; même pansement.

Le 9 décembre, je constate à l'aide d'un stylet un trajet fistuleux qui se prolonge jusqu'à deux pouces environ au-dessous de la plaie. Le gonflement qui existait sur la jambe a presque entièrement disparu et le bandage est devenu trop grand. Je le renouvelle immédiatement, en ayant soin de laisser toujours à découvert la plaie et le trajet fistuleux. Le malade n'éprouve aucune douleur pendant le changement de l'appareil.

Les jours suivants le malade se trouva aussi à son aise dans son nouveau bandage que dans le précédent.

Le 14, Serrière dit souffrir un peu de sa jambe; depuis hier soir il a de la fièvre. Un abcès s'est formé entre la plaie et le trajet fistuleux; je l'ouvre immédiatement, j'introduis un stylet dans cette ouverture, et je sens que l'extrémité du fragment supérieur du tibia est à nu.

Le 16, la fièvre persiste. La peau offre une teinte jaunâtre; la plaie est blafarde; la suppuration est assez abondante et de mauvaise nature. Je fais faire des lotions avec une décoction de quinquina.

Les jours suivants les symptômes d'infection purulente se déclarent avec la plus vive intensité, et le malade succombe dans la matinée du 22 du même mois.

Autopsie faite trente heures après la mort. — La surface extérieure du corps offre une teinte jaune très prononcée; les articulations sont excessivement roides; le cerveau et ses enveloppes ne présentent rien d'anormal; les poumons sont remplis d'une foule de petits abcès; le foie est sain dans presque toute son étendue, sauf dans la partie supérieure et antérieure de son grand lobe où nous trouvons un abcès ayant environ deux pouces dans tous ses diamètres; les reins, la rate, les intestins ne présentent rien d'anormal; le système circulatoire est sain; les cavités gauches du cœur et l'aorte contiennent du sang liquide et noir.

La jambe gauche, examinée avec soin, a présenté les altérations suivantes : à la partie supérieure du mollet, dans le tissu cellulaire sous-cutané et entre les muscles, existe une infiltration sanguine très abondante; les veines du membre ne présentent dans toute leur longueur aucune lésion appréciable; elles contiennent une petite quantité de sang liquide sans mélange de pus. Le péroné est fracturé obliquement vers son tiers inférieur; cette fracture est simple. Le tibia est fracturé à quatre pouces au-dessus de l'articulation tibio-tarsienne; cette fracture est comminutive. Les parties molles autour des fragments sont réduites en une espèce de bouillie; mais, je le répète, les veines ne présentent aucune trace d'inflammation.

Avant de passer outre, je dois répondre à une objection à laquelle les partisans de la méthode opposée à celle que je professe, c'est-à-dire les chirurgiens qui conseillent d'attendre le dégorgement du membre blessé avant d'appliquer l'appareil inamovible, attachent une très grande importance. Lorsque les parties molles voisines de la fracture sont déjà tuméfiées, nous disent-ils, il y aurait danger à les entourer d'un bandage inamovible, parce que, de deux choses l'une : ou bien la tuméfaction doit bientôt décroître, et l'appareil devient trop lâche; ou bien la tuméfaction est en voie de progrès, et l'appareil produit un étranglement fâcheux qui peut amener la gangrène.

J'ai déjà répondu en partie à cette objection. Je répèterai d'ailleurs ici ce que je disais à l'Académie royale de médecine dans sa séance du 6 août 1839 : Dans les faits nombreux qui se sont passés sous mes yeux, la compression exercée par l'appareil m'a paru toujours fort avantageuse pour dissiper la tuméfaction; rarement ce gonflement qui accompagne les fractures passe à l'état de suppuration, à moins qu'il n'y ait plaie; tous les chirurgiens savent cela; ce n'est donc pas une objection à faire contre l'emploi de ce moyen. J'ajouterai qu'il est facile, en surveillant attentivement le développement des douleurs, en consultant la teinte du membre, l'apparition de phlyctènes, etc., de savoir au juste quand il convient d'enlever l'appareil. Je n'ai pas vu une seule fois, dans le nombre des faits que j'ai observés, survenir des accidents, qui, avec quelque raison, puissent être attribués au bandage. Dans un cas, des accidents se développèrent; mais le malade m'ayant à plusieurs reprises assuré de son bien-être, je crus pouvoir m'en rapporter à lui; je ne regardai pas le membre; j'eus tort, je l'avoue; mais qui a jamais rendu une méthode thérapeutique responsable des fautes du médecin (1)?

Quoi de plus facile d'ailleurs que de resserrer ou de renouveler tout-à-fait les appareils dont on se sert actuellement? En effet, qu'on fasse usage du bandage amidonné ou du bandage dextriné, il suffit d'humecter l'appareil pour que la bande se déroule avec la plus grande facilité. Lorsque l'appareil ne se trouve plus appliqué convenablement, et qu'il existe un vide au-dessous du bandage, M. Seutin divise au moyen de forts ciseaux, conduits sur une sonde cannelée, la paroi antérieure du bandage; il rapproche ensuite les bords de la division, qu'il maintient réunis au moyen d'une bande roulée, imbibée aussi d'amidon. Si le bandage, dit-il, est devenu trop large, on amincit ces bords avant leur rapprochement, afin de les passer l'un sur l'autre. Quant à moi, je préfère renouveler l'appareil, puisqu'il suffit, comme je vous l'ai déjà dit, et comme

(1) « Le bandage amidonné, dit M. Seutin, ne détermine pas plus la gangrène que tout autre moyen. Il existe deux sortes de compressions : l'une qui tend à s'opposer au retour du sang veineux, c'est celle, par exemple, que l'on établit circulairement autour du bras quand on veut pratiquer une saignée; l'autre, qui s'oppose à l'afflux du sang artériel, tout en favorisant le retour du sang veineux, c'est celle de tout agent qui comprime un membre sur tous ses points, en commençant à agir méthodiquement sur les parties les plus éloignées du centre circulaire. La première détermine la gangrène quand elle est long-temps continuée; la seconde ne fait que s'opposer à l'inflammation. Or, la première est repoussée par les partisans du bandage amidonné comme par les autres praticiens, et la seconde est la seule dont vous puissiez doter notre appareil, si vous concevez bien sa manière d'agir : donc votre argument tombe de lui-même. » (*Mémoire sur le bandage amidonné*, lu au congrès médical belge en 1836.)

vous me le voyez faire fréquemment, d'humecter la bande dextrinée pour qu'il soit tout aussi facile de la dérouler que s'il s'agissait d'un bandage roulé simple.

Je viens de vous dire qu'il est facile, en surveillant attentivement le malade, de savoir au juste quand il convient d'enlever l'appareil. Le fait suivant, dont plusieurs d'entre vous viennent d'être témoins, vous le prouve.

Obs. IX.— Le 25 mai 1840 entra dans notre service, et fut couché au n° 1 de la salle Sainte-Vierge, le nommé Tricoche, Jean, maçon, âgé de vingt-deux ans. Quatre jours auparavant cet homme avait fait une chute d'un lieu élevé de plus de vingt-cinq pieds au dessus du sol, et s'était fracturé les deux os de la jambe droite. Un gonflement considérable ne tarda pas à se manifester. Un médecin fut aussitôt appelé; il pratiqua une saignée, appliqua sur le membre blessé des compresses imbibées d'un liquide résolutif et un bandage de Scultet. Les deux jours suivants, deux nouvelles saignées furent pratiquées. Cependant le malade ne se trouvant pas mieux résolut d'entrer dans un hospice, et vint réclamer nos soins. Voici ce que nous observâmes à la visite du 26 mai, cinq jours après l'accident.

La jambe droite est le siége d'un gonflement très prononcé; les téguments sont rouges, tendus, et comme soulevés par un liquide. La cuisse participe à ce gonflement; mais là il est beaucoup moins marqué. Les deux os de la jambe sont fracturés à la réunion des deux tiers supérieurs avec le tiers inférieur du membre. A ce niveau existe une solution de continuité de la peau; et sur différents points de la jambe et de la partie inférieure de la cuisse existent des contusions. Les fragments osseux ne sont point en rapport. Le bout supérieur du tibia soulève fortement la peau en avant et en dedans. La jambe a une direction vicieuse; elle est convexe en dedans et concave en dehors au niveau du point fracturé. Il y a une réaction générale bien marquée : chaleur de la peau; pouls fréquent, développé; langue blanchâtre au centre, rouge sur les bords; anorexie, soif, insomnie.

L'état de ce malade était sans doute grave, et je vous en prévins. J'opérai la réduction des fractures, je couvris la jambe blessée de compresses imbibées de liquide résolutif, et j'appliquai par dessus le bandage dextriné. Saignée du bras de trois palettes; diète.

Le 27, le malade se trouve un peu mieux; il souffre beaucoup moins de sa blessure, et il dit avoir assez bien dormi pendant la nuit. Nous n'observons pas cependant une amélioration bien prononcée dans son état général.

Le 28, les symptômes généraux sont beaucoup calmés. Le malade est tranquille; il ne se plaint que de quelques légères douleurs dans le membre blessé.

Le 29, nous trouvons le malade fortement agité. Il a eu du délire pendant la nuit. Le membre blessé est le siége de violentes douleurs. J'enlève aussitôt le bandage, et j'applique un appareil de Scultet.

Le 30, même agitation. Il y a encore eu du délire pendant la nuit. La fièvre a augmenté d'intensité; le pouls est plus fréquent; la peau est très chaude et sèche. La jambe et la cuisse sont toujours tuméfiées; les téguments sont fortement tendus, rouges et très douloureux à la pression, surtout au niveau de la fracture. Je fais sur ce point trois ponctions exploratrices avec une lancette, toutes trois ne donnent issue qu'à une petite quantité de sang. — Tout le membre est couvert de compresses résolutives.

Le 1er juin, les symptômes généraux ont redoublé d'intensité. Le gonflement du membre blessé est beaucoup plus considérable que la veille, surtout au niveau de la lésion principale. La jambe et la cuisse paraissent être le siége d'un travail inflammatoire qui doit se terminer par suppuration. Je fais couvrir tout le membre d'un cataplasme de farine de lin.

Le 2 juin, le fragment supérieur du tibia s'est fait jour

à travers les téguments et proémine au-dehors dans l'étendue d'environ un pouce. Le gonflement a un peu diminué ; la peau est moins tendue ; les douleurs se sont un peu calmées. Les symptômes généraux sont aussi moins intenses. Pour ne pas provoquer l'inflammation qui paraît vouloir s'éteindre, je laisse le membre dans l'état où je le trouve.

Le 3, même état. Je pratique, au moyen de la scie à chaînettes, la résection de la portion du tibia qui fait saillie à travers la peau. Cela fait, en voulant m'assurer, à l'aide d'un stylet, de l'état des parties profondes aux environs de la rupture osseuse, je constate la présence d'une esquille volumineuse enfoncée dans les chairs ; je la retire aussitôt au moyen des pinces et des doigts. Cette esquille est fort irrégulière, hérissée de pointes aiguës, et devait par conséquent irriter fortement les tissus. Je fais couvrir la plaie d'un cataplasme de farine de lin.

Le 4, il y a un mieux notable. Les symptômes généraux se sont considérablement amendés. Le malade a assez paisiblement reposé pendant la nuit. La tuméfaction du membre a beaucoup diminué ; les douleurs sont aussi moins vives. Cataplasme de farine de lin.

Le 5, la suppuration est très abondante et d'assez bonne nature. Je fais établir un bandage modérément compressif pour empêcher le pus de stagner dans le fond des plaies, et surtout de fuser dans la partie supérieure du membre.

Les jours suivants, la maladie paraissait devoir se terminer heureusement, lorsqu'un violent érysipèle survint (1), et emporta le malade le 16 du même mois.

L'autopsie ne présenta rien de remarquable.

Avantages de l'appareil inamovible tel que nous l'em

(1) Il y avait à cette époque dans le service de M. Velpeau une épidémie d'érysipèle qui fit succomber plusieurs malades.

ployons. — Après tout ce qui a été dit et écrit depuis quelques années sur les avantages qu'offrent les nouveaux appareils à fracture, je ne m'arrêterai pas à disserter longuement dans cette circonstance pour vous prouver la supériorité de cette nouvelle méthode de traitement des ruptures osseuses sur l'ancienne. Ce que je dois faire ici, surtout, c'est d'exposer quelques uns des faits nombreux, dont plusieurs d'entre vous ont été témoins dans cet hôpital, et qui viennent confirmer de tous points la pratique récemment adoptée dans le traitement des fractures.

S'il est vrai de dire que les anciens appareils inamovibles, et particulièrement celui de M. Larrey, possèdent quelques uns des avantages qu'offrent les bandages dont nous nous servons actuellement, il faut reconnaître aussi qu'on ne peut plus guère assimiler la méthode de traitement préconisée depuis quelques années, avec celle du chirurgien militaire. M. Seutin a assez insisté sur ce point dans différents mémoires, pour que je me dispense d'entrer dans des détails à ce sujet (1). La justesse de cette remarque ressor-

(1) Le passage suivant est extrait textuellement d'un mémoire que M. Seutin devait lire à l'Académie de médecine de Paris, le 13 août 1839. « Je n'ai pas besoin, Messieurs, de vous détailler les différences énormes qui existent entre le nouveau mode de traitement des fractures et l'ancien; personne n'a songé à contester la dissimilitude qui existe entre ces deux méthodes. Tout le monde a aussi reconnu la parfaite hétérogénéité des appareils en plâtre de M. Dieffenbach, de ceux à suspension de M. Mayor et du bandage amidonné; mais ce que beaucoup de personnes ne comprennent pas, c'est qu'il puisse exister entre celui-ci et celui de M. Larrey des différences autres que celles qui distinguent le procédé de la méthode, la modification de l'idée-mère, la variation du principe fondamental. Or, Messieurs, c'est ce que je vais avoir l'honneur de vous démontrer.

» L'idée qui a présidé à la construction du bandage de M. Larrey se trouve clairement exprimée dans la thèse qu'a composée, en 1832, M. Hippolyte Larrey, sur le traitement des fractures des membres par l'appareil inamovible. Dans cette thèse, qui à coup sûr renferme bien toute la pensée de M. Larrey père, il est facile de voir que le célèbre chirurgien militaire n'a eu d'autre vue, en se conduisant comme il l'a fait pour la cure des ruptures

tira d'ailleurs évidemment des considérations que je vais vous présenter.

Je n'ai pas à faire ressortir ici les avantages qui résultent du contact exact et *permanent* des fragments de l'os brisé;

osseuses, que d'étendre à ce genre d'affection la méthode qu'il suivait pour les plaies en général, c'est-à-dire celle des *pansements rares*. Sa grande expérience lui avait démontré les inconvénients des ébranlements fréquents imprimés aux fragments par les mutations continuelles nécessitées par l'emploi du bandage à attelles, et, d'un autre côté, les effets redoutables produits sur les surfaces suppurantes par le contact de l'air; il lui avait paru que le bandage inamovible jouissait des propriétés convenables pour empêcher ces deux grandes causes d'accidents des fractures. Si l'on ajoute à ces raisons quelques considérations relatives à la facilité introduite dans le transport des blessés par un appareil qui maintient solidement les fragments et résiste au choc des corps extérieurs, on a ainsi l'ensemble de tous les motifs qui ont déterminé M. Larrey à adopter l'inamovible dans le traitement des fractures.

» On conçoit facilement comment il se fait que, dirigé par ces idées, M. Larrey ait posé pour principe qu'une fois son bandage appliqué, il faut le laisser en place jusqu'à la fin du traitement; car, dès qu'il est bien reconnu que la sécrétion abondante de pus, les clapiers, les érysipèles, les escarres produites par la contusion, etc., se guérissent moins bien par les différents remèdes proposés contre eux que par les seules forces de la nature, aidées dans le membre blessé d'un bandage qui protège celui-ci contre l'influence des corps ambiants, il n'y a plus de raison plausible pour autoriser l'inspection des parties avant la guérison complète. Aussi M. Larrey, en bon logicien, a-t-il, sous ce rapport, poussé ses principes jusqu'à leurs dernières conséquences; rien ne l'effraie pendant le cours du traitement d'une fracture, quelque compliquée qu'elle soit, pourvu toutefois que le délabrement ne soit point trop grand pour permettre l'application d'un appareil inamovible. Des douleurs surviennent-elles, la suppuration devient-elle énorme, des vers même se forment-ils dans les plaies? M. Larrey reste impassible; car en définitive, se dit il, les douleurs ne peuvent être l'indice que d'une affection nouvelle contre laquelle le meilleur antidote est le bandage lui-même; les esquilles mêmes qui se détachent par un travail éliminateur, ne nuisent point, par leur présence, à la cicatrisation osseuse; la suppuration, qui n'est qu'abondante, changera de nature, se viciera par le contact de l air; les vers rongent les escarres et les détachent, loin de devenir un obstacle à la guérison. Ainsi raisonne M. Larrey. Le changement de bandage pendant le cours d'un traitement de fracture n'est, et ne peut être chez lui qu'une concession faite soit au malade, soit à une curiosité dont on ne peut toujours se défendre, soit à

on est généralement d'accord sur ce point. Du reste tout a été dit sous ce rapport depuis que M. Larrey a préconisé son appareil inamovible.

quelque autre circonstance. Car un chirurgien qui suit à la lettre ses conseils doit pour ainsi dire faire abstraction du membre fracturé, une fois qu'il a la conviction que la réduction a été bien opérée, et sa tâche se réduit désormais à surveiller l'intégrité des autres organes et à suivre les indications générales qui peuvent se présenter.

» Voilà, j'espère, Messieurs, des principes bien clairs, des caractères assez tranchés pour constituer une méthode toute particulière et la distinguer de toutes les autres. En effet, quelles sont les conditions exigées d'une manière de traiter une affection chirurgicale pour lui donner le nom de méthode? C'est, sans contredit, l'existence, dans cette manière de traiter, d'une ou de plusieurs idées capitales qui dominent toutes les déterminations du chirurgien et les restreignent dans un certain cercle dont elles ne peuvent sortir; c'est la faculté qu'ont ces idées d'embrasser certaines modifications qui rentrent naturellement dans leur domaine et qui constituent ce que nous nommons *procédés*. Or, le grand principe, l'idée-mère, la conception générique qui préside à l'application du bandage de M. Larrey, c'est *l'inamovibilité*: toutes les actions de l'homme de l'art qui a adopté la pensée de ce célèbre chirurgien dans le traitement des fractures, tendent à atteindre ce but essentiel: la construction d'un appareil qui doit rester en permanence jusqu'à la guérison. Tout agent mécanique qui, par des moyens différents, tend au même résultat, doit être regardé comme une dépendance du bandage primitif, pourvu que, comme celui ci, il entoure le membre de telle manière et qu'il présente une telle résistance au choc des corps étrangers, que le déplacement des blessés puisse s'effectuer sans dangers et sans accidents.

» L'existence, antérieurement au temps où M. Larrey mit sa méthode au jour, de quelques appareils peu connus qui ressemblaient plus ou moins au sien, ne suffit pas pour lui enlever l'honneur attaché à toute découverte utile; car il faut bien moins considérer comme le propriétaire d'un mode de traitement celui qui n'a fait qu'en parler brièvement ou qui n'en a fait usage que d'une manière légère et momentanée, que celui qui, vivement pénétré de son importance, en a démontré l'utilité par des expériences nombreuses, et qui par ses efforts et sa persévérance est parvenu à vaincre l'espèce d'indifférence avec laquelle sont souvent accueillies les plus précieuses découvertes, et à faire adopter ses idées par le public. Sous ce rapport, M. Larrey a fait tout ce qu'il devait faire pour populariser le traitement des fractures qu'il croit être le meilleur, et son nom doit rester attaché à la méthode de *l'inamovibilité*.

» Mais quelle différence n'existe-t-il point entre ces principes de M. Larrey, que je viens d'exposer, et les miens? Sur quoi peut-on se fonder pour trouver de

Je ne m'arrêterai pas non plus à vous montrer les avantages qui résultent de la simplicité de nos appareils. C'est assez sans doute d'énoncer qu'une bande et une solution

l'analogie entre la méthode inamovible et celle que j'emploie? Je ne le conçois pas trop, car vous allez voir, Messieurs, que le bandage amidonné a aussi sa bannière à lui, et qu'il est tout aussi isolé au milieu des moyens thérapeutiques employés contre les fractures, que celui de M. Larrey. Non seulement il en diffère par les idées générales qui distinguent la méthode à laquelle il appartient, mais encore d'énormes dissemblances existent entre ces deux appareils considérés dans leurs propriétés secondaires. Je ne vous répèterai point tout ce que j'ai déjà publié à ce sujet, je me bornerai à vous faire l'énumération des caractères différentiels des deux méthodes, d'abord, puis des moyens contentifs proprement dits.

Différence des deux méthodes.

« 1° *La méthode de M. Larrey consacre l'inamovibilité. Le bandage amidonné est au contraire un bandage amovo-inamovible.* — Il réunit par conséquent les avantages des appareils renouvelés sans en présenter les inconvénients, et toutes les prérogatives des bandages permanents sans admettre l'impassibilité stoïque du chirurgien en présence d'accidents graves contre lesquels il doit quelquefois agir localement par des moyens particuliers et puissants. Ce principe est entièrement nouveau; dans aucun appareil à fracture employé jusqu'à nos jours on n'a rencontré des propriétés semblables, et je les regarde comme un des points les plus importants de ma méthode.

» 2° *Le bandage de M. Larrey comprime latéralement comme les appareils de l'ancienne méthode.* — En effet, lorsqu'on examine bien le mode d'action de ce bandage, on voit bientôt que ce sont les fanons qui font les principaux frais de la contention; M. Larrey conseille de resserrer les liens les premiers jours, pour augmenter cette action. La partie postérieure du bandage, représentée par une partie du drap fanon et la talonnière, et que M. Larrey considère volontiers comme faisant office d'attelle, lorsqu'elle est durcie par la mixture solidifiante, cette partie postérieure, dis-je, ne comprime que directement d'arrière en avant, de manière qu'en définitive, dans l'appareil de M. Larrey, on rencontre trois sens seulement suivant lesquels s'exerce une compression *directe*, perpendiculairement à l'axe du membre; ce sont: la compression d'arrière en avant, puis celle de dedans en dehors et de dehors en dedans. Nulle part on ne voit une tendance bien marquée vers la compression circulaire. Dans ma méthode, au contraire, j'ai établi pour principe qu'il faut, pour obtenir le plus de chances possibles d'une réduction parfaite, *comprimer le membre fracturé dans tous les points de son étendue,*

de dextrine ou d'amidon suffisent dans la majorité des cas, pour que chacun comprenne facilement tout ce qu'il y a d'utile dans de pareilles modifications. A ceux qui pour-

c'est-à-dire *circulairement*. C'est le seul moyen d'éviter que les fragments ne se dérobent à la pression exercée sur eux, en se portant vers des endroits où ils ne rencontrent point d'obstacles à leur déplacement. Les plus simples notions de mécanique suffisent pour faire sentir au premier coup d'œil combien ce précepte est juste et efficace.

» La compression circulaire dont il est ici question ne doit être considérée que relativement à la contention des fragments. Je suis grand partisan aussi de la compression employée comme moyen de prévenir les accidents qui accompagnent les fractures, et elle est une conséquence rigoureuse de la manière dont mon bandage agit. Mais je ne prétends nullement en avoir le premier recommandé l'usage, et je me borne à faire remarquer ici que je puis m'attribuer l'idée d'une compression circulaire, regardée comme agissant mieux que toute autre sur les fragments.

» 3° *L'appareil de M. Larrey ne donne que plus de facilité pour le transport des blessés.* La *marche* entrant comme élément dans le traitement des ruptures des os, *ne fait pas partie de sa méthode*. Il suffit de jeter un coup d'œil sur la forme et la pesanteur du bandage de M. Larrey pour concevoir qu'il n'a pu être destiné à faciliter la marche du blessé. M. Larrey dit positivement, dans un rapport qu'il a fait en 1837 à l'Académie des sciences, qu'il vaut mieux faire observer le repos pendant vingt ou trente jours que de faire marcher. Les partisans de sa méthode, entre autres M. Bérard jeune, ont bien permis quelquefois la marche, mais seulement dans les fractures de jambe, et vers la fin du traitement ; ils n'ont nullement appuyé sur les heureux effets que produit la déambulation relativement à la consolidation prompte des fractures et la diminution qui en résulte dans la longueur du traitement, attendu qu'elle fait éviter sûrement les retards apportés à la guérison définitive par la roideur des articulations, l'atrophie du membre, etc., résultats presque inévitables de méthodes ordinaires ; ils n'ont considéré la marche que comme une simple satisfaction accordée au malade. Dans ma méthode, au contraire, *la déambulation est non seulement permise dans toutes les fractures des membres*, bien entendu lorsque les complications ne sont point de nature à réagir sur l'organisme, de manière à lui enlever les forces nécessaires pour l'exécution de cette fonction, mais encore elle est conseillée *comme moyen qui hâte l'époque de la guérison*, *et prévient les accidents d'un décubitus trop prolongé*.....

» 4° *Le bandage de M. Larrey retient le liquide sécrété par les surfaces suppurantes dans les fractures compliquées.* — C'est une conséquence inévitable de l'inamovibilité et du soin que l'on a de n'attaquer aucune partie du

raient encore douter de la solidité de nos appareils ainsi simplifiés, je me bornerai à leur répondre d'en faire eux-mêmes l'essai, ou bien de se rendre témoins de ce qui se

bandage pendant la durée du traitement. Mon appareil, au contraire, *permet*, outre l'inspection des parties dont nous avons parlé ; *l'écoulement du pus au-dehors* au moyen des trous dont on le perfore en le confectionnant. Il rend donc mon système de traitement pour les fractures compliquées tout-à-fait différent de celui de M. Larrey. Il met en garde contre la formation de clapiers au milieu des chairs, les étranglements, etc., et cependant conserve toujours, malgré cette propriété, celle de continuer à maintenir les fragments dans l'état où on les avait placés. »

M. Seutin établit ensuite que l'appareil de M. Larrey diffère du sien :

1° Sous le rapport de l'économie dans l'emploi des ingrédients qui entrent dans la composition du bandage ;

2° Sous le rapport du volume, du poids et de la forme ;

3° Sous le rapport de la facilité et de la commodité dans l'application du bandage ;

4° Sous le rapport de la facilité dans la démolition du bandage ;

5° Sous le rapport de la facilité à se procurer les ingrédients qui servent au bandage ;

6° Sous le rapport de la faculté que l'on possède de changer partiellement la conformation du bandage ;

7° Sous le rapport de la mollesse que l'on peut laisser à la face interne du bandage sans qu'il perde pour cela de sa solidité ;

8° Sous le rapport de la liberté que l'on a de maintenir le membre dans toutes les positions possibles, la flexion, l'extension, la pronation, la supination, l'adduction, l'abduction, etc., suivant l'exigence des cas ;

9° Sous le rapport de l'extension possible du bandage à toutes les fractures ;

10° Sous le rapport des mouvements que le bandage permet d'imprimer aux articulations vers la fin du traitement, pour prévenir les ankyloses ;

11° Sous le rapport de l'élégance du bandage.

« Tels sont, continue M. Seutin, les grands caractères qui établissent une ligne de démarcation entre la méthode de M. Larrey et la mienne, et entre les appareils eux-mêmes considérés isolément et abstraction faite de leur concours à la réalisation de la méthode thérapeutique.

» Quatre points essentiels distinguent donc ma manière de traiter les fractures, et l'isolent au milieu des ressources contentives, comme celles de M. Larrey, de M. Mayor, etc. ; ce sont : les principes de l'amovo-inamovibilité, la compression réductive circulaire, la marche, et une conduite particulière pour les fractures avec suppuration. Ce sont là les idées capitales dont je vous parlais tantôt, et qui sont susceptibles de présider à l'invention

passe actuellement dans notre service et dans presque tous les hôpitaux de la capitale.

De la compression *circulaire*, *uniforme*, *régulière*, exercée par les nouveaux appareils à fracture, résulte une série d'avantages sur lesquels on ne saurait trop insister. Je vous ai déjà démontré que c'est cette compression méthodique qui rend si utile, dans une foule de cas, l'application du bandage au début des ruptures osseuses; je ne reviendrai pas sur ce point. Mais ce n'est pas seulement sur les parties molles que cette méthode contentive exerce la plus heureuse influence; elle agit encore d'une manière très favorable sous plusieurs autres rapports.

Le passage suivant extrait d'un mémoire présenté en septembre 1836, par M. le docteur Deroubaix au congrès médical belge, résume parfaitement mes idées à cet égard. L'auteur avait en vue, il est vrai, le bandage amidonné de M. Seutin; mais les réflexions qu'il présente s'appliquent tout aussi bien, je pourrais même dire mieux, à notre bandage roulé.

« La manière dont le bandage amidonné, dit M. Deroubaix, se comporte pour rétablir et retenir les fragments dans des rapports convenables, peut être considérée comme composée de deux modes d'action bien distincts. Le premier comprend la compression des pièces osseuses; le second consiste dans un double effort d'extension et de contre-extension. La compression des fragments présente ici une convenance du remède avec le mal, une sûreté dans les

des procédés nouveaux, de se métamorphoser en modifications nombreuses et variées. Si vous parcourez l'histoire de la chirurgie, vous ne trouverez nulle part des principes semblables réunis pour former une méthode..... »

Plusieurs chirurgiens confondent encore la nouvelle méthode de traiter les fractures préconisée depuis quelques années par M. Seutin, adoptée et modifiée par d'autres praticiens, avec celle qui se rapporte aux appareils inamovibles proprement dits; c'est pour dissiper une pareille erreur que j'ai cru devoir faire la citation précédente, empruntée à un mémoire qui n'est peut-être pas assez connu.

résultats, que l'on chercherait en vain dans les autres appareils dont nous avons parlé. Ce n'est plus, comme dans l'appareil à attelles, cette propriété vague et incertaine de coaptation, assignée à deux ou plusieurs corps solides, qui ne semblent faire disparaître d'un côté les saillies osseuses anormales que pour leur laisser la liberté de reparaître dans un autre sens. Ce n'est également plus, comme dans la méthode à suspension, cette force contentive attribuée à une surface plane qui doit soutenir un corps rond dans une position invariable, et qui, n'agissant point par elle-même, ne peut maintenir la réduction qu'aussi long-temps que le membre y reste appliqué en vertu de son propre poids. C'est au contraire une action uniforme, régulière, constante, appropriée par sa qualité circulaire à la forme des organes qui doivent la ressentir, et opérée par une force qui semble avoir calculé tous les déplacements possibles pour s'y opposer de tous les côtés à la fois. Rien de rude, de saccadé, dans l'exercice de cette force; elle peut se déployer mollement, quoiqu'avec sûreté, parce qu'un grand nombre de parties sont admises à en recevoir en même temps les effets, et qu'elle ne doit par conséquent pas concentrer sa puissance sur un espace peu étendu. Les saillies, les enfoncements, ressentent également son influence, parce que le bandage amidonné jouit de la faculté de présenter des enfoncements aux premières, et des saillies aux seconds. Les muscles, comprimés partout avec la même intensité et d'une manière perpendiculaire, éprouvent par là un obstacle à leur contraction qui tendrait à produire des déplacements, et ne peuvent cependant éluder en aucune manière l'action des moyens compressifs. Ils restent en place, parce qu'ils ne trouvent aucun endroit vers lequel ils puissent se porter pour exercer leurs fonctions avec plus de liberté. Les os fracturés tendent à conserver les rapports qu'on leur a imposés, parce qu'ils se trouvent assujettis médiatement dans tous les points de leurs faces, et aussi bien à leurs extrémités que dans l'endroit où siége la solution de continuité; tout mouvement de bascule, de latéralité, de rotation même, se trouve par là rendu impossible. Ceci est rendu plus certain encore par le maintien solide des os voisins qui sont intimement unis aux pièces fracturées et influent sur leurs mouvements. L'irrégularité des contours et des dimensions du membre dans les différentes régions où on l'examine, loin d'être un obstacle à l'efficacité des moyens de contention, n'est qu'une garantie de plus pour l'immobilité des fragments, parce que l'appareil amidonné s'engrénant, s'il m'est permis de m'exprimer ainsi, dans toutes les inégalités qu'il rencontre, rend par cela même plus difficile que jamais tout glissement des surfaces vivantes sur ses parois internes.

» L'extension et la contre-extension, opérées par le bandage de M. Seutin, présentent quelques particularités qui les distinguent à coup sûr des effets produits par d'autres moyens mécaniques qui ont eu quelque vogue dans la pratique. Elles ne ressemblent en rien aux phénomènes observés lors de l'application des machines inventées par Boyer, dans lesquelles une puissance aveugle et difficile à apprécier est mise en usage, et que l'on a avec quelque apparence de raison comparées à certains instruments de torture. Aucune analogie ne peut être non plus établie entre elles et les résultats fournis par les appareils de Desault, de Dupuytren, etc. L'appareil amidonné, pour restituer aux os leur longueur diminuée par un chevauchement, n'emploie point une force qui s'exerce seulement sur deux extrémités opposées du membre raccourci, et n'expose point de cette manière celles-ci à s'altérer, à cause du peu d'étendue des surfaces qui doivent supporter une traction assez considérable. Il n'est également point exposé à sortir des bornes au-delà desquelles un déplacement contraire à celui auquel on doit remédier peut avoir lieu, comme il paraît que cela s'est vu lorsque l'on mettait en usage les appareils dont il vient d'être question. Semblable à un aide intelligent, destiné à prêter son secours salutaire pendant toute la durée du traitement, il ne fait que maintenir en place les rapports nouveaux que la main du praticien a donnés aux fragments pendant la coaptation. Ce n'est point, si l'on veut être rigoureux sur les termes, une extension et une contre-extension véritablement *actives* qu'il opère; il reste passif jusqu'au moment où les pièces fracturées tendent à reprendre leur position vicieuse par un mouvement rétrograde. Alors seulement il résiste au déplacement par sa force d'inertie, en retenant pour cela les parties qui ont une propension à se déplacer par un nombre de points plus ou moins considérable. »

Je crois inutile d'entrer ici dans de plus grands développements pour vous faire comprendre toute la supériorité de nos bandages sous le point de vue de la compression méthodique qu'ils exercent; évidemment aucun autre appareil ne saurait s'approprier si bien aux indications principales que présente le traitement des ruptures osseuses. L'exactitude de cette proposition ressortirait mieux sans aucun doute du parallèle que nous pourrions établir entre les nouveaux appareils et ceux qui les ont précédés; mais cela nous conduirait trop loin, et d'un autre côté j'ai la conviction qu'un instant de réflexion vous suffira pour embrasser notre opinion. Je puis donc dire, avec M. Seutin, que nul autre moyen ne peut, sauf quelques exceptions très rares, remplir comme lui la triple indication de maintenir la coaptation d'une manière permanente, de s'opposer constamment à l'action des forces qui tendent à détruire les rapports des fragments réunis, et *d'opérer tout cela par une compression uniforme, régulière et méthodique*. Dans cette seule phrase se trouvent résumés une foule d'avantages que vous devinez sans doute, et que je vous développerai dans une autre circonstance.

Cependant je ne puis passer outre sans faire observer que

c'est encore sur le nouveau mode de confectionnement de nos appareils, et surtout sur la compression circulaire, que reposent les applications qu'on a faites de ces bandages inamovibles à plusieurs affections autres que les ruptures osseuses. Je vous ai déjà dit que dès 1830, dans plusieurs cas d'entorse, j'avais fait usage avec succès des appareils inamovibles ; mais je me hâte d'ajouter que la nouvelle direction imprimée au confectionnement de ces appareils par M. Seutin a fait entrevoir à ce chirurgien plusieurs autres applications utiles. Voici ce qu'il écrivait en 1836 dans un mémoire lu au Congrès médical belge. Quoique ces détails ne se rapportent pas directement à notre sujet, je crois devoir les présenter en entier. Il est inutile de dire que les réflexions du chirurgien belge peuvent s'appliquer au bandage amidonné comme au bandage dextriné. M. Seutin trouvera du reste dans cette citation une preuve, ajoutée à mille autres, de la part que je lui fais, et qui d'ailleurs lui revient de droit, dans la question qui nous occupe.

« Les propriétés de notre appareil, dit M. Seutin, peuvent encore le rendre utile pour le maintien des membres après les réductions de luxation, lorsque les accidents primitifs ont disparu. Il aura toujours alors l'avantage de favoriser l'immobilité complète jusqu'à ce que l'on veuille restituer les mouvements à l'articulation, et d'éviter au chirurgien la réapplication fréquente des autres bandages propres à contenir les surfaces articulaires en rapport, surtout si l'on a l'intention de permettre au malade de se lever pendant le temps nécessaire au retour des parties à leur état naturel. Il existe même des circonstances où, malgré l'existence des phénomènes inflammatoires, il pourra être employé avec succès. En effet, quel est le premier besoin de toute partie phlogosée pour revenir à son état normal ? C'est évidemment le repos et la cessation de ses fonctions. Or, cette condition est surtout indispensable pour les articulations enflammées, parce qu'alors le moindre mouvement détermine quelquefois des douleurs atroces. En supposant donc une congestion inflammatoire, par exemple, dans l'articulation scapulo-humérale préalablement luxée et réduite, on conçoit aisément que l'amidonné pourra être appliqué sur le bras et l'avant-bras sans inconvénient, et au contraire avec avantage. Ainsi, en entourant les doigts d'un gantelet, et le membre jusqu'à l'attache inférieure du deltoïde d'une bande roulée durcie par l'amidon, l'on s'opposera au gonflement du bras et de la main ; en appliquant ensuite le reste du bandage autour de la poitrine, on s'opposera aux mouvements de l'articulation malade, et on n'empêchera cependant nullement les médications locales ni la plupart des applications qui sont le plus ordinairement en usage dans ces sortes d'affections. Ces considérations peuvent même, jusqu'à un certain point, faire concevoir la possibilité de se servir de l'amidonné dans certaines affections articulaires, non pas pour déterminer la soudure de l'articulation, mais seulement dans le but de maintenir les parties immobiles, et d'éviter ainsi les désordres quelquefois considérables causés par des mouvements involontaires ou inconsidérés du malade.

» Dans les tumeurs blanches et différentes autres maladies articulaires, il arrive souvent que l'ankylose est la seule terminaison heureuse que l'on puisse espérer sans opération sanglante. Alors il peut se faire que le bandage ordinaire devienne inutile, insupportable, et soit même suivi d'accidents, à cause que les attelles ne comprimant, comme je l'ai dit plus haut, que dans la direction de plusieurs lignes plus ou moins invariables dans leur situation, et ne pouvant d'ailleurs agir que lorsqu'elles sont fortement serrées sur les membres, il arrive, ou que l'on doive relâcher les liens et se résoudre à laisser l'appareil pour ainsi dire inefficace, ou que des escarres, des recrudescences inflammatoires, des perforations, etc., se développent par la compression constante sur des éminences osseuses gonflées et altérées, ou sur la peau qui a elle-même perdu une partie de son énergie vitale. Le bandage amidonné convient alors, parce qu'il n'agit que sur de larges surfaces et n'est pas sujet à se déranger, et il est évident qu'il méritera toujours la préférence lorsque son application sera facile. Cependant il faut avouer que cette application est loin de présenter toujours ces conditions, surtout quand la nécessité où l'on se trouve de laisser la tumeur blanche à nu, pour y appliquer les topiques nécessaires, empêche de fixer convenablement le bandage au niveau de l'articulation. On se trouvera bien d'employer alors une espèce de bandage mixte, composé d'une attelle et de bandes amidonnées. Si le genou, par exemple, était le siége d'une telle affection, et que l'on voulût, pour faciliter la marche après la guérison par ankylose, étendre la jambe sur la cuisse, afin d'allonger le soutien représenté par la totalité du membre, il pourrait se faire que la propension à la flexion, qui est ordinairement très énergique dans ce cas, apportât des obstacles à la réussite du bandage amidonné ordinaire, vu que la partie qui devrait présenter le plus de résistance se trouve au jarret, et que c'est précisément là qu'aucun lien ne peut être appliqué. Je conseillerais, pour obvier à cet inconvénient, d'envelopper d'abord le pied, puis la partie inférieure de la jambe et la cuisse au-dessus du genou, d'une bande que l'on imbiberait d'amidon et qu'on laisserait sécher ; d'appliquer ensuite sur cette bande durcie par la dessiccation, l'attelle, dont la forme, d'ailleurs, devra être appropriée aux circonstances; puis de soutenir les deux extrémités du levier représenté par l'attelle, au moyen de bandes enduites du mucilage. De cette manière, l'on aura un des moyens les plus commodes pour maintenir l'extension d'une manière permanente et sévère, et l'on évitera jusqu'à l'idée des dangers d'une compression soutenue sur la partie postérieure du membre, puisque l'agent qui serait exposé à produire cette compression sera appliqué sur une pièce rigide qui empêchera son action immédiate sur les tissus.

» J'ajouterai à ce que je viens de dire sur les tumeurs blanches, qu'après avoir, dans le principe, employé les moyens antiphlogistiques nécessaires, l'application du bandage amidonné offrira une garantie certaine contre l'ankylose difforme que l'on remarque si souvent, par la flexion presque complète des membres, et surtout des membres inférieurs qui ont été le siége de cette affection ; le bandage bien établi pourra éviter cette flexion, en laissant toutefois la partie malade à même d'être pansée convenablement, en pratiquant des ouvertures aux cartons et au linge qui entourent l'articulation malade. Je pense même que la luxation spontanée coxo-fémorale serait fréquemment conjurée par cette méthode. Les praticiens savent combien il est difficile de maintenir au repos absolu les enfants ; de cette manière ils y seraient forcés. Ajoutons à cela qu'une *compression méthodique* sur l'articulation pourrait peut-être empêcher la sortie de la tête du fémur : j'appelle là-dessus l'attention des praticiens.

» Après les résections, il est indiqué ordinairement de maintenir les parties dans l'immobilité, afin que la substance qui doit rétablir la continuité des parties puisse librement se former. L'appareil amidonné, en vertu de sa propriété de pouvoir fixer solidement une attelle en n'agissant que sur ses deux extrémités, peut encore avoir ici son application. Il en sera de même dans certaines brûlures arrivées à la période de cicatrisation, pour éviter les brides qui causent si souvent des difformités, et après les opérations qui ont pour but de détruire ces difformités, afin d'empêcher la récidive.

» L'orthopédie peut quelquefois réclamer des moyens agissant d'une manière constante, invariable, dans un sens contraire au déplacement ou à la déviation qui constitue une difformité : le bandage dont nous nous occupons fournira quelquefois alors une ressource précieuse; c'est ainsi que des déviations des jambes, ou des pieds, ou des membres supérieurs, pourront ordinairement très bien s'accommoder de son emploi, surtout chez les personnes peu aisées, chez qui ces vices de conformation restent souvent sans traitement, à cause de la cherté de la plupart des machines orthopédiques. Ici cependant la confection du bandage doit varier suivant une foule de circonstances, et il serait difficile d'indiquer *à priori* les modifications que les différents cas pourraient exiger. Mais il est réservé au génie du chirurgien de deviner alors ces modifications, et d'approprier constamment le remède à la nature de la lésion. Beaucoup de praticiens distingués m'ont assuré avoir retiré de grands avantages de cet appareil dans le traitement des pieds-bots (1).

» L'on voit que l'étendue de la sphère qui constitue le domaine du moyen curatif que nous conseillons est incommensurable, et qu'il est même impossible de dire à présent jusqu'où les chirurgiens expérimentateurs pourront encore en reculer les bornes. Une fois le principe admis, les conséquences deviennent infinies. Nouveau Protée, l'appareil permanent empruntera continuellement de nouvelles formes, et se composera, se décomposera, se simplifiera ou se compliquera entre les mains du chirurgien habile, pour suivre, pour ainsi dire, servilement ses intentions. La théorie que nous mettons en usage dans le traitement des fractures conduira à une quantité de procédés inconnus jusqu'à ce jour dans les annales de la science; et c'est ainsi que le bandage amidonné deviendra un moyen héroïque par les modifications successives et les applications variées dont l'art pourra le rendre susceptible. »

Un autre avantage qu'offrent les nouveaux appareils à

(1) Nous devons dire ici que, bien avant M. Seutin, M. Jules Guérin avait traité quelques pieds-bots par un appareil inamovible confectionné avec du plâtre.

fracture consiste dans la propriété qu'ils ont d'être *amovibles* et *inamovibles* tout à la fois. M. Seutin a parfaitement raison quand il dit que c'est là une des plus précieuses qualités de son appareil (1). Je crois devoir entrer dans quelques détails à ce sujet.

Je dirai tout d'abord que cette propriété suffirait à elle seule pour établir une ligne de démarcation bien tranchée entre la pratique que nous préconisons en ce moment et toutes celles qui l'ont précédée. Je m'explique.

Avant que M. Seutin eût fait connaître ses idées sur le traitement des fractures, la thérapeutique des ruptures osseuses comprenait deux méthodes principales : dans l'une, l'appareil était renouvelé à des époques plus ou moins rapprochées; dans l'autre, l'appareil une fois appliqué était laissé en place jusqu'à la consolidation. Cette seconde méthode, préconisée, popularisée par M. Larrey, poussée par lui jusqu'à ses dernières conséquences, n'avait pas, il faut le dire, fait un bien grand nombre de partisans. La grande majorité des chirurgiens ne pouvait se résoudre à laisser un appareil en place pendant toute la durée du traitement sans explorer l'état des parties, sans voir si des escarres, des abcès, des collections ne s'y formaient pas, etc. Chacun sait que M. Larrey reste impassible en présence de tous ces phénomènes locaux; dès qu'il a la conviction que la réduction a été bien opérée, il fait pour ainsi dire abstraction du membre fracturé pour ne s'occuper que de l'intégrité des autres organes et des indications générales qui peuvent se présenter. En résumé, les avantages qu'offrait cette pratique sous le rapport de l'immobilité des fragments de l'os brisé étaient largement compensés aux yeux des praticiens par des dangers plus ou moins graves. D'un autre côté, la méthode ordinaire, celle du renouvellement fréquent des appareils, mettait, il est vrai, à l'abri de ces dangers, mais

(1) *Gazette médicale de Paris*. Année 1838, page 764.

aussi elle n'offrait pas une aussi grande sécurité pour l'immobilité des fragments. Vous le devinez facilement, il fallait adopter ce que chacune de ces deux méthodes avait d'avantageux, et éluder, d'après une combinaison judicieuse, ce qu'elles offraient de plus ou moins nuisible, en prenant toujours pour point de départ l'immobilité des fragments osseux. Eh bien ! disons-le sans plus de détails, telle est l'idée heureuse qui a dirigé M. Seutin dans ses recherches ; et on peut l'avancer sans craindre d'être démenti, le but a été atteint. Les nouveaux appareils à fracture maintiennent complétement l'immobilité des fragments, et leur confectionnement est tel que, sans porter atteinte à cette immobilité, on peut donner librement tous ses soins à la partie blessée.

J'ai déjà dit avec quelle facilité on peut renouveler nos appareils ; il suffit de les mouiller avec de l'eau pour dérouler la bande, comme s'il s'agissait d'enlever un simple bandage roulé. C'est là ce que vous me voyez faire toutes les fois que l'appareil n'est plus en rapport avec le volume du membre sur lequel il est appliqué, ou bien lorsque l'apparition de certains phénomènes morbides indique qu'il se passe quelque chose d'anormal dans la région blessée. Je vous ai déjà mentionné quelques faits dans lesquels je me suis comporté de la sorte, et plusieurs d'entre vous en ont observé une foule d'autres. Dans des cas de ce genre, M. Seutin se borne à inciser, à l'aide de forts ciseaux, une portion longitudinale de son bandage. Par ce moyen, dit-il, si la compression est mal faite, je la corrige ; si elle est trop forte, je la diminue ; si elle est trop lâche, je la resserre ; si une saillie quelconque s'enfonce dans la peau, je la fais disparaître ou je l'enlève, et tout cela s'exécute sans que le bandage cesse de maintenir les fragments, et sans que le malade en ressente la moins fâcheuse impression. On le voit, cette pratique ne ressemble à la méthode des appareils inamovibles proprement dits que sous le point de vue de l'immobilité des fragments; tout le reste lui est diamétralement opposé; c'est là, à proprement parler, *l'inamovibilité de l'os fracturé alliée à l'inspection possible des parties.* Or cette idée devait porter d'autres fruits; les ruptures osseuses compliquées de plaies devaient en ressentir une heureuse influence. Dans des cas de ce genre, ceux-là mêmes qui étaient partisans des appareils inamovibles, à l'exception de M. Larrey et de quelques uns de ses élèves, se voyaient obligés d'avoir recours à la méthode ordinaire, et sacrifiaient ainsi les bienfaits de l'inamovibilité de l'os brisé aux soins que réclamait la lésion des parties molles. Aujourd'hui ce sacrifice n'est plus nécessaire; le confectionnement des nouveaux appareils est tel qu'on peut, avec la plus grande facilité, laisser à nu la plaie; et par là, tout en maintenant les fragments dans leurs rapports, la surveiller et la panser suivant les différentes indications. On a dit, il est vrai, que cette pratique produisait le boursouflement de la partie laissée libre, et s'opposait ainsi à la guérison de la plaie. Je ne dois point répondre ici à cette objection; nous y reviendrons plus tard. Quant à moi, je ne crains pas de dire que ces ouvertures laissées aux appareils, lorsqu'il existe une solution de continuité aux parties molles, offrent des avantages immenses. Vous avez été sans doute témoins de plusieurs cas semblables dans ce service, et vous avez pu vous convaincre que c'est là une pratique qui procure les plus heureux résultats. Entre autres exemples de ce genre, je vous citerai le fait suivant, qui mérite de fixer toute l'attention des praticiens.

OBS. X. — *Fracture comminutive de la jambe gauche. — Issue du fragment supérieur du tibia à travers une large plaie des téguments. — Contusions diverses; infiltration sanguine; emphysème du membre blessé. — Hémorrhagie légère par la plaie. — Proposition d'amputation immédiate. — Refus formel du malade. — Résection du fragment du tibia dans l'étendue d'environ trois pouces. — Pansement simple. — Application du bandage dextriné dix-huit jours après l'accident. — Guérison complète et radicale trois mois après.* — Le 9 mai 1839 fut admis dans notre service le nommé Vèbre (Pierre), maçon, âgé de vingt-cinq ans, d'un tempérament bilioso-sanguin et d'une bonne constitution. Cet homme, chargé d'un lourd fardeau, venait de faire une chute d'un lieu assez élevé, et s'était horriblement mutilé la jambe gauche. Il ne perdit pourtant pas connaissance, et fut aussitôt transporté dans cet hôpital. La gravité de la blessure parut telle, que ma présence fut jugée nécessaire, et j'arrivai aussitôt. Voici ce que nous observâmes :

A la partie inférieure de la jambe gauche, un peu au-dessus de la malléole interne, existait une large plaie contuse de plus de deux pouces de longueur, dirigée obliquement de bas en haut et d'arrière en avant. A travers cette plaie, qui ne donnait que peu de sang, sortait une portion d'os longue d'environ trois pouces. Il nous fut facile de reconnaître le fragment supérieur du tibia. Une esquille de cet os longue d'un demi-pouce était tombée lorsqu'on avait placé le malade dans son lit. Le tibia avait donc été fracturé comminutivement ; cette lésion existait à dix-huit lignes au-dessus de la malléole interne. Le péroné avait été aussi fracturé de la même manière, à peu près à la même hauteur; mais il n'existait pas de plaie au niveau de cette seconde lésion. Toute la jambe, jusqu'à deux pouces au-dessous du genou, était le siége d'une infiltration sanguine considérable. Cette partie du membre inférieur offrait sur différents points une couleur bleuâtre. A la partie supérieure et interne du mollet existait, sur une surface de deux pouces de diamètre, un emphysème très sensible au toucher. L'état général du malade n'offrait d'ailleurs rien de particulier à noter. Le pouls n'était ni dur ni fréquent; il n'existait encore aucun phénomène de réaction. Vèbre ne se plaignait que peu de ses blessures ; il était très abattu.

Ceux d'entre vous qui n'ont pas été témoins de ce fait comprendront sans doute, d'après ce peu de détails, que c'était là un cas excessivement grave; aussi je crus devoir proposer au malade de faire immédiatement le sacrifice de son membre; mais rien ne put le faire décider; il opposa à toutes nos tentatives les refus les plus formels : *Faites tout ce que vous voudrez*, nous dit-il, *mais conservez mon membre.* (Contre toutes mes prévisions, je dois le dire, le temps lui donna complétement raison.) Le voyant inébranlable dans sa résolution, je renonçai à l'amputation, et je pris un autre parti. L'état de délabrement de la région blessée ne me permit pas de faire rentrer la portion du tibia qui faisait issue à travers la plaie, et de rétablir le rapport des fragments entre eux. Je me décidai donc à pratiquer la résection de la portion du tibia qui sortait à travers les chairs. J'en reséquai près de trois pouces. Cette opération n'offrit aucune difficulté, et le malade n'eut pas même l'air d'y faire attention. Cela fait, je plaçai le membre dans une position convenable sur un large coussin, je couvris la plaie d'un linge troué enduit de cérat et recouvert de charpie molle et fine, et j'appliquai par-dessus un bandage simplement contentif que j'arrosai d'un liquide résolutif. Je prescrivis la potion suivante à prendre par cuillerées : Vingt gouttes de laudanum de Sydenham dans six onces d'émulsion de fleurs d'oranger; diète; limonade tartrique pour boisson.

Le lendemain, à la visite du matin, je trouvai notre malade calme et tranquille; il avait peu souffert de sa blessure pendant la nuit; son pouls était régulier, mais il avait acquis une certaine force. La plaie offrait un bon aspect; la suppuration n'était point encore établie. Vèbre demanda à manger. (Deux bouillons; même potion que la veille; deux pots de limonade tartrique.)

Les trois jours suivants, tout alla assez bien, la suppuration s'établit; elle était de bonne nature; l'emphysème disparut; l'infiltration diminua beaucoup, et le membre avait repris en grande partie sa forme naturelle. Vèbre se félicitait déjà d'avoir refusé l'amputation. (Même traitement.)

Le 14, la plaie offre toujours un bel aspect; la suppuration est abondante. Cependant le malade paraît un peu agité; son pouls est plein. J'ordonne une saignée de douze onces. (Même traitement.)

Le 16, le malade se plaint d'assez vives douleurs dans la jambe malade; la suppuration est moins abondante; le pus moins bien lié qu'auparavant. La plaie a pris un caractère blafard. Je la fais laver avec une décoction de quinquina. (Pansement simple; diète.)

Les jours suivants deux petits abcès se formèrent là où avait existé l'emphysème; je les ouvris et la cicatrisation s'opéra promptement.

Le 28 mai, le malade était tout-à-fait calme et tranquille; l'état morbide de la jambe s'était considérablement amélioré. La plaie principale et les ruptures osseuses réclamaient alors spécialement nos soins. J'appliquai un bandage roulé que je couvris de notre appareil dextriné, en ayant soin de laisser la plaie à nu.

Depuis cette époque Vèbre n'éprouva plus aucun accident notable. La plaie, pansée avec soin, reprit chaque jour un meilleur aspect. Le 15 juillet elle était cicatrisée; nous enlevâmes alors le bandage. La fracture du péroné était parfaitement consolidée, mais le tibia ne nous parut pas encore assez solide; en conséquence je réappliquai le bandage dextriné, et dès qu'il fut sec, le malade put marcher dans les salles avec des béquilles.

Le 29 août, j'enlevai l'appareil: la consolidation était parfaite.

Le 5 septembre, Vèbre sortit de l'hôpital radicalement guéri. Il s'appuyait alors très bien sur sa jambe sans ressentir la moindre douleur. Nous mesurâmes exactement les deux membres, et nous ne trouvâmes que cinq lignes en moins pour la jambe malade (1).

Les avantages dont je viens de parler ne sont pas les seuls qui se rattachent à l'emploi de la compression inamovible exercée par les nouveaux appareils à fracture. Il en est un que vous avez déjà deviné sans doute, et qui est peut-être plus précieux à lui seul que tous les autres ensemble ; c'est de ne pas obliger les malades à rester couchés et immobiles pendant six semaines ou deux mois. Ici, du reste, il faut bien s'entendre : en préconisant le principe de la déambulation dans le traitement des ruptures osseuses, en disant que les malades atteints de fracture des membres inférieurs, dès que l'appareil est sec, se lèvent et marchent, on ne prétend pas avancer par là que les blessés peuvent désormais *danser en cadence, faire même des tours de force*, comme l'a dit un mauvais plaisant. On veut dire tout simplement qu'avec nos appareils les malades peuvent se lever, s'asseoir sur un siége, se promener en voiture et marcher à l'aide de béquilles ; ceux qui se livrent par devoir ou par agrément aux travaux de cabinet, peuvent continuer aussi leurs occupations et ne cesser qu'une partie de leurs exercices habituels. Or, qui ne voit déjà, comme on l'a dit avec beaucoup de raison, que ce sont là des avantages qui donnent aux nouveaux appareils la prérogative d'ôter aux fractures des extrémités inférieures une grande somme de gra-

(1) Voici ce que disait M. Breschet à l'Académie royale de médecine dans la séance du 6 août 1839 : « C'est peut-être moins dans les fractures simples qu'il faut vanter les avantages des nouveaux appareils, que dans les fractures compliquées. De l'avis de tous les chirurgiens, cette sorte de lésion est excessivement grave, quelle que soit la marche qu'on suive dans le traitement; qu'on ampute ou qu'on conserve les membres, fort souvent on se repent de la marche qu'on a suivie. Eh bien! l'emploi de l'appareil inamovible dans ces cas fournit les plus grands avantages; l'immobilité complète est assurée; les pansements sont faciles à travers les ouvertures laissées au bandage, dont la constriction maintenue dans de justes limites exerce une heureuse influence sur la résolution de l'engorgement inflammatoire. »

vité, d'assimiler à peu près ces affections à celles des membres thoraciques, et de faire faire par là un pas immense à la thérapeutique des ruptures osseuses, en la rendant plus sûre, moins pénible et moins effrayante pour l'humanité.

La déambulation, dit M. Seutin, est *non seulement permise dans toutes les fractures des membres*, bien entendu lorsque les complications ne sont point de nature à réagir sur l'organisme, de manière à lui enlever les forces nécessaires pour l'exécution de cette fonction, mais encore elle est conseillée *comme moyen qui hâte l'époque de la guérison, et prévient les accidents d'un décubitus trop prolongé.* Non seulement cet exercice ne lui paraît entraîner aucun inconvénient, mais encore il le considère comme propre à faciliter la circulation, la digestion, et par suite à rendre infiniment moins pénible et moins grave le traitement des fractures des membres inférieurs. A l'appui de ce précepte, M. Seutin a publié le résultat d'un grand nombre de faits qui paraissent devoir entraîner la conviction. Cependant, je dois dire que la pratique du chirurgien belge n'a pas été généralement adoptée sur ce point dans toute son extension. « Il est permis de douter, disait M. Blandin dans un rapport lu le 6 août 1839 à l'Académie de médecine, que la marche soit une chose avantageuse pour un malade affecté d'une fracture de cuisse, maintenue à l'aide de l'appareil inamovible; en effet, dans ce cas, les fragments osseux se correspondent par des surfaces si peu étendues, que le plus petit mouvement, et pendant la marche ces fragments en éprouvent bien quelques uns, peut suffire pour les faire dévier et pour nuire au travail de la consolidation; en un mot, puisqu'il est reconnu que l'immobilité des fragments est la condition la plus favorable pour la formation du cal, on ne saurait nier que le meilleur moyen de mettre les malades dans cette condition c'est de leur interdire la déambulation. » M. Bérard jeune, tout partisan qu'il est de la déambulation dans le traitement des fractures de jambe, dit cependant qu'il n'a pas osé la conseiller aux malades atteints de fractures de cuisse. M. Breschet va plus loin ; il repousse en général tout exercice, même avec les béquilles dans la première période de la formation du cal ; le moindre déplacement, le moindre glissement d'un fragment sur l'autre, dit-il, peut retarder la consolidation ; à la seconde période, il n'en est plus de même, le danger est moins pressant ; les malades peuvent, en se soutenant avec des béquilles, faire quelques mouvements et marcher sans inconvénient.

Quant à moi, je répéterai ici ce que j'ai déjà dit à l'Académie de médecine (séance du 6 août 1839) : il faut bien s'entendre sur le sens du mot *déambulation;* car il est probable que c'est lui seul qui a induit les praticiens en erreur. La déambulation ne consiste pas ici à faire supporter au membre fracturé le poids du corps ; les malades n'appuient presque pas sur ce membre ; ce sont les béquilles qui supportent toute la force. Le membre blessé est pendant, soutenu par une bande qui passe autour du cou et qui vient servir d'étrier. Considéré de cette manière, cet exercice se trouve, je crois, à l'abri des objections qu'on lui adresse ; je peux dire du moins que je n'ai pas encore eu à me repentir de l'avoir conseillé à mes malades. Je me hâte d'ajouter toutefois que ce n'est pas là pour moi un précepte général ; il est évident qu'il existe des cas dans lesquels il serait au moins imprudent, pour ne rien dire de plus, d'y soumettre les blessés. Pour les fractures de cuisse surtout, je crois qu'on doit en user avec une certaine réserve. Quant aux fractures de jambe, sauf les cas de rupture osseuse comminutive avec dilacération étendue des parties molles, je ne balance pas de permettre la marche, telle que nous l'entendons, dès que le bandage est parfaitement sec. Telle est la pratique que vous me voyez suivre dans cet hôpital depuis bientôt cinq ans, et je ne sache pas que vous puissiez citer un seul fait capable d'inspirer des craintes.

Pour comprendre du reste tout ce qu'il y a d'avantageux à ne pas laisser les malades, atteints de fracture des membres pelviens, couchés et immobiles pendant un temps plus ou moins long, il suffit de prendre pour ainsi dire au hasard quelques exemples. « Représentons-nous, dit M. Seutin, un cas de pratique où il soit indispensable de maintenir une partie immobile, en même temps qu'il est dangereux de condamner au repos la totalité du corps ; et pour rendre la chose encore plus spéciale et plus sensible, supposons une fracture d'un os principal des extrémités pelviennes, survenue chez un vieillard dont les tissus sont disposés à la mortification, et dont les cartilages et les synoviales sont susceptibles de devenir le siége d'un travail d'ossification funeste ; supposons que l'on trouve un moyen d'affronter les fragments sans devoir pour cela maintenir le corps dans l'immobilité; ce moyen ne serait-il pas le seul que la circonspection du chirurgien lui permît d'employer? »

Eh bien! nous pouvons le dire sans craindre d'être démenti, car l'expérience est venue le confirmer un assez grand nombre de fois, ce moyen, les nouveaux appareils le fournissent d'une manière certaine. Il suffit d'entourer le membre blessé du bandage dextriné ou amidonné, et après quelques jours de repos accordé à la solidification et à la dessiccation de l'appareil, on peut faire mouvoir les articulations libres du malade, et on évite par là les inconvénients de la stagnation des liquides et les dangers des escarres et des ankyloses, résultats d'une immobilité prolongée. Certes, on ne dira pas que ce sont là des craintes chimériques. Il est peu de chirurgiens qui n'aient été plusieurs fois à même d'en constater toute la gravité. C'est d'ailleurs là un fait qui n'a point échappé aux gens du monde, puisqu'ils considèrent en général une fracture des membres inférieurs, survenue chez un vieillard, comme l'avant-coureur d'une mort à peu près certaine. Maintenant donc avec nos appareils, et d'après les nouvelles idées qui règnent sur la thérapeutique des ruptures osseuses, les dangers mentionnés plus haut sont dans une foule de cas sûrement évités ; vous avez pu vous en convaincre dans cet hôpital. Entre autres exemples de ce genre, je vous citerai les deux faits suivants :

Obs. XI. — Le 11 janvier 1840, fut admis dans notre service, et couché au n° 6 de la salle Sainte-Vierge, le nommé Crettet (Pierre), âgé de soixante-neuf ans, journalier, d'une bonne constitution.

La veille de son entrée à l'hôpital, cet homme en traversant un ruisseau gelé, fit une chute, entendit un craquement prononcé dans sa jambe gauche et ne put point se relever ; il fut transporté aussitôt dans notre service. M. Demeaux constata une fracture simple de l'extrémité inférieure du péroné, et appliqua un bandage contentif imbibé d'eau-de-vie camphrée.

Le lendemain à la visite je trouvai l'extrémité inférieure de la jambe gauche un peu tuméfiée. La rupture osseuse était d'ailleurs facile à reconnaître ; la crépitation était très sensible. Le diagnostic de M. Demeaux était exact. Le malade était parfaitement tranquille ; il n'existait aucun phénomène de réaction.

Cette lésion considérée en elle-même était sans contredit légère ; mais qui ne sait que si nous avions laissé ce vieillard couché dans le lit pendant le temps nécessaire à la consolidation, il eût pu en résulter des accidents plus ou moins graves ? Eh bien ! voici ce qui passa : Dès que le bandage fut sec, c'est-à-dire le lendemain de son application, Crettet se leva, s'assit sur une chaise, et quelques jours après il marcha avec des béquilles dans la salle. Ses digestions ne furent point troublées, sa santé générale ne ressentit aucune atteinte. Le 2 février, c'est-à-dire vingt-deux jours après l'accident, nous enlevâmes l'appareil : la consolidation était parfaite ; il eût même été difficile, en explorant le membre dans tous les sens, de déterminer d'une manière positive le point où l'os avait été fracturé.

Obs. XII. — Le 29 octobre 1839, fut admise dans cet hôpital, et couchée au nº 16 de la salle Sainte-Catherine, la nommée Acault (Marie-Louise), âgée de soixante-dix ans, porteuse de pain. Le jour même de son entrée, cette femme glissa sur un trottoir et tomba sur sa jambe droite ; elle ne put se relever et fut transportée aussitôt dans notre service.

Le lendemain, à la visite du matin, je constatai à la partie inférieure du tibia, du côté droit, à un pouce environ au-dessus de la malléole, une fracture simple ; le péroné était également divisé vers son tiers moyen ; il n'existait que peu de gonflement, et la malade était tranquille. J'appliquai immédiatement l'appareil dextriné. Les jours suivants, la malade put se lever et marcher. La guérison survint sans aucun accident. Cette femme sortit de l'hôpital vers le milieu du mois de décembre.

Je le répèterai encore ici : traités par l'ancienne méthode, ces deux malades et une foule d'autres que vous avez pu observer dans ce service, en auraient-ils été quittes à si bon marché ?

Mais ce n'est pas seulement chez les vieillards que le repos nécessité par l'ancienne méthode de traiter les fracture, peut être nuisible. « Figurons-nous encore, dit M. Seutin, une fracture survenue chez un jeune homme ; la déchirure des parties molles a été médiocre, le gonflement inflammatoire a disparu, ainsi que tous les accidents primitifs, et la nature ne semble plus demander à l'art que le repos pour achever le travail de la consolidation qu'elle a commencée. Mais ce repos ne l'accorderez-vous à la partie malade qu'aux dépens de l'économie entière ? Le sujet que vous traitez est jeune, impatient, plein d'agilité et de force, ses organes gémissent de se voir condamnés à l'inaction; il vient de passer des exercices d'une vie active à l'apathie forcée d'un décubitus ennuyeux. Laisserez-vous son corps à la torture et son esprit en proie aux plus tristes réflexions, si vous pouvez le distraire par quelques promenades, et le remettre à l'aise en lui rendant une partie du mouvement qu'il a perdu? Non sans doute.

«Prenons maintenant pour troisième exemple, le cas d'une fracture survenue chez un enfant en bas âge. Son indocilité, sa pétulance, l'ignorance où il est de la nécessité du repos pour sa guérison, seront cause d'un déplacement considérable et continuel des pièces de l'appareil contentif. En outre, si la lésion osseuse a lieu à la cuisse, le voisinage de l'anus et de l'urètre déterminera, malgré les soins les plus assidus et la surveillance la plus active, l'imbibition du bandage par les matières fécales et les urines. De toutes ces circonstances réunies résulteront bientôt des inconvénients graves. Le changement de rapport des surfaces fracturées, l'infection résultant de la présence de matières éminemment putrescibles, l'excoriation imminente des parties avec lesquelles elles sont en contact, forceront le chirurgien à renouveler presque à chaque instant le bandage. Mais ces mutations continuelles ne pourront s'effectuer qu'aux dépens de la célérité et de la régularité de la consolidation. Il en résulte que notre bandage sera ici éminemment utile, s'il peut préserver de la nécessité de panser souvent, et garantir les surfaces qu'il entoure de l'impression nuisible des liquides ambiants. Or, c'est précisément ce qui a lieu: car je démontrerai (cela a déjà été fait) que ce bandage a la propriété de maintenir la coaptation, même pendant les mouvements les plus inconsidérés; et d'un autre côté en prenant l'attention d'empêcher le contact de l'urine et des fèces jusqu'à sa dessiccation au moyen d'un morceau de taffetas ou de toile cirée, on s'opposera par son usage au croupissement de ces matières excrémentitielles, surtout si l'on a soin de l'enduire sur ses parties les plus voisines du bassin d'une couche de blancs d'œuf ou d'un vernis quelconque qui garantisse ses parois immobiles de la pénétration des liquides. »

De pareilles considérations sont trop justes, les chirurgiens en sentent trop bien toute la portée, pour que je croie utile d'entrer dans de nouveaux développements. J'ajouterai seulement que ceci s'applique de tous points aux blessés affectés d'aliénation mentale.

« Enfin, continue M. Seutin, il n'arrive que trop souvent dans la pratique que des fractures compliquées, avec dilacération considérable des parties molles, lésion de filets nerveux, etc., sont bientôt suivies de phénomènes annonçant le délire traumatique, le tétanos. Alors, les blessés voulant se mettre en rapport avec des êtres fantastiques, ou fuir des objets désagréables que leur représente leur imagination malade, exécutent divers mouvements, qui tous, en dernier résultat, ont pour effet des déplacements quelquefois effrayants. On a vu des malheureux, ainsi égarés par l'exaltation de la fièvre, briser les liens qui les retenaient dans leur lit, se lever, marcher sur des membres fracturés, et déterminer de cette manière l'issue des fragments à travers la peau, et des lésions tellement graves que l'amputation en a dû être la suite. »

J'ai été témoin de quelques faits de ce genre ; je me bornerai à vous mentionner le suivant.

Obs. XIII. — En juin 1835, un homme d'environ trente ans entre dans notre service, et est couché au n° 17 de la salle Sainte-Vierge. Sa jambe droite est fracturée comminutivement ; mais il n'existe pas de plaies aux téguments. Les parties molles du crâne sont le siége d'une large solution de continuité. Un appareil ordinaire est appliqué sur le membre blessé ; je fais panser la plaie de tête. Ce malade était à l'hôpital depuis six jours, lorsque tout-à-coup, pendant la nuit, une réaction violente s'opère du côté du cerveau : le malade est subitement pris de délire, et, avant qu'on ait pu lui porter des secours, il a déjà enlevé son appareil et marche dans la salle. Les infirmiers le transportent dans son lit ; mais les fragments de l'os avaient perforé la peau, et causé un énorme délabrement dans les parties molles. La mort survint quelques jours après.

Je le demande donc, avec M. Seutin, à tout homme consciencieux, n'est-ce pas encore dans des cas de ce genre que les nouveaux appareils à fracture constituent une ressource vraiment héroïque, une véritable sauve-garde contre la mutilation ? et le praticien ne serait-il pas mille fois répréhensible et responsable des accidents redoutables qui peuvent survenir, si, connaissant un moyen aussi sûr et aussi facile pour empêcher de si affreux désordres, il s'obstinait à rester embourbé dans la vieille ornière de la routine, plutôt que de faire pour un moment la concession de ses usages et de ses habitudes en faveur de l'urgence de l'indication qui se présente à ses yeux ?

Les considérations que je viens de présenter sur les avantages que procure le nouveau mode de traitement des fractures auraient sans contredit exigé de plus grands développements ; cependant je crois en avoir assez dit pour vous faire comprendre combien les idées qui règnent actuellement sur la thérapeutique des ruptures osseuses ont simplifié cette importante question. D'ailleurs ce que vous observez depuis quelques années dans cet hôpital a dû vous le prouver.

Il me reste maintenant à vous dire quelques mots sur les principales objections qui ont été faites, et que quelques chirurgiens font encore à la méthode de traitement que nous avons adoptée. Il est évident que nous n'avons pas à nous occuper longuement ici des arguments qui s'adressent exclusivement aux appareils inamovibles proprement dits. J'ai déjà démontré que la méthode que nous suivons diffère de celle de M. Larrey, et que c'est même pour obvier à plusieurs inconvénients de cette dernière que nos appareils ont été imaginés. Je pourrais me dispenser aussi de répondre à quelques objections qui ont déjà trouvé en grande partie leur réfutation dans les considérations précédentes; néanmoins, comme on insiste encore sur quelques unes d'entre elles, je crois devoir y revenir.

On a contesté aux nouveaux appareils leur action contentive. « Lorsqu'une fracture vient d'avoir lieu, a-t-on dit, le déplacement des fragments a déterminé plus ou moins d'épanchement sanguin, et bientôt de nouveaux sucs y affluent de toutes parts. Le bandage surprend donc les parties dans un état de turgescence. Mais comme, dans les cas les plus ordinaires, cette turgescence ne tarde pas à se dissiper quelques jours après, surtout si la fracture a été bien réduite, il en résulte entre le membre et l'appareil un vide dans lequel les contractions musculaires peuvent s'opérer, et qui semble favoriser le déplacement des fragments. »

Cette objection a déjà été réfutée par M. Seutin; elle tombe d'ailleurs d'elle-même, si vous vous rappelez ce que je vous ai dit à ce sujet. En effet, quoi de plus facile, lorsqu'on présume que la tuméfaction du membre a disparu et que le bandage ne se trouve plus en rapport direct avec les parties molles, que de renouveler l'appareil comme je le fais, ou de l'inciser suivant la pratique de M. Seutin? Et qu'on ne dise pas qu'il est très difficile de reconnaître ce changement de rapports : si l'appareil a été appliqué avant la turgescence du membre, il est évident qu'on n'a rien à craindre à cet égard, puisque l'appareil s'opposera nécessairement à l'afflux des liquides; lorsqu'au contraire le bandage est appliqué sur un membre déjà tuméfié, on comprend que cette tuméfaction doit cesser, et l'époque de ce retour du membre à son volume primitif est indiqué par des signes qui ne peuvent guère tromper un praticien un peu exercé; dès lors on procède comme je l'ai déjà dit.

M. Seutin soutient même qu'aucun déplacement des fragments ne pourrait avoir lieu quand bien même il existerait un vide entre l'appareil et le membre, et il le prouve jection doit de la manière suivante :

« Si la fracture a lieu à la cuisse, par exemple, le pied, la jambe, la cuisse et le bassin sont maintenus simultanément par l'appareil. Or, si l'on a bien compris sa manière d'agir, il paraîtra clair pour tout le monde que les fragments, quelque puissance qui les sollicite, ne pourront se mouvoir l'un sur l'autre. En effet, dans quel sens prétendrait-on que le déplacement s'opérât ? serait-ce dans le sens de la longueur du membre, par le chevauchement des parties fracturées ? Mais qui ne conçoit qu'alors la paroi antérieure du bandage, représentant une attelle inflexible qui passe en même temps au-devant du membre, autour du bassin et sur le cou-de-pied, empêcherait celui ci de s'élever, en prenant pour lui résister son point d'appui sur le pelvis ? Serait-ce dans le sens de l'épaisseur ? Mais alors deux faces diamétralement opposées, non moins rigides que les précédentes, devraient se ployer sur elles-mêmes ; car, sans cette condition, les parties contenues, situées en dessus et en dessous de la fracture, ne pourraient se mouvoir pour opérer le changement de rapports. Serait-ce enfin dans le sens de la circonférence, de la rotation ? Mais cela serait encore plus impossible que dans le cas précédent, puisqu'il faudrait ici une torsion au lieu d'une simple flexion. Il faut d'ailleurs bien se figurer que le bandage amidonné agit non seulement comme moyen contentif, mais encore comme moyen extensif et contre-extensif permanent. La partie qui embrasse le pied, maintient celui-ci à une distance du pelvis toujours la même, à partir du moment où la dessiccation complète de l'amidon a eu lieu, en prenant par la continuité de l'appareil un point d'appui solide sur le bassin : et il est ainsi facile de comprendre comment les fragments, attirés sans cesse en sens inverse, le supérieur en haut, l'inférieur en bas, doivent tendre à se maintenir en place, à résister aux chocs extérieurs, et à revenir aussitôt dans leur position primitive, si, ce qui ne me paraît guère possible, une cause violente venait à la leur faire perdre momentanément. »

Je suis loin de nier la force de ces raisons; mais je ne pense pas, et M. Seutin est sans doute de mon avis, qu'elles doivent faire négliger les précautions dont je vous ai déjà parlé. Vous le comprenez sans doute, cette première objection doit être mise de côté.

Un second désavantage qu'on a attribué aux nouveaux appareils, c'est d'agir d'une manière aveugle et incertaine. Je conçois ce reproche adressé aux appareils inamovibles proprement dits, à la méthode de M. Larrey qui, comme chacun le sait, dès qu'il a appliqué son bandage, ne s'occupe plus pour ainsi dire du membre blessé; mais il n'en est pas de même dans la méthode que nous suivons actuellement. Nos appareils, je vous l'ai déjà dit et prouvé, sont *amovibles* et *inamovibles* tout à la fois; avec eux on peut, avec la plus grande facilité, explorer le membre toutes les fois qu'on éprouve quelques craintes; s'il existe une plaie aux téguments, en la laissant à nu, on peut la surveiller et la panser tout à son aise. J'ai d'ailleurs assez insisté sur ce point, pour pouvoir me dispenser d'entrer ici dans des détails.

L'on a prétendu que nos bandages étaient susceptibles de déterminer des étranglements. J'ai déjà réfuté cette objection en traitant de l'époque à laquelle il convient d'appliquer les appareils; je n'y reviendrai pas.

On a dit encore que dans les cas de travail vicieux de consolidation, l'emploi de nos appareils était un obstacle au redressement graduel du cal. Cette objection, comme le remarque fort bien M. Seutin, est plus spécieuse que solide. En effet, de deux choses l'une: ou la réduction est bien faite, ou elle ne l'est pas: dans le premier cas, il est évident que, si l'appareil est convenablement appliqué, la consolidation s'opèrera nécessairement d'une manière régulière; dans le second, il est évident aussi que le bandage laissera le membre dans la position vicieuse où il l'aura trouvé. Mais alors qui ne voit que la difformité qui en résultera ne saurait être attribuée à l'appareil? Le chirurgien ici en est seul responsable. Il est vrai de dire pourtant qu'il existe certaines fractures qui offrent sous ce point de vue les plus grandes difficultés : malgré toutes les précautions de la part du chirurgien, la réduction ne peut être parfaite, et la consolidation est nécessairement vicieuse; mais dans ces cas aucun bandage ne peut y remédier. D'ailleurs, en supposant même que certaines manœuvres pussent parvenir à corriger la difformité, j'ai déjà dit avec quelle facilité on peut ôter nos appareils. Ce reproche n'a donc pas de base solide.

On a reproché à notre bandage de placer les téguments en contact immédiat avec un corps dur comme du bois, et partant de produire des excoriations, des escarres sur les parties molles du membre sur lequel il est appliqué. Ce reproche, articulé encore dernièrement par M. Mayor de Lausanne, est devenu aujourd'hui sans aucune espèce de valeur, puisque, comme vous le savez, la dextrine ne se trouve pas en contact immédiat avec la peau. Quelques tours de bande sèche sont appliqués sur le membre, avant de faire usage de la bande imbibée de la solution. D'ailleurs lorsque le bandage est bien appliqué, il se moule parfaitement bien sur les enfoncements et sur les éminences, de telle sorte qu'aucune espèce de glissement n'est possible; « et quand bien même, dit M. Seutin, il n'en serait pas ainsi, l'on pourrait éviter l'inconvénient en interposant entre la face interne du bandage et la surface du membre, un corps moelleux qui, sans empêcher la compression des parties nécessaires à la coaptation, remédierait cependant au contact un peu rude dont on se plaint ; »

mais il est évidemment plus simple de commencer par appliquer un linge sec sur le membre.

On a reproché encore aux nouveaux appareils d'être pendant un temps plus ou moins long inhabiles à maintenir les fragments dans la position où l'on vient de les placer. Ce reproche a paru le plus fondé de tous; cependant si l'on réfléchit qu'on peut obtenir la dessiccation de notre appareil dans quelques heures, en entourant le bandage dextriné d'une température un peu élevée, cette objection perdra une grande partie de sa valeur. Et d'ailleurs qui empêche pendant ce temps d'appliquer quelques attelles? C'est ce que vous me voyez faire toutes les fois que j'ai à craindre quelque changement de rapport des fragments osseux. De plus, tant que le bandage n'est pas sec, on peut avec la plus grande facilité redonner au membre la direction normale qu'il aurait pu perdre. Il est vrai de dire cependant qu'une substance qui, tout en présentant les avantages de la dextrine ou de l'amidon, serait instantanément solidifiable, devrait être préférée. M. Lafargue s'est attaché à résoudre ce problème; mais je vous ai déjà démontré que je ne pensais pas que son mélange de plâtre et d'empois eût cours dans la pratique. Je vous dirai d'ailleurs pour ma part, comme l'a déjà avancé M. Seutin, que jamais dans ma pratique je n'ai dû une consolidation vicieuse à cette imperfection de nos appareils.

Je ne crois pas nécessaire de réfuter une objection articulée dernièrement par M. Mayor de Lausanne. Les nouveaux appareils à fracture, dit ce chirurgien, sont passablement longs à préparer et surtout à appliquer. J'ai suffisamment répondu à cette allégation en disant qu'une solution de dextrine et une longue bande suffisent, et que l'appareil est appliqué purement et simplement comme une bandage roulé. Mais, ajoute le chirurgien de Lausanne, pendant une campagne, pendant ou après une bataille, ces appareils ne peuvent nullement se concilier avec un service *rapide* et *sûr*. Voici la réponse faite par M. Seutin :

« M. Mayor ne prétend certainement point en inférer que mon appareil est inférieur sous ce point de vue aux anciens procédés, car il est facile avec un peu d'habitude de confectionner le bandage amidonné avec autant de célérité que le bandage de Scultet, etc. ; il voudrait seulement faire admettre que sa gouttière en fil de fer garnie de coton vaudrait mieux dans ces cas-là. Il resterait à savoir avant de convenir de cette supériorité, s'il est bien plus expéditif de confectionner la gouttière en fil de fer, de la courber ensuite pour l'adapter à tous les contours des parties, de disposer le coton d'une manière convenable, puis d'appliquer les bandes ou les cravates qui doivent servir à maintenir le tout, que d'entourer le membre d'un appareil amidonné : pour moi, je ne le pense pas. M. Mayor dira que les gouttières auront dû être préparées d'avance, et qu'ainsi l'opération deviendra d'une exécution extrêmement rapide ; mais si l'on admet que l'on puisse avoir à sa disposition une collection de moyens contentifs tout prêts, pourquoi n'aurait-on pas une certaine quantité de bottines amidonnées coupées longitudinalement sur le devant, et telles qu'elles me servent pour maintenir pendant les premiers jours mon bandage encore humide ? Je pense que dans des circonstances telles que celles dont parle M. Mayor, je me contenterais tout bonnement d'appliquer sur le membre deux attelles en carton mouillé et amidonné, que je fixerais au moyen d'une simple bande ; j'environnerais le tout avec ma bottine roide préparée d'avance, et j'aurais ainsi un bandage solide confectionné avec autant de rapidité que pourrait l'être celui de M. Mayor. »

Je passe sous silence quelques autres objections qui ont trouvé leur pleine et entière réfutation dans les considérations que j'ai présentées sur les avantages qu'offrent nos appareils.

En résumant maintenant tout ce que je viens de dire sur les nouveaux appareils à fracture, nous voyons qu'ils sont supérieurs à plus d'un titre à tous ceux qui les ont précédés; que dans une foule de cas ils ne peuvent être remplacés par aucun autre moyen chirurgical; que leur mode d'action offre des avantages immenses dans la pratique et spécialement dans le traitement des ruptures osseuses simples; que leur usage ne doit pas se borner à ces sortes de lésions, mais qu'ils peuvent être très utilement employés à la cure des fractures compliquées avec suppuration, des caries, des nécroses, des plaies des os par armes à feu, des luxations, des entorses, des tumeurs blanches, des résections osseuses, de certaines plaies tendant à une cicatrisation vicieuse, des déviations et des difformités; qu'enfin les différents inconvénients qu'on leur a attribués sont chimériques, ou peuvent être facilement évités: c'est à tel point, que je dirai en terminant, que je suis étonné qu'un moyen chirurgical aussi précieux ne soit pas encore généralement adopté dans la pratique, et que cette nouvelle méthode de traiter les fractures n'ait point fait oublier complétement l'ancienne.

APPENDICE.

MODE GÉNÉRAL D'APPLICATION DU BANDAGE DEXTRINÉ (1).

MEMBRE SUPÉRIEUR.

A. *Fractures de la main.*

1° *Fractures des doigts.* — Il faut ici une bande d'un demi-pouce environ de largeur. On entoure d'abord le doigt fracturé d'un linge fin et sec ; cela fait, on applique par-dessus un plan de bandage roulé avec la bande imbibée de dextrine, en commençant par l'extrémité libre du

(1) Depuis quelques années, on a beaucoup écrit sur les nouveaux appareils à fracture ; on a discuté longuement leurs avantages et leurs inconvénients ; et tout porte à penser que la nouvelle méthode de traiter les ruptures osseuses sera bientôt généralement substituée à l'ancienne. Il devient donc nécessaire de faire connaître comment on doit procéder à l'application de ces appareils. Ce travail a déjà été fait pour le bandage amidonné de M. Seutin (*) ; je crois devoir le faire ici pour le bandage dextriné de M. Velpeau. Ce sera d'ailleurs là le complément des considérations émises dans le précédent article.

Nous supposerons prises toutes les précautions préliminaires à l'application du bandage : réduction, extension, contre-extension, soins de propreté, imbibition du bandage dans la solution de dextrine, etc. Mon seul but est de faire connaître purement et simplement comment on procède à l'hôpital de la Charité, dans le service de M. Velpeau, au confectionnement des appareils à fracture, suivant la région qui se trouve affectée.

(*) *Aperçu succinct sur le mode général d'application du bandage amidonné*, par P.-J.-C. Simonart et D. Pourcelet, élèves internes à l'hôpital Saint-Pierre de Bruxelles.

doigt. Autrefois, après ce premier plan, M. Velpeau appliquait une plaque de carton étroite et d'une longueur convenable, qu'il recouvrait ensuite d'un second et même d'un troisième plan de bandage; aujourd'hui, sauf quelques cas exceptionnels, il ne fait plus usage de carton; il se borne à appliquer sur le linge sec deux ou trois plans du bandage roulé sans aucune espèce d'intermédiaire; après quoi il porte la bande sur la région métacarpienne, où il fait deux ou trois circulaires, et revient enfin la coller autour de la racine du doigt malade. Abandonné à l'air libre, le bandage ainsi posé se dessèche et acquiert la dureté du bois dans l'espace de quelques heures. Alors il se trouve à l'abri de tout déplacement, et, sauf quelques indications spéciales, on le laisse en place jusqu'à la consolidation de l'os. Pour obvier à toute direction vicieuse de l'organe blessé pendant que l'appareil n'est pas encore solide, on place, jusqu'à sa dessiccation complète, la main sur une palette que l'on fixe d'une manière convenable à l'aide d'une bande sèche. Ce que je dis ici pour un seul doigt s'applique également à plusieurs.

2° *Fractures du métacarpe.* — Que la lésion porte sur un ou plusieurs os métacarpiens, on se comporte à peu près de la même manière. Les parties étant préalablement enveloppées d'un linge sec, on entoure successivement les doigts de bandes séparées, étroites, dextrinées; on place ensuite sur le dos du métacarpe un carré de linge doublé d'une plaque de carton mouillé, puis un carré semblable ou un peu plus épais dans la paume de la main. Cela fait, on applique plusieurs tours de bande dextrinée autour de la main et du poignet, en ayant soin de comprimer très modérément le bord de la main vers la racine des doigts, et de n'opérer aucune sorte d'étranglement au poignet. La main est ensuite convenablement placée sur une palette en bois maintenue en place par une bande sèche, jusqu'à la dessiccation complète du bandage.

Fractures du carpe. — L'appareil est ici le même que dans le cas précédent ; seulement on élève le bandage jusqu'au tiers inférieur de l'avant-bras.

B. *Fractures de l'avant-bras.*

1° *Fracture de l'extrémité inférieure du radius.* — Après avoir redonné au poignet sa direction normale, le chirurgien applique sur le linge sec qui doit recouvrir immédiatement la peau, un plan de bandage roulé dextriné, depuis la racine des doigts jusqu'au coude ; il place ensuite par-là-dessus deux compresses graduées, une sur la face antérieure, l'autre sur la face postérieure de l'avant-bras, et s'étendant jusque sur les faces correspondantes de la main. Quelquefois M. Velpeau double ces compresses d'une attelle de carton mouillé ; le plus souvent il ne prend point cette précaution. Quoi qu'il en soit, dès que les compresses sont placées, il applique un second, puis un troisième plan de bandage roulé, établi du coude à la racine des doigts et de la racine des doigts au coude. La solidité de ce bandage, sa dessiccation ne s'établissant que par degrés, permet de redresser insensiblement, mais aussi exactement qu'on peut le désirer, la partie inférieure de l'avant-bras. On peut, du reste, comme M. Velpeau le fait assez souvent, poser par-dessus le bandage une attelle en bois pour maintenir la partie dans une direction convenable, jusqu'à ce que l'appareil soit complétement solidifié.

2° *Fractures dans le corps du membre.* — Quel que soit celui des deux os qui se trouve fracturé, le bandage est à peu près le même ; c'est pourquoi je crois pouvoir me borner à une seule description. L'avant-bras est d'abord entouré d'un linge sec (1) que l'on recouvre d'un premier

(1) Quelle que soit la fracture et sur quelque région qu'elle existe, M. Velpeau commence toujours par envelopper la partie blessée d'un linge sec pour éviter le contact des téguments avec la dextrine desséchée. Cette pratique étant générale, je ne la signalerai plus dorénavant.

plan de bandage roulé étendu depuis le poignet jusqu'au coude. Les compresses graduées avec ou sans les cartons sont appliquées sur ce plan en avant et en arrière. Un second plan du bandage est ramené par-dessus, du coude jusqu'au poignet. On porte ensuite la bande deux ou trois fois autour du métacarpe, entre le pouce et la racine de l'indicateur ; puis on revient sur l'avant-bras, et on termine par un troisième plan de bandage roulé. Pour plus de sûreté, si on avait affaire à un sujet indocile, ou si la rupture osseuse avait son siége très près de l'articulation huméro-cubitale, il serait bon de prolonger les plans du bandage, le membre étant dans la demi-flexion, jusqu'à quelques pouces au-dessus du coude ; par ce moyen la dessiccation de l'appareil étant opérée, l'articulation huméro-cubitale se trouverait ainsi tout-à-fait immobile.

3° *Fracture de l'olécrâne.* — « Aucun des bandages proposés jusqu'à présent ne peut empêcher avec certitude l'écartement des fragments dans les fractures de l'olécrâne ; à moins qu'il ne soit de plus d'un pouce, cet écartement n'entraîne d'ailleurs que très peu d'inconvénients. Ce qu'il y a de mieux à faire en pareil cas est donc de tenir le membre dans une extension très modérée et dans l'immobilité complète pendant environ un mois. Or on obtient ce résultat de la manière la plus parfaite à l'aide du bandage imbibé de dextrine ; rien n'empêche alors d'abaisser le fragment de l'olécrâne en plaçant au-dessus une compresse graduée en travers, puis quelques arcs obliques de la bande, pourvu qu'on ait le soin de ne pas comprimer beaucoup et d'établir, en sus du tout, d'une manière égale, le bandage roulé avec deux grandes plaques de carton mouillé, depuis la racine des doigts jusqu'au voisinage de l'épaule (1). »

(1) Velpeau, *Médecine opératoire*, 2e édition, 1839. t. I, p. 227.

Tel est le précepte donné par M. Velpeau. Voici comment on procède dans l'application de ce bandage : Après avoir mis le membre dans une extension très modérée, on applique au-dessus du fragment supérieur de l'os brisé une compresse graduée placée en travers et que l'on maintient en place à l'aide de quelques arcs obliques d'une bande sèche. Cela fait, on applique un premier plan de bandage roulé dextriné qui doit s'étendre depuis la racine des doigts jusqu'à l'attache inférieure du muscle deltoïde : sur ce premier plan, on applique deux longues plaques de carton mouillé, l'une en dehors, l'autre en dedans du membre. Ces plaques doivent avoir la longueur du bandage. (Je dois dire que M. Velpeau se dispense assez souvent de faire usage de carton.) Le tout est recouvert d'un second et d'un troisième plan du bandage roulé. L'appareil est alors complet. Pour empêcher le membre de prendre une direction autre que celle qu'on lui a donnée, on place sur le bandage mouillé une longue attelle en bois, que l'on enlève dès que l'appareil est complétement sec.

C. *Fractures de l'humérus.*

1° *Fracture du corps de l'os.* — Un simple bandage roulé imbibé de dextrine suffit ici. Les compresses graduées ne sont indiquées que rarement. Ce n'est aussi que dans quelques cas exceptionnels que M. Velpeau fait usage des plaques de carton. Le plus ordinairement deux ou trois plans de bandage roulé, étendus depuis la main jusqu'à l'épaule, et placés sur un linge sec qui doit avoir été préalablement appliqué sur la peau, constituent tout l'appareil.

2° *Fracture de l'extrémité inférieure de l'os.* — Les fragments osseux étant préalablement fixés dans leur position normale, et un linge sec étant appliqué sur les téguments, le chirurgien place une compresse graduée en avant sur le pli du coude, une autre en arrière sur l'olécrâne, et applique par-dessus un premier plan de bandage roulé, imbibé de dextrine, s'étendant depuis le poignet jusqu'au voisinage de l'épaule. Sur ce premier plan, M. Velpeau place assez ordinairement deux plaques de carton mouillé, une en dehors l'autre en dedans du membre. Reprenant ensuite la bande dextrinée, on applique par-dessus deux autres plans de bandage roulé qui complètent l'appareil. Ici comme au poignet, il faut avoir soin de surveiller la dessiccation du bandage et de redonner insensiblement aux parties leur conformation naturelle en les soumettant à des pressions convenables. Du reste, pour éviter tout déplacement, on peut fixer deux attelles en bois jusqu'à ce que l'appareil soit complétement sec.

3° *Fracture de l'extrémité supérieure de l'os.* — Soit que la lésion ait lieu au col anatomique ou au col chirurgical de l'humérus, on peut se servir du bandage de la clavicule que je décrirai plus bas. Cependant le bandage suivant est préférable : on commence par garnir le creux de l'aisselle d'une épaisse plaque de linge ou de toute autre matière analogue, on applique par-dessus quatre ou cinq tours de spica, et on maintient le tout en place à l'aide du bandage roulé imbibé de dextrine.

D. *Fractures de la clavicule.*

L'appareil que M. Velpeau emploie exclusivement, soit pour les fractures, soit pour les luxations de la clavicule, est le suivant. Voici la description que ce chirurgien en donne dans son Traité de médecine opératoire (2me édit., 1839, tom. I, pag. 229-230) : « Il faut une bande de huit à dix aunes. Le chef de cette bande est d'abord appliqué sous l'aisselle du côté sain, ou en arrière, comme dans le cataphraste; on la conduit en diagonale sur le dos et l'épaule jusque sur la clavicule du côté malade. La main du blessé est alors portée sur l'acromion de l'épaule saine, comme pour embrasser cette dernière. Le coude ainsi relevé correspond au-devant de la pointe du sternum, et l'épaule malade se trouve refoulée en haut, en arrière et en dehors par l'action de l'humérus, qui, prenant son point d'appui sur le côté de la poitrine, agit comme un levier du premier genre ou par un mouvement de bascule. Pendant qu'un aide maintient les parties en place, le chirurgien abaisse la bande sur la face antérieure du bras, puis en dehors au-dessous du coude, pour la ramener en haut et en avant sous l'aisselle saine. Il recommence ainsi trois ou quatre fois, afin d'avoir autant de doloires en diagonale qui coupent obliquement et la clavicule blessée, et le haut de la poitrine, et la partie moyenne du bras. Au lieu de ramener la bande sur l'épaule affectée, on la porte ensuite horizontalement sur la face postérieure de la poitrine pour la ramener sur la face externe du bras, du coude ou de l'avant-bras, en forme de circulaires qu'on multiplie jusqu'à ce que la main qui est sur l'épaule saine et le moignon de l'épaule malade restent seuls à découvert. On termine par une ou deux diagonales nouvelles, et par un nombre semblable de circulaires horizontales.

» Une nouvelle bande, bien imbibée de dextrine, et appliquée exactement de la même façon par-dessus la première, fait de ce bandage une espèce de sac inamovible dans lequel le coude repose sans efforts et sans pouvoir se porter ni en arrière, ni en dehors, ni en avant. Je l'ai employé déjà un grand nombre de fois, et il m'a paru si simple, d'une application si facile, que je n'hésite point à le donner comme préférable à tous ceux qui ont été proposés jusqu'ici. Je n'ai pas besoin d'ajouter que quelques remplissages, quelques compresses épaisses peuvent être placées au-dessous dans la région susclaviculaire, tantôt plus près du sternum, d'autres fois plus près de l'acromion, selon qu'il paraît convenable de comprimer plutôt tel point que tel autre. Il est bon aussi, pour éviter les excoriations de la peau, de placer un linge en double entre la poitrine et le bras, de même qu'il faudrait fixer une espèce de coin d'une épaisseur moitié moindre que celui de Desault dans l'aisselle, s'il s'agissait d'une fracture du col de l'humérus. »

MEMBRE INFÉRIEUR.

A. *Fractures du pied.*

On se comporte ici comme pour les lésions de continuité des os de la main. On applique d'abord un linge sec sur la peau; on garnit ensuite le creux antéro-externe de la région dorsale et l'excavation postéro-interne de la plante du pied, à l'aide de quelques compresses graduées et de plaques de carton. Cela fait, on place par-dessus, en commençant par les orteils, deux ou trois plans de bandage roulé, imbibé de dextrine, que l'on a soin de prolonger jusqu'au tiers inférieur de la jambe.

B. *Fractures de la jambe.*

1° *Fractures des deux os.* — Dans les fractures complètes de la jambe, M. Velpeau procède de la manière suivante : sur le linge sec qui doit se trouver immédiatement en contact avec la peau est appliqué un plan de bandage roulé imbibé de dextrine, s'étendant depuis les orteils jusqu'au-dessus du genou. Par-dessus ce premier plan, il place une longue compresse graduée, également imbibée de dextrine, sur la fosse inter-osseuse antérieure, et en applique une autre sur chaque côté du tendon d'Achille et derrière les malléoles; il remplace assez souvent ces compresses par trois plaques de carton mouillé, une en arrière et une de chaque côté. Cela fait, il applique par-dessus un second et un troisième plan de bandage roulé, et l'appareil se trouve complet. Si la direction des parties ne paraît pas convenable, il la rétablit à mesure que le bandage se dessèche. Lorsque la coaptation est parfaite, il applique quelquefois par-dessus l'appareil deux attelles en bois qu'il laisse en place jusqu'à ce que le bandage soit complétement sec.

2° *Fractures du tibia.* — On sait que les solutions de continuité du tibia seul ne sont presque jamais accompagnées de déplacement selon la longueur de l'os; aussi l'appareil qu'elles réclament est plus simple que pour les fractures complètes de la jambe. Dans la plupart des cas, M. Velpeau se borne à appliquer sur le linge sec qui doit envelopper le membre trois plans de bandage roulé imbibé de dextrine, s'étendant depuis les orteils jusqu'au-dessus du genou.

3° *Fractures du péroné.* — Les solutions de continuité du péroné ont été divisées en trois classes principales : fractures des trois quarts supérieurs de cet os; fractures de la malléole externe; fractures du quart inférieur ou sus-malléolaires. Les premières et les secondes ne réclament que le bandage roulé simple avec la bande imbibée de dextrine, comme je viens de l'indiquer pour les fractures du tibia seul. Mais les fractures dites sus-malléolaires exigent plus de précaution. On sait que ce sont celles-là qui ont sans contredit le plus occupé les chirurgiens. Le pied étant fortement relevé et porté en dedans par l'aide qui fait l'extension, le chirurgien, après avoir enveloppé le membre d'un linge fin et sec, applique sur la fosse inter-osseuse antérieure, sur les côtés du tendon d'Achille, et derrière les malléoles, des compresses graduées, qu'il recouvre ensuite de deux ou trois plans du bandage roulé dextriné. Ce bandage doit s'étendre depuis la racine des orteils jusqu'au genou. Pour maintenir la position du pied en avant et en dedans, on peut appliquer une attelle en bois jusqu'à la dessiccation complète du bandage. « On obtient ainsi, dit M. Velpeau, sans efforts et sans fatigue pour le malade, tous les avantages de l'appareil de Dupuytren, joints à ceux du bandage de Scultet, des attelles ordinaires et du bandage compressif. »

C. *Fractures de la rotule.*

« Comme celles de l'olécrâne, les fractures de la rotule ne se réunissent presque jamais par contact immédiat; comme elles aussi, elles permettent au membre de reprendre ses fonctions quand elles ne sont pas suivies d'un écartement de plus d'un pouce. J'ai même vu des fractures de rotule accompagnées de deux ou trois pouces d'écartement, qui n'avaient pas empêché les fonctions de la jambe de se rétablir. Si l'on considère d'un autre côté que tous les bandages sans exception, que toutes les méthodes mises en pratique contre cette maladie, exposent à une foule d'inconvénients, il sera bien permis, je pense, de la soumettre à l'emploi d'un bandage qui ne cause aucune fatigue, qui permet au malade de prendre quelque exercice, et qui procure un résultat définitif pour le moins aussi satisfaisant qu'aucun des autres. Or, ce bandage existe et n'est autre chose que le bandage roulé, imbibé de dextrine et garni, en arrière, d'une plaque de carton qui aille du haut de la cuisse au talon. La seule précaution à prendre en l'employant consiste à tenir les deux fragments de la rotule aussi rapprochés que possible, à en garnir le bord adhérent de compresses graduées, placées en travers, à les attirer l'un vers l'autre au moyen de tours de bande passés obliquement sous le jarret, à prolonger le bandage roulé jusqu'à la racine de la cuisse, pour le redescendre jusqu'au pied (1). »

Tel est le précepte formulé par M. Velpeau. Voici le mode d'application de son appareil. Le membre est placé

(1) M. Velpeau, *Méd. opér.*, 2e edit. 1839, t. I, page 233.

dans une extension modérée ; le genou est enveloppé d'un linge fin et sec. Ces précautions étant prises, le chirurgien, après avoir préalablement rapproché autant que possible les deux fragments de l'os divisé, place en travers, sur leur bord adhérent, des compresses graduées qui, à l'aide de tours de bande passés obliquement sous le jarret, maintiennent les deux bouts osseux rapprochés l'un de l'autre. Cela fait, un premier plan de bandage roulé, imbibé de dextrine, s'étendant depuis le pied jusqu'à la racine de la cuisse, est appliqué. Dès lors le chirurgien place sur la face postérieure du membre une plaque de carton mouillé qui doit s'étendre du talon jusqu'à la partie supérieure de la cuisse. Il applique par-dessus un deuxième et un troisième plan du bandage roulé, et l'appareil se trouve terminé. Une attelle en bois est temporairement appliquée jusqu'à la dessiccation du bandage.

D. *Fractures de la cuisse.*

1° *Fractures du corps du fémur.* — Ces sortes de fractures, dit M. Velpeau, s'accommodent mieux encore que celles de la jambe du bandage roulé imbibé de dextrine.

Un premier plan de bandage roulé imbibé de dextrine, s'étendant depuis le pied jusqu'à la racine de la cuisse, est appliqué sur le linge sec, dont on a préalablement enveloppé toute la longueur du membre. Sur ce premier plan, on place trois larges attelles de carton, une en avant, l'autre en arrière, et la troisième sur le côté externe. Chacune de ces attelles doit s'étendre depuis le pied jusqu'à l'extrémité supérieure du membre ; l'externe doit monter même plus haut. Cela fait, on applique deux autres plans du bandage roulé, que l'on prolonge aussi haut que possible du côté de la hanche, et qui doit même entourer plusieurs fois le bassin en forme de spica. L'appareil est alors complet.

2° *Fractures de l'extrémité supérieure du fémur.* — Les fractures des environs du trochanter réclament le même bandage que celui que je viens de décrire.

3° *Fractures de la partie inférieure du fémur.* — La seule modification que réclament celles-ci consiste à placer au-dessous du premier plan de bandage, dans le creux du jarret, quelques compresses graduées, pour refouler en avant le fragment inférieur de l'os brisé.

E. *Fractures du col du fémur.*

« S'il est vrai, dit M. Velpeau (1), que les fractures intra-capsulaires du col du fémur ne puissent pas se consolider, il est inutile d'astreindre les malades qui en sont affectés à l'emploi d'un appareil fatigant; aussi ai-je contracté dès long-temps l'habitude de permettre aux malades ainsi blessés de sortir du lit et de se promener sur des béquilles à partir du dixième ou du quinzième jour de leur accident. En supposant du reste qu'il y eût lieu d'espérer la consolidation, un bandage *dextriné* en forme de spica bien appliqué, associé à un bandage roulé qui s'étendrait du pied à l'ischion, vaudrait assurément mieux que le bandage de Desault ou celui de Boyer, que la demi-flexion de Bell ou de Dupuytren; enfin que les mille appareils qui ont été proposés et que l'on propose encore chaque jour, dans l'intention de guérir *sans raccourcissement* les fractures du col du fémur. »

J'ajouterai que, quel que soit le point du fémur qui se trouve divisé, M. Velpeau a ordinairement soin de maintenir le membre dans l'extension pendant la dessiccation du bandage. Cette précaution dispense des attelles en bois placées temporairement sur les appareils, et que l'on a désignées sous le nom d'*attelles de précaution*. Pour cela, on

(1) *Oper. cit.* tome I, page 234.

fixe au-dessus du talon et du cou-de-pied le milieu d'une bande forte dont les deux extrémités sont ensuite attachées au pied du lit. Cette bande sert à faire l'extension ; tandis qu'une autre bande, également forte et beaucoup plus longue, passée en sous-cuisse sous l'ischion, et dont on fixe les deux extrémités à une colonne de la tête du lit, sert à faire la contre-extension. « Une fois que l'appareil est complétement durci, dit M. Velpeau, ces accessoires sont inutiles, car le membre n'est plus susceptible d'aucun déplacement, et le malade est libre de se tourner et de se mouvoir sans danger. »

Fractures des côtes et du sternum.

« Toutes les fractures des côtes et du sternum, dit M. Velpeau, peuvent être pansées avec le bandage de corps ou bien avec un triple plan de bandage roulé, ou mieux encore avec le cataphraste imbibé de dextrine. Le premier suffit quand la fracture est simple et sans déplacement ; le second ou le troisième devra être préféré dans les autres cas, parce qu'il permet d'augmenter ou de diminuer à volonté la pression sur tel ou tel point, et de refouler par conséquent pendant la dessiccation les saillies qu'on veut aplatir dans telle direction qu'on désire (1). »

Nota. Lorsqu'une fracture est compliquée de plaie aux téguments, quelle que soit la région qu'elle occupe, on a soin de laisser cette plaie à nu en confectionnant l'appareil. Il vaut mieux, je crois, se comporter ainsi que de faire des incisions sur le bandage d'après la pratique de M. Seutin.

(1) *Oper. cit.* tome I, page 231.

FIN DU TOME DEUXIÈME.

TABLE DES MATIÈRES

CONTENUES DANS CE TOME DEUXIÈME.

FIN DE LA TABLE DES MATIÈRES.

Librairie médicale de Germer Baillière.

DICTIONNAIRE DES DICTIONNAIRES DE MÉDECINE FRANÇAIS ET ÉTRANGERS, ou Traité complet de médecine et de chirurgie pratiques, contenant l'analyse des meilleurs articles qui ont paru jusqu'ici dans les différents dictionnaires et les traités spéciaux les plus importants, par une société de médecins, sous la direction du docteur FABRE, rédacteur en chef de la *Gazette des hôpitaux*.

L'ouvrage sera publié en 5 forts vol. grand in-8, sur deux colonnes, imprimés sur beau papier vélin et en caractères neufs. La publication aura lieu en 15 livraisons de 220 pages environ, paraissant régulièrement de mois en mois, de manière à ce que l'ouvrage sera terminé dans l'espace de 15 mois.

Depuis le 1er février 1840, *huit livraisons* sont en vente. Prix de chaque livraison, 2 fr. pour Paris, et 2 fr. 70 c. *franco* pour les départements.

Sous presse pour paraître incessamment.

ÉLÉMENTS DE PATHOLOGIE MÉDICALE, par A.-P. Requin, agrégé de la Faculté de médecine de Paris, médecin des hôpitaux de Paris. 2 forts vol. in-8 de 7 à 800 pages.

ÉLÉMENTS DE PATHOLOGIE CHIRURGICALE, par M. Nélaton, agrégé de la Faculté de médecine de Paris, chirurgien du bureau central des hôpitaux de Paris. 2 forts vol. in-8 de 7 à 800 pages.

ÉLÉMENTS DE L'ART DES ACCOUCHEMENTS, suivi d'un traité des maladies des femmes grosses et accouchées et des enfants nouveau-nés, par Jacquemier, docteur en médecine de la Faculté de Paris, professeur particulier d'accouchements, des maladies des femmes et des enfants, ancien interne de la Maternité de Paris. 1840, 1 fort vol. in-8 de 7 à 800 pages avec figures intercalées dans le texte.

TRAITÉ CLINIQUE ET PRATIQUE DES MALADIES DES ENFANTS, par MM. les docteurs Barthez et Rilliet, anciens internes de l'hôpital des enfants malades. 2 vol. in-8.

TRAITÉ DE MÉDECINE PRATIQUE PAR PIERRE FRANCK, nouvelle traduction du latin, avec des notes et des suppléments, par MM. les docteurs Barth et Roger. 2 vol. grand in-8 sur 2 colonnes.

Imprimé en France
FROC020928170919
22152FR00013B/179/P

9 782329 307077